Essential Ultrasound Anatomy

초음파 해부학

– 임상에서 바로 사용할 수 있는 –

저자 : Marios Loukas, Danny Burns
역자 : 김기엽, 김병호, 김영만, 박희영, 이승재, 장유권

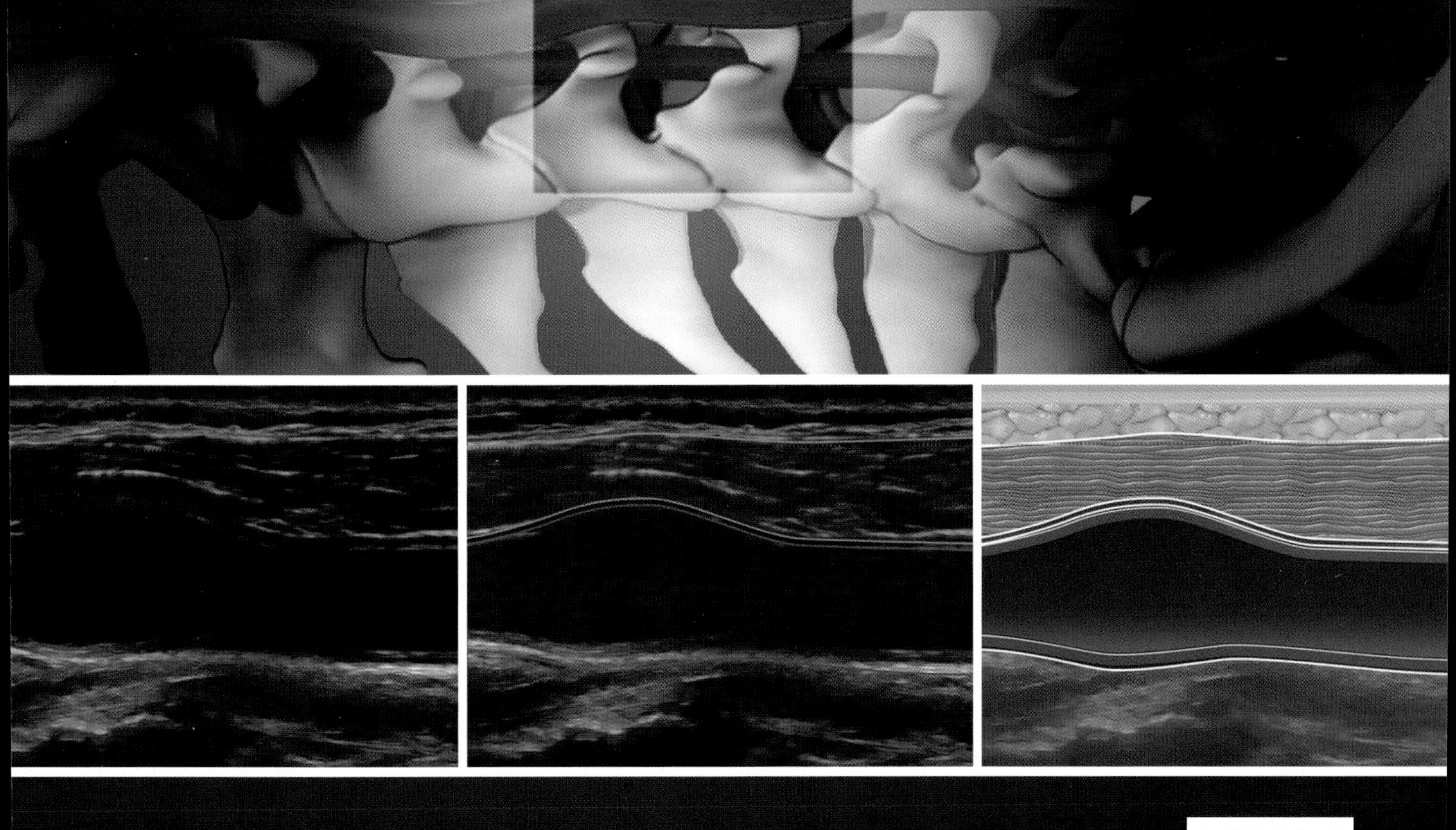

Wolters Kluwer

MEDIAN
메디안북

임상에서 바로 사용할 수 있는

초음파 해부학

Essential Ultrasound Anatomy

인 쇄 : 2021년 11월 1일
발 행 : 2021년 11월 10일

저 자 : Marios Loukas, MD, PhD, Danny Burns, MD, PhD
역 자 : 김기엽, 김병호, 김영만, 박희영, 이승재, 장유권
발행인 : 김용덕
발행처 : 메디안 북
편 집 : 최수정
등 록 : 제 25100-2010-51호
주 소 : 서울시 마포구 마포대로 63-8, 818호(도화동 삼창프라자 빌딩)
전 화 : 02-732-4981
팩 스 : 02-711-4981
홈페이지 : www.mcbooks.co.kr

ISBN : 979-11-90450-57-7 93510

정 가 : 60,000원

Essential Ultrasound Anatomy by Marios Loukas, MD, PhD, Danny Burns, MD, PhD published by Wolters Kluwer, Inc.

약물에 대한 정확한 징후, 부작용 및 복용량 일정이 이 책에 나와 있지만 변경될 수 있습니다. 그러므로, 독자들로 하여금 언급된 약물 제조업체의 패키지 정보 자료들을 꼼꼼히 검토해 볼 것을 권장합니다.
이 책의 저자, 편집자, 출판사 그리고 배급사는 저작물의 오류나 누락 또는 이 저작물의 정보를 적용함으로써 발생한 그 어떠한 결과에 대해서도 책임을 지지 않으며, 출판물의 내용과 관련하여 명시적이거나 함축적인 어떠한 보증도 하지 않습니다.
더불어 저자, 편집자, 출판사 그리고 배급사는 본 출판물로 인해 발생하는 인명 또는 재산상의 상해 및 / 또는 손상에 대해 어떠한 책임도 지지 않습니다.
Wolters Kluwer Health는 이 책의 번역에 참여하지 않았으므로 번역의 오류에 대한 부정확성에 대해 책임을 지지 않습니다.

Essential Ultrasound Anatomy

임상에서 바로 사용할 수 있는

초음파 해부학

저자 : Marios Loukas
Danny Burns

역자 : 김기엽, 김병호, 김영만,
박희영, 이승재, 장유권

Philadelphia • Baltimore • New York • London
Buenos Aires • Hong Kong • Sydney • Tokyo

감사의 말(Acknowledgments)

미래 세대의 의사와 과학자들의 유익을 위해 최선으로 기부해 주신 모든 기부자들과 그 가족들에게 감사의 말씀을 전한다. 이 책은 그들의 헤아릴 수 없는 기여없이는 결코 실현될 수 없었다.

사체에 관한 자료들은 여러 교직원, 실험실 기술자 및 관리 직원이 함께 참여한 팀워크의 큰 산물이다.

우리는 또한 해부 전문지식과 함께 이 프로젝트에 막대한 도움을 주신 다음 동료들에게도 감사의 말씀을 전한다: 기술, 실험실 및 행정 지원을 해준 St. George's University, West Indies, Grenada 해부학 과학 부서의 Rodon Marrast, Shiva Mathurin, Romeo Cox, Seikou Phillip, Marlon Joseph, Nelson Davis, Travis Joseph, Simone Francis, Charlon Charles, Arnelle Gibbs, Sheryce Fraser, Chad Phillip, Ryan Jacobs, Nadica Thomas-Dominique, Tracy Shabazz 와 Yvonne James.

다음 교수진도 이 프로젝트에 함께 했다: St. Gerge's University, School of Medicine, Grenada, West Indies의 해부학 과학부서의 Yusuf Oladimeji Alimi, Ms. Maira duPlessis, Seid Eid, Drs. Theofanis Kollias, Sasha Lake, Ahmed Mahgoub, Rabjot Rai, Ramesh Rao, Asad Rizvi, Wallisa Roberts, Sonja Salandi와 Deepak Sharma

이 프로젝트의 시작부터 열정적이었으며, 환자 자세와 탐촉자 배치를 기록한 St. George's University 삽화 팀과 함께 이 책에 사용된 초음파 영상들과 비디오들 수집을 위해 수 많은 시간을 보낸 Jennifer Kelly RDMS, RTNM에게 특별히 감사의 말씀을 전한다.

삽화에 기여한 St. George's University, School of Medicine, Grenada, West Indies의 다음 전임 강사들에게 감사를 보낸다: Jessica Holland, Brandon Holt David Nahabedian, Luz Ortiz Nieto, Charles Price, Xochitl Vinaja와 katie Yost. 그들의 노고와 능력, 아이디어, 인내, 그리고 창의력에 감사하며 그들이 우리의 동료이며 친구라는 것을 기쁘게 생각한다.

머리말(Preface)

의사는 초음파를 통해 신체를 실시간으로 볼 수 있지만 그것은 상당한 훈련을 필요로 한다. 따라서 미래의 의사들을 조기에 가르치는 것은 매우 중요하다. 몇년 전, 우리는 기초 과학 분야의 의대생들에게 실습 초음파 해부학을 가르치기 시작했다. 빠른 속도로 거의 모든 전문 분야에 걸쳐 도입되는 초음파 임상응용은 의학 교육의 초기단계 부터 초음파 기술, 해부학, 그리고 생리학에서의 견고한 기초 제공을 필요로 한다. 진료소, 응급실 및 병원 병동에서의 현장검사(POC) 초음파 영상의 광범위한 가용성은 21세기의 초음파 검사 지식과 기술을 청진기 검사 지식과 기술만큼 중요하게 만들었다. 환자를 검사하는데 할당된 표준 시간이 가장 효율적으로 이용되도록 학생들(해부학 학부를 포함한)을 실습 세션에 준비시키는 것은 처음부터의 과제 중 하나였다. 초기에, 우리는 너무 많은 실험실 시간이 환자 자세와 탐촉자 배치, 국소 주요 지형물(landmark) 및 주요 해부학적 특징의 초음파 외관을 설명(및 재설명)하는데 소비되었음을 인식했다. 우리는 학생들이 실험실에 임할 때 미리, 참조할 수 있는 자료와 실시간 초음파 영상에서의 최적의 환자 자세, 탐촉자 위치, 주요 지형물, 그리고 해부학적 구조에 대한 기본적인 이해가 바탕으로 선행되어 있기를 원했다. 이러한 방식으로 실험실 세션은 강사들이 측면에서 질문하고 필요에 따라 지침과 제안을 제공하며, 탐촉자는 학생들의 손에 쥐어진 채 시작되고 끝날 수 있다.

특정 초음파 기술을 배우기 위한 대부분의 책과 기타 자료는 주로 임상에서 이미 초음파 영상을 사용하고 있는 실무자를 대상으로 한다. 따라서 많은 정보는 임상 응용의 기술적 세부사항에 초점을 두고 있다. 우리는 이 책이 국소 초음파 해부학에 대해 의학 교육의 초기의 학생들부터 접근할 수 있고, 이미 일상생활에 사용하고 있는 개원의들이 흥미를 가질 정도로 상세하게 기초를 제공하기를 바란다. 이 책은 해부학적 영역으로 구성되어 있으며 각 섹션은 비슷하게 구성되어 있다. 각 섹션은 관련 해부학에 대한 개요("해부학 검토")로 시작하고 "기술" 섹션이 잇따른다. 두 섹션 모두 텍스트로 설명하고 해당 부위의 특정 초음파 영상을 얻는 데 필요한 중요한 기술적 세부 사항과 기술을 사진으로 보여준다. 각각의 도면은 다음의 구성 요소를 포함한다: 표시되지 않은 초음파 영상, 표시된 초음파 영상, 그리고 근육, 힘줄, 기관(예를들어, 간, 신장, 근육)과 같은 "색칠된(painted)" 동일한 영상; 최적의 환자 위치, 탐촉자 배치 및 탐촉자 지시자 방향을 나타내는 도면; 그리고 초음파 영상과 매칭하도록 표시된 Cadaver 슬라이드. 각 기술 텍스트 섹션에는 초음파 영상 방향과 내용을 식별하고 해당 영상이 있는 특정 그림을 참조하는 빠른 참조 탭이 표시된다.

학생들은 이 책을 "소설처럼" 장/챕터순으로 읽으며 교과 과정에서 마주하는 다양한 해부학적 부위에서 일반적으로 볼 수 있는 초음파 영상의 종류와 중요한 구조에 대한 개요를 얻을 수 있다. 대안으로, 특수 부위에서 각각의 초음파 영상은 그 영상을 얻고 구조와 주요 지형물(landmark)을 찾는 방법에 대한 삽화와 설명과 함께 읽을 수 있다. 예를 들어, 코스 강사는 실험실 세션에서 해부학 부위 2개 또는 3개의 영상을 선택하고 학생들이 환자를 표준화된 위치로 적절하게 배치하고, 탐촉자를 올바른 위치 및 방향에 배치하며, 각 영상에서 주요 지형물과 주요 구조를 탐색하고 식별하도록 해당 부분에 대한 읽기를 부과할 수 있다. FAST 검사에서 정상 및 비정상 결과를 설명한 특별한 챕터가 소개되었다. 그것은 일반적인 초음파 임상응용을 바탕으로 독자들이 심장, 복부 사분면 상층(upper quadrants of the abdomen), 그리고 남성과 여성의 골반에 초음파 해부학을 적용해 볼 기회를 제공한다. 마지막 챕터는 학생, 강사, 의사들에게 임상적으로 의미 있는 피드백을 주기 위하여 USMLE-타입의 객관식 문제를 몇몇 포함한다.

우리는 이 책이 신체의 중요한 구조를 찾고 식별하기 위한 합리적인 해부학적 근거를 가지고 초음파 사용에 관심이 있는 모든 사람들에게 도움이 되기를 바란다.

헌신(Dedications)

수 년동안 인내하며 나를 지지해준 나의 배우자이자 가장 친한 친구 Marti에게. 배움에 대한 열의로 이 과정을 재미있도록 해준 의학대학과 대학원의 멘토들, 그리고 많은 학생들과 후배들에게. - D.B

이 책의 집필기간 동안 나를 향해 밤낮으로 인내와 지지를 아끼지 않은 나의 딸 Nikol, 아들 Chris, 그리고 나의 아내 Joanna에게 사랑을. - M.L

역자서문(The preface of a translator)

임상에서 근골격계 질환에 초음파를 이용한 진단과 치료는 모든 과 영역에서 적용하고 있고, 앞으로 더 많은 관심과 발전이 있을 것으로 생각됩니다.

하지만 임상을 처음 시작한 의사들에게 초음파는 생소한 영역이라고 할 수 있고, 새롭게 배워야 할 것들이 많이 있습니다. 이미 배우고 익힌 해부학적 구조물들과 초음파 영상과의 관계에 익숙해지기까지는 짧지 않은 시간이 필요하게 될 것입니다.

의과대학생부터 임상 의사까지 쉽게 접근 가능한 Marios Loukas등의 Essential Ultrasound Anatomy의 번역서는 때로 진료실에서 초음파를 이용할 때 임상의들에게 초음파 영상의 해부학적 구조물에 대한 이해를 돕기 위해 가까이 두고 볼 수 있는 좋은 안내서가 될 것으로 기대됩니다.

2004년부터 매월 정기적으로 모여 근골격계 질환의 초음파를 이용한 진단과 치료에 대한 경험과 지식을 공유해 온 부울경 초음파 연구회 회원들 중 번역에 참여해 주신 선생님들께 감사를 드립니다.

김기엽
김기엽 마취통증의학과
부울경 초음파 연구회

역자 명단

김기엽	김기엽 마취통증의학과의원
김병호	김병호 정형외과의원
김영만	라파 마취통증의학과의원
박희영	한사랑내과병원 영상의학과
이승재	이승재 정형외과의원
장유권	사직정형외과의원

목차(Contents)

4 상지(Upper Limb)

5 하지(Lower Limb)

10 여성 골반(Female Pelvis)

11 남성 골반(Male Pelvis)

12 외상에서 초음파의 집중된 평가(FAST)

Chapter

1

개요(Introduction)

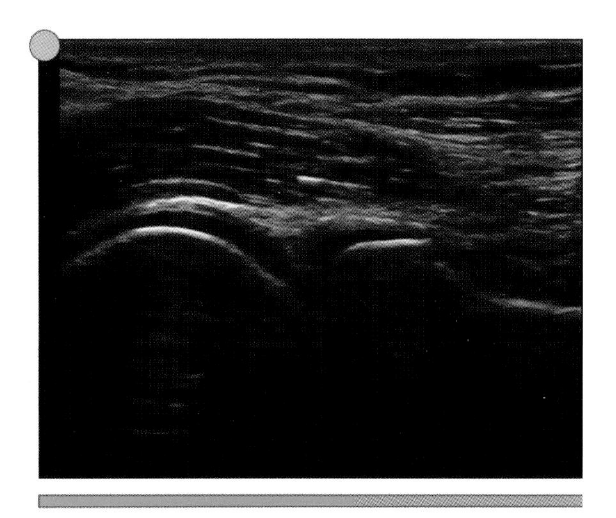

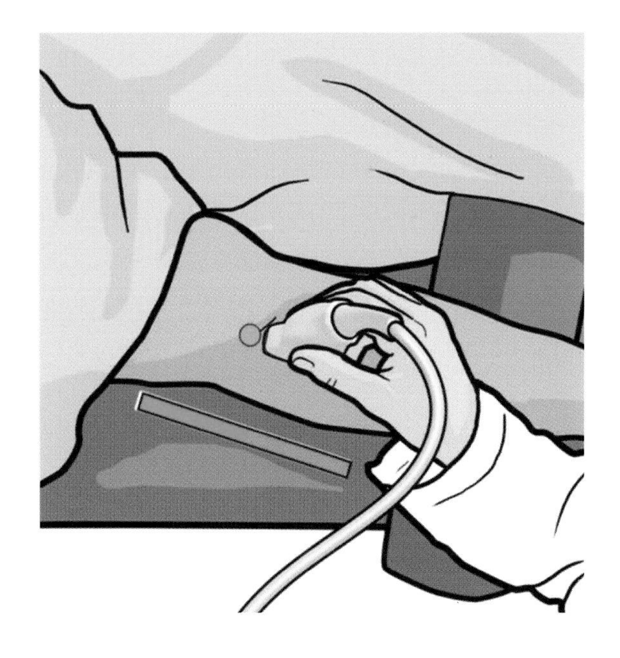

초음파 기초(Ultrasound Basics)

초음파(US)는 여러 의료 분야에서 널리 사용되는 영상 기술이다. 이 장치는 휴대용이며 이온화 방사선이 없으며 가장 취약한 인구 집단에서도 피해 위험이 낮다. 휴대성, 안전성 및 초음파 영상의 상대적으로 저렴한 비용으로 병상(bed-side)과 기타 치료시점 영상을 위해, 점점 더 이학적 검사의 연장(예: 복강내 출혈이 의심될 때 free fluid를 확인하기 위한 복막 공간검사)이나 central line 배치, 신경차단, 관절강내 주사, 생검같은 중재적 시술의 가이드로 폭넓게 활용 가능하게 되었다.

전형적인 초음파 영상은 내부 구조를 2차원의 단면으로 보여준다. 신체 위 탐촉자 배치 및 방향에 따라 초음파 영상은 횡단(transverse), 시상(sagittal)/방시상(parasagittal), 관상(coronal) 또는 경사(oblique)일 수 있다. 실시간으로 얻어지는 호흡기 운동, 심실 수축, 동맥 박동, 정맥 혈류의 위상 변화, 근육/힘줄/관절운동이나 인대 또는 힘줄에 대한 자극적 스트레스의 영향과 같은 영상들은 숙련자를 통해 쉽게 관찰된다.

초음파 탐촉자에 내장된 변환기에서 매우 높은 주파수의 짧은 박동(pulse)이 그 표면에서 환자의 신체로 전달된다. 초음파 박동이 신체를 통해 전파되고 다른 음향 특성을 갖는 조직을 만나면, 일부 사운드 에너지가 변환기[반향(echo)]로 다시 반사되고 일부는 계속해서 더 깊은 조직(침전을 통해)으로 침투한다. 탐촉자로 되돌아 오는 반향신호는 가공되고 결합되어 스캔중인 부분의 영상을 생성한다.

다른 분야에서의 응용을 위한 다른 탐촉자
(Different Probes for Different Applications)

각각 다른 탐촉자의 영상 모양과 깊이
그림 1.1

범용 초음파 영상의 적용에 일반적으로 사용되는 탐촉자 표면 유형은 3가지가 있다: **복부 탐촉자, 심장 탐촉자 및 고주파 선형 탐촉자.**

복부(볼록 또는 곡선) 탐촉자 [Abdominal(Convex or Curved Array) Probes]

이들은 곡면의 전형적으로 4~6 cm의 "수신범위(footprint)" (탐촉자면의 측면 치수)를 갖는 저주파수에서 중간 주파수(2-5 MHz)의 탐촉자이다. 이름에서 알 수 있듯이, 이러한 탐촉자는 일반적으로 복부영상촬영에 사용되지만 복벽경유(transabdominal) 골반영상, 산과영상, 척추 및 고관절과 같은 근골격 영상과 같은 다른 응용 분야에도 사용된다. 이 탐촉자에 사용되는 상대적으로 낮은 주파수는 최대 20 cm 정도의 깊이까지 영상화 할 수 있고, 생성된 부채꼴 영상은 피

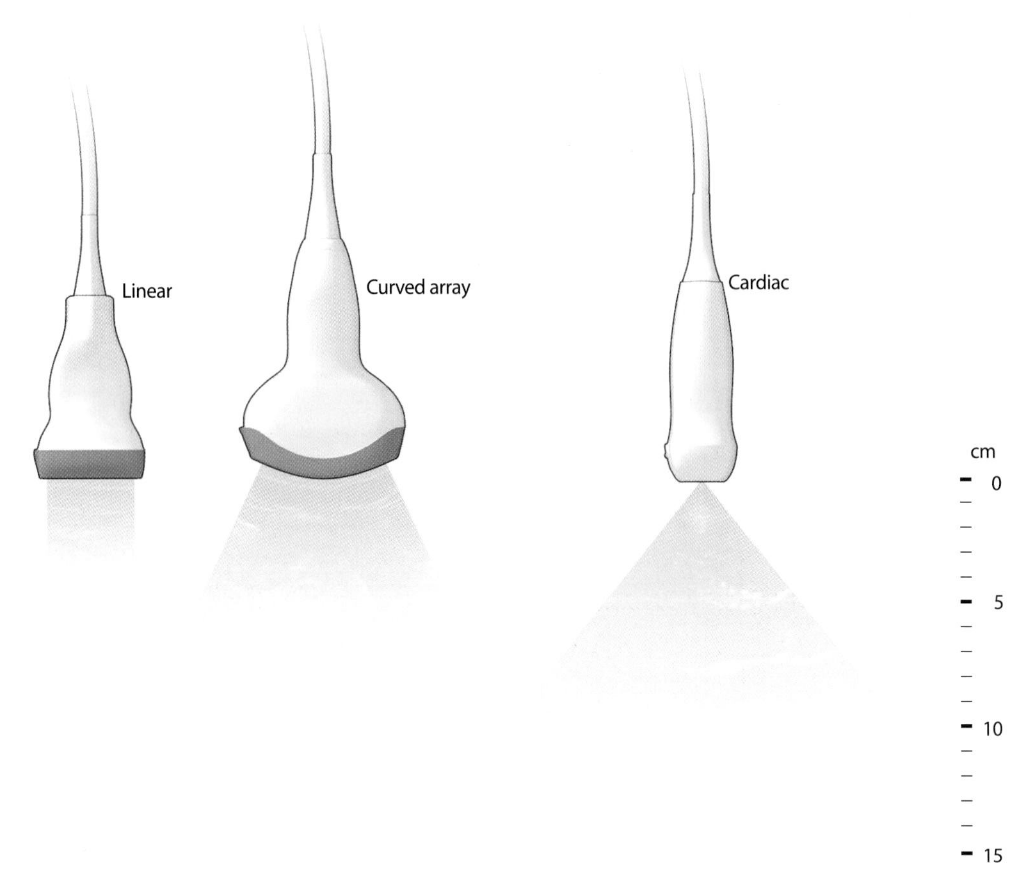

그림 1.1 선형, 복부 및 심장 탐촉자. 파란색 음영으로 표시된 부분은 각 탐촉자 유형에 의해 생성된 영상의 모양이다.

부 표면에서 탐촉자 수신범위(footprint) 너비이며 깊이가 증가함에 따라 점차 넓어진다. 이를 통해 광각 시야로 크고 넓은 구조(예: 신장) 및 목표(landmark)를 영상화할 수 있을 뿐 아니라, 이 탐촉자 수신범위(footprint)의 너비로 피부 표면 근처의 구조를 넓게 영상화 할 수도 있다.

심장(부채꼴 배열) 탐촉자 [Cardiac (Sector Array) Probes]

이 탐촉자는 심장 초음파 영상화(심초음파 검사, echocardiography)에서 광범위하게 사용되지만 좁은 초음파 창(예: 늑간공간)을 통해 상대적으로 크고 깊이 있는 구조물을 영상화하는 데 적합하다. 이들은 삼각형 모양과 유사한 부채꼴 영상을 생성하고, 영상은 매우 작은[즉, 전염원(point source)] 표피 수신범위에서 깊이가 증가함에 따라 점점 넓어진다. 공진 주파수(1.5–4.5 MHz)는 낮으며 상당한 깊이로 침투가 가능하다(복부 탐촉자와 비슷하게). 영상이 표면상으로 너무 좁기때문에 이러한 탐촉자는 표재성 구조들을 영상화하는데 유용하지 않지만 필요한 경우, 대부분의 복부 초음파 영상 목적에 맞게 조정할 수 있다.

선형(선형 배열) 탐촉자 [Linear(Linear Array) Probes]

높은 공진 주파수(8−15 MHz)로 인해 이 탐촉자는 최상의 영상 디테일을 제공하지만 깊이 침투하지는 못한다. 그로 인해 이것은 근골격계, 말초신경, 갑상선, 유방, 표재성 혈관 및 상대적으로 얕은 조직(피부 표면으로 부터 최대 깊이 5~6 cm)의 고해상도 영상이 필요한 분야에 사용된다. 선형 탐촉자 영상은 직사각형 모양이다. 이 영상의 너비는 표면의 탐촉자 면에서 영상의 가장 깊은 부분[일반적으로 4~5 cm의 탐촉자 수신범위(footprint) 너비]까지 동일하게 유지된다.

초음파 탐촉자의 사용(Using Ultrasound Probes)

초음파 젤(Ultrasound Gel)

피부와 탐촉자를 음향적으로 연결시키는 초음파 젤
그림 1.2

탐촉자 면은 피부의 소리 전달 특성과 비슷한 성질을 가진 수성 젤을 사용하여 피부면과 결합시켜야 한다. 이 젤은 탐촉자 면과 피부 사이에서 초음파 박동(pulse)이 피부와 더 깊은 조직으로 전달되는 것을 방해하는 공기주머니(air pockets) (또는 피부 주름과 요철)를 없앤다.

탐촉자 제어 및 조작(Controlling and Manipulating the Probe)

양질의 영상을 얻기 위해서 초음파 사용자는 적절한 양의 압력을 가하고, 고르지 않고 미끄러운 표면에서 탐촉자 면을 안정적이게 배치하고, 탐촉자면의 각도, 회전 및 기울기를 미세하게 조

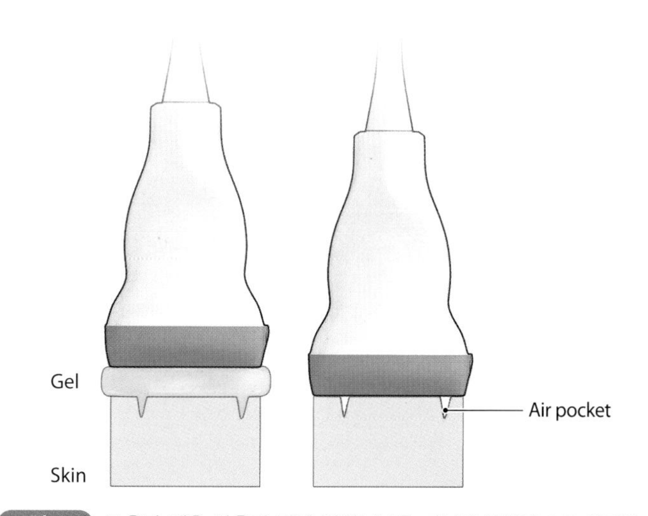

그림 1.2 초음파 젤은 탐촉자 가장 바깥부분을 피부에 음향적으로 연결한다.

정, 제어하고 조작하는 법을 배워야 한다.

대부분의 경우 탐촉자면에 적당하고 균일한 압력을 가해야 한다. 피부 표면과 탐촉자면이 충분히 접촉하지 않는 영역은 화면 영상이 떨어진다. 일부 초음파 영상 작업에는 더 큰 압력이 필요한 반면 어떤 영상 작업에는 최소한의 압력이 필요하다.

탐촉자면의 적절한 회전 및 기울기(tilting) (**fanning** 또는 **toggling**)는 실제 종축 또는 횡축에서 관심있는 구조를 보는데(또 시야를 종방향에서 횡방향으로, 혹은 그 반대로 변경하는 것) 그리고 피부 표면과 평행하지 않는 구조의 정확한 영상을 생성하는 데 중요하다. 힘줄과 신경을 포함한 일부 구조물은 초음파 빔이 코스와 수직일 때 훨씬 밝게 나타난다.

탐촉자 압력, 부드러운 부분 주위를 움직이는 탐촉자 이동, 그리고/혹은 환자 자세로 인해 초음파 스캐닝은 때때로 환자에게 불편할 수 있지만, 불필요하게 불편하거나 고통스럽지 않아야 한다. 환자와 의사 소통하고 환자의 편안함과 안전에 주의를 기울이는 것이 초음파 스캔시 항상 최우선 과제이다.

탐촉자 및 방향표지(Probe and Display Orientation Marker)

초음파 영상에서 구조들 사이의 위치와 관계를 이해하기 위해서는, 표재에서 심부로, 그리고 위에서 아래로, 또는 좌에서 우로(측면에서 중심으로) 영상 방향들을 맞출 수 있어야만 한다. 모든 초음파 탐촉자에는 탐촉자면 근처 한쪽에 점이나 능선으로 된 방향성 표지가 있으며 때로는 작은 LED 조명이 있다. 탐촉자 방향 표지는 대개 색깔있는 점 또는 제조업체 로고인 화면 방향 표지와 일치한다. 일반적으로 대부분의 초음파 영상의 경우 표시되는 방향 표지가 영상의 왼쪽 상단에 배치된다. 관례상, 대부분의 초음파 영상에서는 화면 방향표지는 영상의 왼쪽 위 모퉁이에 있다. 역사적 이유로 심장 초음파의 경우에 방향표지는 일반적으로 화면의 오른쪽에 배치된다. 또한, 관례적으로 탐촉자의 방향표지는 신체 종축을 따라 스캔할 때는 위쪽(머리쪽)으로 향해져야 하고, 종축에서 횡으로 스캔을 수행할 때는 환자의 오른쪽을 향해야 한다.

종축을 통해 획득한 스캔에 대한 방향
그림. 1.3

이러한 규칙이 준수되면, 종축 스캔에서 영상의 왼쪽(표지쪽)에 가까운 구조들은 더 위쪽(superior)이고 영상의 오른쪽(표지쪽이 아닌)에 가까운 구조는 더 아래쪽이다. 그림 1.3의 영상은 팔오금(cubital fossa) 피부에 탐촉자 표면을 대고 탐촉자 방향 표지가 위로 간 채 종축을 따라 얻은 것이다. 이것을 알면, 영상의 방향을 이해하고 구조물들과 주요 지형물들(landmarks)을 확인할 수 있다.

횡축을 따라 획득한 스캔에 대한 방향
그림 1.4

마찬가지로, 앞에서 언급한 횡 스캔 규칙에 따라 영상의 표지쪽의 구조는 환자의 오른쪽을 향하고 영상의 표지쪽이 아닌 구조는 환자의 왼쪽

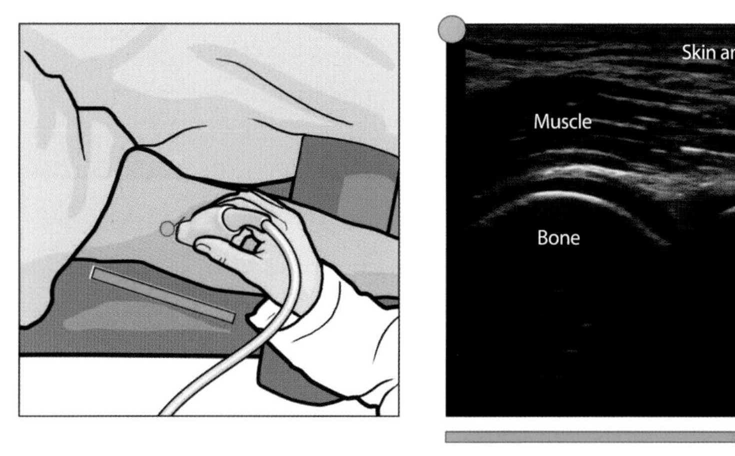

그림 1.3 종축을 통해 얻어진 영상에 방향을 맞추기 위해 탐촉자 표지와 화면 표지의 사용

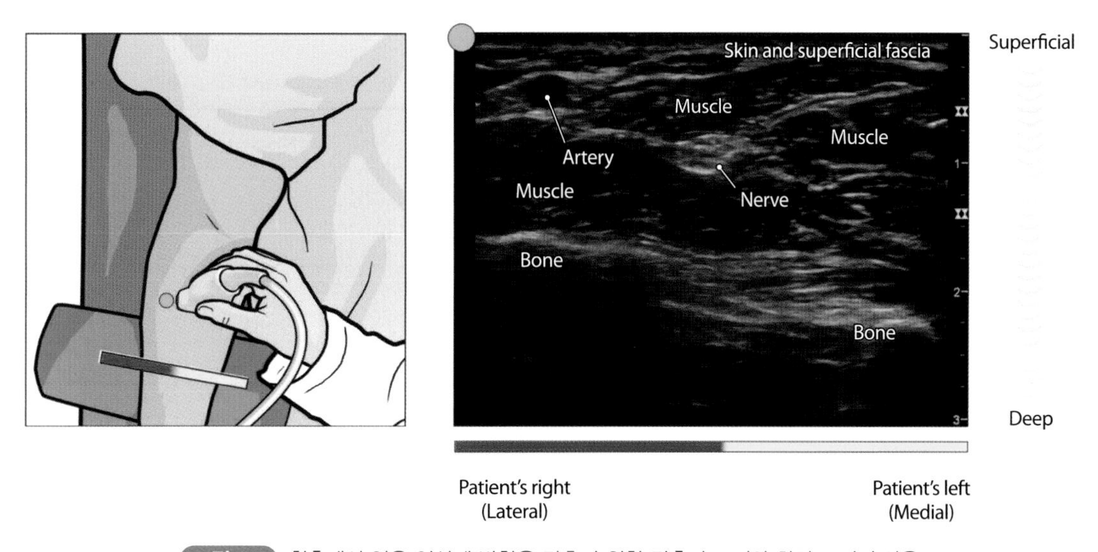

그림 1.4 횡축에서 얻은 영상에 방향을 맞추기 위한 탐촉자 표지와 화면 표지의 사용

을 향한다. 그림 1.4의 영상은 신체의 종축(사지에서 횡축)에 횡방향으로 얻어졌으며, 탐촉자면은 환자의 오른쪽 상지의 팔오금(cubital fossa) 피부에 위치하고 탐촉자 방향표지는 오른쪽을 가리킨다.

모든 스캔에서 화면 영상의 상단에 가까운 구조는 더 표재성이고 영상의 하단에 가까운 구조는 더 심부이다. 영상 측면에 있는 숫자와 해시 표시는 센티미터 단위의 깊이를 나타낸다.

> **빠른 팁** 검지로 탐촉자면의 한쪽 가장자리를 만지거나 두드려 화면 영상에 해당 깜빡거림을 관찰하는 것은 화면 영상에 연관하여 탐촉자 방향을 빠르고 쉽게 결정하는 방법이다.

초음파 영상에서 조직의 모양
(Appearance of Tissues in Ultrasound Images)

반향발생도: 회색조 표시 영상
그림 1.5

흔히 관찰되는 조직의 모양
그림 1.6

반향 발생도(echogenicity)는 주변 조직에 관련된 어떤 조직의 초음파 반사량을 의미한다. 상이한 반향 발생도를 가진 조직들사이에 접점이 있을 때 마다 초음파 화면에서 밝기에서 눈에 띄는 차이가 관찰될 것이다. 반향 발생도의 정도에 따라 조직 또는 구조물은 고반향(hyperechoic) (화면에 흰색), 저반향(hypoechoic) (화면에 회색) 또는 무반향(anechoic) (화면에 검정)으로 묘사된다.

피부(Skin)

피부는 매끄럽고 밝게 나타난다(**고반향**). 상피와 진피는 전문화된 고해상도 초음파에서만 구별될 수 있다. 매우 얇고 밝은 상피 진입반향(echo)에 이어서 상피와 진피를 나타내는 약간 더 고반향 밴드가 있다. 진피 바로 깊이, 피하지방/섬유층은 결합조직 격막을 나타내는 얇은 고반향

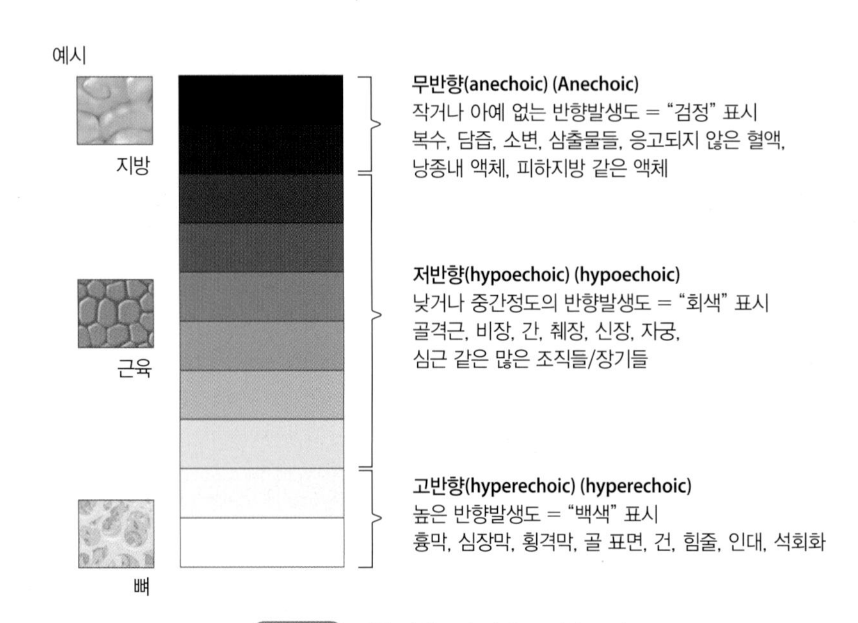

그림 1.5 반향 발생도와 회색조 영상 표시

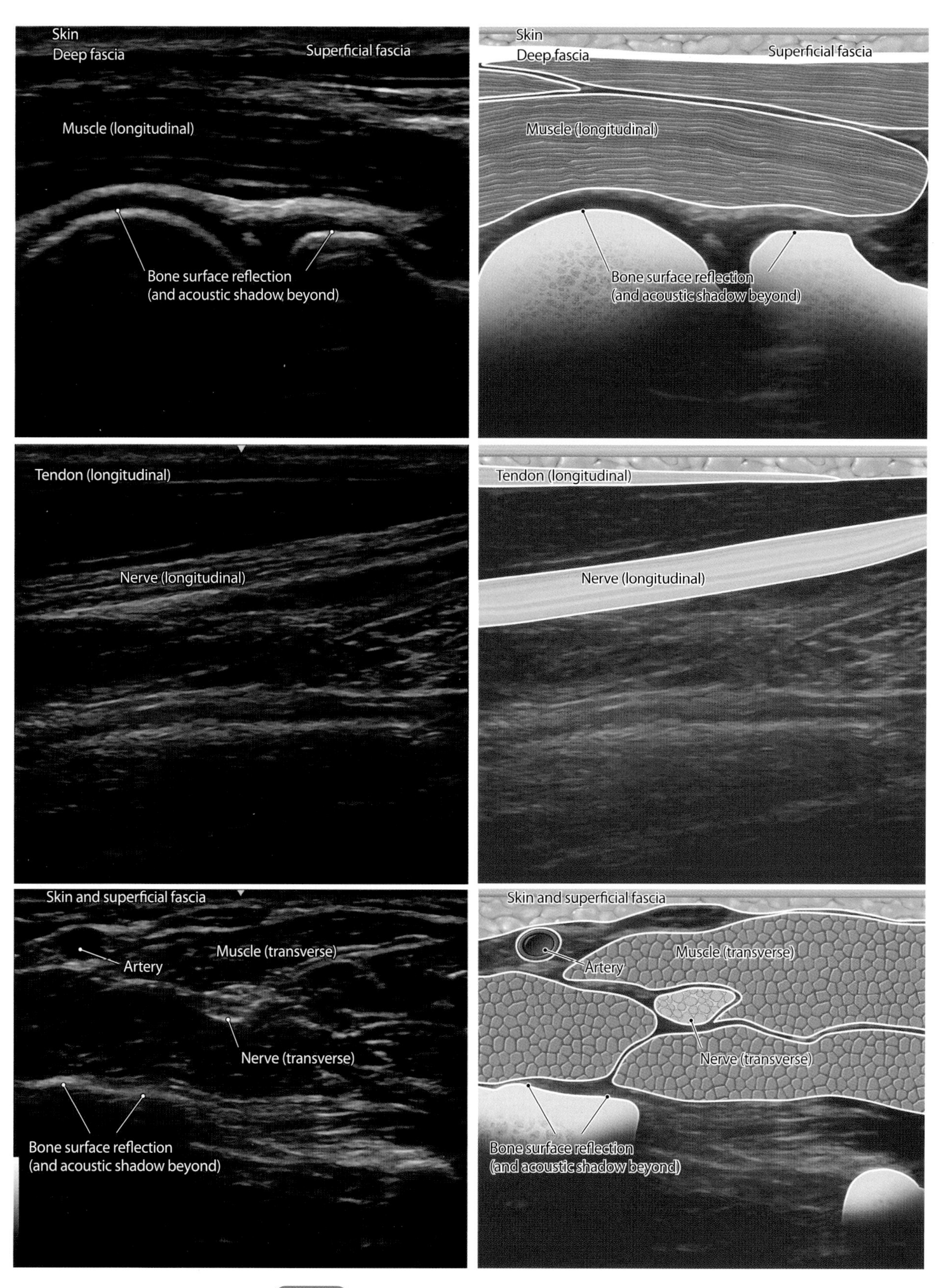

그림 1.6 초음파 영상에서 일반적으로 보이는 조직의 모양

선들과 함께 배치되어 보이는, 무반향(anechoic)/저반향(hypoechoic) 지방, 2가지 구성으로, 일반적으로 초음파 영상에서 저반향(어둡게)으로 나타난다.

골격근(Skeletal Muscle)

골격근은 뚜렷한 외관을 가지며, 횡단면(transverse view) (근육의 종축을 가로지름)과 종단면(longitudinal view) (근육의 종축과 평행) 사이가 다르다. 횡단면에서, 근육 조직은 주로 근주막(perimysium) 결합조직의 초음파 반사를 보여주는 얇고 짧은 다수의 선들과 함께 무반향 - 저반향으로 얼룩덜룩하다. 이것은 흔히 별이 빛나는 하늘과 비슷하다고 여겨진다.

종단면에서 대부분의 근육 조직은 무반향/저반향 상태로 유지되지만, 근주막의 고반향 선들은 가늘고 길어지고, 근육 다발구조(fascicular architecture of the muscle)를 드러낸다. 근육의 대부분의 표면/경계는 근외막(epimysium)과 심부 근막(fascia)의 결합조직이 만들어낸 고반향(hyperechoic) 선들로 인해 쉽게 볼 수 있다.

힘줄(Tendons)

힘줄은 힘줄 내부를 구성하는 매우 평행하고 정연한 콜라겐 섬유 묶음으로 인해 뚜렷한 외관을 가진다. 그 결과, 힘줄의 종축에서 볼 때 다수의 긴 고반향 선들이 힘줄 내부를 채우고 있으며[보통 섬유상(fibrillar) 모양이라고 한다]. 힘줄 표면에는 고반향 경계(border) [힘줄을 감싸는 외건막(epitendineum)]가 있다.

횡단면에서 볼 때 힘줄 내부는 뚜렷한 고반향 표면과 함께 무리지은 여러 개의 작은 고반향 점들[일반적으로 털-솔(bristle-brush) 모양이라 여겨진다]로 가득 차 있다(그림 1.6 참조).

신경(Nerves)

신경은 고반향(hyperechoic) 표면과 배경[신경외막(epineurium)과 신경주막(perineurium)결합조직의 반사율에 의한]을 가지고 있으며, 횡축에서 볼 때, 다수의 저반향 신경다발들(nerve fascicles)이 점점이 찍혀있다.

종축에서 볼 때, 신경다발은 신경주막과 주위의 신경외막의 저반향 배경에 가까이에서 신경의 종축에 평행하여 다수의 얇은 저반향 줄무늬로 나타난다[짚 모양다발(the bundle of straws appearance)] (그림 1.6 참조).

뼈(Bone)

뼈 표면은 뼈 표면보다 심부는 어둡고 깊은 깔끔한 음향음영과 함께 고반향 선들로 나타난다. 매우 작은 뼈 돌출의 경우, 음향 음영은 종종 그것이 존재한다는 가장 확실한 시각적 단서이다. 뼈 표면이 매우 반사적이기 때문에 허상[반향(reverberation)과 거울영상(mirror image)]이 음향 음영에 나타날 수 있다(그림 1.6 참조).

체액(Fluids)

혈액, 담즙 및 소변과 같은 체액은 무반향(anechoic)이다. 또한, 연조직과 비교하여 음파 에너지는 에너지가 최소한으로 손실되어 체액을 통과한다. 이것은 체액 모인 것보다 심부 조직에서 반향발생도를 현저하게 증가시키는데, 체액이 모여있는 곳 양쪽 비 액체 부위 소리 경로와 비교하여 더 많은 음에너지가 체액 모인 쪽의 깊은 조직에 도달하기 때문이다.

혈관(Blood Vessels)

동맥과 정맥 내강(lumens)을 통해 흐르는 혈액(체액)은 (혈전이 없는 한) 무반향인 반면, 혈관벽의 결합 조직은 고반향(hyperechoic)이다. 횡단면 상에서 동맥은(타원형 경향이 있는) 정맥보다 윤곽이 더 원형이며, 동맥벽은 비슷한 크기의 정맥보다 두껍다(그림 1.6 참조). 동맥 및 정맥 박동은 실시간 영상에서 쉽게 볼 수 있다(때로는 혼동될 수 있다). 그러나 정상 정맥은 탐촉자에 최소한의 압력을 가함으로써 쉽게 압축될 수 있는 반면, 동맥은 상당한 압력으로만 압축된다.

기본 “Knobology” 및 영상 최적화
(Basic “knobology” and Image Optimization)

모든 초음파 검사 동안 영상 품질을 최적화하기 위해 필요에 따라 초음파 기계 설정을 변경해야 한다. 대부분의 일상적인 스캔을 최적화하기 위해서는 기계의 손잡이들(machine’s knobs)의 역할 중 몇 가지만 이해하면 충분하다.

Depth

스캔 깊이 및 초점 포인트 지표들
그림 1.7

스캔 깊이는 영상의 오른쪽에 센티미터로 표시된다. 일반적으로, 더 많은 구조와 표식을 시각화하기 위해 관심있는 구조/부위에 더하여 더 깊은 곳에서부터 시작하는 것이 좋다. 영상의 구조를 보고 관심 부분을 식별한 후 관심 부분이 디스플레이 중앙 근처에 위치하도록 깊이를 다시 조정해야 한다.

초점(Focal Points)

대부분의 현대 초음파 기계(units)에서는 사용자가 하나 이상의 초점 심도를 설정할 수 있다. 초점의 깊이는 깊이 표시와 함께 표현된다. 예를 들어 그림 1.7의 영상은 4 cm의 스캔 깊이를 보여 주며 1.0 cm와 2.25 cm로 설정된 2개의 초점(노란색 모래시계 아이콘)이 있다.

일반적으로, 2 혹은 3개의 초점들이 관심 부위에 해당하는 깊이 근처에 선택되고 분포되어야한다. 이것은 초점 깊이 근처의 구조물에 가장 적합한 영상을 제공할 것이다.

게인(Gain)

게인 손잡이(knob)를 돌리면 반향(echo)의 증폭 량이 증가 또는 감소되고, 화면 영상의 전체 밝기가 증가 또는 감소된다. 너무 밝거나 너무 어둡지 않은 영상은 전체 구조물 식별에 가장 좋다. (미숙련자는 게인을 너무 많이 선택하는 경향이 있다).

조직 고조파 영상(Tissue Harmonics Imaging)

초음파 파동(pulse)은 일정 기본 주파수(예: 일반적인 고주파 선형 배열 탐촉자의 경우 12 MHz)로 탐촉자 변환기(probe transducer)에서 생성된다. 파동(pulse)이 조직을 통과할 때 조직 자체

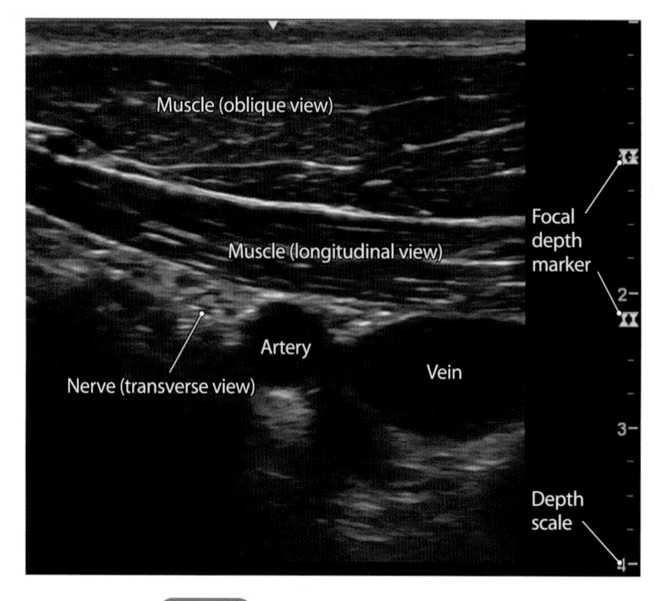

그림 1.7 스캔 깊이 및 초점 깊이 표시

는 기본 주파수의 배수(2X = 첫 번째 고조파, 4X = 두 번째 고조파 등)로 진동한다. 초음파 장치의 조직 고조파 버튼은 기본 주파수에서 반향(echo) 청취와 고조파 주파수에서만 반향 청취 간에 전환한다. 흔히 조직 고조파 영상에서는 일부 허상(artifacts)의 소리반향 감소의 면에서 영상 품질이 향상되고, 영상 전체의 노이즈가 감소하며, 체액으로 채워진 공간의 내부 반향이 감소하며(낭종 제거), 영상 디테일(공간 해상도)이 향상된다.

Chapter 2

기본 초음파 물리학
(Basic Ultrasound Physics)

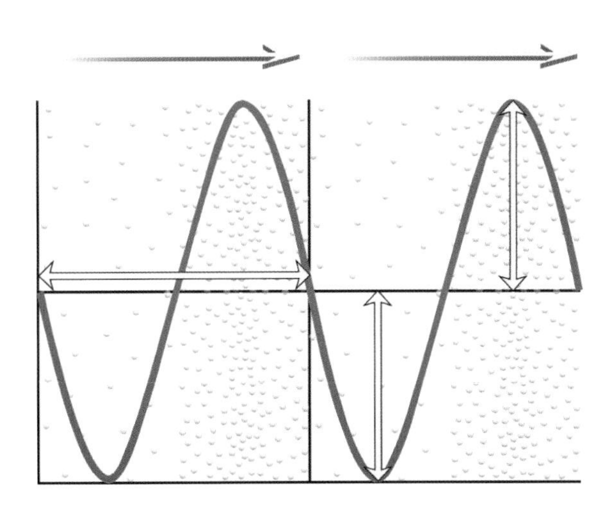

음파(Sound Wave)

음파 전파
그림 2.1

소리는 매체의 분자들이 파동 압력 상승 때 압축(compression)하고 파동 압력하강 때 이완(rarefaction)하는, 매체(조직과 같은)를 통과하는 압력들의 교차가 만들어내는 역학적 파동이다. 소리는 진공을 통과할 수 없다.

소리는 여러 가지 매개 변수로 특징될 수 있으나, 소리의 중요한 특징 중 하나는 주파수(단위 시간당 주기(cycles) 수, 가장 일반적으로 초당 주기 수 또는 헤르츠(Hertz)이다.

초당 1 주기(cycles) = 1 헤르츠(Hz)
초당 천 주기(cycles) = 1 킬로 헤르츠(Khz)
초당 백만 주기(cycles) = 1 메가 헤르츠(MHz)

따라서 의료용 초음파(US) 탐촉자("12 MHz 탐촉자")의 12 MHz 변환기(transducer)는 초당 12,000,000 주기(cycles)의 기본 주파수로 파동(pulse)을 전송한다.

소리의 또 다른 특징은 속도이다. 주어진 물질의 음속은 일정하지만(항온에서) 속도는 물질마다 다르다. 비록 폐(600 m/s)와 밀도 있는 뼈(4,000 m/s) 같은 극단이 존재하지만, 대부분의 연조직을 통한 음속은 상당히 유사하다. 영상 형성을 위해 초음파 장치는 조직을 통한 소리의 속도가 연조직 평균인 1,540 m/s라고 가정한다.

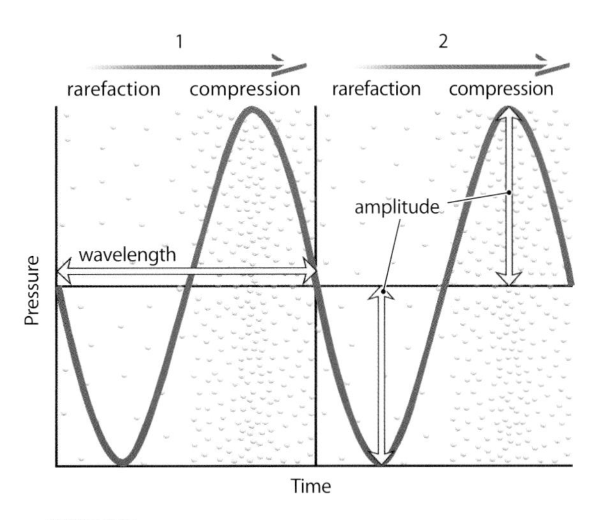

그림 2.1 매체를 통해 전파되는 소리 순환의 두 가지 형태

초음파 파동: 반사와 투과
그림 2.2

영상 형성: 반사(반향)와 투과
그림 2.3

초음파 영상 형성에서, 음에너지가 전파되는 매체(조직)의 중요한 특성은 조직과 조직밀도를 통과한 음속의 값인 **소리저항(acoustic impedence)**이다. 대부분의 연조직은 유사한 소리저항 값을 가지지만, 뼈, 폐, 그리고 공기/가스 더미(예: 폐포 공기, 장가스)와 같은 극단들이 있다. 소리가 하나의 조직(어떤 소리 저항 값을 가지고)에서 다른 조직(다른 소리 저항 값을 가진)으로 전달될 때, 소리의 일부는 두 개의 조직사이 접촉면에서 반사되고 일부는 더 깊은 층으로 전달된다—저항 차이가 클수록 음파 반사량은 커진다.

저항 값은 대부분의 조직에서 유사하기 때문에, 소량의 음파에너지만이 조직 접촉면에서 반사된다. 이러한 음향 매칭은 소량의 에너지가 영상 형성을 위한 반향(echo)으로 반사되고, 대부분의 에너지는 더 깊은 접촉면에 전달되어 그곳의 영상을 형성하기 위해 반사되고, 계속하여 스캔되는 부위 깊은 곳으로 전달된다(그림 2.3 참고).

초음파 영상의 장벽: 뼈와 공기
그림 2.4

그러한 논리로, 초음파 파동은 연조직에서 뼈로 혹은 연조직에서 공기와 같이 소리저항 값이 크게 다른 접촉면을 만났을 때 문제가 발생한다.

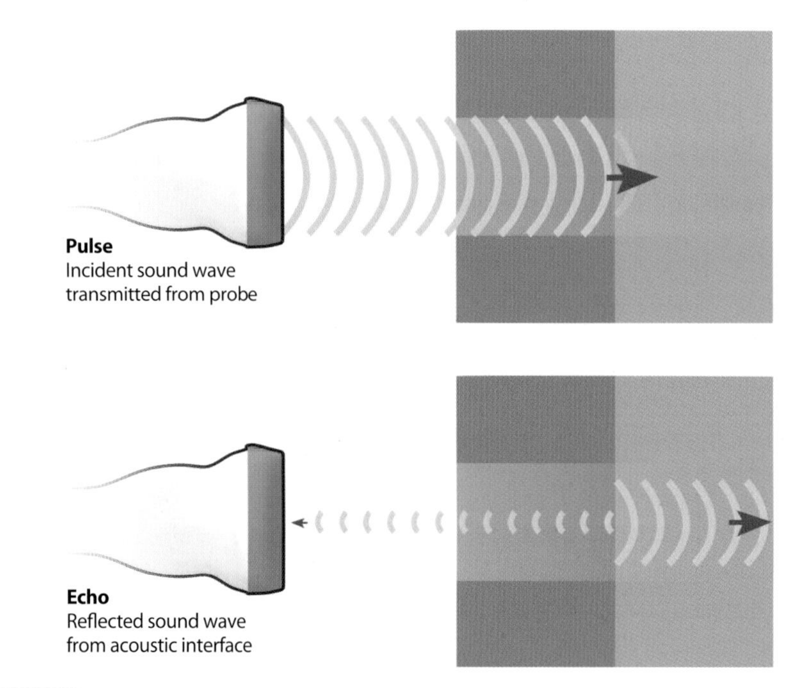

그림 2.2 초음파 파동이 다른 소리저항 값을 가진 조직들 사이의 경계면을 만나면 일부 소리가 반사(echoed)된다. 반사되지 않은 나머지 소리 에너지는 계속 투과(through–transmission) 된다.

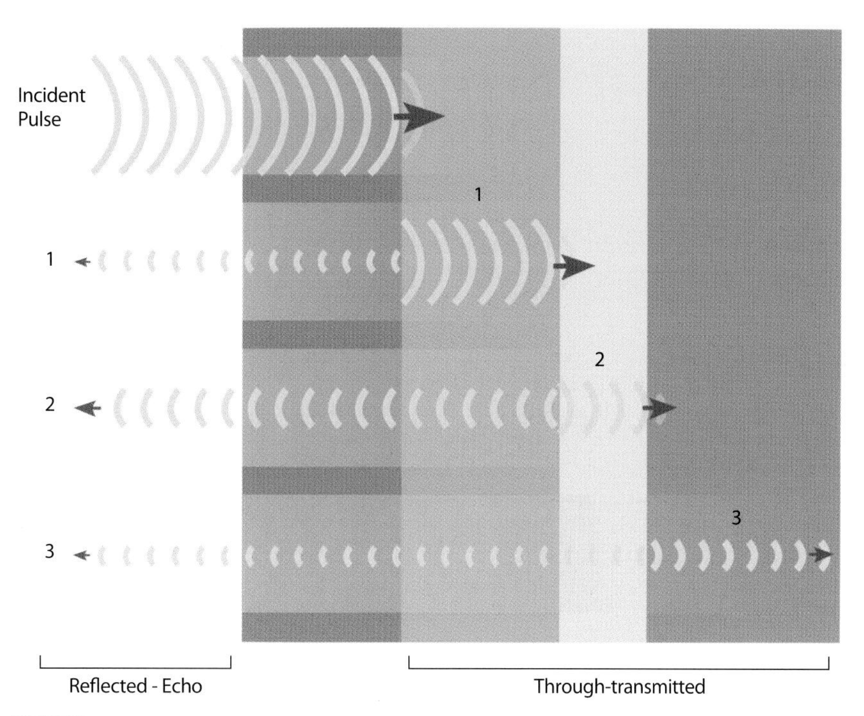

그림 2.3 순차적 소리 경계면에서 반사 및 투과. 소리 저항의 차이가 클수록 반사의 진폭이 커진다.

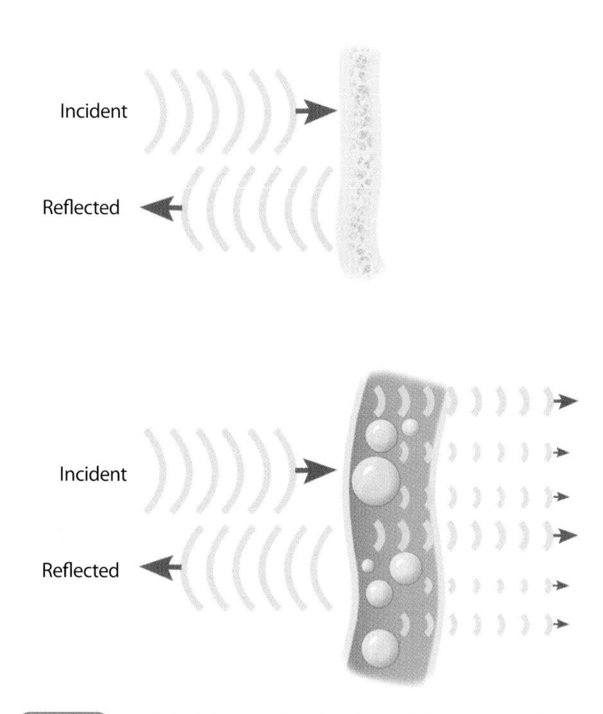

그림 2.4 접점에서의 큰 소리 저항 차이는 밝은 반사를 발생시키고 크게 감소된 투과율은 접점 너머 조직의 영상을 어렵게 (혹은 불가능하게) 한다.

감쇠(Attenuation)

초음파 파동이 조직을 통해 전파되며 점진적인 에너지가 손실되는데, **감쇠(attenuation)**라고 한다. 감쇠는 주로 조직의 소리에너지 흡수때문이고 더하여 반사(reflection)와 산란(scattering)에 의한 에너지 손실때문에 발생한다. 감쇠의 절대량은 조직에 따라 다르며 주파수에 직접 비례한다: 주파수가 증가하면, 감쇠도 증가한다. 이는 고주파 초음파 파동이 상대적으로 표재성 구조물 영상화에 제한된다는 것을 의미하고, 반면 저주파는 더 깊은 구조물의 영상을 위해 사용되어야 한다(예: 일반적인 복부영상).

체액(Fluids)

혈액, 담즙 및 소변과 같은 체액은 다른 조직에 비해 매우 적은 양의 감쇠를 생성한다. 이런 이유로, 방광에 소변을 채우는 것(full urinary bladder)은 여성에서 자궁, 난소 및 직장자궁(rectouterine) 주머니(pouch) 혹은 남성에서 정낭(seminal vesicles)과 전립선 같은 치골상(suprapubic) 복벽경유(transabdominal) 영상에 초음파 입사(insonation) 창(window)을 제공한다.

음향음영과 투과율의 증가
그림 2.5

음향 에너지는 연조직에 비교해서 최소한의 감쇠로 체액을 통해 전파되기 때문에[체액 더미(fluid collection)의 양쪽을 통하는 비체액 사운드 경로에 비해서] 더 많은 음향 에너지가 체액 더미의 깊은 조직으로 전달된다. 결과적으로, 체액 더미보다 깊숙한 조직에서 **에코 발생도**가 현저하게 증가하며, 이는 투과율의 증가를 의미한다. 투과율의 증가는 무반향 공간에 실제 액체가 채워져 있음을 확인하는데 도움이 된다.

뼈(Bone)

뼈는 치밀 뼈(compact bone)에 의한 소리 에너지의 반사 및 흡수로 인한 감쇠때문에 초음파 전송에 상당한 장벽이 있다. 결과적으로, 초음파 영상 필드 너머에 깨끗한 가장자리의 어두운 음영과 뼈 표면에 의한 밝은 반향이 발생한다(그림 2.5 참조).

공기(Air)

공기는 반사, 분산 및 산란으로 인해 초음파 영상에 거의 뚫을 수 없는 장벽이 있다. 정상적으로 가스가 들어있는 폐는 초음파로 영상화할 수 없으며, 병리학적 액체가 폐포 공간을 채우지 않는 한 흉막 깊이까지만 영상을 생성할 수 있다. 위장관(GI)의 가스는 복부 초음파 촬영에 주된 장벽이 된다. 예정 복부 초음파 영상에서, 환자는 GI 가스를 최소화 하기 위해 약속 전 6에서 12시간 동안 금식하도록 지시받는다. 예정된 복부 초음파가 아닌 경우, 관심 부위를 가리는 장 가스가 있을 때 유용한 영상을 얻기 위해서 다양한 트릭과 기술을 배워야 한다. 가스[조직 기종(tissue emphysema], 기흉증(pneumobilia), 괴사근막염(necrotizing fasciitis)과 같은 위장관(GI) 가스 또는 병리학적 가스 더미)는 밝은 반사와 반사 넘어 모호한 가장자리를 한 흐릿한 회백색 음영을 만든다(그림 2.5 참조).

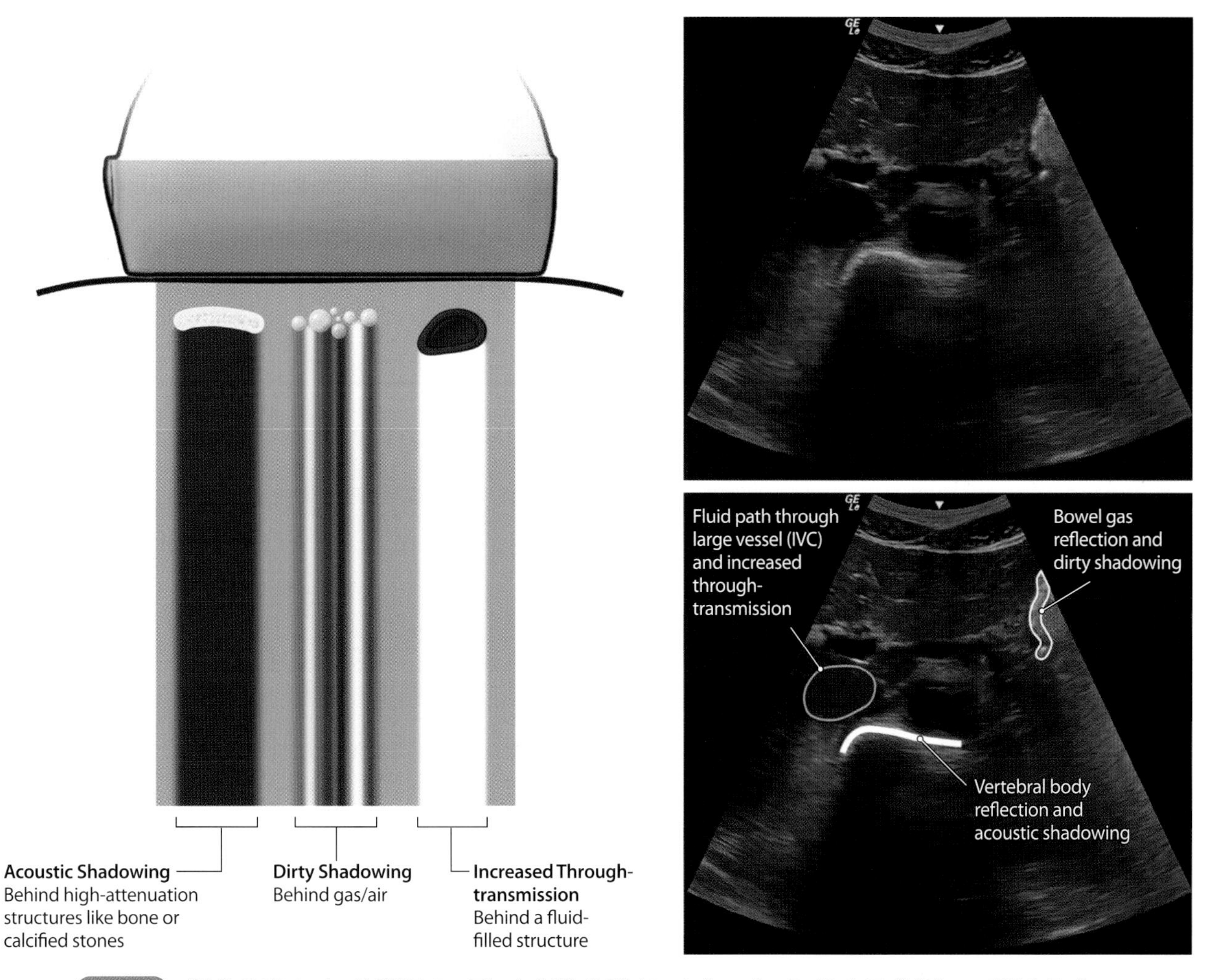

그림 2.5 깨끗한 음영(뼈 또는 석회화된 구조물), 지저분한 음영(가스 더미), 그리고 투과율의 증가(체액으로 채워진 공간). IVC, 하대정맥

초음파 탐촉자(Ultrasound Probes)

압전효과(Piezoelectric Effect)

압전효과
그림 2.6

압전효과는 압전 결정체의 변형으로 인한 기계적 힘(소리와 같은)이 전력으로 **전환(transduction)**되는 것이다. 압전 결정체들의 변형으로 인해 결정체 전체의 순전하(純電荷, net charge)가 발생한다. 음파 압력이 결정체를 압축 및 확장함에 따라 전하(charge) 크기와 극성이 교대로 나타난다.

"반전" 압전효과 및 초음파 파동 생성
그림 2.7

압전효과는 역으로도 일어나며, 교류하는 전압이 압전 결정체에 적용되면 압축(compression)/이완(rarefaction) (즉, 진동)이 교차하면서 전기에너지를 소리에너지로 변형한다.

탐촉자 변환기 및 결정체 배열
(Probe Transducers and Crystal Arrays)

초음파 변환기(transducer)는 초음파 탐촉자 내에 내장된 집합체(arrays)라 불리는 여러 개의 압전 결정체 배열로 구성된다. **초음파 탐촉자 변환기(transducer)**는 전기를 소리로 변환하여 조직으로 전달되는 파동을 생성하고 소리[조직에서 탐촉자로 반사되는 반향(echo)]를 전기 신호로 변환한 다음 여과되고 증폭되어 검사 중인 슬라이스의 해부학적 영상을 형성한다.

주파수와 감쇠사이의 직접 관계로 인해 고주파 탐촉자(더 나은 자세한 영상을 생성한다)는 심장과 일반 복부영상과 같이 조직에 더 깊이 침투해야 하는 초음파 응용 분야에는 사용할 수

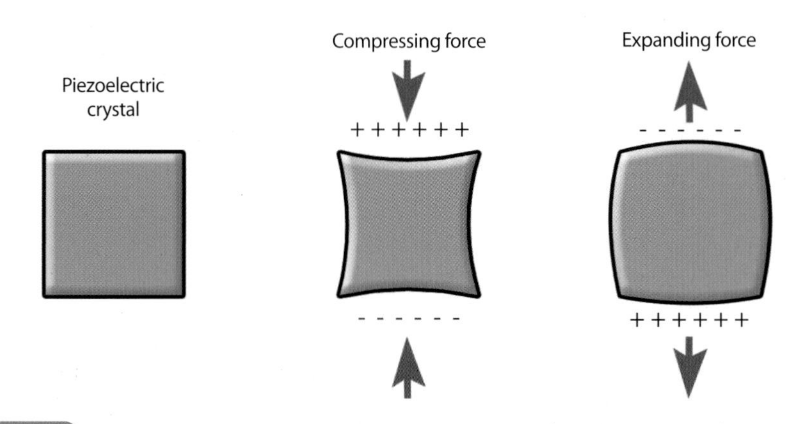

그림 2.6 압전 결정의 기계적 변형으로 인해 결정 전체에 순전하(純電荷, net charge)가 발생한다.

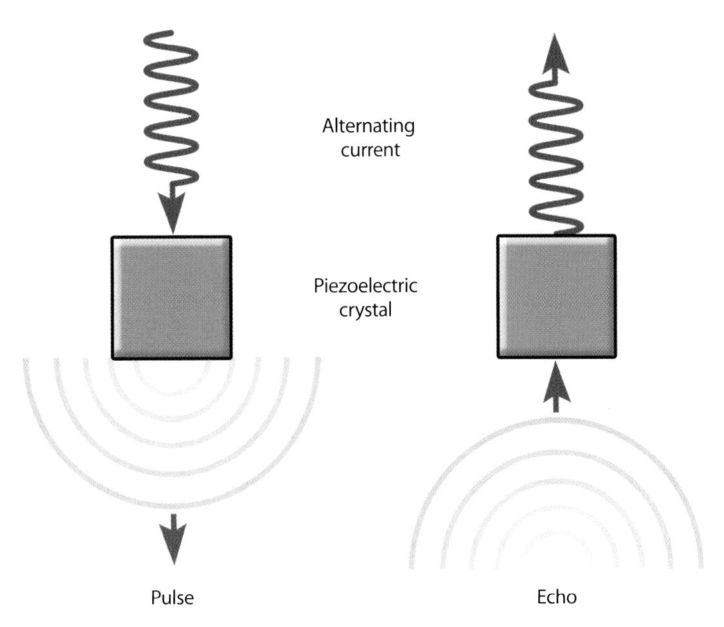

그림 2.7 압전 결정체에 걸리는 교류 전압은 초음파 파동을 생성한다. 탐촉자로 돌아오는 반향(echo)은 영상 형성을 위해 분석되는, 전류를 생성하는 결정체를 기계적으로 변형시킨다.

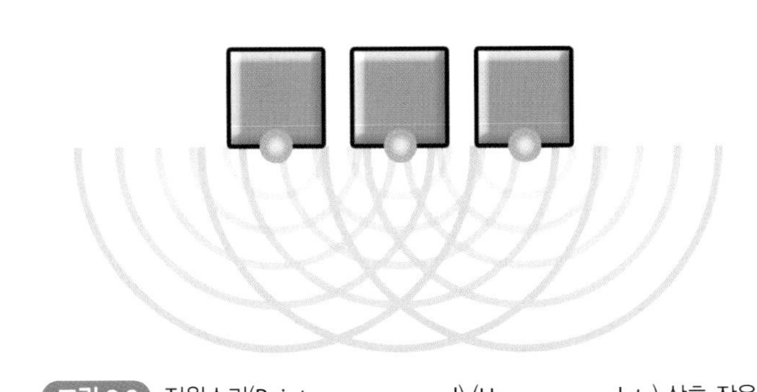

그림 2.8 점원소리(Point–source sound) (Huygen wavelets) 상호 작용

없다. 따라서 초음파의 응용 분야에 따라 다른 기본 주파수와 다양한 결정체 배열의 구성의 탐촉자가 필요하다.

초음파 탐촉자 결정체 배열: 상호 작용하는 음파들
그림 2.8

기본적으로 의료 영상을 위한 모든 현대 초음파 탐촉자는 티탄산 지르콘산 연(lead–zirconate–titanate PZT) 결정체 배열을 가지고 있으며, 이 결정체는 전자적으로 활성화 되어 초음파 빔을 조정하고 초점을 맞춘다. 이것은 복잡한 주제이다. 그러나, 간단히 말해서 배열의 각 개별 결정체는 전기 파동에 의해 자극될 때 점원파(point source wave) (huygen wavelet)를 생성한다.

조정 및 초점 초음파 "빔"
그림 2.9

파형요소(wavelet)들은 크기, 모양, 그리고 방향을 가진 파면(波面, wave front)을 생성하기 위해 서로 건설적이면서 파괴적으로—정점은 정점과 합치고(peaks add up with peaks), 정점에서 저점을 제한다(troughs subtract from peaks). 저점에서 저점을 제한다(troughs subtract from troughs)—상호작용 한다. 배열의 결정체가 동시에 자극되면, 파형요소 간섭 패턴은 배열/탐촉자의 표면과 평행한 파면을 생성한다. 배열 요소들(array elements)이 한쪽에서 다른 쪽으로 순차적 지연으로 자극받으면, 파동 및 그 결과로 발생하는 간섭 패턴은 파면 조정 장치에 귀결된다. 배열 요소들이 주변에서 중앙 지연으로 자극될 때, 파형요소 간섭 패턴은 파면의 초점화를 생성한다: 결과 파동은 일정 깊이(초점 깊이)에서 가장 좁고, 초점 깊이 전후로 더 넓다.

파동/반향 스캔 라인
그림 2.10

변환기(transducer) 결정체 배열에 의해 전송 된 각각의 파동(화면 영상을 형성하기 위해 초당 수천 개의 파동이 전송됨)은 조절되고 초점 조정이 된다. 화면 영상은 한 번에 하나의 스캔 라인으로 형성되고, 파동은 영상의 한 쪽에서 다른쪽으로 나온 수천 개의 순차적 스캔 라인 중 하나를 따라 전송된다. 다음 스캔 라인을 따른 다음 파동은 이전 파동의 모든 반향(echo)이 변환기로 되돌아 갈 때까지 전송되지 않는다. 청취 시간은 평균 연조직 음속(0.154 cm/μs)을 사용하여 설정된 깊이에서 계산된다. 영상 맨 끝에 있는 마지막 스캔 라인에서 반향이 변환기로 돌아오면 프로세스가 다시 시작된다. 실시간 움직임(motion)이 화면 영상에 지연없이 자연스럽게 나타나도록 하려면 이것이 초당 30-40회(화면 새로고침 빈도 또는 프레임 속도) 반복되어야 한다. 일반적인 스캔에서 변환기는 해당 시간의 1% 미만 동안 파동 모드에 있고, 99% 이상의 시간 동안 청취모드에 있다. 일부 탐촉자 배열은 부채꼴(뿔모양, pie-shaped) 영상을 생성하는 반면 다른 탐촉자 배열은 선형/직사각형 영상을 생성한다. 부채꼴(sector) 영상은 깊이에 따라 점차 넓어지며 선형 영상은 표면에서 영상의 가장 깊은 부분까지 동일한 너비이다.

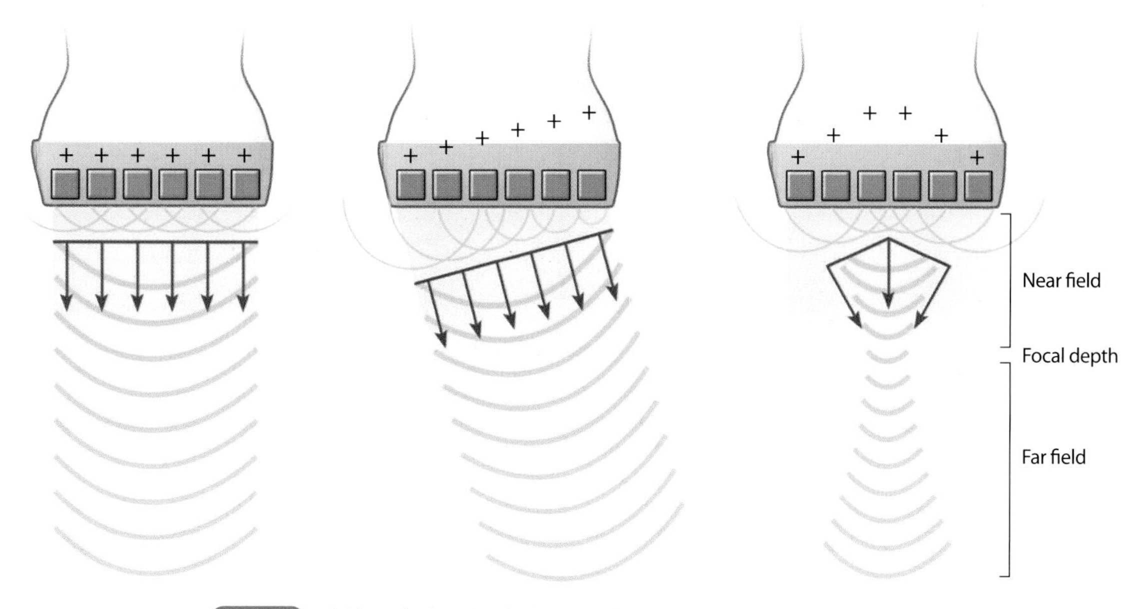

그림 2.9 배열(array) 결정체들에 가해진 단계적인 자극의 초음파 빔 조절과 초점

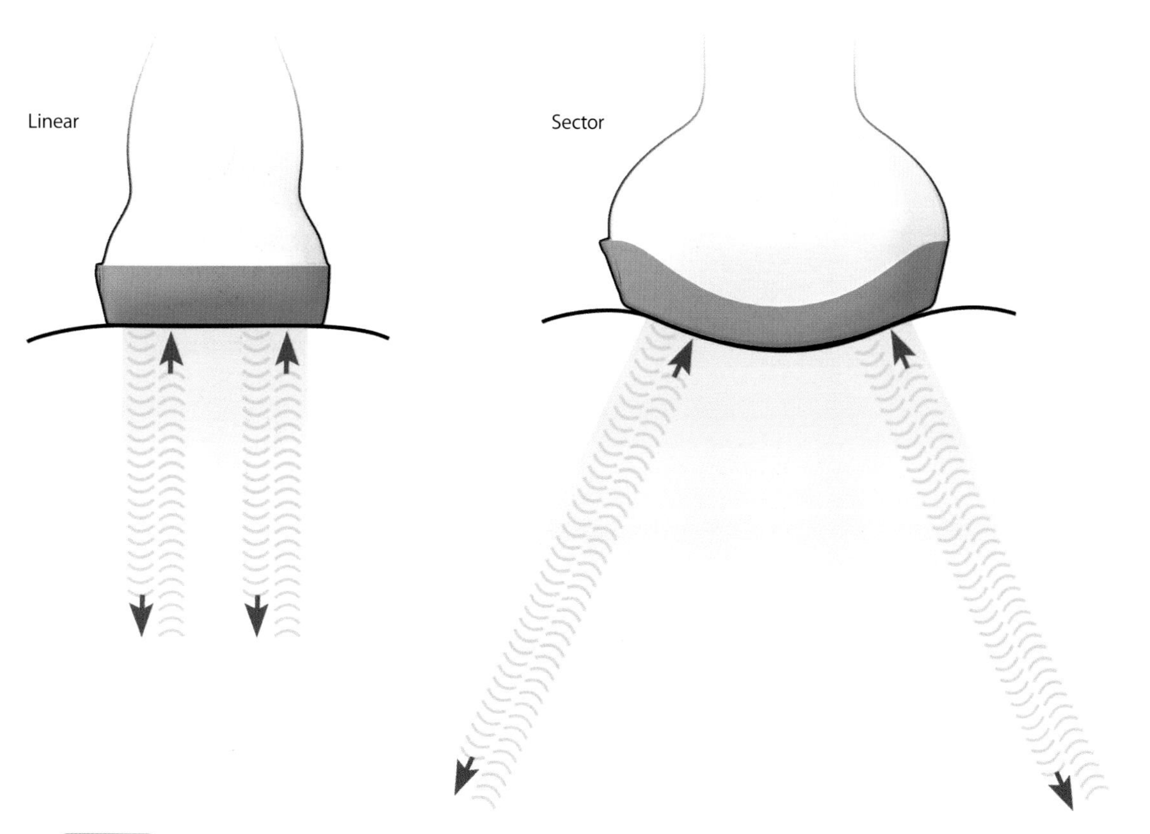

그림 2.10 영상은 한 번에 하나의 스캔 라인으로 형성되며, 탐촉자면의 한쪽에서 다른 쪽으로 순차적으로 진행되고 초당 여러번 반복된다.

영상 형성(Producing an Image)

연조직의 음속은 일정하게 1,540 m/s(0.154 cm/μs)로 가정한다. 예를 들어, 스캔 깊이가 5 cm로 설정되면 각 스캔 라인에 필요한 시간은 65 μs이다. 총 경로 길이는 10 cm[탐촉자에서 설정된 깊이까지 5 cm, 반향(echo)이 돌아오는 데에 5 cm]이므로 시간 = 10 cm/0.154 cm/μs = 65μs이다. 영상에 2 cm 깊이의 반사면 조직이 있는 경우, 전체 경로 길이는 4 cm(탐촉자에서 반사면까지 2 cm, 다시 탐촉자로 2 cm)가 되고 해당 반사면에서 나온 반향은 변환기(transducer)까지 26 μs(4 cm/0.154 cm/μs = 26 μs)로 돌아온다. 초음파 장치의 관점에서 보면, 26 μs로 변환기에 도달하는 스캔 라인의 모든 반향은 2 cm 깊이로 영상에 표시된다.

영상 형성: 스캔 라인 반향 귀환 시간 및 진폭
그림. 2.11

이를 종합하면 영상의 각 조직 반사면은 (1) 반향이 변환기에 도달할 때 스캔되는 선을 기준으로 좌우로, (2) 반향이 변환기에 돌아오

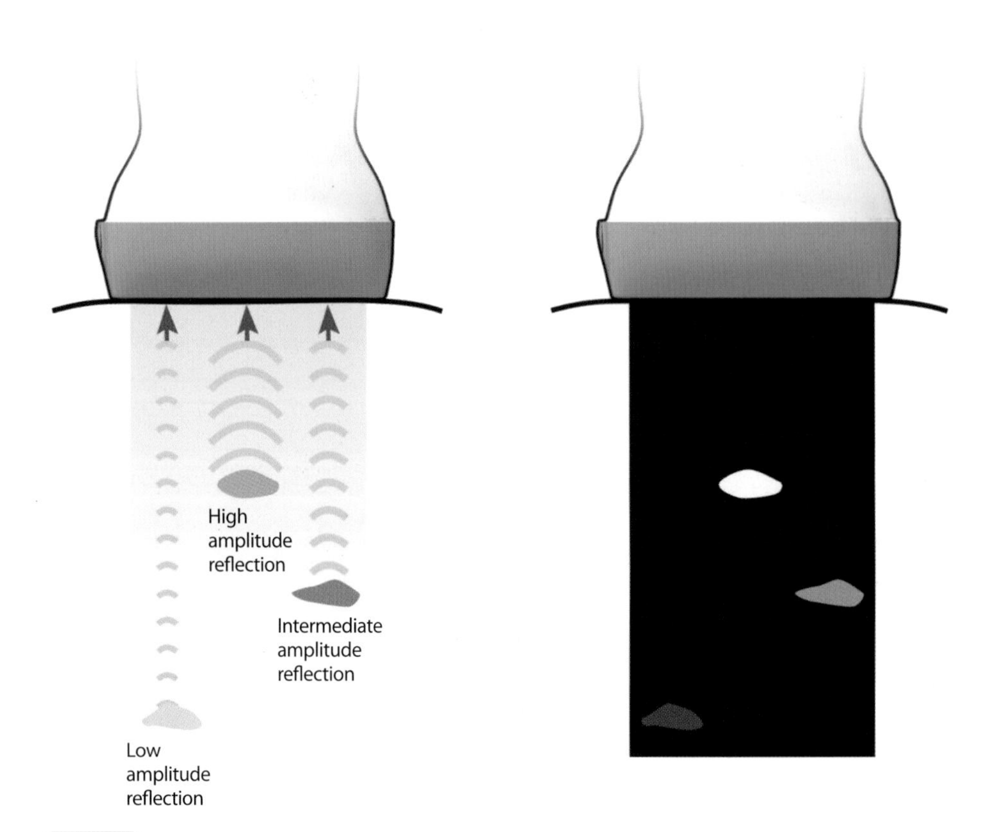

그림 2.11 반향(echo)이 돌아올 때 스캔되는 라인, 반향이 반환되는 시간 및 반향의 진폭을 기준으로 대상이 표시된다.

는 시간에 의해 결정된 깊이로, (3) 반향의 강도(**진폭**)에 기반을 둔 흑색에서 백색으로의 일부 그레이 스케일 값으로 표시된다.

빔 폭: 작은 반사면 화면과 공간 해상도

그림. 2.12

마지막으로, **공간 해상도(spatial resolution)**는 마치 분리된 공간에서처럼 작은 물체를 구별하고 표시하는 기능이다. 작은 물체는 그것이 위치한 깊이에서 빔의 폭만큼 표시된다[측면 번짐 허상(lateral smearing artifact)]. 예를 들어, 측면 해상도[lateral(side–to–side) resolution]는 초음파 파동의 방향에 수직으로 붙어있는 두 개의 작은 반사면을 개별 물체로 구별하고 표시하는 기능이다. 측면 해상도는 빔 폭에 따라 달라지며 빔 폭이 감소함에 따라 증가한다. 빔 폭은 주로 주파수와 초점 깊이에 의해 결정된다. 고주파 탐촉자는 보다 좁은 빔을 생성하므로 측면 해상도가 더 좋다. 측면 해상도는 빔이 가장 좁은 초점 깊이에서 항상 최상이다.

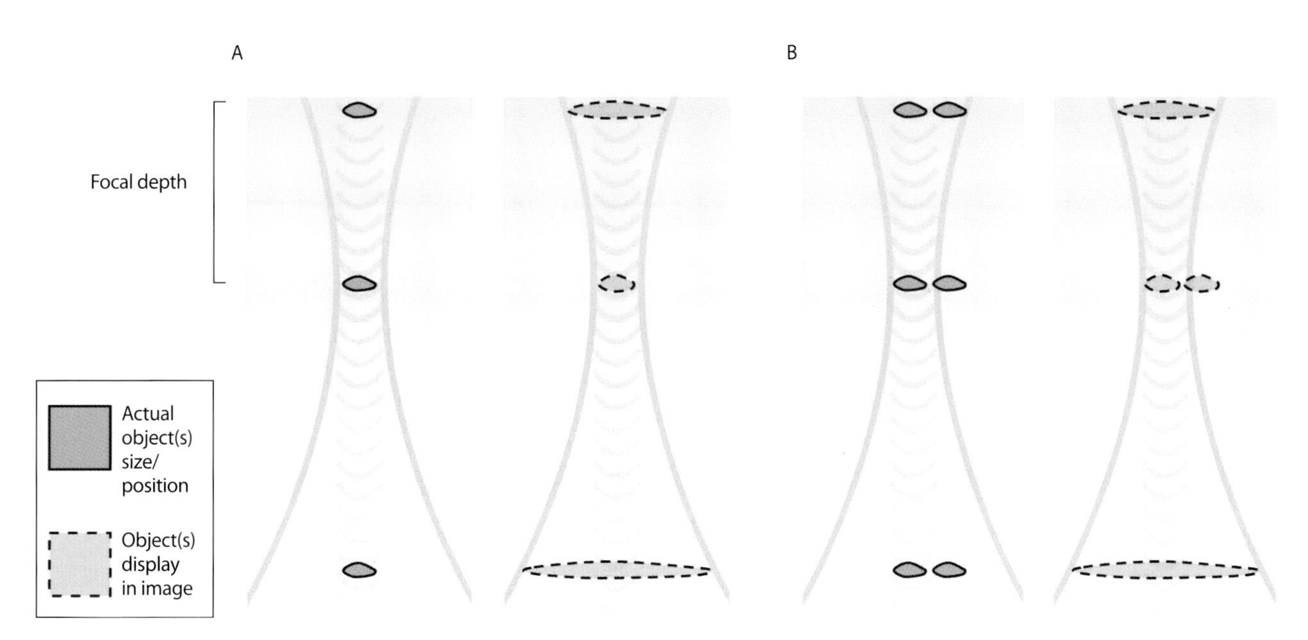

그림 2.12 빔 폭과 디스플레이 되는 반사면이 얼마나 작은지 관계를 나타낸다. A. 작은 반사면은 그것이 위치한 곳의 깊이에서 빔 폭만큼 표시된다[측면 제련 허상(lateral smearing artifact)]. B. 측면 해상도(측면의 작은 반사면을 구별하는 능력)는 빔이 가장 좁아지는 초점 깊이 근처에서 가장 좋다.

정반사 및 확산 반사
(Specular Reflection and Diffuse Reflection)

초음파 영상에서 다양한 조직/구조가 어떻게 나타나는지 고려할 때, 음파 반사의 두 가지 범주, 정반사 및 확산 반사(산란)를 생각하는 것이 유용하다.

이방성: 소리 경로 각도 변경이 일부 물체의 초음파 영상을 변경한다.
그림. 2.13

정반사는 음파가 다른 음향 특성을 가진 두 조직 사이의 매끄러운 표면 또는 매끄러운 경계면과 만나면 발생한다. 이러한 유형의 반사가 초음파 영상에서 보이는 고반향(hyperechoic) 가장자리/접점과 힘줄, 인대 및 장기피막(organ capsule)과 같은 섬유질 구조의 밝게 보이는 원인이 된다. 정반사는 표면 또는 접점이 소리 파동의 경로에 수직일 때 영상 형성에 가장 좋다. 소리 파동이 정반사성 반사면을 만나면 그 각도가 소리 경로에 비례하여 바뀌는 것 같이 그 모양이 변한다. 경로가 정반사 반사면에 수직일 때, 반향(echo) 된 에너지의 대부분은 영상 형성을 위해 감지될 수 있게 탐촉자로 되돌아간다. 따라서 반사면은 초음파 영상에서 밝은 흰색(고반향) 선으로 나타난다. 소리 파동이 90도와는 다른 각

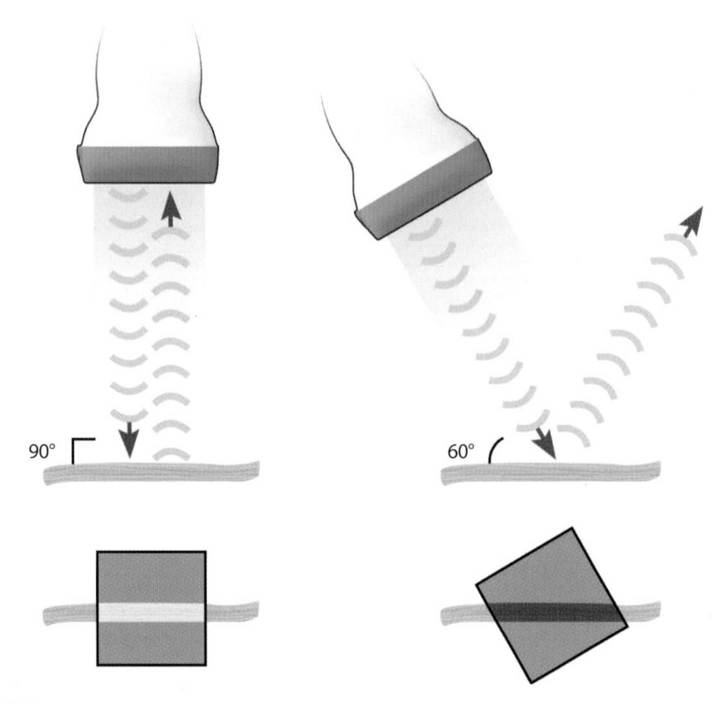

그림 2.13 이방성(Anisotropy – 초음파 빔의 각도에 따라 동일한 반사면이 고반향(hyperechoic) 또는 저반향(hypoechoic) / 무반향(anechoic)으로 나타날 수 있다.

도에서 동일한 반사면과 만나면, 음에너지는 영상을 형성하기 위해 탐촉자의 변환기로 되돌아오는 반향이 없는(혹은 아주 낮은 비율만)것 같이 반사되어 – 초음파 화면에는 같은 반사면이 어둡게[저반향(hypoechoic)/무반향(anechoic)] 나타난다.

곡선 힘줄에서 나타난 이방성
그림. 2.14

이 허상들, 동일한 반사면이 초음파 입사각도가 직각에 가까울 때 밝게 나타나고, 다른 각도에서 봤을 때 어둡게 나타나는 것을 이방성(anisotropy)이라고 한다. 그림 2.14에 표시된 초음파 영상에서, 극하근(infraspinatus muscle)의 힘줄에 있는 콜라겐의 다발은 정반사면(specular reflector) 역할을 하여, 탐촉자 면에 대략적으로 수직인 힘줄 영역은 여러 개의 얇고 밝은 선의 특징적인 근섬유 모양이다. 힘줄이 상완골두(humeral head) 위로 구부러지고(초음파 빔의 수직에서 멀어짐에 따라), 밝은 근섬유 선은 이방성으로 인해 어두워지고 사라진다.

많은 조직의 산란과 "얼룩덜룩한" 모습
그림 2.15

음파가 불규칙(초음파의 파장보다 작은 불규칙함)하거나 "울퉁불퉁"한 조직내 요소를 만나면, **확산반사(diffuse reflection)** 또는 산란(scattering)이 발생한다. 산란된 음파는 복잡한 패턴으로 서로 간섭이

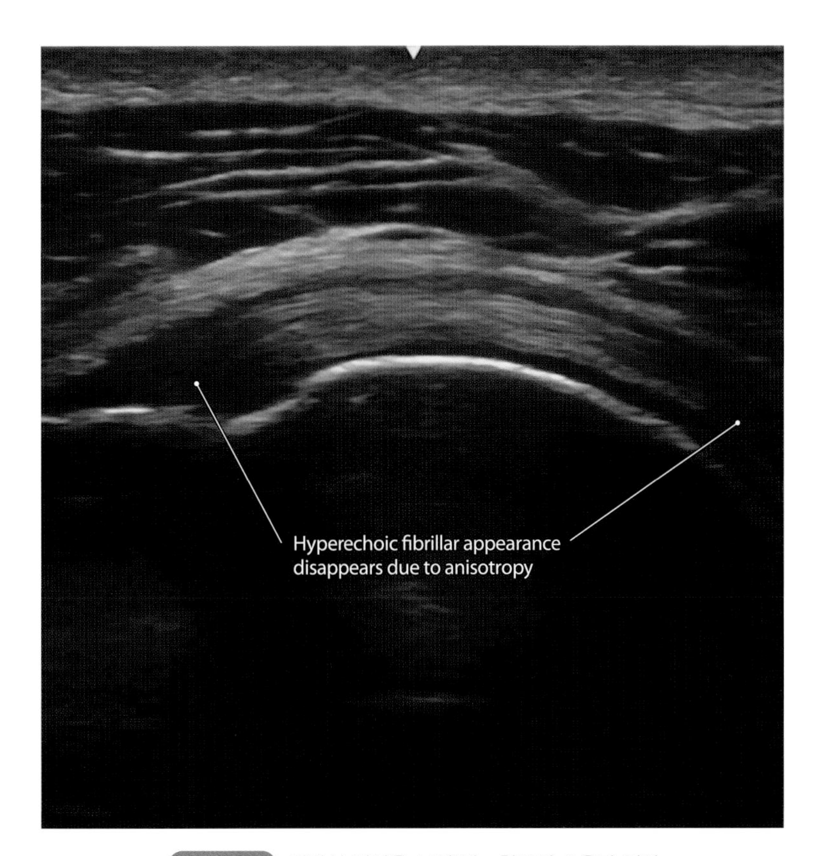

그림 2.14 이방성 허상을 보여주는 힘줄의 초음파 영상

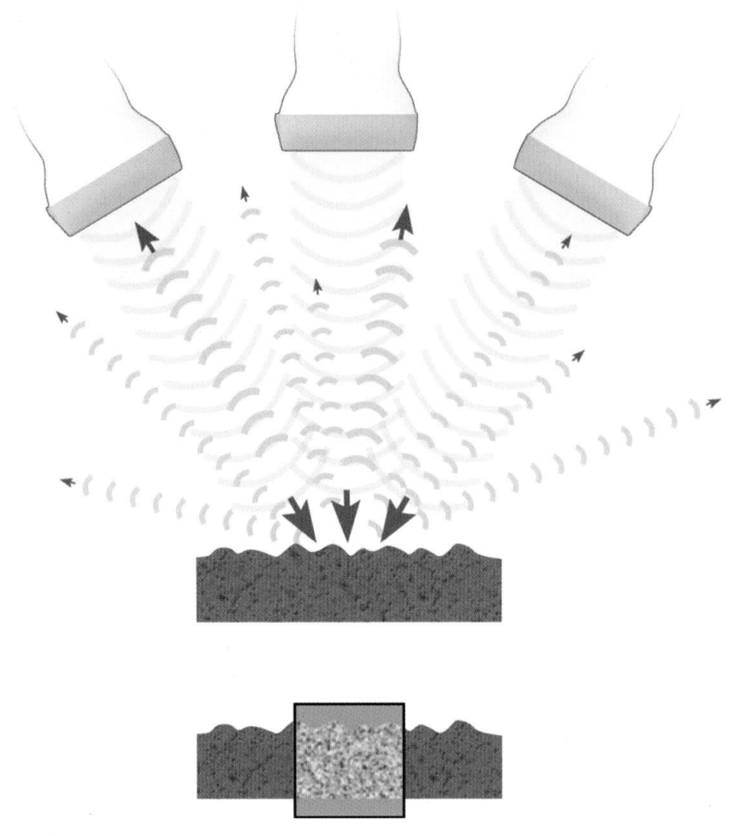

그림 2.15 확산 반사(산란)는 많은 장기들의 얼룩덜룩한 반향 모양을 만드는 간섭 패턴을 초래한다. 이 조직의 모양은 초음파 빔의 각도에 크게 영향을 받지 않는다.

생겨, 간, 비장, 신장 및 심근과 같은 조직의 반향(echo) 질감의 얼룩덜룩함을 발생시킨다. 산란된 반사(그리고 결과적인 간섭 패턴)가 여러 방향으로 발생하기 때문에, 이들 조직의 초음파 외관은 초음파 각도에 관계없이 대체로 변하지 않는다.

초음파 에너지의 생체 효과
(Bioeffects of Ultrasound Energy)

음향 에너지의 조직 흡수가 가장 중요한 감쇠원이기 때문에 이는 초음파 영상의 건강/안전에 영향을 미친다. 흡수된 음향 에너지는 열로 변환되므로 조직에 잠재적 열 생물 효과가 있다. **생물 효과**의 가능성은 음향 에너지에 노출되는 기간(총 스캔시간); 특정 양의 조직 감쇠(더 많은 감쇠 = 더 많은 열 효과, 따라서 뼈와 같은 조직이 더 민감하다); 스캔 필드에서의 위치(표면 영역에 가깝고 초점 영역에 가까운 조직이 가장 많이 노출됨); 주파수(더 높은 주파수 = 더 많은 감쇠 = 더 큰 열 효과); 파동 전송 전력; 및 파동 지속 시간/파동 반복 주파수(도플러 모드와 같은 일부 스캔 모드는 더 높은 파동 반복 주파수를 요구하므로 더 높은 노출을 초래한다)에 따라 다르다.

Chapter 3

등(Back)

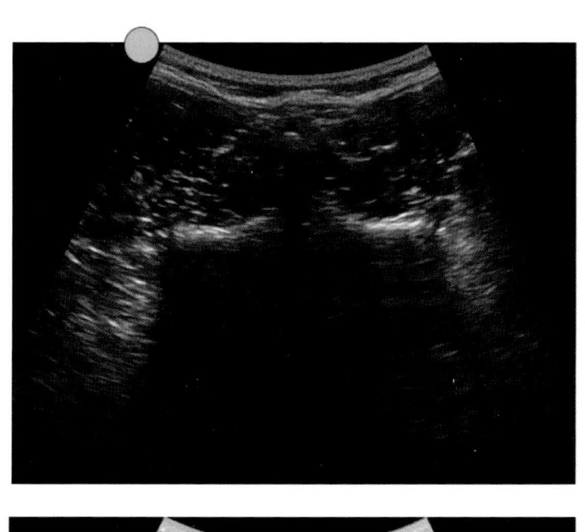

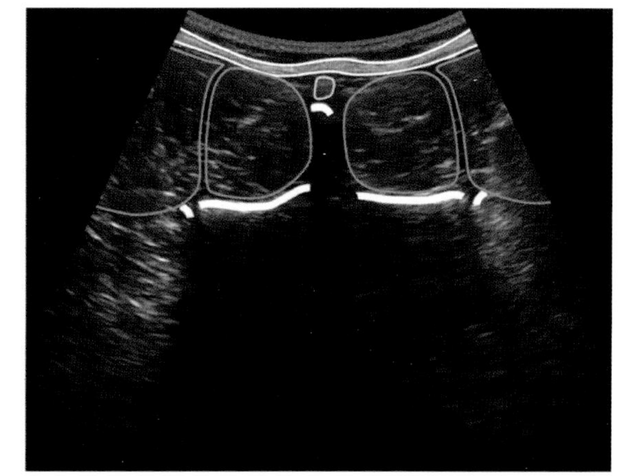

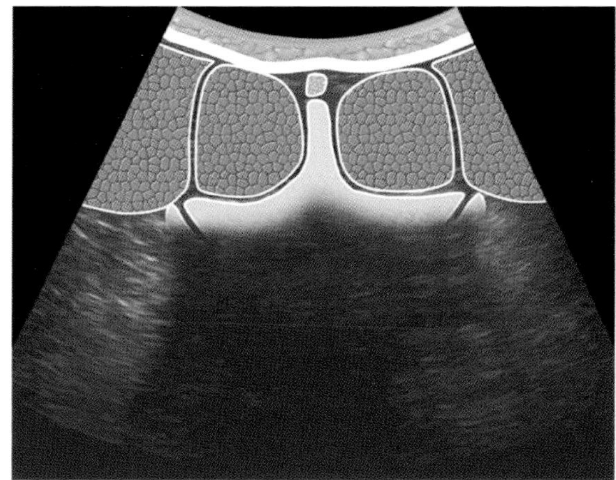

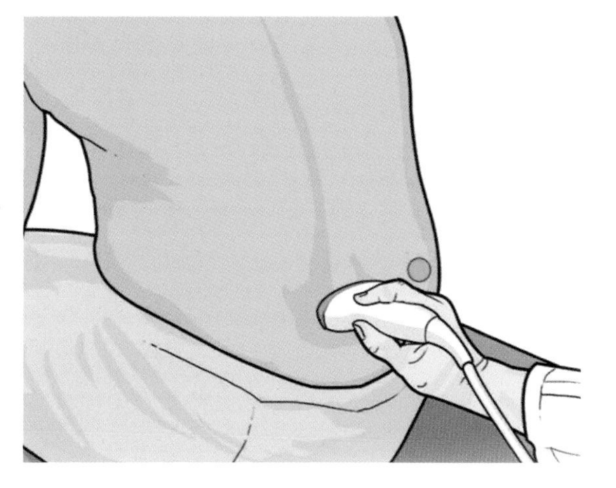

요추(Lumbar spine)

해부학의 검토(Review of the anatomy)

요추(Lumbar vertebrae)

모든 전형적인 **척추**와 유사한 5개의 요추는 앞쪽의 추체와 뒤쪽의 척추궁으로 구성된다. 척추궁은 궁을 척추체에 부착하는 오른쪽 및 왼쪽 뿌리(pedicle)와 중간선에서 융합되어 척추관의 뼈 지붕을 형성하는 오른쪽 및 왼쪽 판(lamina)으로 구성된다. 횡돌기(transverse process)는 뿌리와 판의 접합점에서 측면으로 돌출되고, 이 지점 바로 뒤로 관절돌기(articular process)가 위 아래로 돌출된다. 상관절돌기의 관절면은 후내측으로 향하고, 하관절돌기의 관절면은 전 외측으로 향한다. 관절돌기 간관절(zygapophyseal, facet)은 위 척추의 하관절돌기와 아래 척추의 상관절돌기 사이에 형성된다. 요추 관절돌기의 배향으로 인해, 관절강 자체는 정면(frontal plane)과 시상면(sagittal plane) 사이의 중간 정도에 대해 비스듬히 위치한다. 극돌기는 오른쪽 및 왼쪽 판이 만나는 중앙선에서 뒤쪽으로(그리고 약간 아래쪽으로) 돌출한다. 척추체의 후방면, 뿌리 및 판은 각 척추에서 뼈 척추공의 경계를 형성한다.

인접한 척추체는 추간판 뿐만 아니라 전방 및 후방 종인대로 연결된다. 황색인대(ligamenta flava)는 인접한 척추의 판과 연결된다. 극돌기간인대(interspinous ligament) 및 극상인대(supraspinous ligament)는 극돌기에 연결된다. 상 · 하관절돌기 사이의 관절돌기 간관절은 인접한 척추 사이의 유일한 윤활(synovial) 관절이다.

척추관(Spinal canal)

척수원추(conus medullaris)와 말총(cauda equina)을 포함하는 척수(spinal cord)와 주변 척수막(spinal meninges)은 정렬된 척추공과 황색인대, 추간판 및 후방종인대를 포함하는 지지하는 연조직들로 형성된 척추(vertebra) (**척수, spinal**) **관내**에 수용되어 있다. 척추경막(spinal dura mater)은 다양한 양의 경막외 지방(extradural fat)과 정맥얼기(venous plexus)에 의해 척추관 내부와 분리된다. 요추 척추관의 수막 및 신경 내용물은 경막낭, 척수원추, 말총, 종말끈(flavum terminale) 및 지주막하강(subarachnoid space)을 포함한다.

대부분의 척주(vertebral column)에서, 인접한 척추의 판(laminae) 및 극돌기는 척추관의 후방에서 다소 연속적인 뼈 커버링이 존재하는 정도로 겹쳐진다. 그러나 요추 부위에서, 인접한 척추궁 사이에 비교적 큰 공간이 나타나서, 척추관의 뼈 커버링에 틈(**추궁판간공간, interlaminar space**)이 있고, 이는 황색인대에 의해 채워진다. 이러한 갭의 크기는 굴곡에 따라 증가하고, 요추관 및 그 내용물의 초음파 영상을 위한 연조직 창을 제공한다.

깊은 등 근육(Deep Back Muscles)

요추와 관련된 등과 등 근육의 깊은 근막은 흉요추근막[광배근 기시부의 무뇌힘줄(aponeurotic tendon)에 결합된], 척추기립근(erector spinae), 다열근(multifidus)과 대요근(psoas major muscles)이 포함된다. 척추기립근은 흉요추근막(후층, posterior layer)으로 덮여 있으며, 요추 부위의 근육량의 대부분은 요추의 횡돌기 위(뒤쪽)에 가로놓여 있다. 다열근은 요추 부위에서 잘 발달되어 있으며 요추의 척추 극돌기와 판과 관절돌기/관절돌기 관절이 인접하는 공간을 차지한다. 대요근은 요추의 추체와 횡돌기의 전방면에 인접하는 공간을 차지하는 후복벽 근육이다.

수기(Technique)

극돌기 판
횡단면
그림 3.1

다음과 같이 자세하게 설명된 모든 영상에 대해, 환자는 (1) 아래팔을 허벅지에 놓고 앞으로 구부린 상태로 검사 테이블에 옆으로 앉아(추궁판간 공간의 크기를 가능한 증가되도록 요추 부위를 구부린다) 있거나 (2) 복부 하부 아래에 베개/베개받침(bolster)을 놓인 상태로 검사 테이블에 엎드린다(가능한 요추 부위가 구부려지는 자세). 극돌기가 시상면에서 가능한 한 한쪽 또는 다른 쪽으로 기울거나/회전이 거의없게 정렬되도록 주의를 기울여야 한다. 임상환경(예를들어, 요추 천자 또는 경막외 마취를 위해)에서 "태아 위치"로 웅크린 환자의 옆누운자세 역시 흔히 사용되나, 경험이 없는 검사자에게는 이 자세가 어려운 경향이 있다. 예비 교육 목적을 위해 능간선(intercristal line) (장골능선의 가장 높은지점을 연결하는 선)에서 L4의 극돌기를 촉진하고 표시한다.

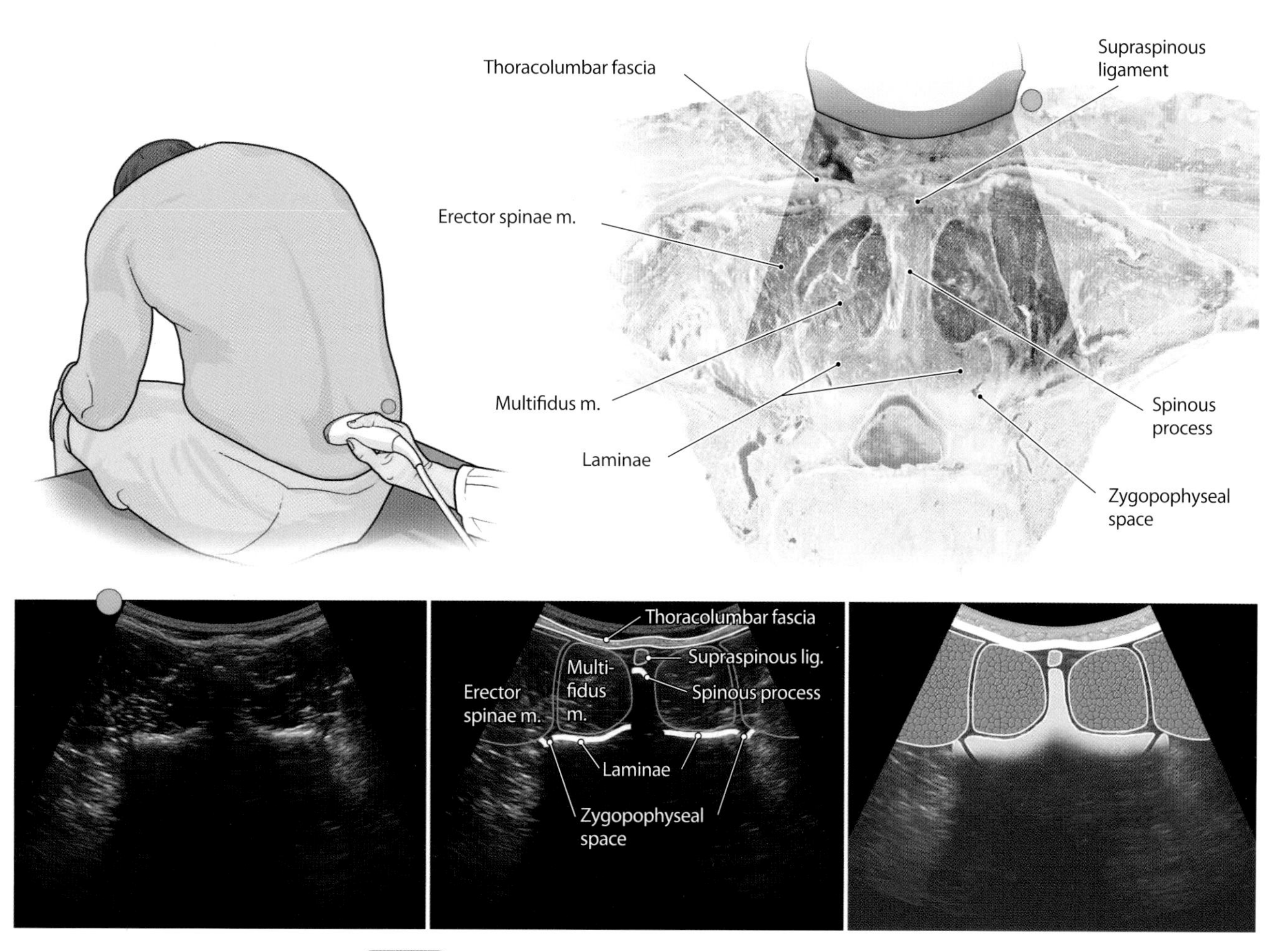

그림 3.1 심부 등 근육 위에 가로놓인 극돌기와 판의 횡단면 영상

추궁판간공간 건초낭
횡단면
그림 3.2

저주파(2−5 MHz) 곡선배열 탐촉자를 사용하여 탐촉자면을 L4 극돌기 위에 가로로 놓는다. 극돌기의 반사 및 음향음영을 식별하고 이미지 중앙에 배치한다. 극돌기와 판이 보일때까지 탐촉자 위치를 조심스럽게 조정한다. 양측의 판의 측면 범위에서 관절돌기 관절강을 나타내는 얇은 무반향(hypoechoic)/저반향(hypoechoic) 선을 찾으라. 피부와 얕은 근막, 고반향(hyperechoic) 흉요추근막 및 다열근과 척추기립근의 "별빛 하늘" 모양을 식별하라.

횡돌기
종단면
그림 3.3

극돌기의 반사/음향음영이 사라지고, 저반향 극간인대로 대치될 때까지 탐촉자를 약간 아래쪽으로 조심스럽게 움직인다. 이미지가 1−2 cm 더 깊어지면, 관절돌기가 보이게 되면서 판이 사라진다. 추궁판간 공간은 관절돌기의 내측 가장자리 사이의 간격으로 식별될 수 있다. 전방과 후방 복합체의 두 고반향 밴드를 식별해야 한다. 관절돌기에

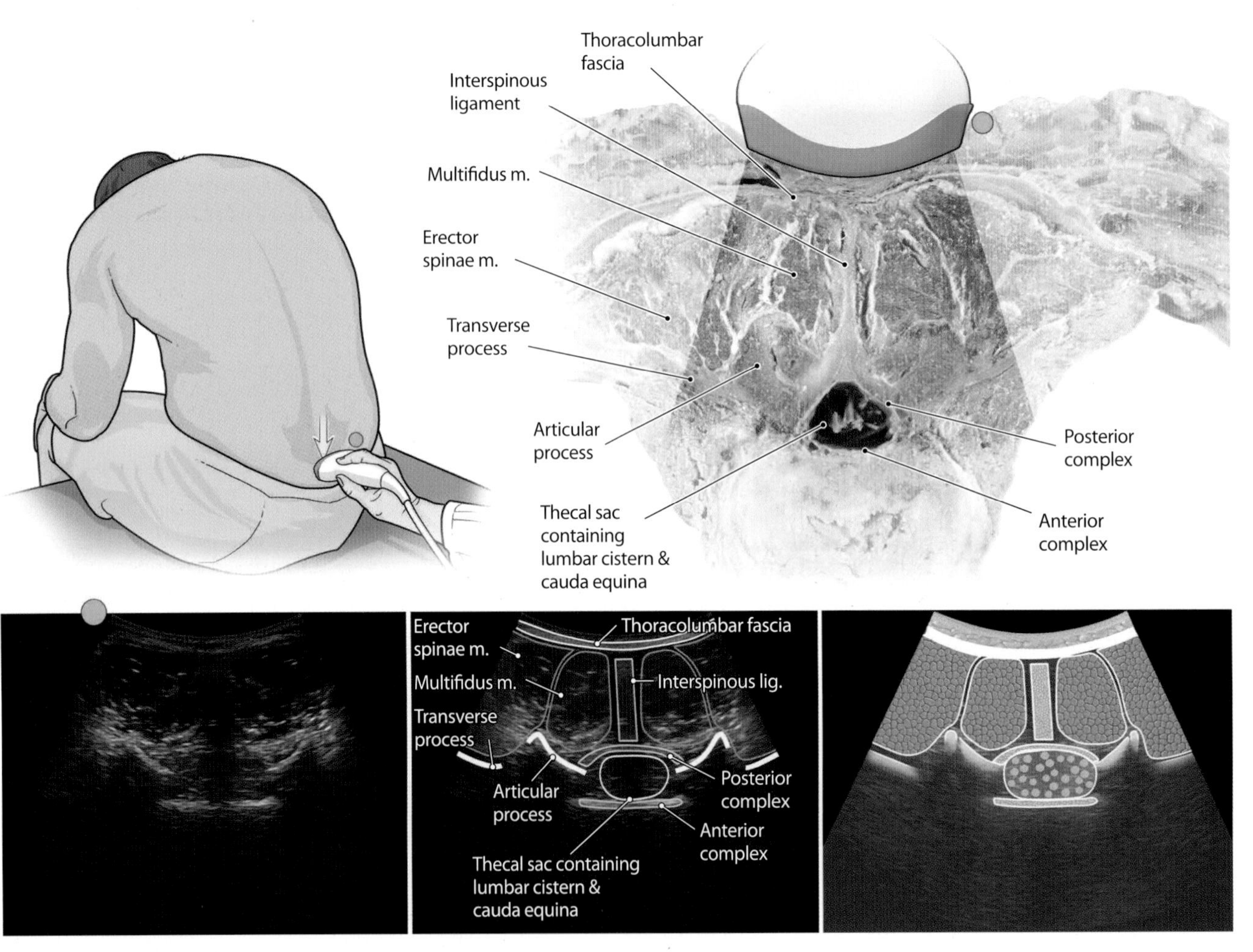

그림 3.2 추간공간 공간과 요추수조와 말총을 포함하는 건초낭의 횡단면도. 후방 복합체: 황인대, 경막외 지방과 경막의 후면. 전방 복합체: 경막의 전면, 경막외 지방과 후방 종인대

바로 표면 추궁간판 공간에 걸쳐있는 후방 복합체는 황색인대, 경막외강, 경막의 후면의 결합된 반영을 나타낸다. 후방 복합체에서 1~2 cm 깊이있는 고반향 밴드인 전방 복합체는 경막의 전방 측면, 경막외강, 후방 종인대의 결합된 반영을 나타낸다. 전방 복합체는 탐촉자가 추궁판간 공간 위에 있을 때만 볼 수 있다(그렇지 않으면 뼈 척추궁 구조의 음향음영에 숨겨져 있다). 후방 및 전방 복합체 사이에서, 건초낭(thecal sac) [요추 수조(lumbar cistern)와 마미(cauda equina)]의 내용물은 타원형의 무반향/저반향 공간으로 시각화될 수 있다.

관절돌기
종단면
그림 3.4

L4/L5 레벨에 남아있는 상태에서, 탐촉자의 마커가 위쪽 방향을 향한 상태에서 척추의 장축을 따라 정중선의 짧은 측면거리(3−4 cm)를 유지한다. 2개 또는 3개의 횡돌기가 척추기립근 심부에 짧은 곡선의 고반향 선, 그 특징인 “손가락 모양(finger−like)” 음향음영으로 식별될 때가지 탐촉자를 조정한다. 연속적인 횡돌기, 대요근의 음

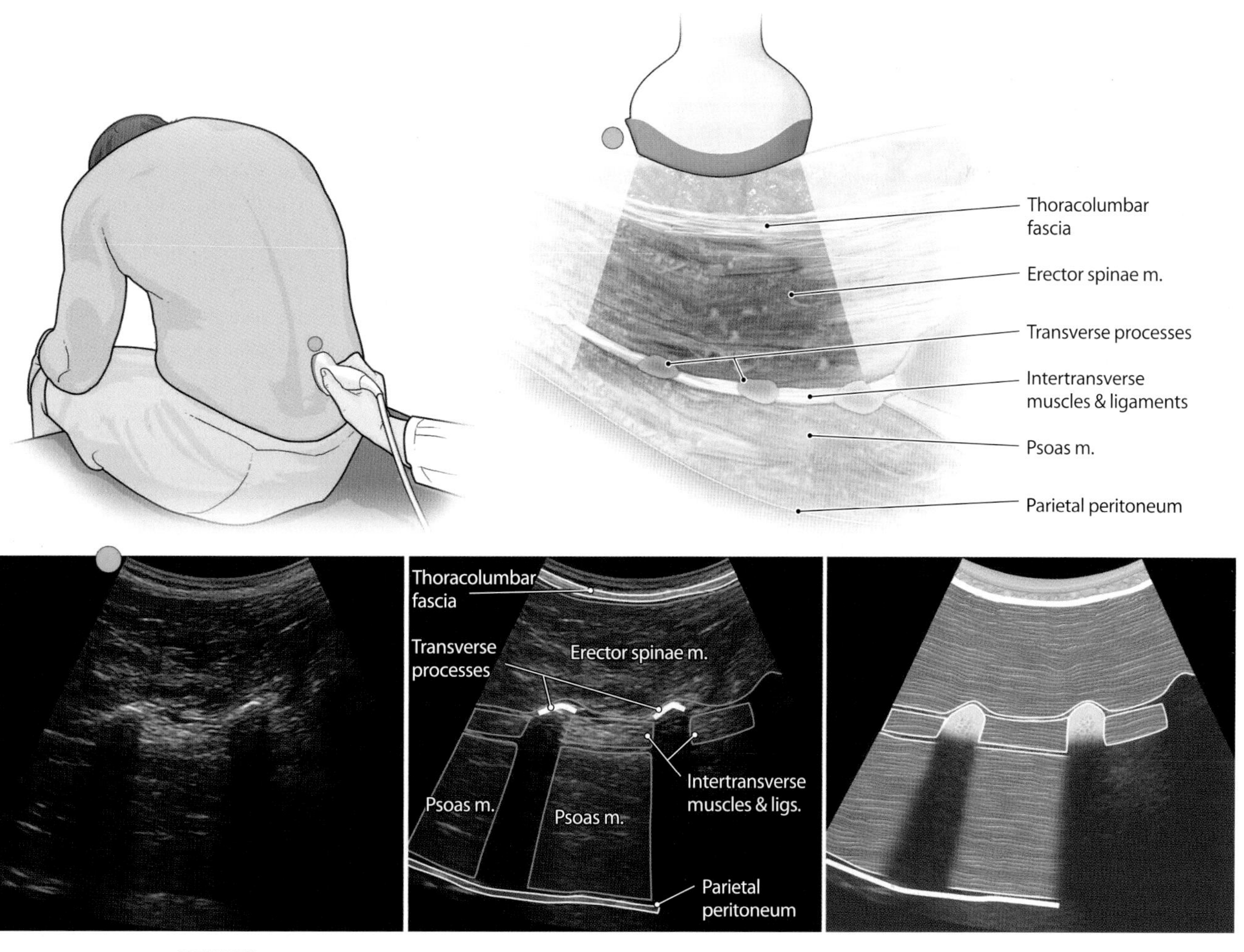

그림 3.3 척추기립근, 횡돌기와 대요근의 종단[근육, 횡단과정 및 psoas 주요 근육의 종단면(방시상) 영상]

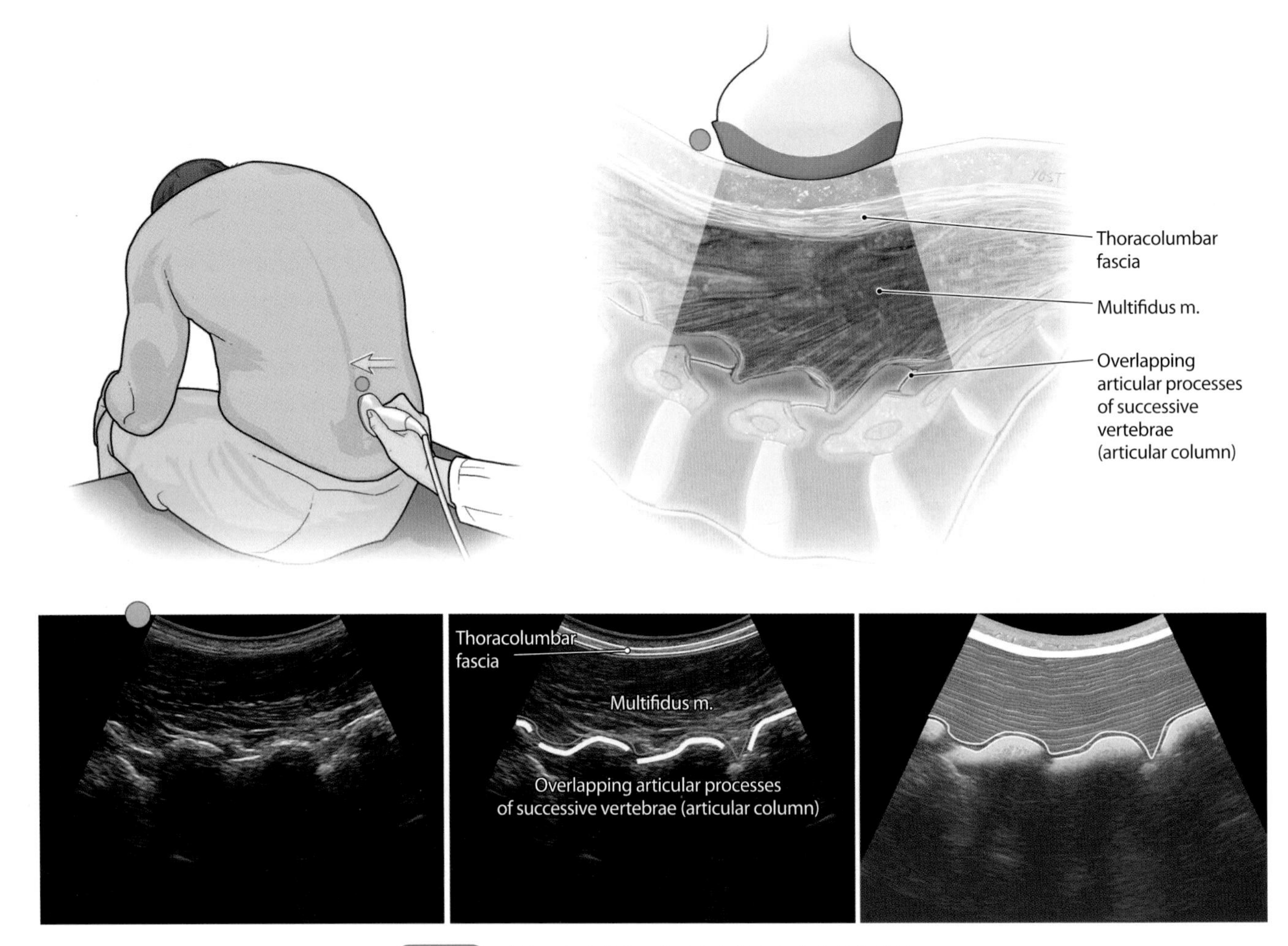

그림 3.4 다열근과 겹쳐있는 관절돌기의 종단면(방시상) 영상

향음영 사이는 두드러진 고반향(hyperechoic) 줄무늬로 볼 수 있다. 벽쪽 복막(parietal peritoneum)은 대요근의 심부에 고반향 선으로 식별될 수 있다. 이 선보다 심부에 복강내 구조물의 호흡 운동을 볼 수 있다.

추궁판
추궁판간 공간
종단면
그림 3.5

다음으로, 근육 심부에 짧은 뼈가 솟아오른 것의 연속선이 나타날 때까지 탐촉자를 내측으로 밀어준다. 이들은 연속적인 척추의 중복되는 관절돌기이며, 흔히 초음파(US) 영상에서 "관절기둥(articular column)"으로 불린다. 다열근은 척추 부위에서 관절기둥에 겹쳐있는 근육량(muscle mass)이다.

관절기둥을 식별한 후, 연속적인 척추의 추궁판 및 추궁판간 공간이 보일 때까지 탐촉자 접촉면을 약간 내측으로 기울인다(초음파 빔이 측면에서 내측으로, 피부 표면에서 더 깊은 구조물로 이동함). 추궁판은 피부 표면에 대해 기울어진 고반향 라인으로 보여져서 위쪽 가장자리가

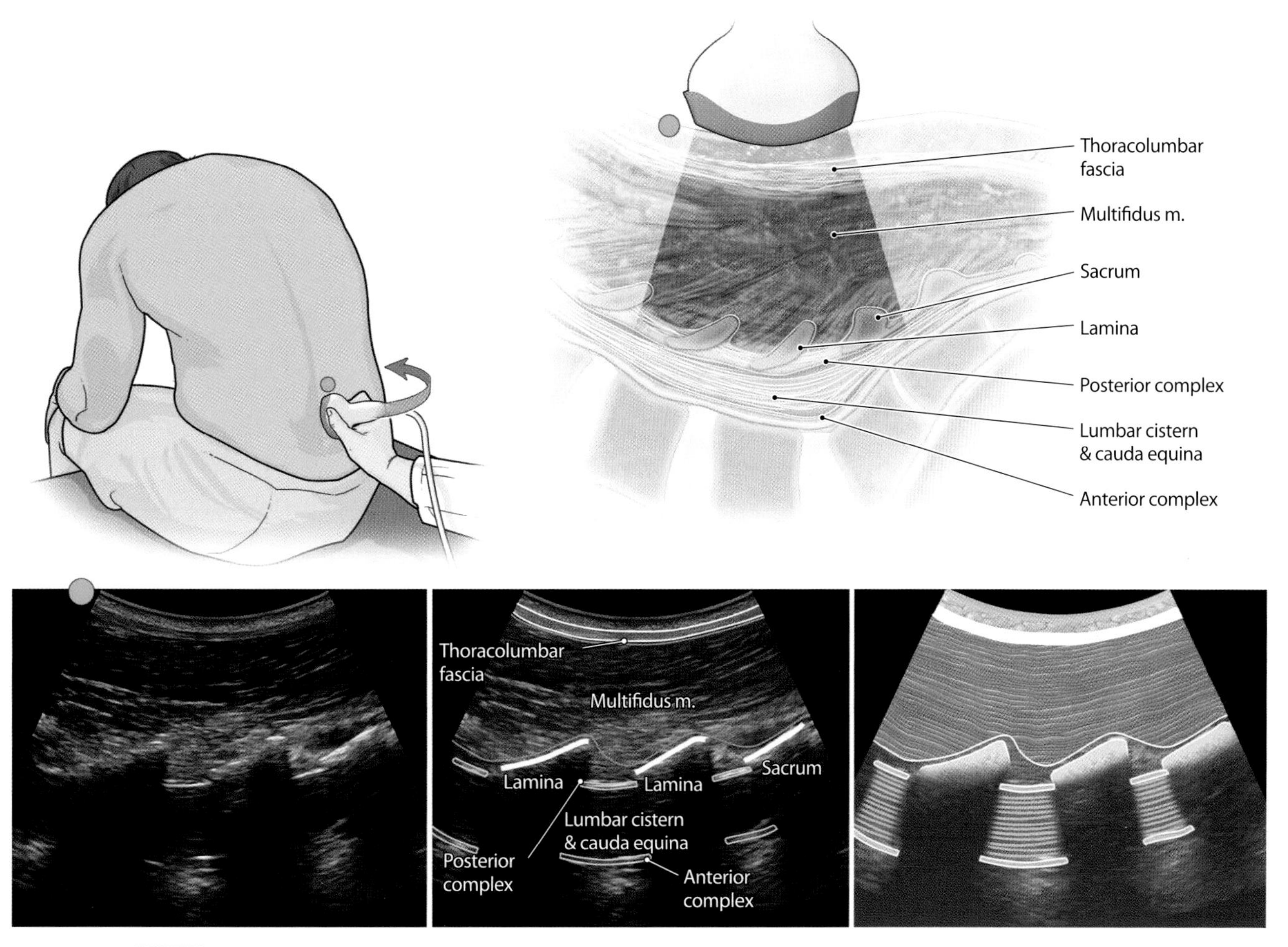

그림 3.5 다열근에 겹쳐있는 추궁판, 추궁간 공간과 수초낭의 종단면(방시상 사선) 영상. 후방 복합체: 황색인대, 경막외 지방과 경막의 후방면. 전방 복합체: 경막의 전방면, 경막외 지방과 후방 종인대

아래쪽 가장자리보다 깊어 전반적으로 톱니 모양이다. 연속적인 추궁판과 이들 음향음영 사이에서, 후방 복합체, 건초낭의 내용물과 전방 복합체를 볼 수 있다.

임상 응용

이들 수기는 진단적 요추 천자 또는 척수 혹은 경막외 마취의 투여 전에 요추 및 관련 인대, 경막외강 및 요추 수조의 해부 구조를 평가하고 정확하게 측정하는데 사용될 수 있다. 예를 들어, 초음파 장비의 캘리퍼 기능을 사용하여 피부 표면에서 황색인대, 경막외강, 경막 및 경막내 공간까지의 깊이를 정확하게 측정할 수 있고 혼란스럽거나 어려운 해부 구조의 환자에서 척추 레벨을 피부에 표시하고 확인할 수 있다. 이들 수기는 또한 요추천자 및/또는 척수/경막외 마취 또는 관절돌기관절 주사의 투여 동안 초음파 유도 하에 바늘을 진행하거나 삽입하는데 사용될 수 있다.

Chapter

4

상지(Upper Limb)

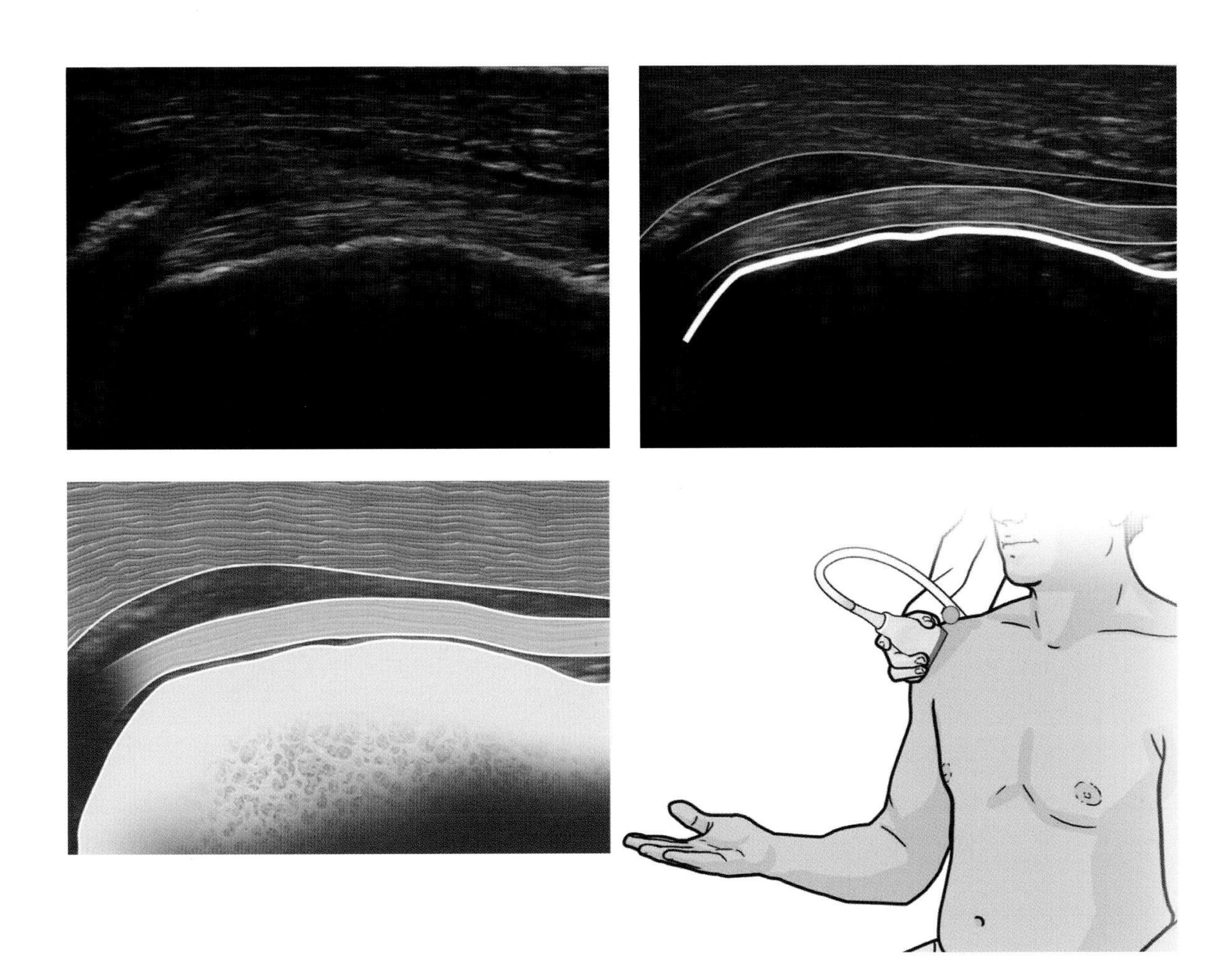

상완신경총(Brachial Plexus)

해부학의 검토(Review of the Anatomy)

상완신경총(brachial plexus)은 상지신경분포의 근원이다. 신경총은 신경총의 근(root)으로 불리는 경추 5번(C5)에서 흉추 1번(T1)까지의 척추신경의 전방지(ventral rami)로 부터 목에서 형성된다. 신경근(root)은 각각의 추간공(intervertebral foramen)에서 나와 전사각근(anterior scalene muscle)과 중사각근(middle scalene muscle) 사이의 사각근 간격(scalene interval)으로 지나간다. 경추 5번과 6번신경근(C5 and C6 root)은 합쳐져 상부 간부(upper trunk)를 형성하고 경추 7번신경근(C7 root)은 중간 간부(middle trunk)로 계속되고 경추 8번과 흉추 1번 신경근(C8, T1 root)은 하부 간부(lower trunk)를 형성한다. 간부(Trunk)는 목의 아래로 계속되어 전방분할(anterior division)과 후방 분할(posterior division)로 나누어진다. 분할(division)은 첫번째 늑골에 붙는 전사각근과 중사각근 사이로 지나가는 쇄골하동맥(subclavian artery)의 외측에서 1번 늑골을 넘어간다. 전방 분할과 후방 분할이 합쳐져서 코드(cord)를 형성하며 1번 늑골(first rib), 쇄골(clavicle), 견갑골(scapula)의 상연(superior margin) 사이의 공간(즉, axillary inlet or cervico axillary canal)을 지나 겨드랑이로 지나간다. 1번 늑골의 외측면 아래를 통과하면서 쇄골하동맥(subclavian artery)은 액와동맥(axillary artery)이 된다. 액와정맥(axillary vein)은 동맥의 내하측에 있고 사각근 간격을 통과하지 않고 전사각근의 내측에서 1번 늑골을 가로지른다. 겨드랑이를 지나가는 경로에서 분할, 코드, 분지(division, cord, branch) 그리고 액와혈관(axillary vessel)은 흉근(pectoralis muscle)의 깊은 곳에 위치한다. 액와동맥은 3부분으로 나눠진다. 첫 부분은 소흉근(pectoralis minor muscle)의 상/내측(superior/medial)에 있으며, 두 번째 부분은 소흉근의 뒤쪽 깊은 곳(posterior/deep)에 위치하며, 세 번째 부분은 소흉근의 하측, 외측(inferior/lateral)에 위치한다. 코드는 분할로 부터 형성되는데 동맥의 두 번째 부분을 둘러싸고 그 위치에 따라 이름지어 지는데 외측 코드는 동맥의 외상부(lateral/superior)에 있고 내측 코드는 동맥과 정맥사이 동맥의 내하방에(medial/inferior) 있고, 후방 코드는 동맥의 후방, 심부에(posterior/deep)에 있다.

흉근(Pectoralis Muscles)

대흉근(pectoralis major)은 쇄골의 내측 삼분의 일, 흉골의 표면, 첫 7개의 늑연골에서 기시하는 큰 부채꼴의 근육이다. 이것은 결절간구(intertubercular groove) 외측 가장자리에 리본같은 건(tendon)으로 부착한다. 소흉근(Pectoralis minor muscle)은 대흉근의 깊은 곳에 위치하는데 3번에서 5번 늑골의 표면에서 기시하여 견갑골의 오구돌기(coracoid process)의 내측에 부착한다.

수기(Technique)

근, 간부, 분할(Roots, Trunks and Divisions)

사각근간격 근과 간부
횡단면
그림 4.1

환자는 진찰 테이블위에서 고개를 반대쪽으로 돌린 상태로 앙와위(supine) 자세를 취한다. 탐촉자(probe)를 흉쇄유돌근(sternocleidomastoid muscle)의 아랫부분에서 쇄골의 내측 삼분의 일의 몇 센티미터 위에서 횡으로 둔다. 탐촉자를 흉쇄유돌근의 깊은 곳에 위치하는 구조물을 확인하는데 필요하게 위치시킨다(부가적인 정보는 Chapter 9. Neck and Face 참조). 내측에서 외측으로 총경동맥(common carotid artery), 내경정맥(internal jugular vein), 전사각근(anterior scalene muscle)을 찾는다. 탐촉자를 외측으로 이동하여 내경정맥이 영상의 내측에서 보이도록 한다. 이 자세에서 전 · 중사각근(anterior and middle scalene muscle)을 찾고 그 사이의 좁은 공간인 사각근 간격(sca-

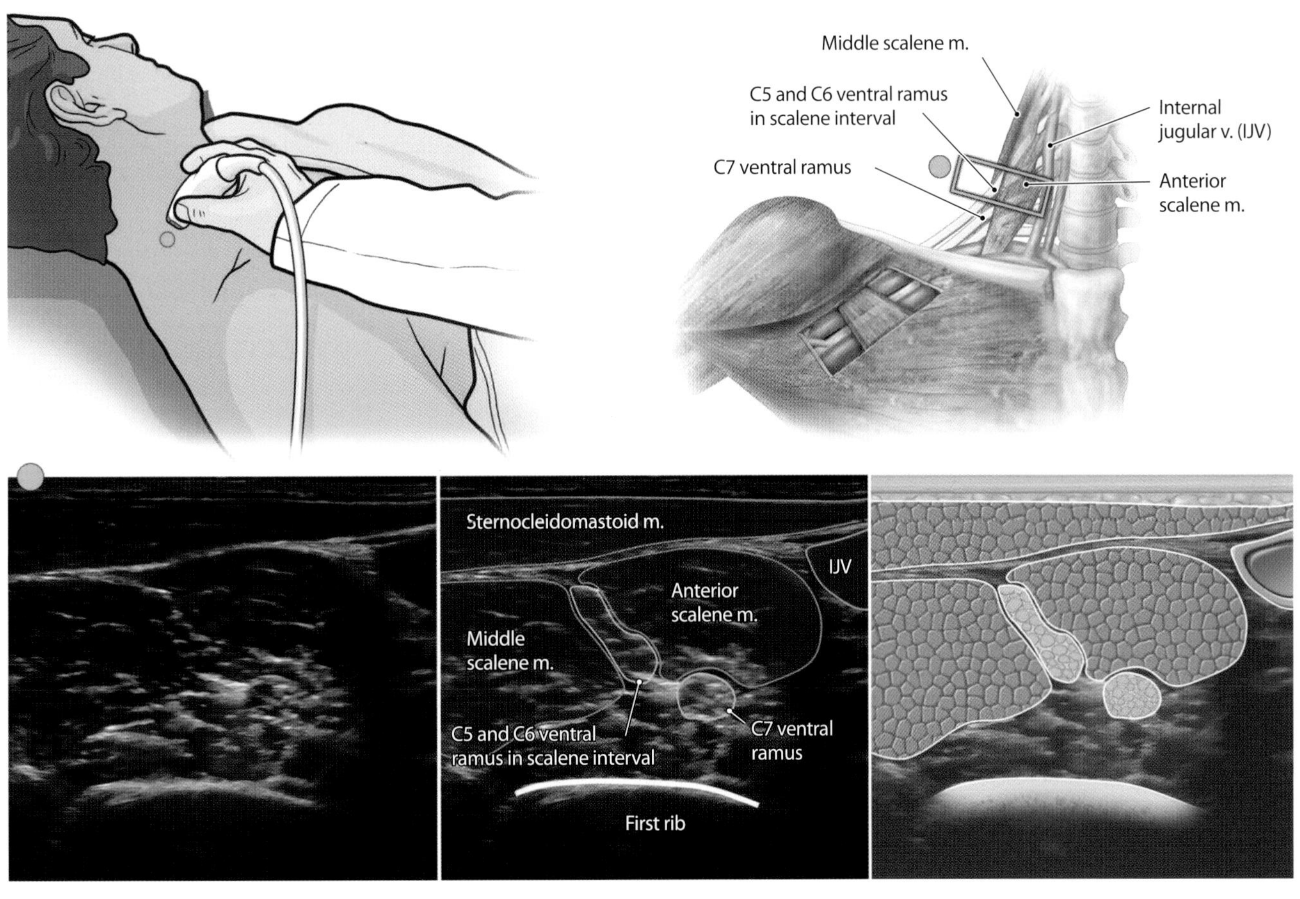

그림 4.1 사각근 간격(scalene interval)에 있는 상완신경총(brachial plexus)의 근과 간부(root and trunk)의 횡단면 영상. IJV(internal jugular vein)

lene interval)을 확인한다. 탐촉자로 사각근간격의 위, 아래로 움직이며 탐촉자를 기울이고 각도를 조절해서 사각근 간격에서 2개 혹은 3개의 큰 신경다발을 확인한다. 많은 환자들에게서 목의 면에 대해 신경근과 간부(root and trunk)가 비교적 비스듬한 주행을 하여 이방성(anisotropy)이나 허상(artifact)으로 보여질 수 있기 때문에 신경근와 간부는 신호등 신호("traffic-light" sign)라는 구분되는 저에코의 타원형(hypoechoic oval)으로 보여질 수 있다. 경추 5, 6, 7신경근(C5, C6, C7 root)은 간격에 있는 가장 앞쪽 신경다발이다. 신경층의 아랫부분에 있는 경추 8번과 흉추 1번 신경근(C8, T1 root)은 이 위치에서 명확히 상을 찾기가 어렵다.

경부의 근 간부와 분할
횡단면
그림 4.2

탐촉자를 사각근사이(interscalene)에서 쇄골상와(supraclavicular fossa)쪽으로 아래로 이동시켜 상완신경총(brachial plexus)이 관상(coronal view)으로 보이게 될 때까지 기울인다. 탐촉자를 재위치시키고 기울여 신경총의 다발이 상의 중심에 있도록 하고 쇄골하동맥(subclavian artery)의 박동이 보이도록 하고 1번 늑골의 고에코성 반사(hyperechoic reflection, acoustic shadow)가 보이도록 유지한다. 신경총의 간부와 분할(trunk and division)은 쇄골하동맥의 외측면에 접하여 1번 늑골위에 쌓여진 커다란 신경조직 다발의 무더기처럼 보인다. 하부 간부(lower trunk, C8, T1 root가 합쳐짐)는 쇄골하동맥과 중사각근(middle scalene muscle) 사이에서 1번 늑골과 접하며 아래에 위치한다.

코드(Cords)

액와 코드
횡단면
그림 4.3

환자는 진찰대에 팔을 나란하게 내려놓고 앙와위(supine) 자세를 취한다. 어떤 경우엔 환자가 손바닥을 하늘로 향하게(palm up) 머리 뒤에 위치하도록 두는 것이 견갑골이 앞쪽으로 이동하고 액와혈관(axillary vessel)이 더 위쪽에 위치하게 하는데 도움이 된다. 오구돌기(coracoid process) 및 검상돌기 연결부(xiphisternal junction)의 위치를 촉진하여 위 기준점을 연결하는 사선을 따라 탐촉자가 오구돌기의 끝부분의 바로 아래 탐촉자의 방향표시(probe orientation marker)가 놓이도록 위치시킨다. 대흉근(pectoralis major muscle)을 사선의 횡단면(oblique transverse view)으로 확인하고 소흉근(pectoralis minor muscle)을 종축(longitudinal axis)으로 확인한다. 소흉근의 깊은 곳에 액와동맥의 2번째 부위가 뛰는 것을 확인하고 탐촉자의 위치 및 압력 기울기를 조절하여 동맥의 내하측(medial/inferior)에 액와정맥을 확인하며 타원형인 동맥보다 둥근모양의 횡단면을 찾는다. 동맥 가까이 3개의 고에코의 신경다발을 확인하여야 한다. 외측 코드(lateral cord)는 동맥의 외측 위측(lateral/supe-

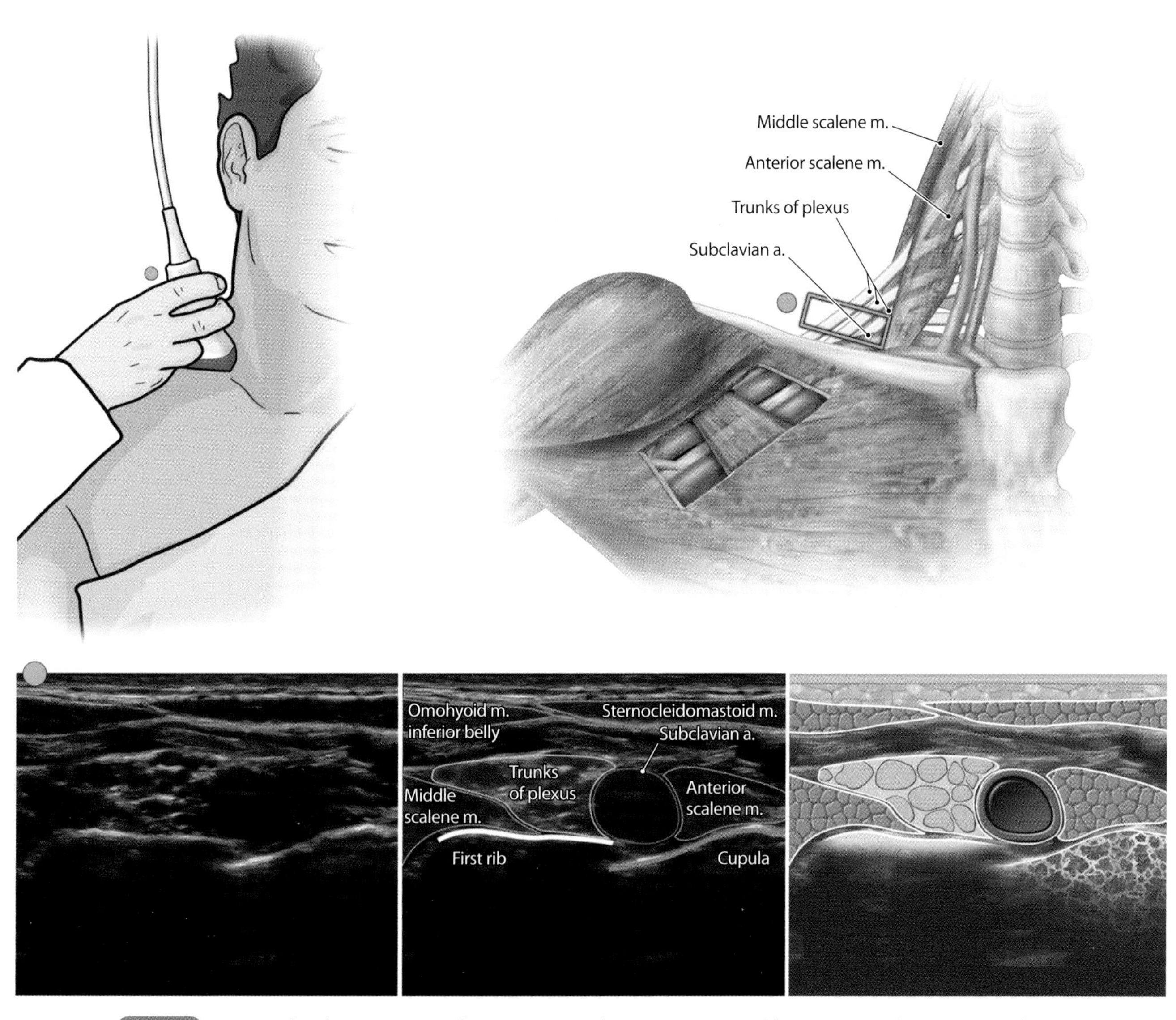

그림 4.2 목의 뿌리(root)에서 쇄골하동맥(subclavian artery)과 나란한 상완신경총(brachial plexus)의 간부와 분할(trunk and division)의 횡단면 영상

rior)에 보이며 후방 코드(posterior cord)는 동맥의 깊은곳에 위치하고 내측 코드(medial cord)는 동맥의 내하측(medial/inferior)에 있으며 동맥과 정맥사이에 위치한다.

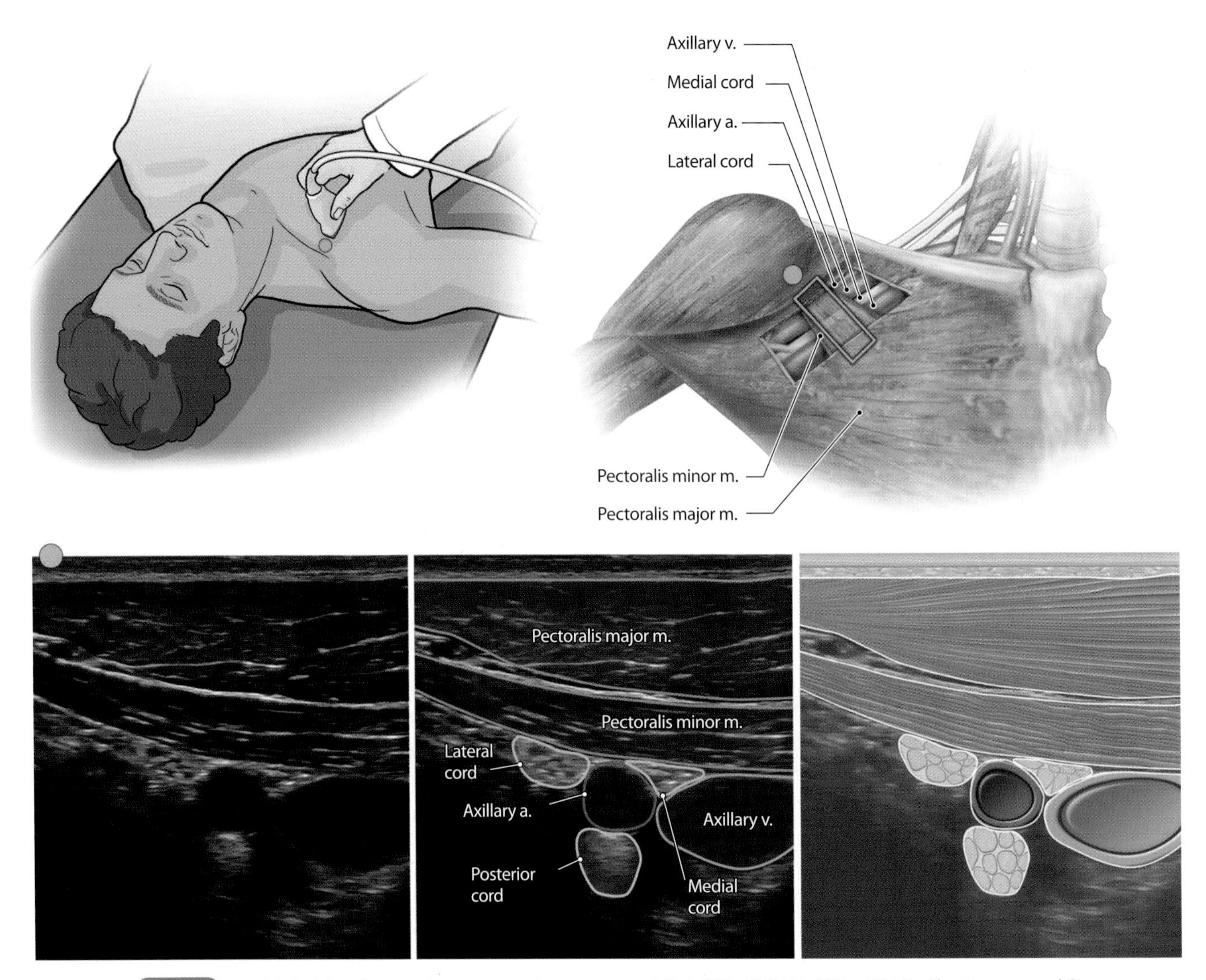

그림 4.3 대흉근과 소흉근(pectoralis major and minor muscle)의 깊은 곳에 위치하는 액와동맥(axillary artery)을 둘러싸는 상완신경총 코드의 횡단면 영상

임상 응용

이 방법은 상지수술이나 술후 통증 조절에 상완신경총(brachial plexus) 주위에 국소마취제를 투여하기 위하여 유도하는 바늘(guide needle)이나 카테터를 안전하게 사용하는 가장 흔히 사용되는 술기이다.

사각근 간격(scalene interval)에서 상완신경총차단(plexus block)을 사각근간 신경차단술(interscalene block)이라 부른다. 목의 신경근(root)에서 행하는 차단술은 쇄골상부 차단술(supraclavicular block)이라 불린다. 액와부(axilla)에서 코드의 차단술은 쇄골하부 차단술(infraclavicular block)이라 불린다.

각 부위의 마취는 각각 장점과 단점 그리고 사용 적응증이 있다.

- 사각근간 신경차단술은 상완(upper arm)과 어깨(shoulder)를 마취하나 경추 8번과 흉추 1번 신경근(C8, T1 root)을 놓친다.
- 그래서 상완과 전완 및 수부의 척측부(ulnar side)의 마취를 실패한다. 목의 뿌리(root)에 신경의 간부와 분할(trunk and division)이 서로 가까이 들어차 있기 때문에 쇄골상부 신경차단술이 실제로 완전한 상완 마취를 제공한다. 그러나 신경총 주위에 폐 첨부가 가깝고 쇄골하동맥(subclavian artery)이 위치해 기흉이나 동맥천자, 혈관내 마취제 주입등의 위험성이 있다.

쇄골간 신경차단술(interclavicular block)은 상완 원위 3분의 2 및 전완, 완관절, 수부 등의 신뢰할 수 있는 마취를 제공한다. 이 마취는 팔꿈치를 포함하여 상지의 수술에 종종 사용된다. 더하여 쇄골상부 신경차단술과 비교하여 폐를 찌르거나 기흉의 발생 위험성이 거의없다.

어깨(Shoulder)

해부학의 검토(Review of the Anatomy)

뼈(Bones)

어깨뼈는 견갑골(scapula), 근위 상완골(proximal humerus), 쇄골(clavicle)로 구성된다.

견갑골(Scapula)

견갑골은 크고 편평한 삼각형 모양의 뼈이다. 견갑골극(scapula spine)은 견갑골의 후면에서 돌출되어 있으며 견갑골의 후면을 극상와(supraspinous fossa)와 극하와(infraspinous fossa)로 나눈다. 견갑골극은 외측 끝이 뻗어 견봉(acromion process)이 되며 견관절(glenohumeral joint)의 골성 천정을 형성한다. 견관절은 견갑골 외측의 각이지는 부위(lateral angle)에 있는 비교적 작고 얕은 관절와(glenoid cavity)와 상완골두 사이에 존재하는 활막 구형 관절(synovial ball socket joint)이다. 관절와는 섬유연골성 깃(fibrocartilagenous collar), 즉 관절순(glenoid labrum)에 의하여 깊이와 둘레가 증가된다. 손가락 같은 오구돌기(coracoid process)는 견갑골의 상연(superior margin)에서 전 외측으로 돌출되어 있으며 견봉과 오구견봉 인대(coracoacromial ligament)로 연결되어 상완골두와 견관절의 천정을 형성하는 오구견봉 궁(coracoacromial arch)을 만든다. 이 궁(arch)의 깊은 면과 상완골두(humeral head) 사이의 공간이 견봉하 공간(subacromial space)이다.

근위 상완골과 견관절(Proximal Humerus and Glenohumeral Joint)

근위 상완골과 견관절의 반구형인 상완골 두는 견갑골의 관절와 방향으로 후내측및 약간 위쪽으로 향해 있다. 골두는 약간 좁아지는 해부학적 경부(anatomical neck)에 의하여 근위 경골의 남아 있는 부분과 구분되어 진다. 대결절(greater tubercle)과 소결절(lesser tubercle)은 회전근개(rotator cuff muscles)의 건(tendon)이 부착하며 결절간구(intertubercular groove)에 의하여 분리된다.

대결절은 전외측으로 돌출된 둥근면을 가지고 있으며 3개의 관절면(superior, middle, inferior facet)을 가지고 있고, 극상건(supraspinatus), 극하건(infraspinatus), 소원건(teres minor tendon)이 부착하며 견갑골의 후면(post surface)에서 유래하는 회전근 개이다.

소결절은 전내측으로 향하며 편평하며 약간 오목한 면을 가지고 있으며 견갑하건(subscapularis tendon)이 부착하며 이것은 견갑골의 앞면에서 유래하는 회전근개 근육이다. 상완이두건(Bicep brachii)의 장두(long head)는 결절간구(intertubercular groove)내에서 횡상완인대(transverse humeral ligament)에 의하여 안정되어 있으며 건이 상완골두 위로 곡선으로 지나가며 극상건(spraspinatus)과 견갑하건 사이(roator cuff interval)로 통과하여 견관절로 들어간다.

회전근개(rotator cuff tendon)는 견관절의 섬유성 관절낭 위에 표재성으로 지나가며 대결절과 소결절에 부착한다. 섬유성 관절낭은 상완골의 해부학적 경부(anatomical neck) 및 관절와의 가장자리, 관절와순의 바로 바깥쪽을 따라 부착된다.

쇄골과 견봉쇄골관절(Clavicle and Acromioclavicular Joint)

쇄골은 표피하에 길게 놓여있다. 쇄골의 내측 끝은 흉쇄관절로 흉골에 붙어 있고 외측끝은 견봉쇄골관절(acromio clavicular joint, AC joint)로 견갑골에 붙어있다. 견봉쇄골관절은 견봉(acromion)의 전내측면과 쇄골(clavicle)의 외측단 사이(lateral end)에 있는 작은 활막관절(synovial joint)이다. 견봉쇄골관절은 견봉쇄골인대(AC ligament)에 의하여 표피하에 위쪽면이 두껍게 강화되어진 관절주머니에 의하여 둘러 쌓여져 있다.

근육(Muscles)

삼각근(Deltoid)

삼각근은 어깨의 정상적인 둥그런 형태를 형성하며 회전근개(rotator cuff tendon)와 상완이두건장두(long head of biceps brachii)의 표피쪽에 위치한다. 삼각근은 넓은 U자 모양을 가지며 견갑골극(scapula spine), 견봉(acromion), 쇄골(clavicle)의 외측 3분의 1에서 기시하여 상완골의 중간 골간(mid diaphysis) 가까이 있는 결절간구(intertubercular groove)의 외측 가장자리(lateral lip)에 있는 삼각근 결절(deltoid tubercle)에 부착한다.

극상근(Supraspinatus)

극상근은 극상와(supraspinous fossa)로 부터 기시하여 견봉하 공간(subacromial space)을 지나 대결절(greater tubercle)의 상관절(superior facet)에 부착한다. 견봉하 점액낭(subacromial bursa)은 건(tendon)을 견봉의 깊은면과 오구견봉궁(coracoacromial arch)으로 부터 분리한다. 견봉하 공간를 지나 건은 삼각근하 점액낭(subdeltoid bursa,subacromial bursa와 연결)과 삼각

근하(subdeltoid)의 얇은면, 점액낭 주위의 지방에 의하여 분리된다.

극하근 및 소원근(Infraspinatus and Teres Minor)

극하근과 소원근은 극하와(infraspinatus fossa)로 부터 기시한다. 이 건(tendon)은 견봉(acromion)의 뒤쪽 모서리(post edge) 아래에서 견관절(glenohumeral joint)의 뒷면과 상완골두(humeral head)의 위로 통과하여 대결절(greater tubercle)의 중 · 하관절(middle, inferior facet)에 부착한다. 이 근육과 건은 삼각근하 지방과 근막(subdeltoid fat, fascia)의 얇은 층에 의하여 삼각근(deltoid muscle)과 분리된다.

견갑하근(Subscapularis)

견갑하근은 견갑골의 앞쪽면에서 기시하여 오구돌기(coraoid process)의 오구돌기하 공간(subcoracoid space)을 통과하여 오구상완근(coracobrachialis)과 상완이두건 단두(short head of biceps brachii)의 깊은 곳을 지나 견관절의 전내측위로 지나 소결절(lesser tubercle)에 부착한다. 오구돌기하 공간(subcoracoid space)을 지나 건은 삼각근(deltoid)과 삼각근하 지방과 근막(subdeltoid fat, fascia) 깊은 곳에 바로 있다.

수기(Technique)

상완이두건 장두
(Tendon of the Long Head of Biceps Brachii)

결절간구 상완이두건장두
횡단면
그림 4.4

환자는 팔꿈치를 90도 굴곡하고 전완을 회외전(supination)하여 대퇴부위에 놓은 자세로 앉는다. 환자 뒤에 서서 탐촉자(linear high frequency)를 근위 상완의 전면에 탐촉자 표시(probe marker)가 외측으로 향하게 하여 횡으로 위치시킨다. 삼각근(Deltoid) 근육의 깊은 곳에서 대결절(greater tubercle)과 소결절(lesser tubercle)을 확인하고 그 사이에 결절간구(intertubercular groove)가 있다. 상완이두건장두는 결절간구 내에서 고 초음파성 타원형(hyperechoic oval)으로 보인다. 건막(tendon sheath)은 견관절(glenohumeral joint)에서 짧은 길이로 걸쳐 있으며, 건활액막염

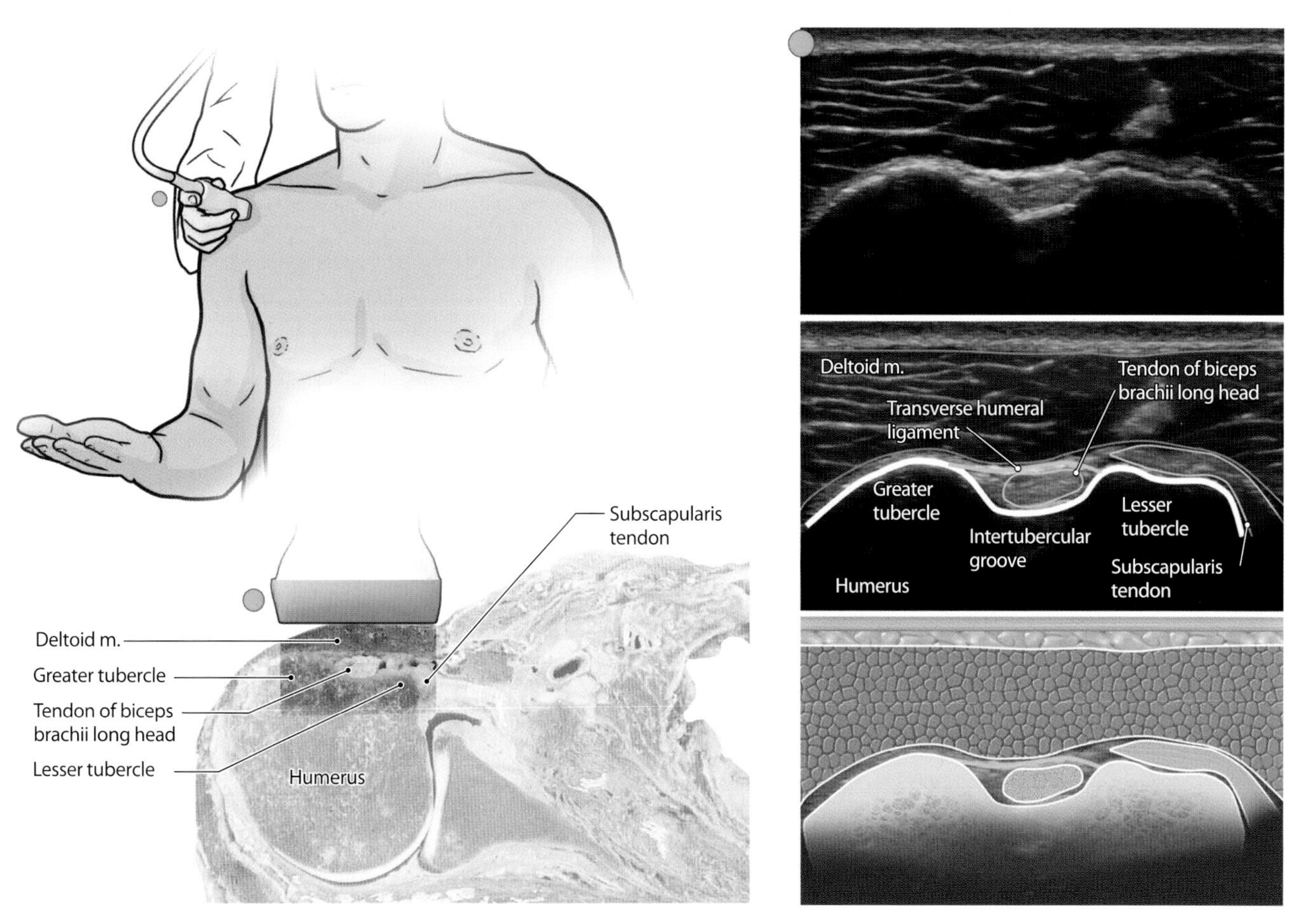

그림 4.4 상완골의 결절간구(intertubercular groove) 내에 있는 상완이두건장두(long head of biceps brachii tendon)의 횡단면 영상

(tenosynovitis)이나 관절 삼출액(joint effusion)이 없다면 정상적으로 보이지 않는다. 탐촉자를 앞뒤, 좌우(tilting, fanning)로 기울이면 건의 모양이 고에코(hyperechoic)에서 저에코(hypoechoic), 무에코(anechoic)까지 이방성(anisotropy)때문에 바뀐다. 얇은 고에코성 결체조직으로 된 밴드인 횡상완골인대(transverse humeral ligament)는 결절면을 지나 결체조직과 섞여 건의 앞쪽에서 결절간구에 걸쳐 보인다.

결절간구
상완이두건장두
종단면
그림 4.5

탐촉자를 영상의 중심에 건이 보이도록 유지한채 탐촉자를 90도 돌려 탐촉자 표시가 위로 향하도록 장축상을 얻는다. 이방성(anisotropy) 때문에 건이 상완골 위로 관절내로 휘어져 들어갈 때 위쪽으로 사라진다.

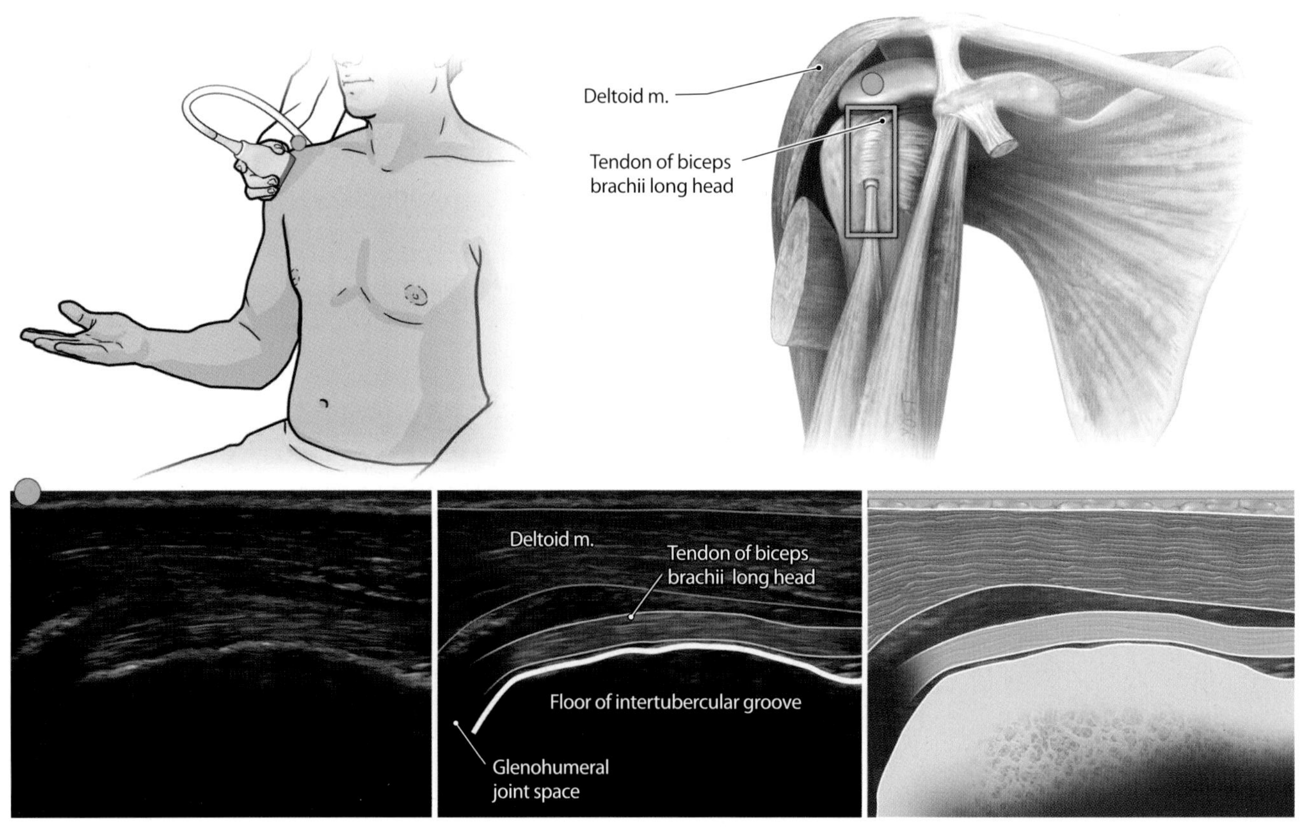

그림 4.5 상완골의 결절간구(intertubercular groove) 내에 있는 상완이두건장두(long head of biceps brachii tendon)의 종단면 영상

견갑하건(Subscapularis)

견갑하건 종단면 그림 4.6

환자는 전처럼 팔꿈치를 90도 굴곡하고 전완을 회외전 한채 앉는다. 탐촉자를 근위 상완골의 앞쪽에 횡으로 두고 팔을 외회전하여 소결절(lesser tubercle)을 확인한다. 삼각근(deltoid)과 삼각근하 지방과 근막(subdeltoid fat, fascia)의 깊은 곳에 견갑하건이 장축으로 보일 것이다. 건이 오구돌기하 공간(subcoracoid space)에서 상완골두 위로 곡선을 그리며 나와 외측 끝이 좁아지며 소결절에 붙는 것을 확인한다.

견갑하건 횡단면 그림 4.7

탐촉자를 90도 회전하여 탐촉자 표시가 위로 향하도록 하고 건을 장축으로 보이도록 둔다. 탐촉자를 내측으로 약간 이동하여 여러개의 고에코성 건(hyperechoic tendon)이 저에코성 근육(hypoechoic muscle) 사이에 섞여있는 것(myotendinous junctions)을 확인할 수 있다.

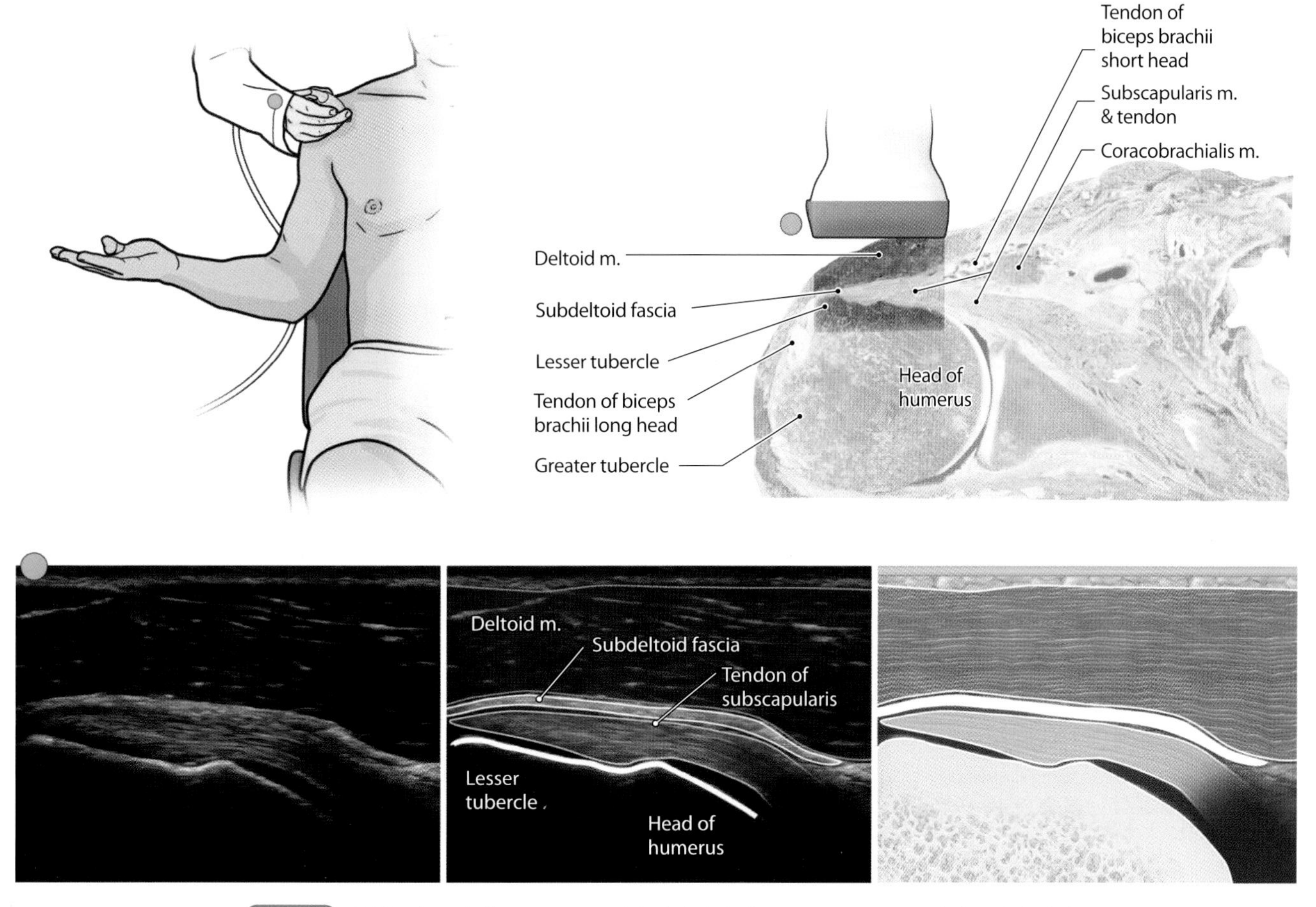

그림 4.6 상완골의 소결절(lesser tubercle)에서 견갑하건(subscapularis tendon)의 종단면 영상

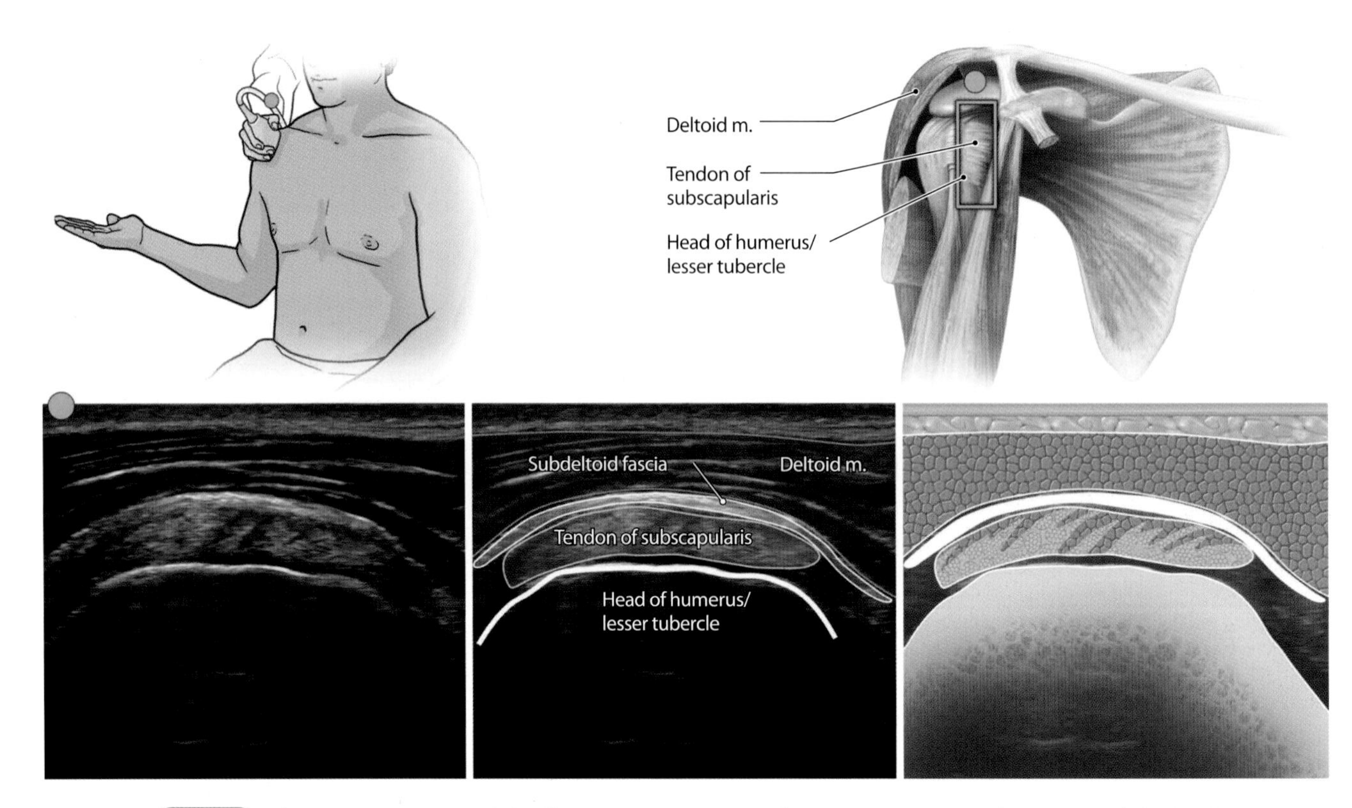

그림 4.7 여러개의 근육과 건의 접합부위(myotendinous junction)를 가진 여러 깃털모양(multipenate)의 견갑하건(subscapularis tendon)의 횡단면 영상

극상건(Supraspinatus Tendon)

대결절 극상건
종단면
그림 4.8

환자의 상지는 손바닥을 하요배 부위로 두고 팔꿈치를 뒤로 향하도록 하여 뒷주머니에 손을 두는(modified crass) 자세를 취해야 한다. 이 자세는 상완을 신전하거나 과신전하면 외회전시켜 극상건(supraspinatus tendon)이 견봉하 공간(subacromial space) 밖으로 나오도록 한다. 탐촉자를 어깨의 전외측 코너에서 견봉의 바로 원위부에 두고 시상면(saggital plane)과 관상면(coronal plane)의 중간 각도를 주고 탐촉자 표시를 전외측으로 향하도록 하면 건의 종단면이 새부리 모양(bird beak)으로 나타난다. 탐촉자를 위치시켜 건의 모양이 아주 가늘은 섬유모양(fibrillar)으로 명확히 보이도록 하며 힘줄의 좁아진 끝이 대결절(greater tubercle)에 부착하는 것이 보이도록 조절한다. 표층에서 심부로 삼각근(deltoid), 고에코의 삼각근하 지방과 근막(subdeltoid fat과 fascia), 얇은 비에코성 삼각근하 점액낭(subdeltoid bursa), 극상건, 대결절의 윗면(superior facet), 상완골의 해부학적 경부(anatomical neck) 등을 확인한다. 탐촉자를 앞쪽에서 뒤쪽으로 움직여 같은 방향에서 힘줄의 이쪽 측면에서 저쪽 측면까지 힘줄을 확인한다.

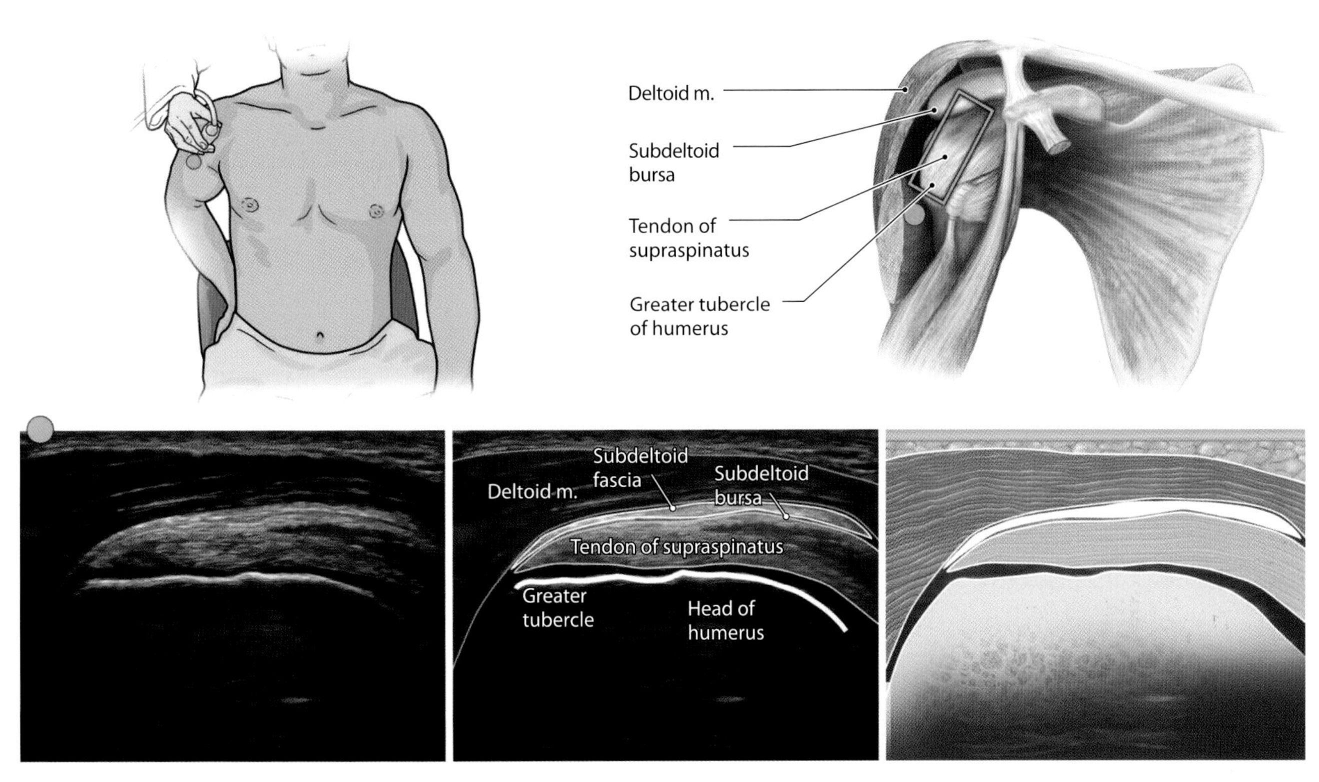

그림 4.8 상완골 대결절의 윗면(superior facet of greater tubercle)에 부착하는 극상건(supraspinatus tendon)의 종단면 영상

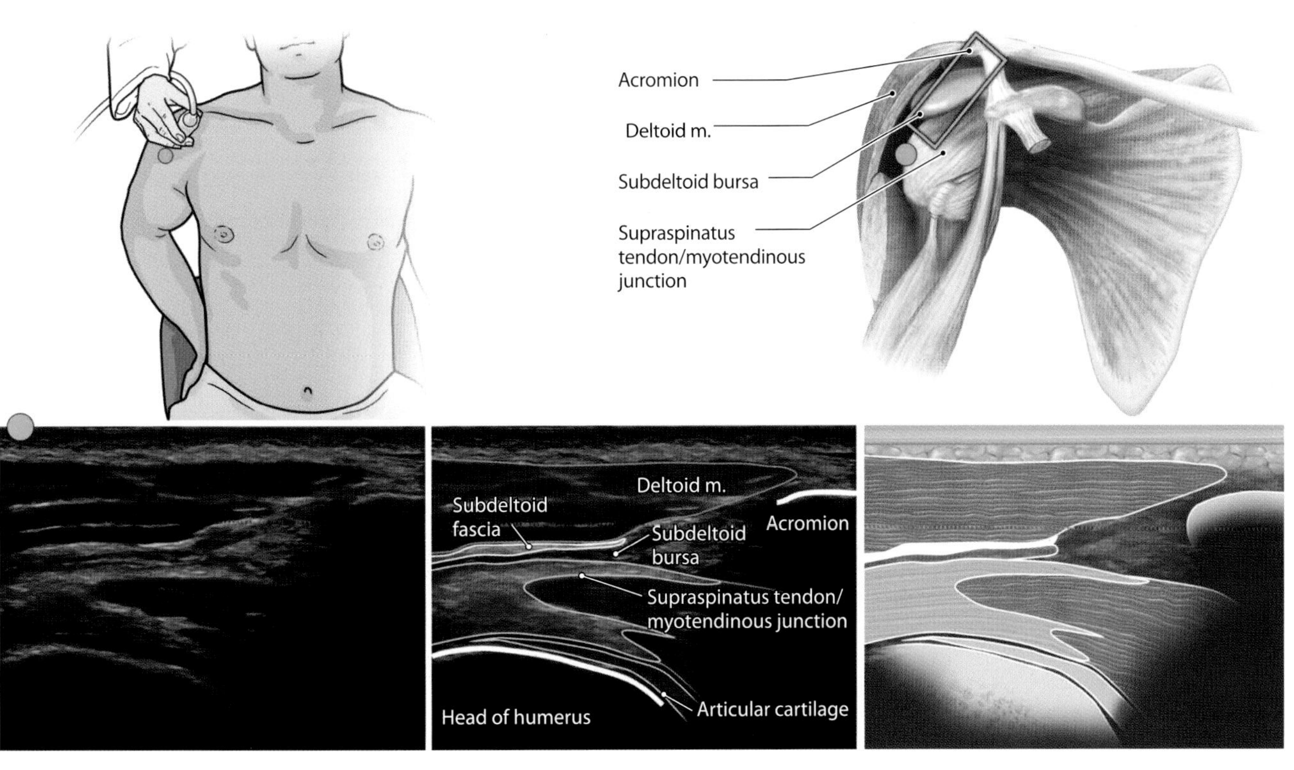

그림 4.9 견봉하 공간(subacromial space)에서 바로 나타나는 극상근건 접합부위(supraspinatus myotendinous junction)의 종단면 영상

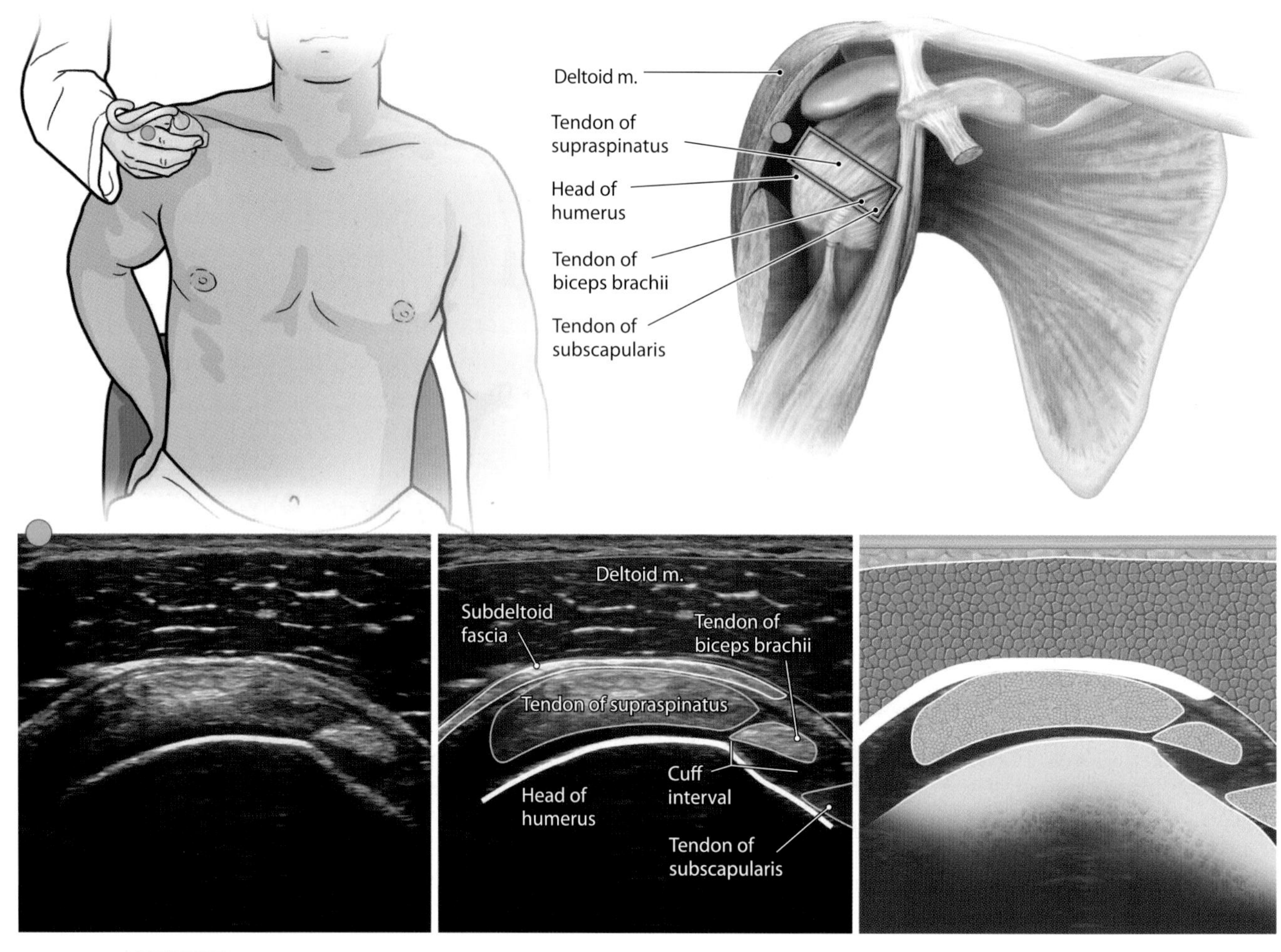

그림 4.10 회전근개 간격(rotator cuff interval)에서 상완이두건장두(tendon of long head of biceps brachii)와 같이 있는 극상건(supraspinatus)의 횡단면 영상

극상근건 접합부위
종단면
그림 4.9

탐촉자를 건을 따라 견봉(acromion)의 고에코면(acoutic shadow)이 보일 때까지 근위부로(환자의 귀쪽으로) 움직인다. 극상근건 접합부위(supraspinatus myotendinius junction)는 종종 견봉하 공간(subacromial space)에서 나타나 보인다.

회전근개 간격 극상건
횡단면
그림 4.10

탐촉자를 움직여 건을 보고 부착부가 다시 보일때까지 후방 및 원위부로 움직인다. 탐촉자를 조절하여 탐촉자 표시가 우측으로 향하게 하고 90도 회전하여 건의 횡영상(tire on the rim)을 얻는다. 탐촉자를 내측으로 움직이고 동시에 기울이거나 각을 주어 상완이두건장두(long head of bicep brachii)의 고에코성 타원형(hyperechoic oval) 형태를 확인한다.

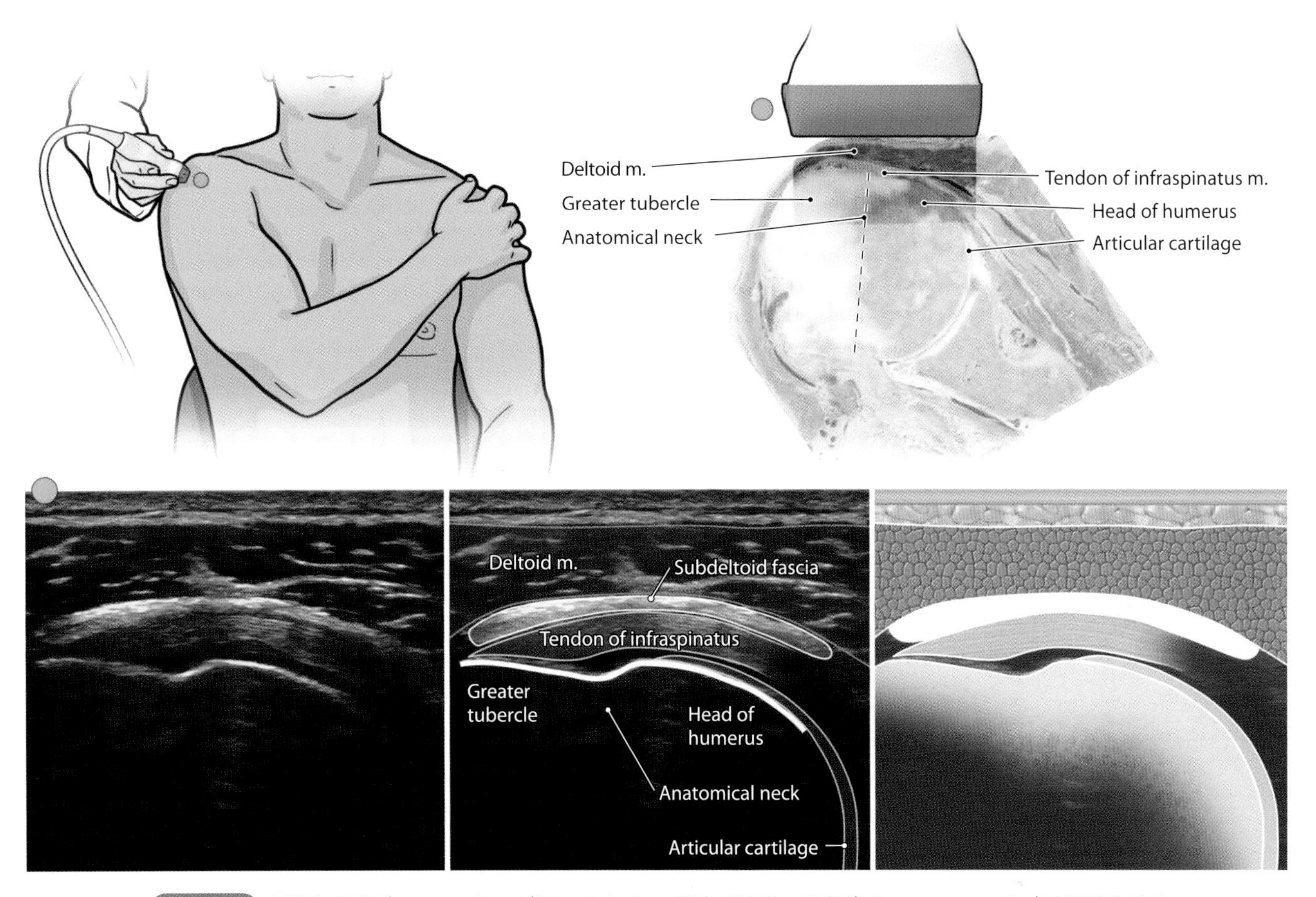

그림 4.11 상완골 대결절(greater tubercle)의 middle facet에서 부착하는 극하건(infraspinatus tendon)의 종단면 영상

극하건(Infraspinatus Tendon)

극하건
종단면
그림 4.11

환자의 상지는 가슴을 가로질러 손가락과 손바닥을 반대편 어깨에 둔다. 탐촉자는 견봉(acromion)의 후방 코너의 바로 밑에 견갑골극(scapular spine)에 평행하게 어깨의 뒷면에 둔다. 탐촉자를 앞쪽에서 뒤쪽으로 건의 미세섬유 형태(firbrillar pattern)가 명확히 보이도록 방향을 잡고 대결절(greater tubercle)에 좁게 장축방향으로 부착하는 것을 본다. 표피에서 심부까지 삼각근(deltoid), 삼각근하지방 및 근막(subdeltoid fat, fascia), 극하건(infraspinatus tendon), 대결절, 상완골두(head of humerus)를 확인한다.

견관절과 관절와순(Glenohumeral joint and Glenoid Labrum)

견관절
관절와순
횡단면
그림 4.12

앞과 같은 환자 자세 및 탐촉자 방향을 유지하고 탐촉자를 뒤쪽으로 중앙(midline)으로 향하게 움직여 극하 건이 보이게 유지하며 그것은 근건접합부(myotendinous junction)로 연결 되어진다. 상완골두를 관찰하고 그것은 관절와(glenoid fossa)로 휘어져 향하고 관절와돌기(glenoid process)의 뒤쪽 테두리의 작고 밝은 반사(acoustic shadow)를 찾는다. 관절와연(glenoid rim)에서 상완골두의 관절면과 극하건(infraspinatus tendon) 및 근건접합부(myotendinous junction) 사이에 있는 관절와순(glenoid labrum)후방의 고에코의 삼각형 형태(hyperechoic triangular profile)를 찾는다. 관절와순의 첨부는 전외측으로 향해 있다. 환자의 상완을 부드럽게 내회전 및 외회전하여 견관절과 상완골두 뒤쪽면 위에 있는 극하근 근육과 힘줄(tendon)을 관찰한다. 영상의 후내측 가장자리(edge)에 극관절와 절흔(spinoglenoid notch, inferior scapular notch)이 관절와돌기 가까이 보일 수 있다.

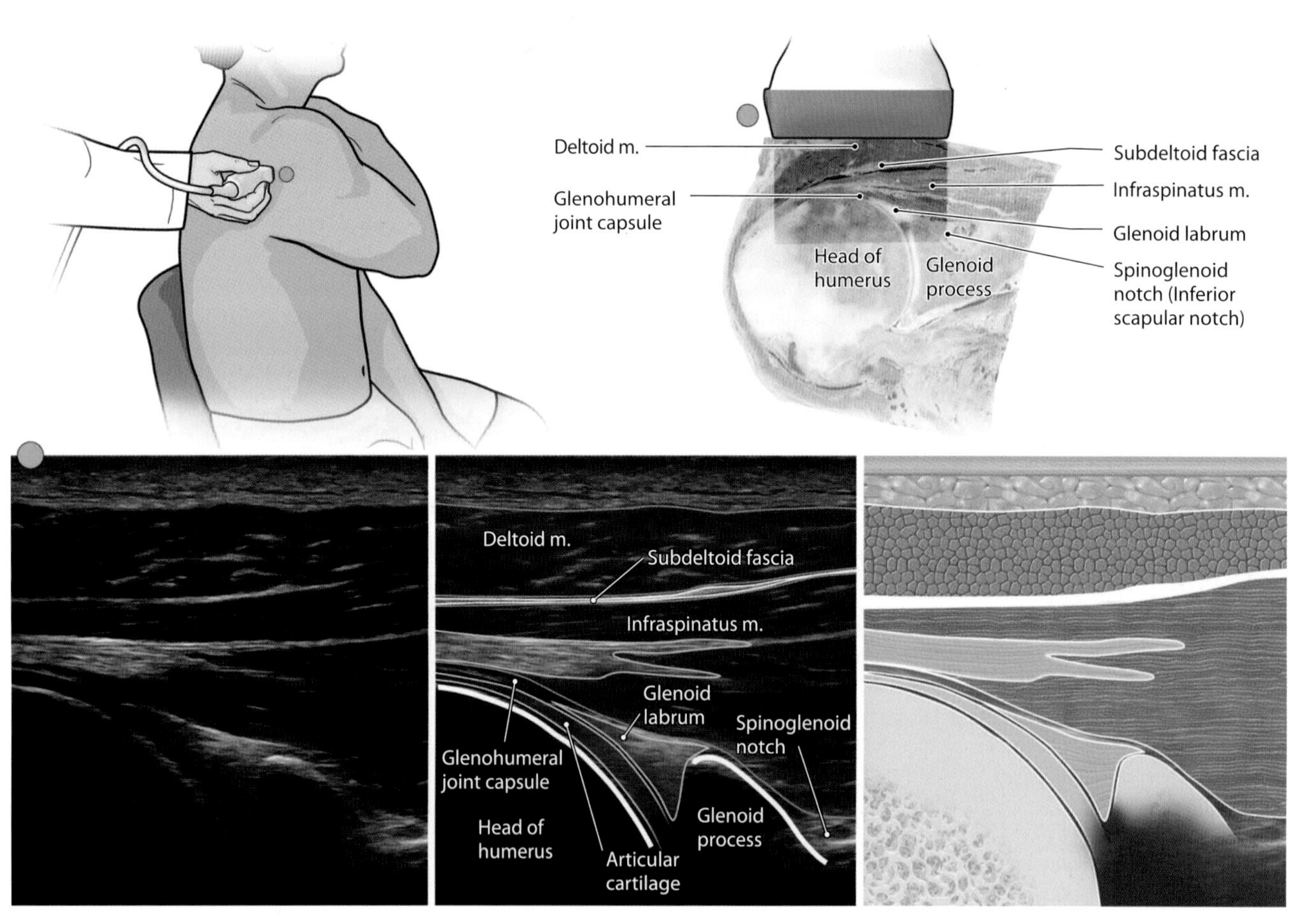

그림 4.12 삼각근과 극하근(deltoid and infraspinatus)의 깊은 곳에 있는 견관절과 관절와순(glenohumeral joint, glenoid labrum) 후면의 횡단면 영상

견봉쇄골관절(Acromioclavicular Joint)

견봉쇄골관절
관상면
그림 4.13

환자를 앉히고 전완을 대퇴부에 두고 원위 쇄골을 따라 촉진하면 조그만 계단("step off")이 느껴지는 견봉쇄골관절(AC joint)에 닿는다. 관절위에 탐촉자 표시가 우측으로 향하도록 하고 관상(coronal) 방향으로 중심을 맞춘다. 견봉(acromion)과 견봉쇄골관절 공간, 쇄골의 외측단, 견봉쇄골인대를 확인한다.

임상 응용

초음파 검사는 회전근개 손상이나 견봉하 극상건 충돌증후군, 견봉하 점액낭염, 삼각근하 점액낭염, 이두건염 및 건활액막염, 관절와순 열상 및 낭종, 견관절 삼출물과 같은 근골격계 손상이나 아픈 견관절을 야기하는 퇴행성 질환을 진단하는데 흔히 사용된다. 이 기술은 견관절이나 견봉쇄골관절 또는 염증성 점액낭에 국소마취제나 항염증성 스테로이드를 주사하기 위한 바늘을 유도하는데 사용된다.

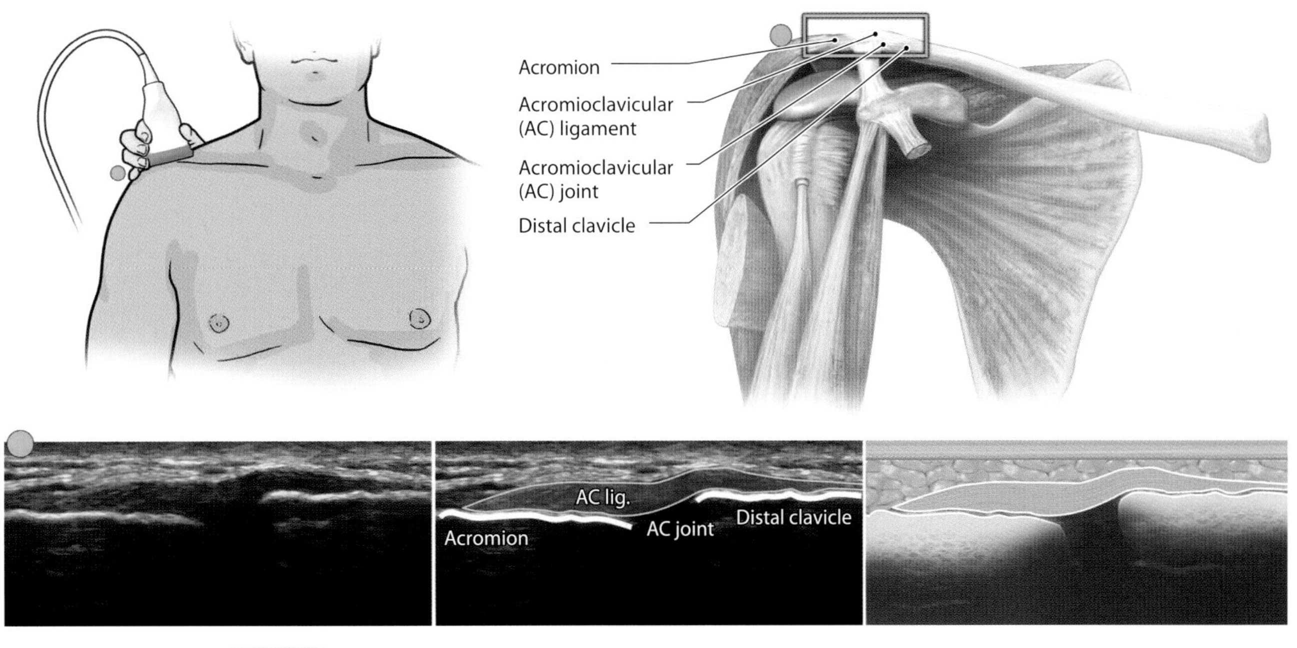

그림 4.13 견봉쇄골관절(acromioclavicular joint)과 인대(ligament)의 관상면 영상(coronal view)

상완(Arm)

해부학의 검토(Review of the Anatomy)

근육(Muscles)

후방구획(Posterior Compartment)

상완(arm)의 후방구획의 주요 근육은 상완삼두근(triceps brachii)이다. 상완삼두근은 삼두(head)로 형성 되어지는데, 내측두(medial head), 외측두(lateral head), 장두(long head)이다. 삼두는 합쳐져 삼두건(triceps tendon)을 형성하여 팔꿈치를 건너 척골(ulna)의 주두(olecranon)에 붙는다.

전방구획(Anterior Compartment)

전방구획에는 3개의 근육이 있는데, 오훼완근(coracobrachialis), 상완근(brachialis), 상완이두근(biceps brachii)이다. 상완이두근는 상완의 근위 1/2에서는 오훼완근의 표재성(superficial)에 있고 원위 1/2에서는 상완근의 표재성에 있다. 상완이두근의 이두(long and short)는 합쳐져 이두건(biceps tendon)을 형성하여 팔꿈치를 건너 전방주와(antecubital fossa)를 지나 근위요골에 붙는다. 상완건은 팔꿈치를 건너 전방주와의 바닥을 지나 근위 척골에 붙는다.

신경(Nerves)

요골신경(Radial Nerve)

요골신경은 상완신경총의 후방 코드(posterior cord)의 가장 큰 분지(branch)로 겨드랑이(axilla)에서 시작한다. 깊은 상완동맥(brachial artery)과 함께 신경이 겨드랑이를 벗어나 대원근(teres major)의 아래를 지나 상완삼두근의 장두(long head)와 상완골의 내측면 사이에서 상완의 후방구획으로 들어간다. 그 다음엔 신경이 상완삼두근의 내측 및 외측두 사이에서 상완골의 요골신경구(radial groove)에서 대각선(diagonally)으로 주행한다. 요골신경구를 주행할 때 처음엔 심부상완동맥(deep brachial artery)이 동반되고 그 다음에는 요측부동맥(radial collateral artery), 심부상완동맥의 말단분지(terminal branch of deep brachial artery)가 동반된다. 요골신경구

(radial groove)에서 삼두박근 근육신경을 분지하고, 상완의 하외측 표재성 신경 및 전완의 후표재성 신경등 2개의 표재성 신경을 분지한다. 요골신경구의 나선형 구조를 따라 신경은 상완골의 후면을 가로질러 외측으로 주행하게 되고 신경구(groove)를 지나 상완삼두근 외측두(lateral head of triceps brachii)와 상완근(brachial muscle) 사이로 짧은 거리를 주행한다. 그 다음 신경은 외측 근육간 격막을 뚫고 전방구획에 들어간다. 그 위치는 상완요골근(brachioradialis muscle)의 상완골 최고 위쪽 기시부 근처이다. 상완요골근은 신경을 상완삼두근의 외측두로 부터 분리한다. 그리고 신경은 상완요골근과 상완근 사이 근막층(fascial plane)으로 주행한다. 요골신경은 주관절와(cubital fossa)에 가까운 근막층을 가로질러 주관절 가까이서 천부 및 심부요골신경(superfical, deep radial nerve)으로 나누어진다.

정중신경(Median Nerve)

정중신경은 내 · 외측 신경근(root)에서 겨드랑이(axilla)를 지나가는 상완신경총의 내 · 외측 코드(cord)의 분지(branch)이다. 신경은 액와동맥(axillary artery)의 전면을 따라 겨드랑이를 떠나 상완동맥(brachial artery)과 인접해 있는 상완의 전방구획을 통하여 주행한다. 상완의 원위 이분의 일에서는 동맥과 신경이 상완이두근(biceps brachii), 상완근(brachialis), 상완삼두근내측두(medial head of triceps)에 인접한 신경구(groove)에 동맥과 그 내측에 신경이 놓여있다. 정중신경은 상완에는 분지가 없다. 신경은 팔꿈치 관절을 가로질러 주와(cubital fossa)를 지나 상완근(brachialis)과 원형회내근(pronator teres) 사이의 근막층에서 원위부로 전완의 전방구획으로 주행한다.

척골신경(Ulnar Nerve)

척골신경은 상완신경총의 내측 코드(cord)로부터 겨드랑이에서 나오는데 액와동맥(axillary artery)의 후내측으로 겨드랑이를 떠난다. 상완 주행의 첫부분은 신경이 전구획에서 상완동맥의 후내측에 놓여있다. 상완의 중간 삼부의 일에서는 신경이 내측 근육사이 막을 뚫고 상완삼두근의 내측면을 따라 놓인다. 척골신경은 상완에서는 분지(branch)가 없다. 신경이 뒤쪽으로 주관절을 가로질러 주관절 터널(cubital tunnel)을 통하여 상완골 내과의 척골신경구(ulnar groove)를 지나 전완의 내측구획으로 계속 주행한다.

수기(Techinique)

요골신경(Radial Nerve)

상완골 중간부 요골신경
횡단면
그림 4.14

환자는 팔을 모으고 팔꿈치는 약간 굴곡하고 전완은 회외전한 상태로 앙와위(supine) 자세를 취한다. 탐촉자를 상완골 중간 부위에서 상완의 외측에 횡으로 놓는다. 먼저 탐촉자 표시가 우측 상지인 경우 뒤쪽으로 향하도록 하여 탐촉자를 신경을 따라 원위부로 움직여 상지의 앞쪽면으로 이동시켜 탐촉자 표시가 환자의 우측면에서 끝나도록 향한다. 상완골의 고에코성 피질골을 찾고 뒤쪽 상완삼두근 및 상완골간부의 전외측에 있는 상완근(brachialis)을 찾는다. 시작점으로부터 탐촉자를 상완골의 외측면을 따라 위아래로 움직여서 요골신경구(radial groove)로부터 나오는 요골신경의 고에코성 타원형 모양이 보일 때까지 찾는다. 신경은 상완골의 고에코성면으로부터 상완삼

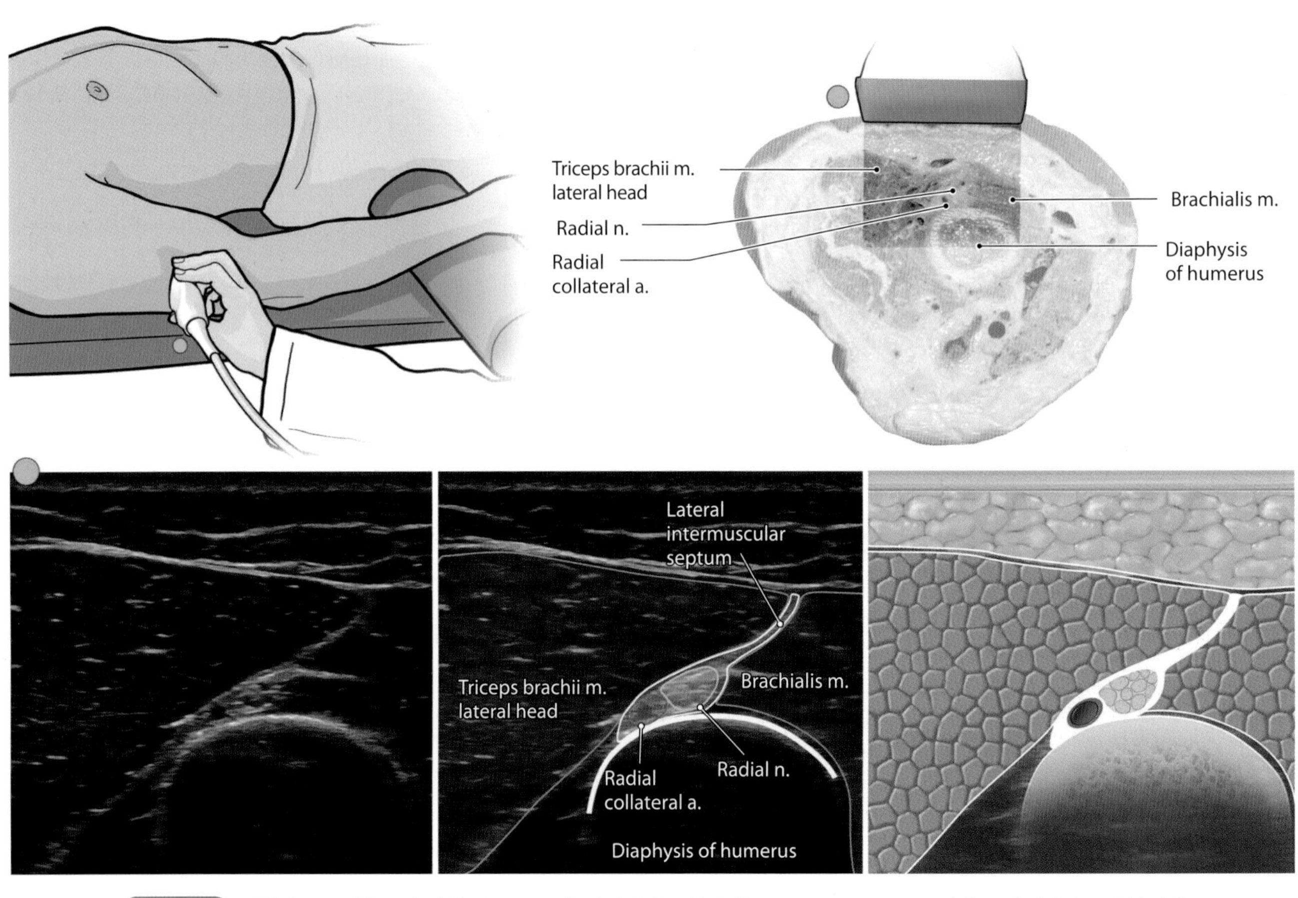

그림 4.14 상완삼두근 외측두와 상완근(brachialis) 사이에서 요측동맥(radial collateral artery)과 동반되어진 요골신경의 횡단면 영상

두근의 외측두와 상완근 사이의 근막층으로 이동할 때 더 쉽게 보이며 요측동맥(radial collateral artery)과 동반한다. 외측 근육사이막은 상완삼두근과 상완근 사이의 얇은 고에코성 근막 밴드로 보인다.

주관절 근위부 요골신경
횡단면
그림 4.15

요골신경을 영상의 중심에 위치하도록 유지한 채 원위부로 짧은거리를 탐색(scan)하고 관찰하여 상완삼두근 외측두와 상완근(brachialis) 사이에서 나타나기 시작하는 것을 보고 상완골 외상과 능선(lateral supracondylar ridge)에서 기원하는 상완요골근(brachio radialis)까지 관찰한다. 이 지점에서 요골신경이 상완삼두근 외측두와 분리되고 상완요골근과 상완근 사이에서 놓여진다. 요골신경의 2개의 표피신경 분지중 하나인 전완의 후방 표피신경은 요골신경구(radial groove)를 따라서 나타나는데 요측부동맥(radial colleteral artery)과 흔히 보이며 상완요골근 가까이에서 요골신경의 몸체(main trunk)로부터 분리되어 나온다. 전완의 후방 표피신경은 상완삼두근 외측두와 상

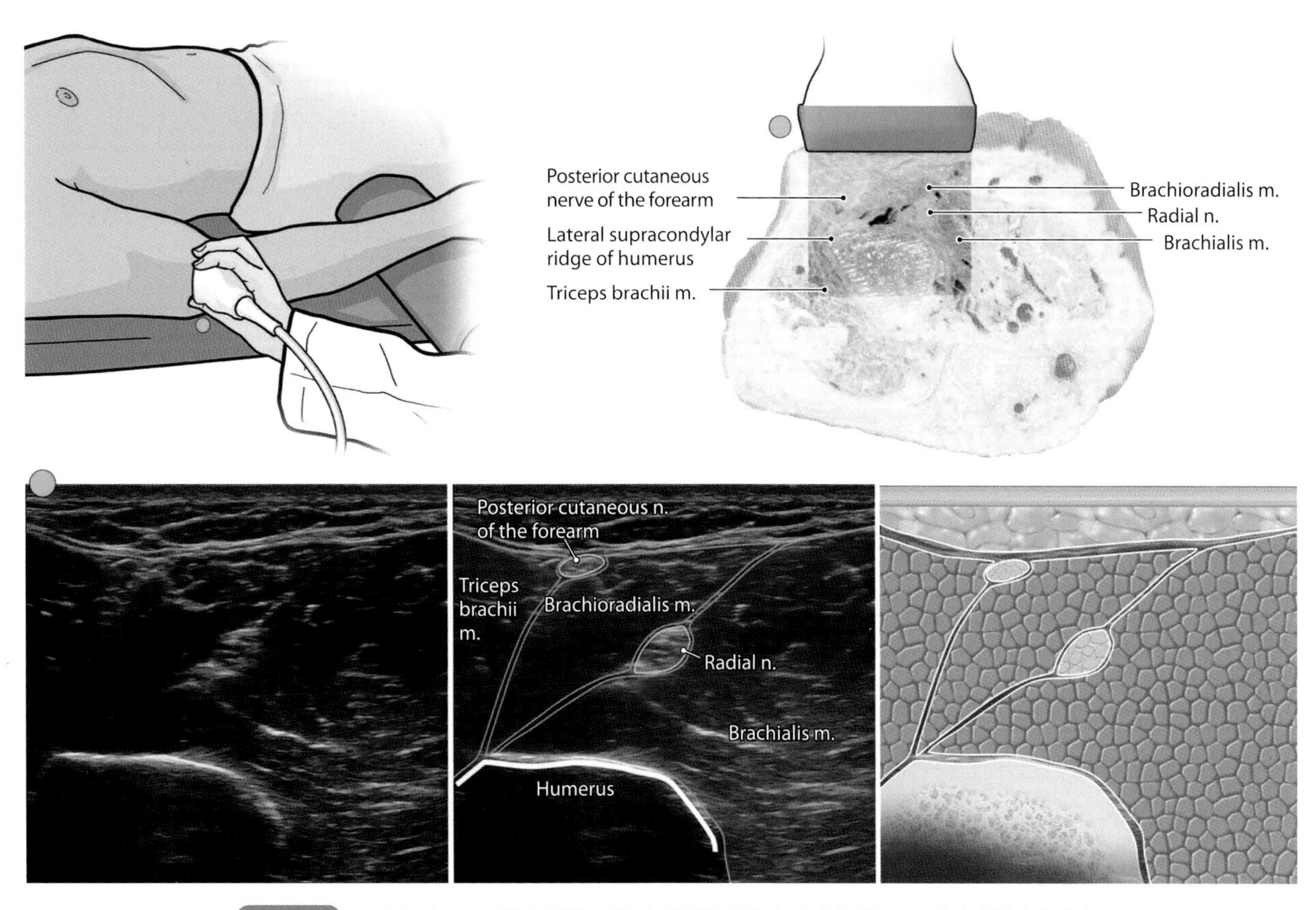

그림 4.15 주관절 몇 cm 근위부, 상완요골근과 상완근 근육막 사이에 있는 요골신경의 횡단면 영상

완요골근의 후외측 표면에 놓이게 되고(end up) 반면에 요골신경은 상완요골근의 전내측 깊은 면과 상완근사이에 놓이게 된다. 요골신경은 상완요골근과 상완근사이 근막층에서 원위부로 주행하며 주관절의 앞쪽에서 말단분지를 낸다.

정중신경과 척골신경(Median Nerve and Ulnar Nerves)

상완골 중간부
정중신경
척골신경
횡단면
그림 4.16

환자는 상완을 외전 및 외회전 하고 전완은 회외전하고 약간 굴곡된 상태로 앙와위(supine) 자세를 취한다. 탐촉자를 상완골 중간부위 내측의 몇 cm 원위부에서 탐촉자 표시가 앞으로 향하도록 횡으로 위치시킨다. 고에코성의 상완골, 이두박근, 상완근, 상완삼두근 내측두를 찾는다. 상완동맥(brachial artery)의 맥박을 보고 동맥의 내측에서 커다란 고에코의 정중신경을 찾는

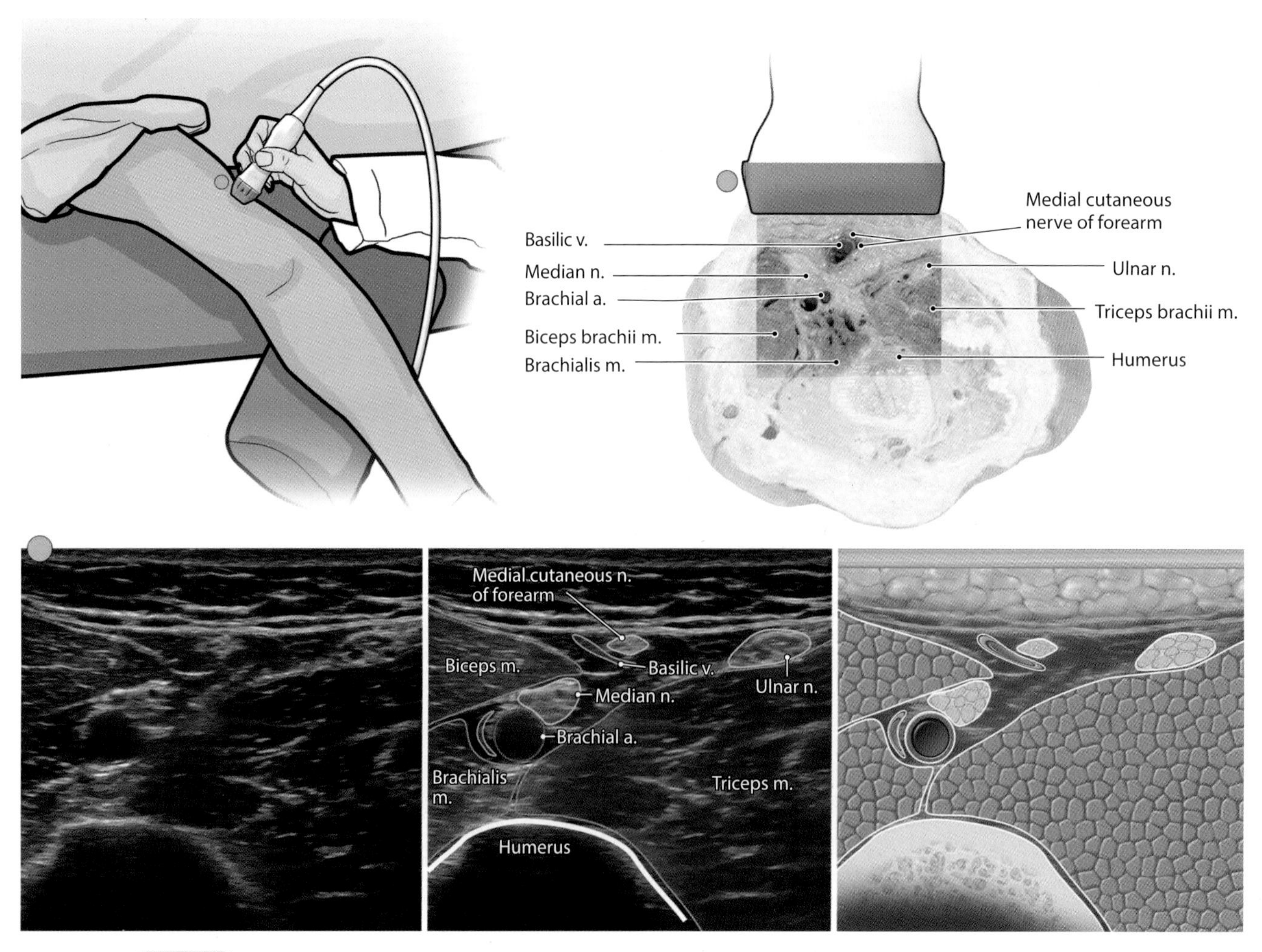

그림 4.16 상완골 중간의 바로 원위부에서 상완동맥 옆의 정중신경과 상완삼두근의 표면에 있는 척골신경의 횡단면 영상

다. 상완동맥과 정중신경의 1 혹은 2 cm 뒤에서 상완삼두근 내측두와 덮고있는 피하지방 사이에서 척골신경을 찾는다. 정중신경과 척골신경 위치 사이에 있는 피하지방에서 작은 고에코성 내측 표피신경을 보통 찾을 수 있다. 탐촉자면을 피부에 가능한 아주 압력을 적게 줘서 요골동맥을 따라가는 요골정맥 및 피하지방에 있는 척측피정맥(basilic vein)을 볼 수 있다.

임상 응용

이 수기는 요골신경 차단을 위한 마취제를 요골신경에 침투시키는 바늘을 유도하는데 사용될 수 있다. 요골신경차단술은 주관절 원위부 상지 수술시에 상완신경총 마취에 더하여 사용되거나 술후 통증조절, 주관절 원위부 통증 감별진단에 사용된다.

요골신경의 초음파 진찰은 상완골 간부 골절이나 상과 골절시에 가능한 신경포착을 확인하는데 사용될 수 있다. 정중신경과 척골신경의 초음파 진찰은 가능한 신경의 포착과 상완의 원위 1/2에서 골극이나 인대밴드에 의한 압박성 신경병증을 알아내는데 사용된다. 이 수기는 국소마취를 위한 마취제를 침투시키는 바늘을 유도하는데 사용될 수 있고, 손목과 같은 원위부에 정중신경과 척골신경 하단에도 흔히 사용된다.

주관절(Elbow)

해부학의 검토(Review of the Anatomy)

주관절(Elbow Joint)

주관절(elbow joint)은 동일한 관절낭과 활막공간내에서 상완골(humerus), 요골(radius), 척골(ulna)간 3개의 관절로 구성된다. 상완골의 관절면은 요골두(head of radius)와 관절을 이루는 상완골소두(capitulum), 척골의 활차 홈(trochlear notch)과 관절을 이루는 활차(trochlea)로 구성되어 있다. 척골의 요골 홈(radial notch)은 요골두와 관절을 이룬다. 상완골의 관절면의 위에는 앞쪽에 2개의 오목한 와(foss)가 있는데 굴곡시 척골의 구상돌기(coronoid process)가 들어가는 구상와가 있다. 상완골의 후면에는 신전시에 척골의 주두돌기(olecranon proccess)가 들어가는 주두와(olecranon fossa)가 있다. 관절내 지방패드(fat pad)는 섬유성 관절낭을 활액내벽(synovial lining)과 분리하는데 구상와(coronoid fossa)와 요골와(radial fossa)에는 전방 지방패드(anterior fat pad)가 있고 주두와에는 후방 지방패드(posterior fat pad)가 있다. 관절낭은 두꺼워져 척측부인대(ulnar collateral ligament), 요측부인대(radial collateral ligament)를 형성하며 요골두에는 두꺼워진 반지 형태인 윤상인대(annular ligament)가 있다.

근육(Muscles)

상완삼두근은 후방 지방패드 위로 지나 주관절을 건너 척골의 주두돌기(olecranon process)에 부착한다. 원형회내근(pronator teres)은 총굴곡건(common flexor tendon)으로부터 기시하여 내상과(medial epicondyle)을 가로질러 전완의 전방구획(ant compartment)으로 들어간다. 신전건은 외상과(lateral epicondyle)와 과상부 능선(supra condylar ridge)으로부터 주관절을 가로질러 후방구획(posterior compartment)으로 들어간다. 상완이두근은 주관절을 가로질러 주와(cubital fossa)를 지나 요골조면(radial tuberosity)에 붙는다. 힘줄판(tendinous sheet)인 이두근막(bicipital aponeurosis)은 이두근의 내측으로부터 펼쳐져 원형회내근과 총굴근의 근위 근육근위로 부착한다. 상완건(brachialis tendon)은 주와의 바닥을 가로질러 척골조면에 부착한다.

주와(Cubital Fossa)

주와(cubital fossa)는 앞쪽 주관절의 삼각형 모양의 함몰인데 외측으론 상완요골근(brachioradialis), 내측으론 원형회내근(pronator teres), 위론 상완골과 연결선으로 형성 되어진다. 상완근(brachialis)은 바닥을 형성한다. 주와의 내용물에는 이두근, 상완동맥 및 정맥, 정중신경이 포함된다. 주정중피정맥(median cubital vein)은 피부와 표피 근막과 함께 와(fossa)의 천정을 형성한다. 상완동맥(brachial artery)은 주관절와에서 척골동맥과 요골동맥으로 정상적으로 나누어지는데 이 분지는 때때로 액와나 상완의 더 근위부에서 일어나기도 한다.

신경(Nerves)

요골신경(Radial Nerve)

요골신경은 상완요골근과 상완근(brachialis) 사이 근막에서 주와의 바로 외측으로 주관절을 가로지른다. 요골신경은 원위부로 계속 연결되어 주관절의 앞쪽을 가로질러 요골과 상완골 소두부분에서 심부요골신경과 천부요골신경으로 나누어진다. 심부 요골신경은 뒤로 주행해서 회외근(supinator)의 실질로 들어가는데 근육의 2층사이로 주행해 전완의 후방구획으로 들어가 후골간신경(posterior interosseous nerve)이 된다. 천부요골신경은 요골동맥과 함께 상완요골근 아래 전방구획에서 원위부로 계속되어 원위 건을 감싸고(winding) 가로질러 해부학적 코담배갑(snuffbox) 위의 피부, 손등, 무지, 인지와 중지의 근위부에 분포한다.

정중신경(Median Nerve)

정중신경은 상완동맥의 바로 내측에서 상완근과 원형회내근(pronator teres) 사이의 근막에서 주와를 지나 주관절을 가로지른다. 이두근막(bicipital aponeurosis)은 이 근막면의 내용물 위로 보호층을 형성한다. 정중신경이 원형회내근의 상완골두(humeral head)와 척골두(ulnar head) 사이를 통과하여 전완의 전방구획으로 들어가서 천지굴근과 심지굴근 사이로 주행하여 완관절을 가로질러 수근관을 통과하여 손으로 들어간다.

척골신경(Ulnar Nerve)

척골신경은 상완의 후방구획을 떠나 뒤로 주관절을 가로질러 상완의 내상과의 척골신경구(ulnar groove) 근처에 있는 주관(cubital tunnel)을 지나간다. 궁형인대(arcuate ligament)는 기시부 가까이 척수근굴근(flexor carpi ulnaris)의 상완골두(humeral head)와 척골두(ulnar head) 사이에 걸쳐있고 주관(cubital tunnel)의 지붕을 형성하며 주관절의 척측인대(ulnar collateral ligament)의 후방층은 주관절낭과 상완골의 척골신경구 위에서 주관의 바닥(floor)을 형성한다. 척골신경은 전완의 전방구획으로 들어가는데 척수근굴근의 2개의 머리(head) 사이를 지나 척수근굴근과 심수지굴근(flexor digitorum profundus) 사이를 통과하여 완관절을 가로 질러 손으로 들어간다.

수기(Techinique)

주와(Cubital Fossa)

주와 외측 내용물
횡단면
그림 4.17

환자는 전완을 회외전한 채 앙와위(supine)로 눕는다. 작은 베개를 손목 밑에 받혀 주관절을 약간 굴곡되게 유지한다. 탐촉자를 주관절 주름 위에 탐촉자 표시가 우측으로 향하도록 횡으로 두고 상완골의 소두(capitulum)와 활차(trochlea)의 고에코성 옆얼굴 같은 윤곽(profile)을 명확히 찾을 수 있다. 고에코성 요골신경을 상완요골근(brachioradialis)과 상완근(brachialis) 사이의 근막층에서 찾는다. 요골신경은 이 위치 가까이에서 심부와 천부분지로 전형적으로 나누어지는데 2개의 잎모양(bilobar appearance)을 나타내며 한쪽 혹은 양쪽이 이방성(anisotropy) 때문에 저에코로 보일 수도 있다. 피하근막에서 주정중피정맥(median cubital view)을 볼 때 가능한 세게 누르지 않고 찾아야 한다. 상완근의 표면에서 상완이두근을 확인한다. 이두근막(bicipital aponeurosis)은 상완이두건으로부터 상완근과 원형회내근 사이의 근막층 위로 내측으로 펼쳐진다.

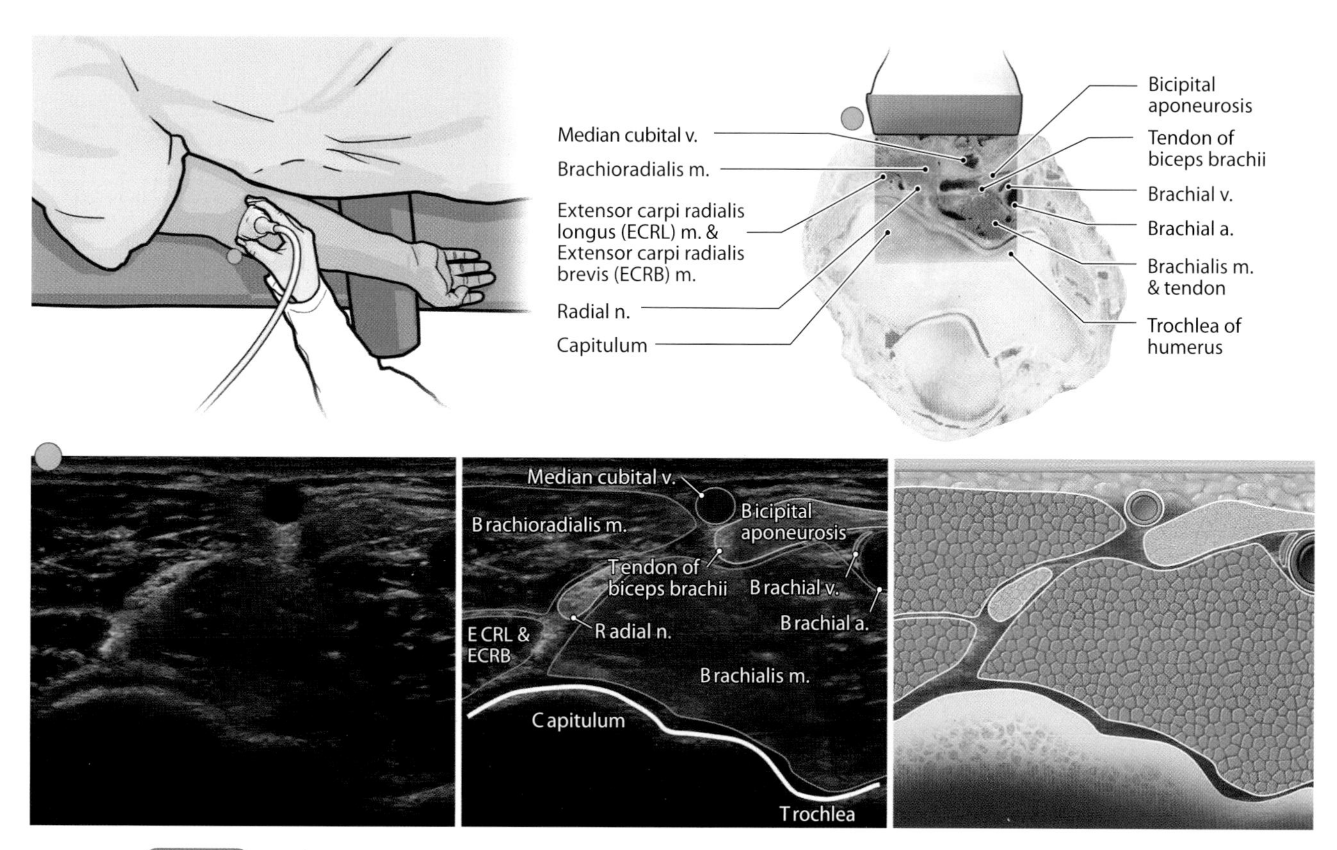

그림 4.17 주와(cubital fossa) 외측부의 횡단면과 내용물. ECRB, extensor carpiradialis breivis, ECRL, extensor carpiradialis longus

주와 내측 내용물
횡단면
그림 4.18

상완골 활차(trochlea)를 시야에 유지한채 탐촉자를 원형회내근(pronator teres)이나 상완근(brachialis)과 원형회내근 사이에 있는 근막이 보일때까지 내측으로 움직인다. 근막층보다 얕은 부위에서 상완동맥과 정중신경이 위치해 있고 2근육 사이의 공간 위로 연결되어 있는 이두근막을 확인한다.

천부 및 심부요골신경(Superficial and Deep Radial Nerves)

천부요골신경 심부요골신경
횡단면
그림 4.19

탐촉자를 외측으로 밀어 상완골 소두가 중심에 위치하도록 한다. 천천히 탐촉자를 원위부로 움직여 요골신경 분지가 요골두 위에 그리고 요골경부를 둘러싸는 회외근(supinator) 위로 지나가는 것을 따라간다. 조심스럽게 관찰하면 천부와 심부 분지가 나누어지며 심부요골신경(deep radial nerve)은 외측으로 움직여 회외근의 실질에 깊게 들어가며 천부요골신경(superficial radial nerve)은 상완요골근(brachioradialis)하에서 아래로 내측으로 움직인다. 심부요골신경은 비스듬한 주행때문에 추적하기가 어렵다. 천부요골신경은 상완요골근하에서 원위부로 요골동맥을 따라 주행한다.

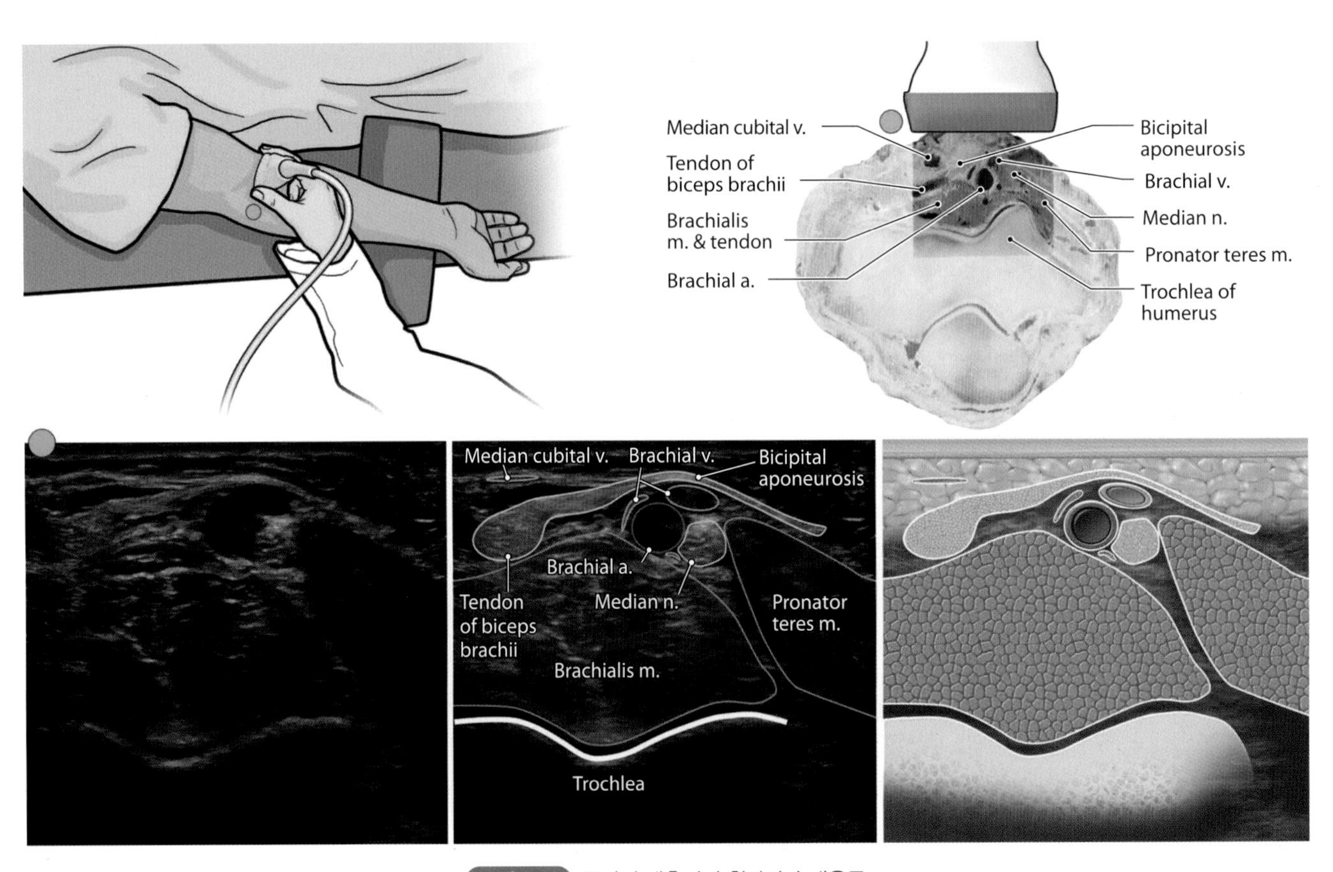

그림 4.18 주와의 내측면의 횡단면과 내용물

주관절(Elbow Joint)

주관절
상완척골 구성
종단면
그림 4.20

탐촉자를 내측으로 움직여 상완골 활차(trochlea)위에 중심을 맞춘다. 탐촉자를 90도로 돌려 탐촉자 표시가 위로 향하도록 상완척골관절에 장측으로 놓는다. 활차와 상완골 구상와(coronoid fossa)와 척골의 구상돌기(coronoid process of ulnar)의 고에코성 윤곽이 보여질 때까지 위치를 맞춘다. 관절면을 덮고 있는 관절연골은 비에코성 혹은 저에코성으로 보인다. 섬유성 관절낭은 고에코로 보이고 전방 지방 패드는 관절낭내에서 구상와를 차지하고 있는 것이 보여진다. 상완근과 원형회내근이 관절 위에 놓여있는 것을 확인한다.

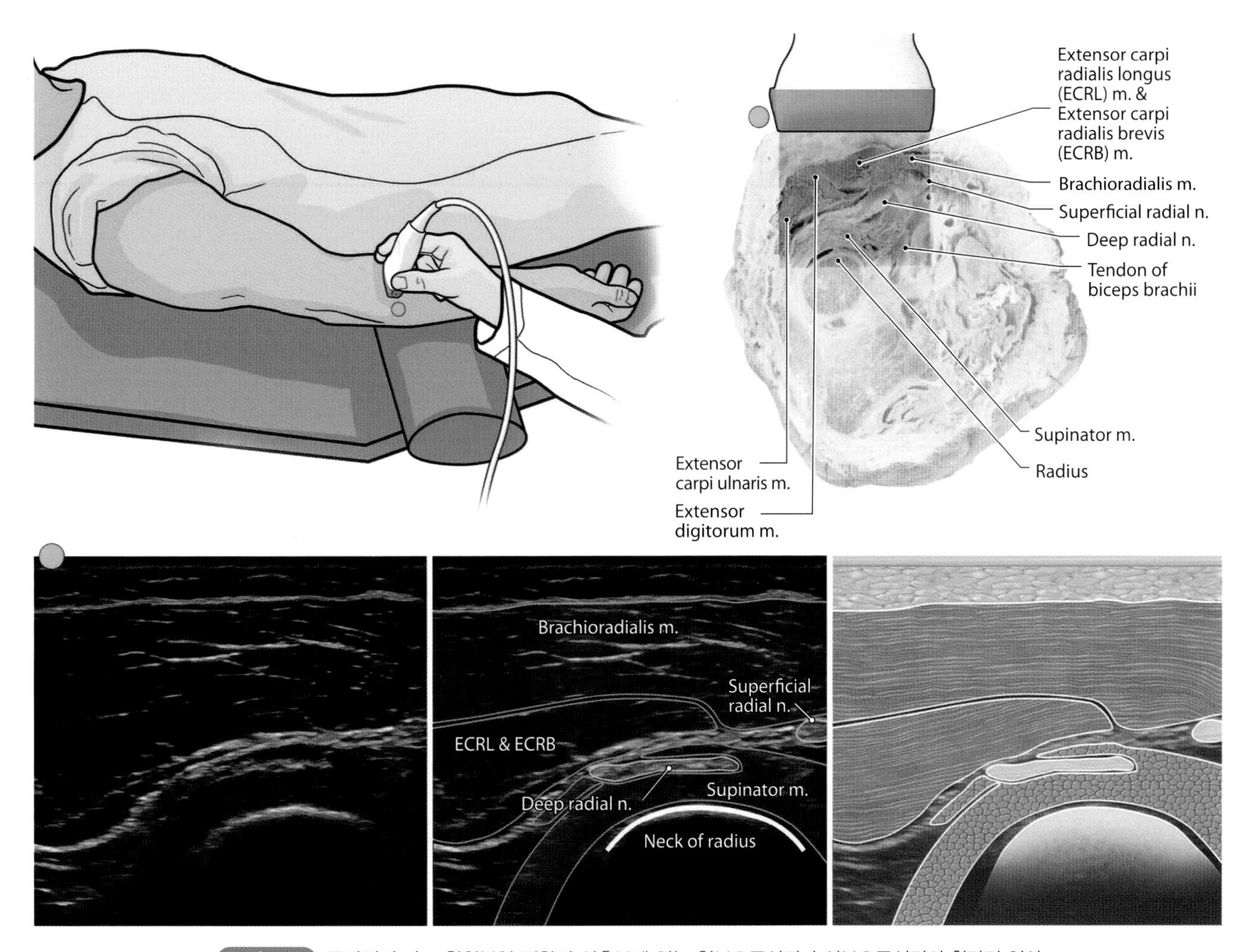

그림 4.19 주관절의 바로 원위부인 전완의 외측부에 있는 천부요골신경과 심부요골신경의 횡단면 영상

주관절 요골소두 구성
종단면
그림 4.21

탐촉자를 소두(capitulum) 위에 횡으로 중심을 맞추고 탐촉자를 90도로 돌려 요골소두관절(radiocapitellar joint)에 종축으로 놓는다. 상완골의 소두와 요골두, 요골경부의 근위부의 윤곽이 보일때까지 조절한다. 관절낭과 요골소두관절을 확인한다. 요골두를 감싸고 있는 두꺼운 관절낭인 윤상인대(annular ligament)에 위치시킨다. 요골와(radial fossa)는 소두의 바로 위에 있다. 상완근의 외측부가 관절 위에 놓여있는 것이 보이고 회외근(supinator)은 관절낭의 원위 부착 부위에서 요골경부를 감싼다.

주관에 있는 척골신경(Ulnar Nerve in the Cubital Tunnel)

주관 척골신경
횡단면
그림 4.22

환자는 상완을 외전하고 외회전하며 주관절을 약간 굴곡시킨채 앙와위(supine)로 눕는다. 상완골의 내측상과와 척골의 주두 첨부를 촉진하여 확인하다. 탐촉자를 탐촉자 표시 측면이 주두골 위에 놓이도록 뼈 돌출부에 가로질러 놓는다. 주두돌기, 상완척골관절 공간, 척골신경구, 상완골내상과 돌출부의 고에코성 윤곽을 확

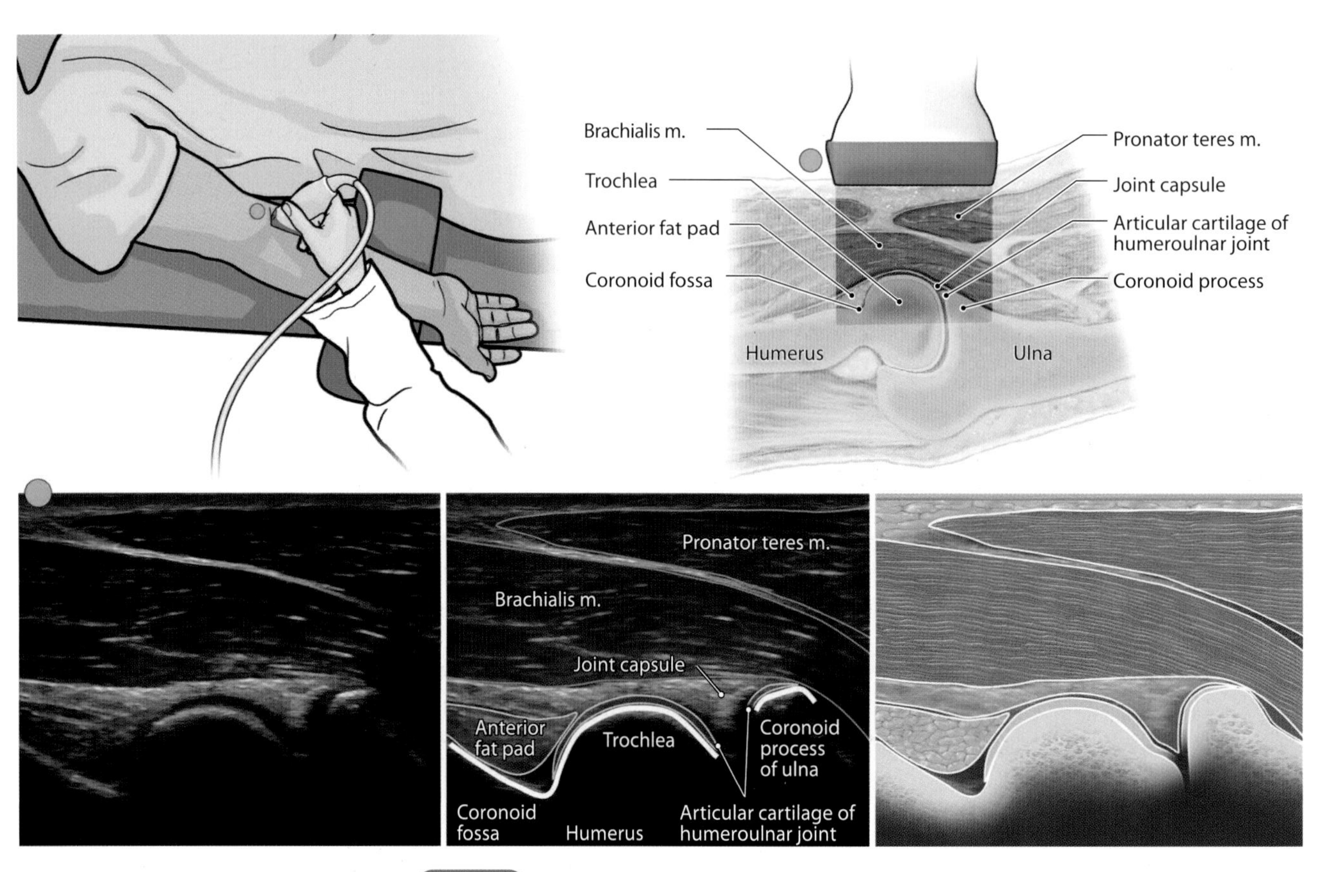

그림 4.20 주관절의 상완척골관절 구성의 종단면 영상

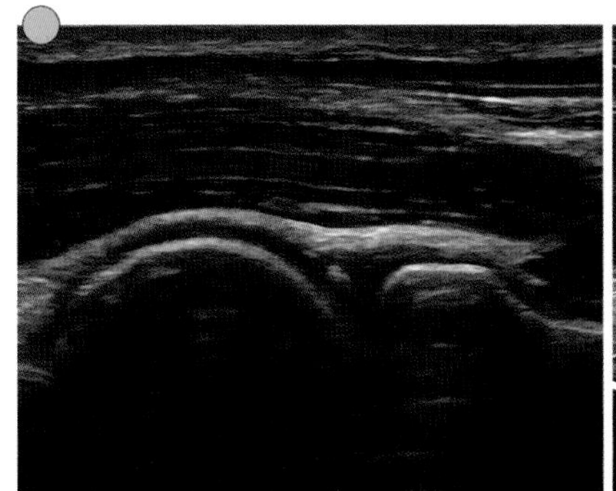

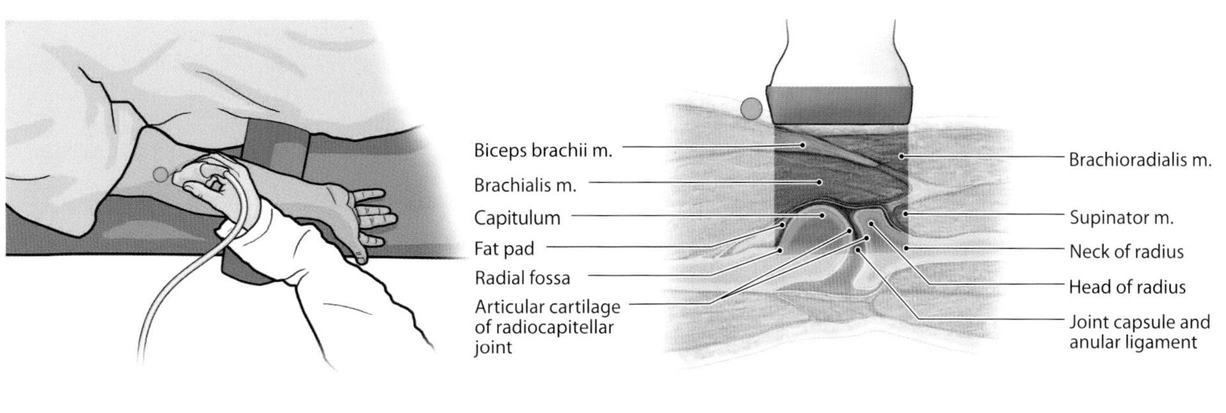

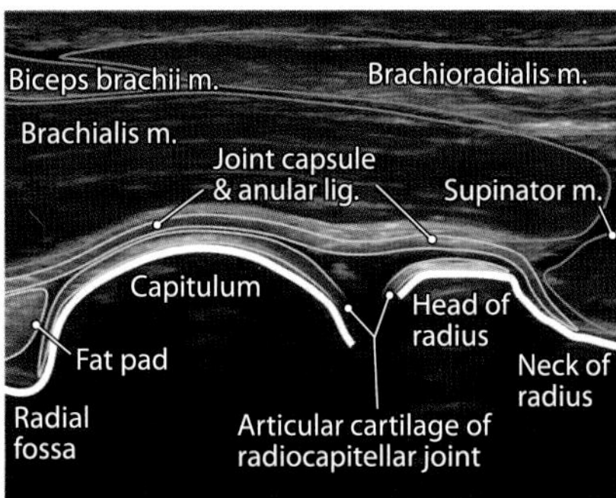

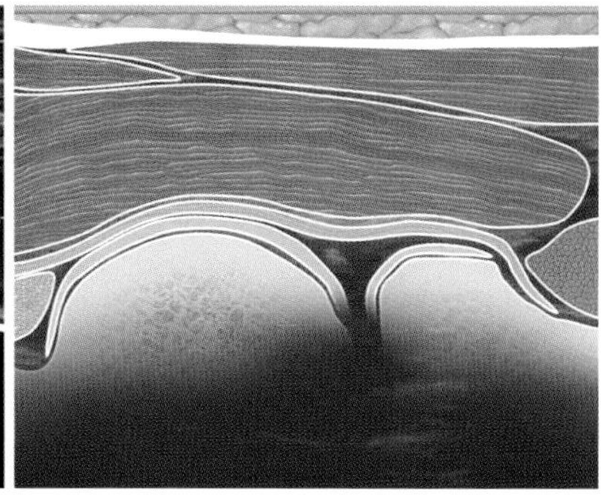

그림 4.21 주관절의 요골소두(radiocapitellar) 관절 구성의 종단면 영상

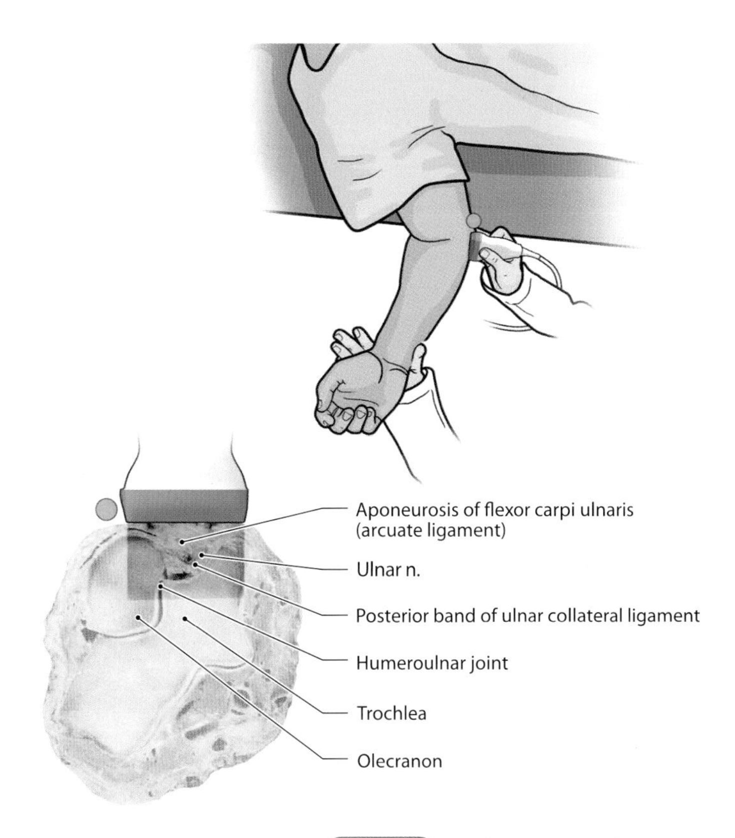

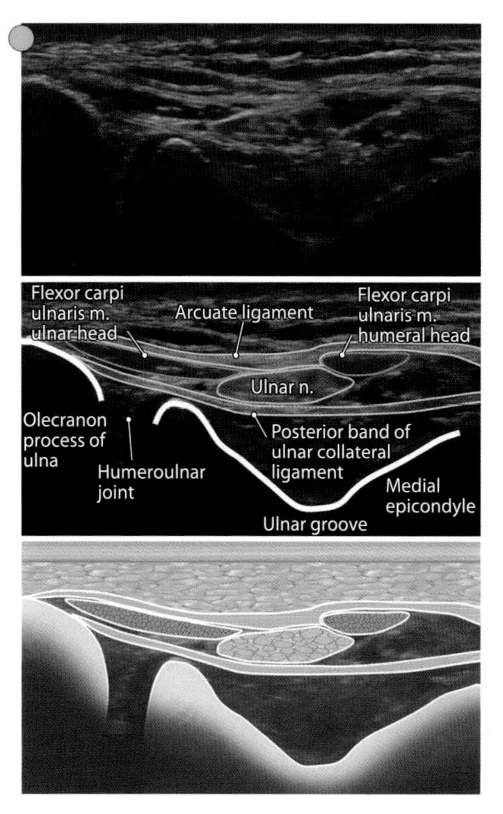

그림 4.22 주관(cubital tunnel)에 있는 척골신경의 횡단면 영상

인한다. 척골신경은 흔히 이방성(anisotropy) 때문에 저에코나 비에코성 타원형으로 보인다. 탐촉자를 앞뒤로 혹은 좌우로 기울여(tilting/fanning) 벌집모양(honey comb)이 더 잘 보이도록 한다. 척골신경의 표피층에 펼쳐 있는 고에코성 밴드인 척수근굴근의 근막(aponeurosis)인 궁형인대(arcuate ligament)를 확인한다. 그것은 척수근굴근(flexor carpi ulnaris)의 상완골두와 척골두(humeral head, ulnar head) 사이에 있으며 그것(2 head)을 확인하기 위하여 탐촉자를 척골신경구 원위부로 움직이는 것이 필요할 수 있다.

신경의 깊은 곳에 척측인대의 후방층의 고에코성 섬유사(fibrillar)형태를 확인한다. 시야에 척골신경과 척수근굴근을 유지한채 탐촉자를 주 관 너머 원위부로 짧은 거리를 움직여 2두가 신경위로 같이 합쳐지는 것을 관찰한다. 이지점에서 신경이 고에코성 벌집모양으로 더 쉽게 명확히 보인다.

상완삼두근과 건(Triceps Brachii Muscle and Tendon)

상완삼두근건 접합부위
종단면
그림 4.23

환자를 진찰대 옆에 앉힌다. 팔은 외전하고 주관절을 90도 굴곡하며 전완을 충분히 내전하여 테이블 면에 손바닥을 게(crab) 자세로 취한다. 탐촉자 표시가 어깨로 향한채 주두와 원위 상완삼두근 위에 길이방향으로 둔다. 척골 주두 돌기와 상완골의 주두와가 확인될 때까지 탐촉자 위치를 조정한다. 후방지방 패드는 주두와(olecranon fossa)의 섬유성 관절낭의 깊은 곳에서 보일 수 있다. 원위 상완삼두근, 근육과 건접합 부위, 고에코성 섬유사 형태의 상완삼두건이 주두와와 관절 공간 위에서 주두돌기까지 보여질 수 있다.

상완삼두건
종단면
그림 4.24

탐촉자를 삼두건을 따라 원위부로 움직여 부리모양 같이 좁아져 주두돌기에 붙는 것을 확인한다.

총굴건과 척측인대
(Common Flexor Tendon and Ulnar collateral Ligament)

총굴건 척측인대
종단면
그림 4.25

환자는 팔을 외전하고 외회전하며 주관절을 약 90도 굴곡하여 앙와위(supine)로 눕는다. 탐촉자 표시끝이 주관절 내상과의 전면 위에 놓이도록 전완의 종축으로 놓는다. 탐촉자를 기울여 초음파 빔은 전후로 향하도록 하며 내외측으로 빔이 향하지 않게 한다. 탐촉자 위치를 조절하고 기울여 내상과의 돌출부와 상과 활차의

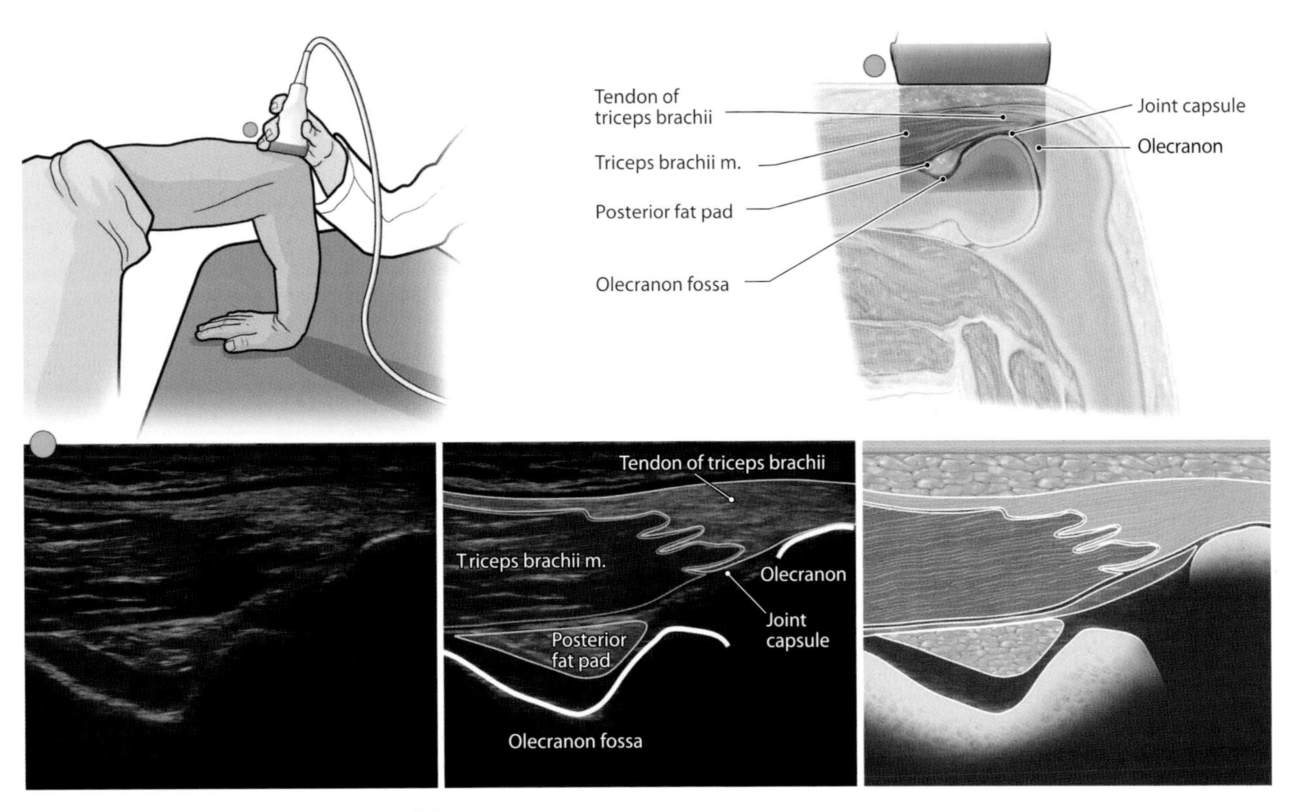

그림 4.23 주관절의 후방에서 상완삼두근건 접합부의 종단면 영상

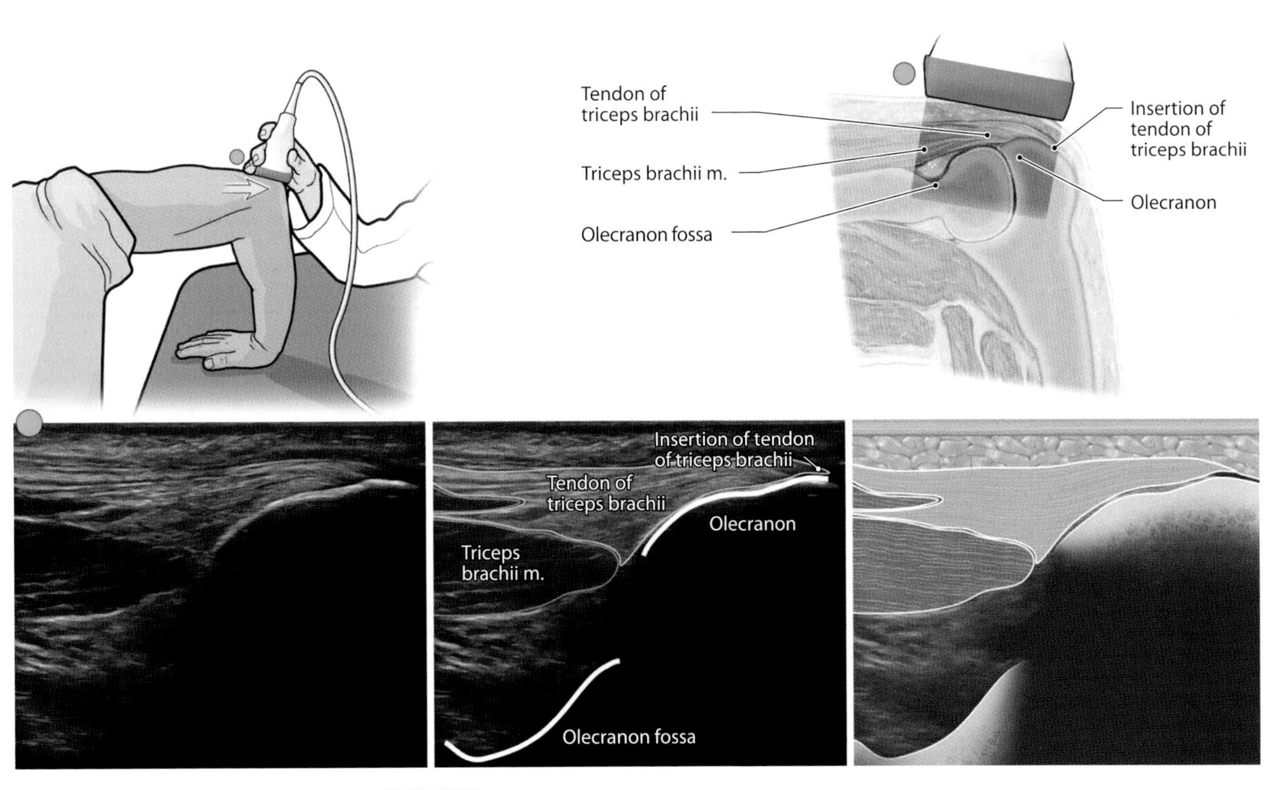

그림 4.24 상완삼두건이 척골 주두에 부착하는 종단면 영상

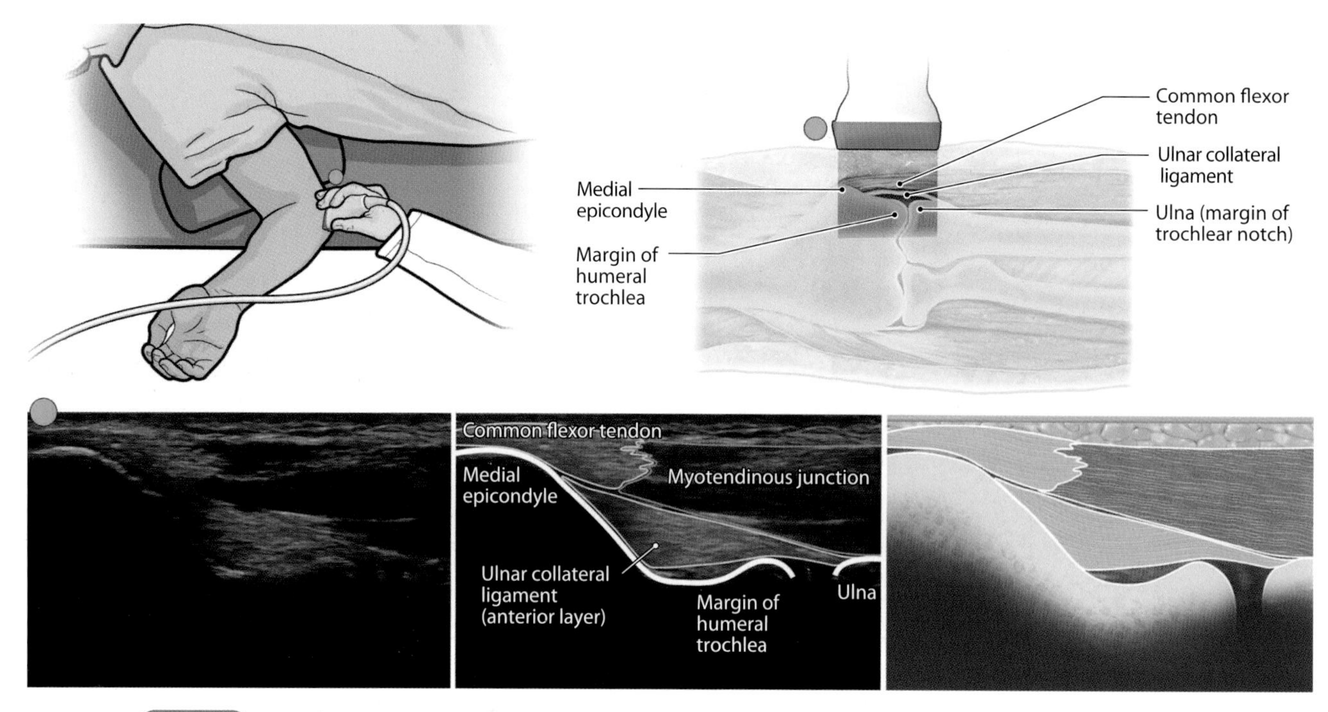

그림 4.25 총굴건(common flexor tendon)위에 놓여있는 척측인대의 전방층(ant layer of ulnar collateral liagament)의 종단면 영상

가장자리, 상완척골관절 공간, 척골의 활차홈의 가장자리사이에 있는 오목함(concavity)이 보이도록 한다. 정상적으로 짧은 고에코성 총굴건과 총굴근 덩어리의 근건 접합부를 확인한다. 척측인대의 전방층이 총굴건과 근육의 바로 깊은 곳에 있는 관절낭에 걸쳐있는 것을 볼 수 있다.

총신건과 요측부인대

(Common Extensor Tendon and Radial Collateral Ligament)

총신건
요측인대
그림 4.26

환자는 상완을 내전하고 주관절은 약간 굴곡하고 전완은 중간 회내전하고 손의 척측면을 대퇴부 상부에 둔채 앙와위(supine)로 눕는다. 탐촉자를 전완부의 길이 방향을 따라 위치시키고 탐촉자 표시가 주관절 외과 위에 놓이도록 한다. 주관절 외상과와 요골두의 고에코성 윤곽이 보일때까지 탐촉자 위치를 조정한다. 외상과로부터 기시하는 부리같이 좁아지는 총신전건의 기시부에 두고 윤상인대와 요골두를 확인한다. 에코성(echogenecity)을 향상시키기 위해 탐촉자를 전후 좌우로 기울여서(tiliting/fanning) 확인한다. 이 인대는 약간 오목한곳(concavity)으로 부터 펼쳐져 외상과를 따라 요골소두관절(radio capitellar joint)을 가로질러 윤상인대(annular ligament)와 붙어있다.

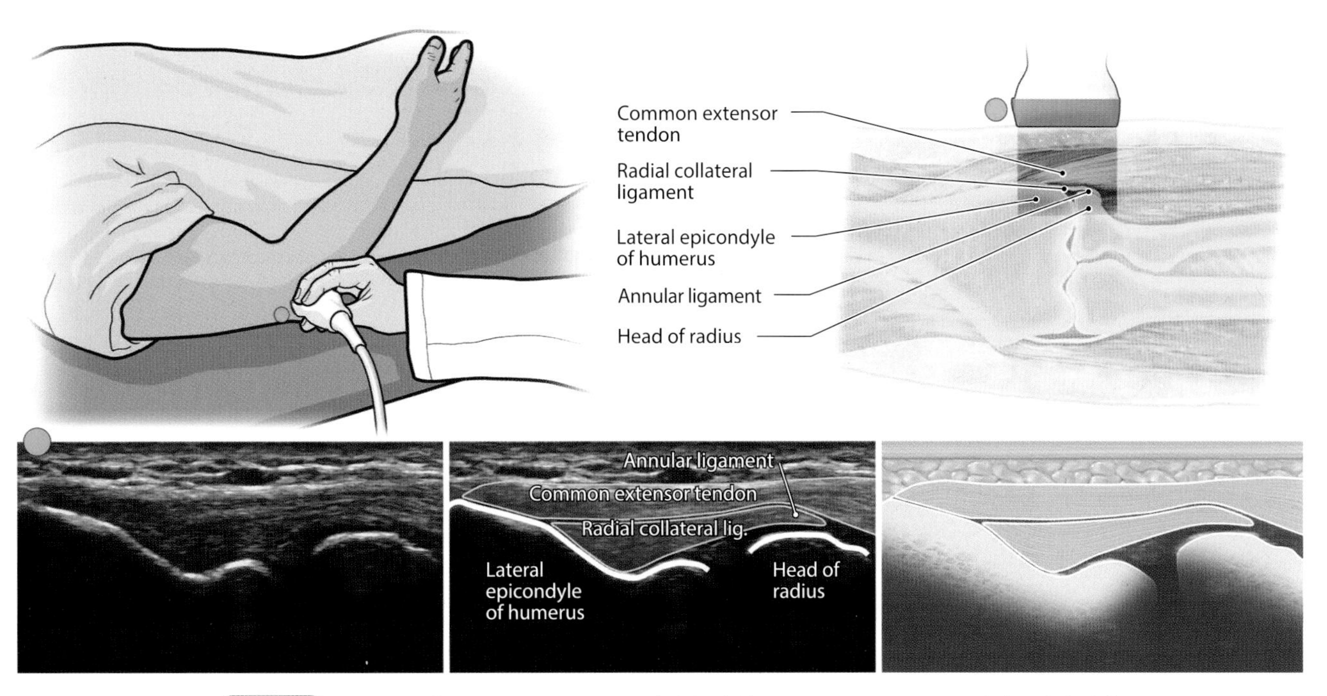

그림 4.26 요측부인대(radial collateral ligament)와 총신건(common extensor tendon)의 종단면 영상

임상 응용

이 수기는 요골신경, 척골신경, 정중신경을 마취제로 신경차단을 하기 위한 바늘을 유도하는데 사용될 수 있다. 요골 신경차단술은 팔꿈치 아래 상지수술에 사용되는데 흔히 상완신경총 차단에 국소마취가 더해져, 술 후 통증조절, 팔꿈치 원위부 통증 감별 등에 사용된다. 초음파 유도하에 정중신경은 상완동맥과 정맥을 동반하며 주와(cubital fossa)에서 차단될 수 있다. 주관절에서 척골신경 차단은 주관(cubital tunnel)의 근위부에서 해야 한다. 주관내에 마취제를 투여하여 제한된 공간인 주관내에서 신경이 압박되는 것을 방지하기 위해서이다. 주관절과 완관절이 정중신경과 척골신경 차단의 더 흔한 부위이다.

초음파 진단은 또한 신경포착(nerve entrapment)을 진단하는데 사용된다. 후골간신경(posterior interosseous branch)은 회외근(supinator)을 주행하다가 포착될 수 있다. 정중신경은 원형회내근(pronator teres)의 이두(2 head)사이에서 주행시에 포착될 수 있고, 척골신경의 포착과 압박은 주관(cubital tunnel)에서 흔하다. 척골신경은 또한 주관절의 굴곡 및 신전시에 내상과의 앞면위로 주관(cubital tunnel)으로 부터 탈구나 아탈구 될 수 있다.

초음파는 정맥에 캐뉼라를 삽입하는데 사용될 수 있다(e.g. median cubital, cephalic, basilic). 그리고 요골 동맥의 동맥류 및 협착을 밝히는데 사용될 수 있다.

초음파는 이두박건, 총굴건, 총신건의 건염(tendonitis), 건병증(tendinosis)이나, 인대 염좌(ligamentous strain), 인대 파열(tear e.g. 주관절의 척측 요측인대)을 평가하는데 사용될 수 있다. 관절내 삼출물(effusion)이 있거나 관절내 골절로 출혈이 있다면 전방 지방 패드나 후방 지방패드가 관절와(fossa)로 부터 밀려 이탈되는데 초음파로 바늘을 유도하여 흡입하거나 주사를 놓을 수 있다.

전완, 완관절과 수부
(Distal Forearm, Wrist, and Hand)

해부학의 검토(Review of the Anatomy)

전방구획 건과 수근관
(Anterior Compartment Tendons and Carpal tunnel)

전완의 전방구획의 근육은 손목의 굴근들(wrist flexor), 천지 및 심지굴근(superficial deep flexor), 장무지굴근(flexor pollicis longus), 2개의 회내근(2 pronators)을 포함하고 있다. 천지굴건과 심지굴건, 장무지굴건은 정중신경과 함께 수근관을 통하여 손으로 들어간다. 수근관의 바닥과 측면은 수근골 근위열과 원위열(proximal and distal row)의 활(arch)에 의하여 형성되고, 그것은 요수근골인대(radiocarpal ligament), 척수근골인대(ulnocarpal ligament), 수장부수근골간인대(palmar intercarpal ligament)와 연결되어 있다. 천정은 횡수근인대(transverse carpal ligament, flexor retinaculum)로 형성 되어지며 그것은 내측으로 두상골(pisiform)과 유구골(hamate)에 붙어있고 외측으로는 주상골(scaphoid)과 대능형골(trapezium)에 붙어있다. 요수근굴건은(flexor carpi radialis)은 주상골의 내측면을 따라 수근관 밖에서 횡수근인대의 2층 사이로 손으로 건너온다.

정중신경(Median Nerve)

정중신경은 심지굴근과 천지굴근 사이의 면으로 전완의 전방구획으로 주행한다. 정중신경과 그것의 전골간 분지(anterior interosseous branch)는 앞쪽 전완에 있는 대부분의 근육에 분포한다. 예외적으로 심수지굴근(flexor digitorum profundus)의 내측 1/2과 척수근굴근(flexor carpi ulnaris)은 척골신경이 분포한다. 손목에서는 정중신경은 요수근굴건(flexor carpi radialis)과 천지굴건(flexor digitorum superficialis) 사이에서 표재성으로 움직이며, 횡수근인대(transverse carpal ligament) 아래에서 수지굴건과 함께 수근관을 통해 손으로 건너간다.

척골신경(Ulnar Nerve)

척골신경은 척수근굴근(flexor carpi ulnaris)의 이두(2 head) 사이로 전완의 전방구획으로 들어가서 척수근굴근과 심지굴근사이에서 전완으로 주행한다. 전완에서 척골신경은 척수근굴근과 심지굴근(flexor digitorum profundus)의 척측 1/2의 운동신경을 지배한다. 척골신경은 척골동맥과 동반하여 손목을 건너 두상골(pisiform)과 유구골 고리(hook of hamate) 사이에 있는 척골신경관(guyon's canal)로 들어간다. 척골신경관의 천정은 수장수근인대(palmar carpal ligament)로 심부전완근막(deep forearm fascia)의 두꺼워진 부분이며, 바닥은 횡수근인대(transverse carpal ligament)이다.

요골동맥, 척골동맥(Radial and Ulnar Arteries)

상완동맥(brachial artery)은 주와에서 말단지와 요골동맥과 척골동맥으로 나눠진다. 요골동맥은 천부요골신경과 동반하고 원회내근(pronator teres)의 표층으로 가로 지르고 먼저 상완요골근과 건(brachioradialis) 바로 아래 놓여있고 전완의 원위부에서 요수근굴건(flexor carpiradialis)의 외측으로 간다. 척골동맥은 원회내근의 깊은 곳을 지나 척수근굴근과 심지굴근 사이로 척골신경과 합쳐져 전완을 주행하며 손에서 척골신경관으로 들어간다.

후방구획 건과 신근지대
(Posteior Compartment Tendons and Extensor Retrinaculum)

전완의 후방구획 근육은 상완요골근(brachioradialis), 회외근(supinator), 수지 및 손목신근(extensor of wrist, digit) 장무지외전근(abductor pollicis longus), 장무지 및 단무지신근(extensor pollicis longus and brevis), 시지신근(extensor indicis) 등을 포함한다. 후방구획 근육은 요골신경이나 심부 분지인 후방골간신경(posterior interosseous nerve)에 의하여 지배받는다. 손목과 수지 신건, 장무지외전건은 요골의 외측면과 요골의 배면, 척골의 내측면에 연관된 신전지대에 의하여 형성된 6구획(compartment)을 통하여 손으로 건너간다. 신전지대(extensor retinaculum)의 바로 원위부에 장무지신전건은 해부학적 코담배갑(anatomical snuff box)의 내후측 경계를 형성하고 단무지신전건(extensor pollicis brevis)과 장무지외전건(abductor pollicis longus)은 외측, 전측 경계를 형성한다. 바닥은 주상골(scaphoid)과 대능형골(trapezium)로 형성되며 천정은 피부와 표재성 근막에 의하여 형성된다. 요골동맥은 전완의 전방구획으로 부터 뒤로 휘어져 코담배갑(snuff box)을 통하여 손으로 들어가고 천부요골신경 분지와 두정맥(cephalic vein)은 코담배갑 천정(roof of snuff box)의 표재성 근막을 통과하여 주행한다.

수부내재근(Intrinsic Muscles of the Hand)

수부내재근은 수장및 배부골간근(palmar and dorsal interosseous muscle), 4개의 충양근(4 lumbricalis muscles), 무지내전근(adductor pollicis), 3개의 소지구근(3 hypothenar muscles), 3개의 무지구근(3 thenar muscles); 단무지외전근(abductor pollicis brevis), 단무지굴곡근(flexor pollicis brevis), 무지대립근(opponens pollicis)들로 구성되어 있다. 가장 큰 무지구근인 무지대립근은 주상골과 대능형골의 결절(tubercle of scaphoid and trapezium), 굴근지대(flexor retinaculum)의 수장면으로부터 기원하여 1번 중수지골 위로 감싸 외측면을 따라 부착한다. 대립근(opponense)은 2개의 더 작은 무지구근 보다 깊게 놓여있다. 장무지굴건(tendon of flexor pollicis longus)은 수근관을 벗어나 무지내전근과 무지구근(adductor pollicis and thenar muscles) 사이를 통과하여 섬유성관(fibrous tunnel)에 도달한다. 정중신경은 수근관에서 나와 말단분지로 나누어지고 무지구근에서 회귀지(recurrent branch)가 분포하고 1, 2충양근(lumbrical)에 운동신경이 분포하며, 수지의 요측 3과 1/2을 총수장수지신경(common palmar digital branch)이 분포한다. 두상골(pisiform)의 바로 원위부에 척골신경은 말단분지로 나누어지는데 수장표피의 표재성분지와 운동신경인 심부분지로 나뉜다. 정중신경이 지배하는 무지구근과 1, 2 충양근을 제외한 모든 수부내재근(intrinsic muscle)은 척골신경이 분포하며 손목 근위부에서 유래하는 배부 표피신경인 총배부수지신경과 총수장부수지신경이 환지와 소지에 분포한다.

수지와 수지굴건(Digits and Digital Flexor Tedons)

각 수지는 중수지골과 근위지골, 중위지골, 원위지골로 연결되어 있으며 무지만 근위지골과 원위지골로 되어있다. 수지관절은 중수지골두와 근위지골의 기저부로 형성된 중수지관절, 근위지골 골두와 중위지골 기저부로 형성된 근위지관절, 중위지골 골두와 원위지골 기저부로 형성된 원위지관절이 있다. 수근관에서 굴곡건이 나와 중수지관절의 바로 근위부에서 시작된 섬유성막으로 들어가 수지의 수장면을 따라 주행한다. 섬유성막은 짧은 섬유성관이나 활(arch)로 된 5개의 윤상활차(annular pulley)와 그 사이에 끼여 있는 X모양의 십자성 활차(cruciate ligament)가 중수지관절의 수장판(palmar plate, palmar ligament)과 수지의 수장면에 붙어있다. 수장판은 쇄기모양의 섬유연골성 인대인데 중수지관절과 지간관절의 관절낭을 보강해 준다.

수기(Techinique)

전완 원위부(Distal Forearm)

전완 원위부
정중신경
횡단면
그림 4.27

환자는 팔을 약간 외전하고 전완을 회외전하여 상완을 진찰대에 놓은채 앙와위(supine)로 눕는다. 탐촉자를 전완의 중간 1/3과 원위 1/3사이의 전면에 횡으로 두고 요골과 척골의 고에코성 윤곽과 음향음영을 확인한다. 탐촉자 위치를 정중신경의 고에코성 벌집모양(honey comb)이 보일때까지 조절하고 기울여서 찾는다. 신경은 심지굴근과 천지굴근사이면에서 있고 신경의 바로 외측에 장무지굴근(flexor pollicis longus)이 있다. 천지굴근의 표층에서 요수근굴근(flexor carpiradialis)과 건의 이행 부위를 확인한다. 요수근굴근의 바로 외측에서 요골동맥을 확인한다. 천부요골신경은 요골동맥의 외측에 바로 보인다. 탐촉자를 요골과 척골 사이를 가로지르는 방향회내근(pronator quadratus)이 보일때까지 원위부로 단거리를 내려간다.

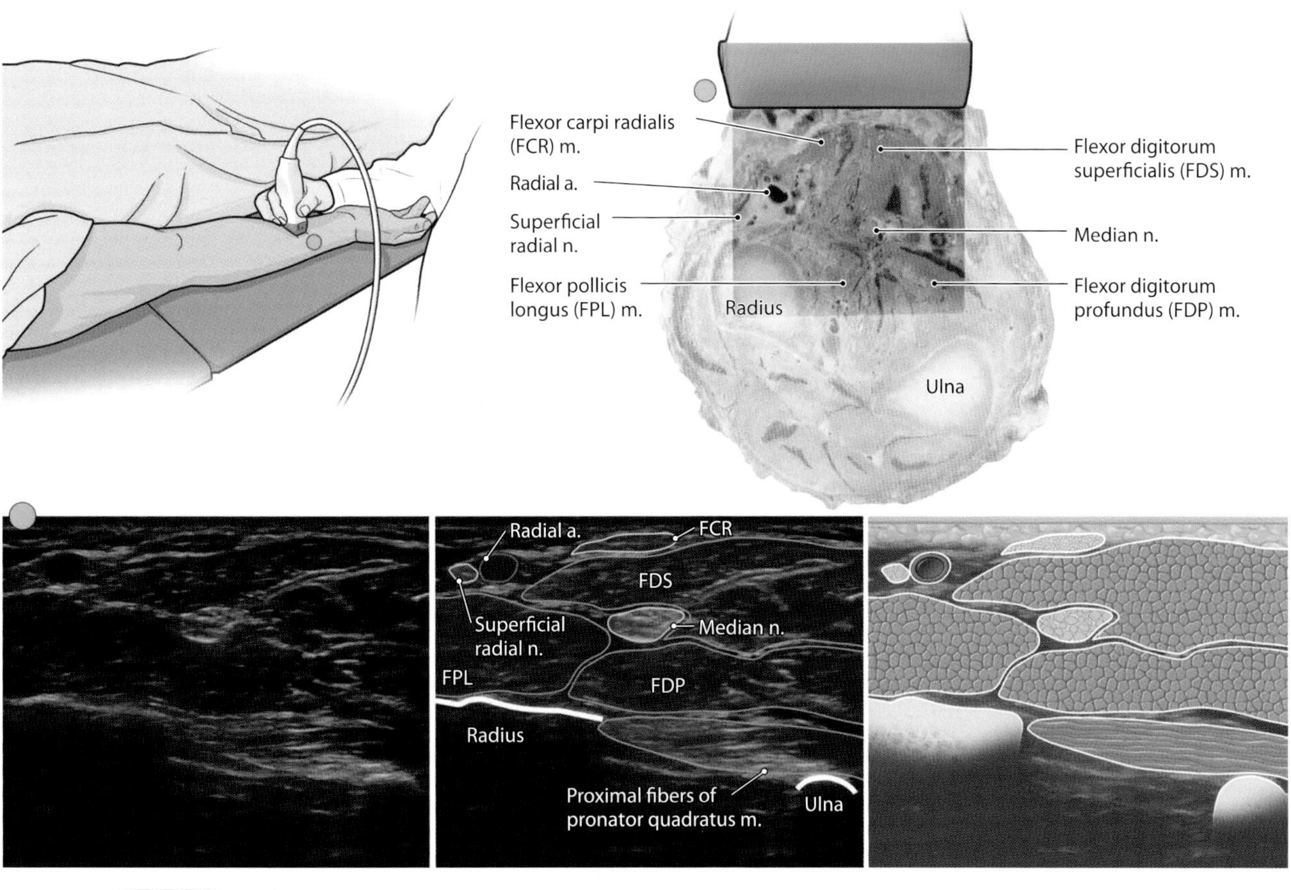

그림 4.27 천지굴근(FDS, flexor digitorum superficialis)과 심지굴근(FDP, flexor digitorum profundus) 사이면에 있는 정중신경의 횡단면 영상. 요수근굴근(FCR, flexor carpi radialis), 장무지굴근(FPL, flexor pollicis longus)

전완 원위부 척골신경 척골동맥
횡단면
그림 4.28

탐촉자를 전완 앞면의 중간 바로 아래에 횡으로 두고 심지굴근과 천지굴근을 확인한다. 탐촉자를 내측으로 움직여 전방구획의 내측 가장자리에서 수지굴근의 내측에 척수근굴근(flexor carpi ulnaris)을 확인한다. 척수근굴근과 심지굴근사이면에서 천지굴근의 바로 깊은곳에 척골신경과 척골동맥을 확인한다.

완관절: 수근관과 척골신경관
(Wrist: Carpal Tunnel and Guyon's Canal)

수근관 정중신경
횡단면
그림 4.29

환자는 전완을 외회전하고 베개 받침에 손등을 대고 앙와위(supine)로 눕는다. 탐촉자를 횡으로 원위 손목 주름 위에 대고 수근관의 외측과 내측에 고에코성의 주상골(scaphoid)과 두상골(pisiform)의 윤곽이 보일때까지 위치를 조정한다. 주의깊게 탐촉자를 기울여 횡수근인대(transverse carpal ligament, flexor retinaculum)와 지굴건(digital flexor tendon)의 고에코성 반사를 확인한다. 이방성(anisotropy) 때문에

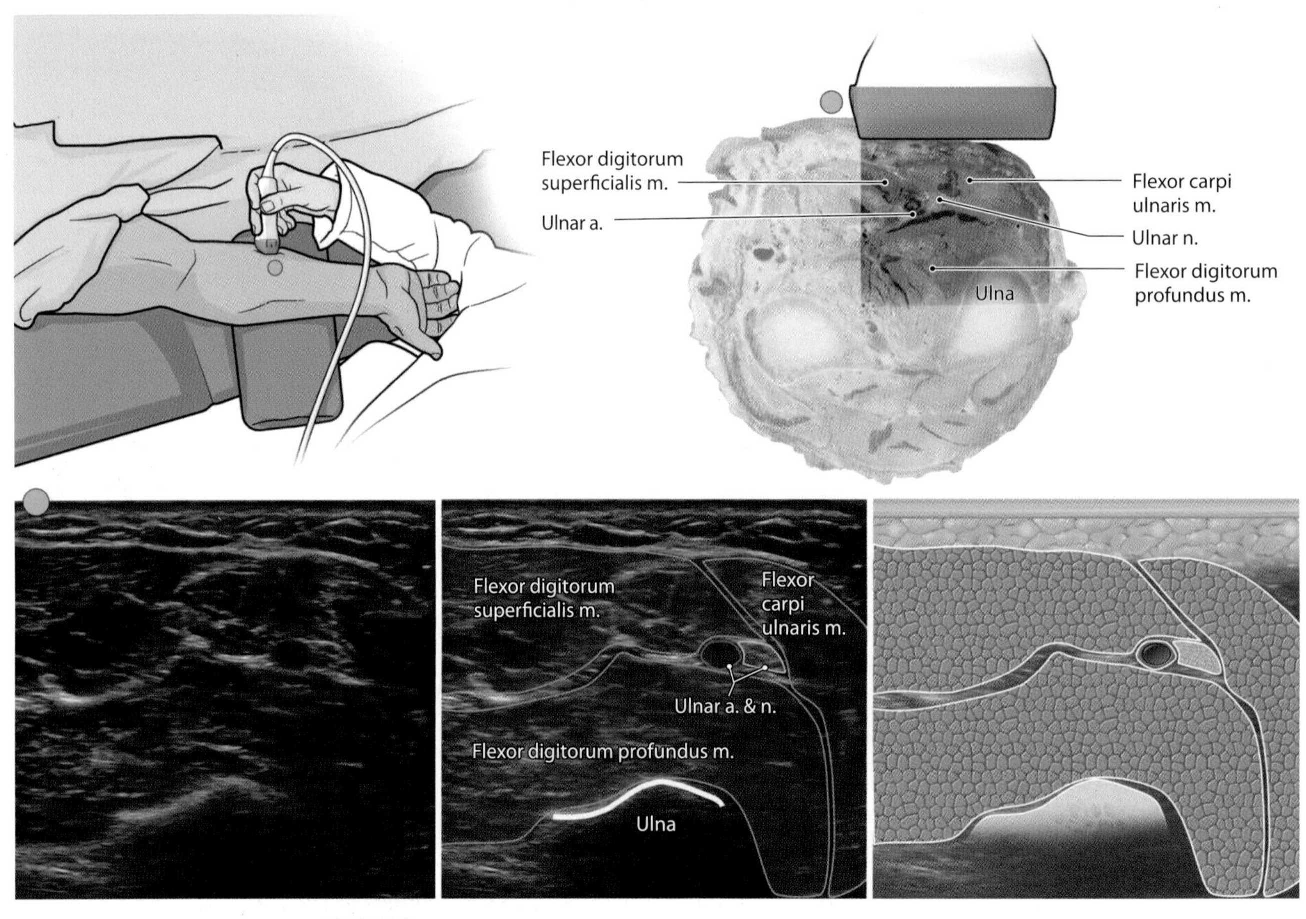

그림 4.28 심지굴근과 척수근굴근사이면에서 척골동맥과 신경의 횡단면 영상

인대와 건의 모양은 탐촉자면을 기울일 때 작은 변화를 민감하게 보인다. 정중신경은 횡수근인대 바로 깊은 곳에 보통 저에코성 타원형 구조를 보인다. 신경의 벌집모양(honey comb)은 탐촉자를 주의깊게 상하 및 좌우로 기울이면(tilting/fannning) 더 잘 볼 수 있다. 장무지굴곡건(flexor pollicis longus)은 보통 정중신경의 외측 깊은 곳에 위치하는데 이방성 때문에 때론 보기 힘들다. 신경을 시야에 유지한 채 탐촉자를 근위부로 움직여 수근관에서 수지굴근과 근과 건접합부위 사이에서 원위 전완부로 신경이 뒤로 나오는 것을 추적한다. 탐촉자를 주상골결절(scaphoid tubercle)과 두상골(pisiform) 사이 위치로 돌린다. 건모양에서 이방성 효과를 기억하고 수근관 바로 밖에 있는 주상골결절 내측면을 따라 좁은 홈에 있는 요수근굴건(flexor carpi radialis)을 찾는다. 두상골의 바로 외측에 척골동맥과 그내측에 있는 척골신경을 찾고 그들은 척골신경관(guyon's canal)을 지나 횡수근인대 위로 건너간다.

척골신경관
척골신경
척골동맥
횡단면
그림 4.30

탐촉자를 내측으로 움직여 척골신경관에 있는 척골동맥과 척골신경이 영상의 중심에 오도록 한다. 탐촉자를 주의깊게 기울여, 천정이 수장수근인대(palmar carpal ligament)로 되어있고 바닥이 굴건지대(flexor retinaculum)로 되어 있는 신경관을 따라 가는 척골동맥과 신경을 확인한다. 신경이 두상골(pisiform) 바로 원위부에서 천부신경지와 심부신경지로 나누어지는 것을 볼 수 있다.

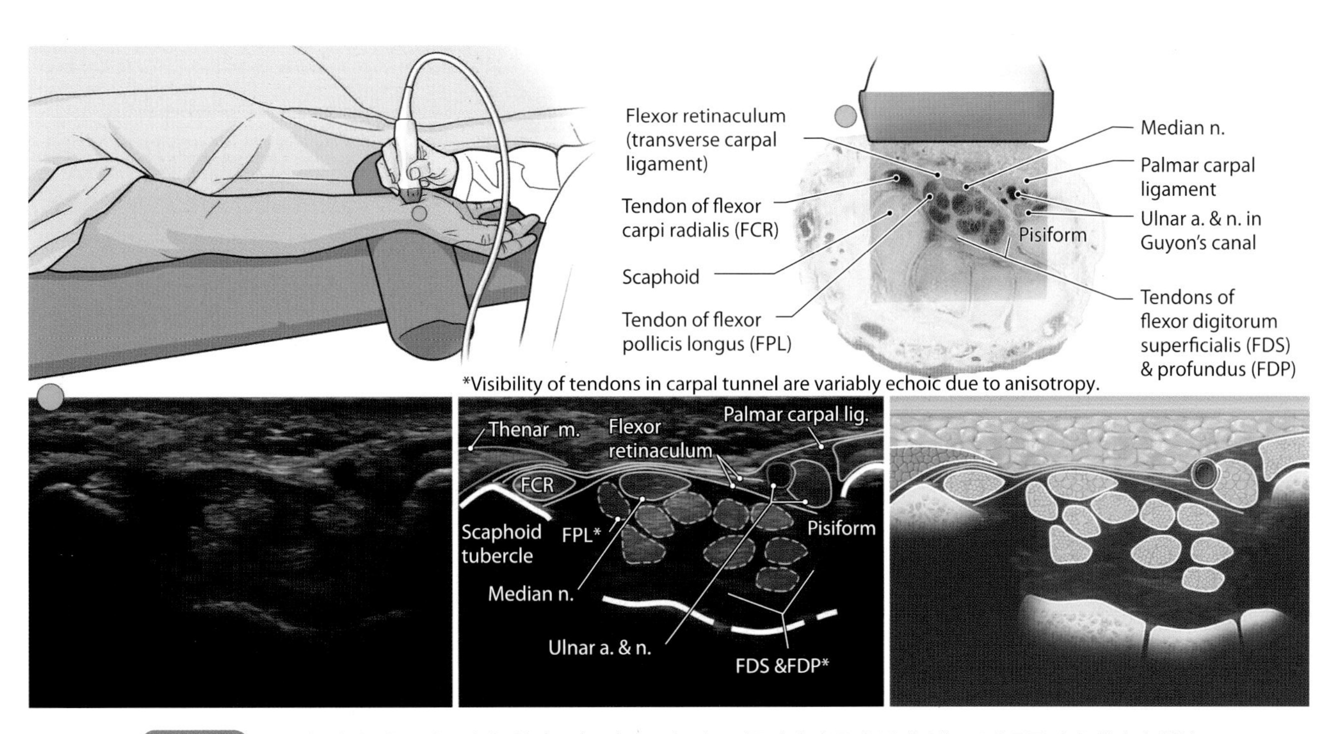

그림 4.29 수근관 안에 있는 정중신경, 천지굴건, 심지굴건, 장무지굴건과 수근관 밖에 있는 요수근굴건의 횡단면 영상. FDS(flexor digitorum superficialis), FDP(flexor digitorum profundus), FPL(flexor pollicis longus), FCR(flexor carpi radialis)

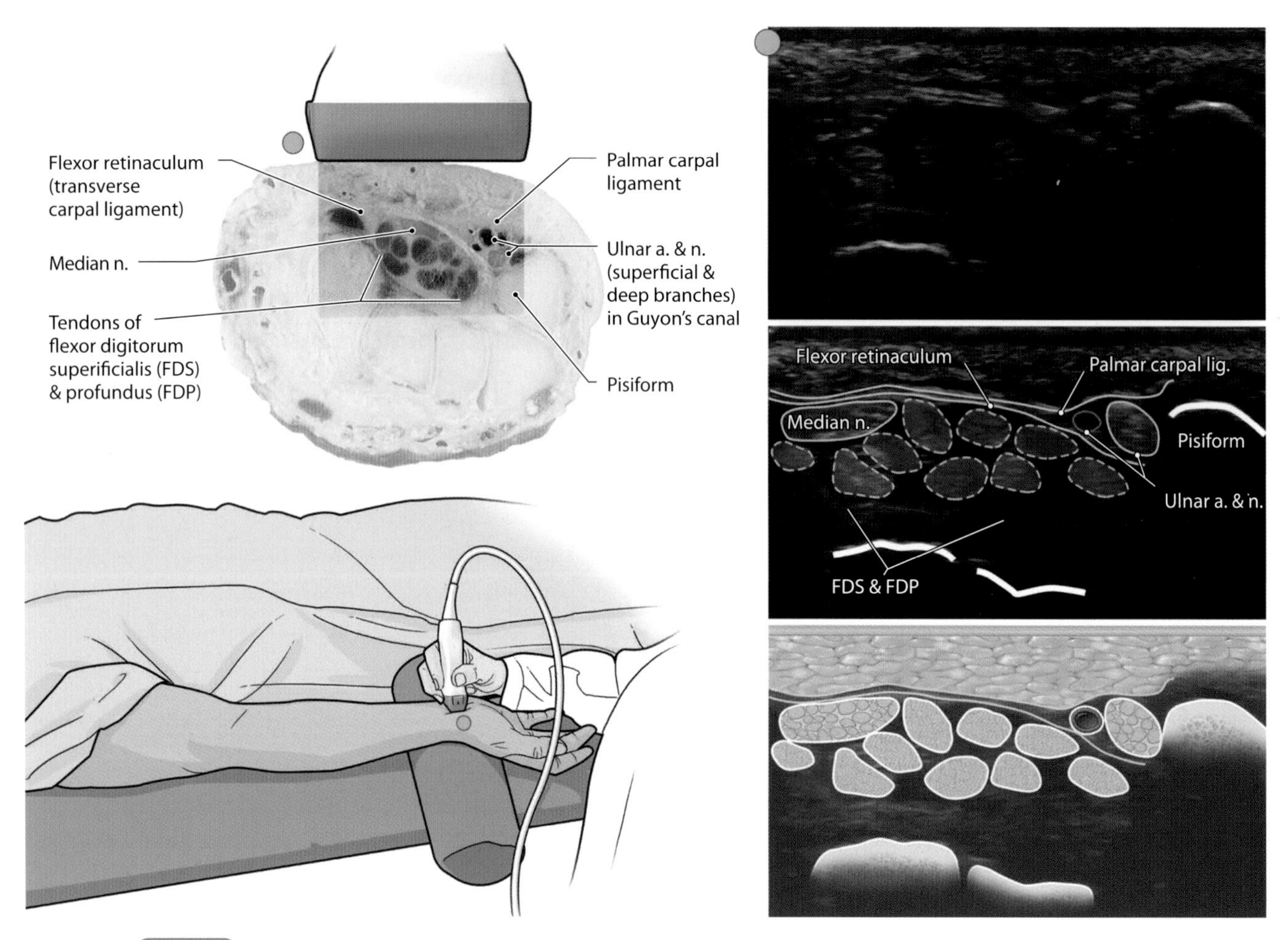

그림 4.30 척골신경관(Guyon's canal)에서 척골동맥과 척골신경의 횡단면 영상. FDP, flexor digitorum profundus; FDS, flexor digitorum superficialis

완관절: 신전지대구획
(Wrist: Extensor Retinaculum Compartments)

구획 3, 4, 5
장무지신건
지신건
시지신건
소지신건
횡단면
그림 4.31

환자는 전완을 회내전하고 전완과 손바닥을 진찰대에 둔채 앙와위(supine)로 눕는다. 탐촉자 표시가 없는 쪽이 척골두의 돌출 부위에 위치하도록 완관절의 배부에 횡으로 놓는다. 척골두와 요골의 펼쳐진 원위단(distal end)을 확인한다. 이 위치에서 뒤로 혹은 앞으로 프로브를 움직여 요골배부의 작은 돌출부와 요골배부의 결절을 확보한다. 요골배부결절(dorsal radial tubercle)의 내측면, 얕은 골성 홈(bony groove)에 있는 신근구획 3(extensor compartment 3)에 있는 장무지신전건(extensor pollicis longus)을 확인한다. 구획 3의 내측에 지신건(extensor digitorum)과 시지신건(extensor indicis)을 포함하는 큰 구획 4를 확인한다. 구획 4 바로 내측에 척골두의 요측면 위에 구획 5에 있는 소지신건(extensor digiti minimi)을 확인한다. 주의깊게

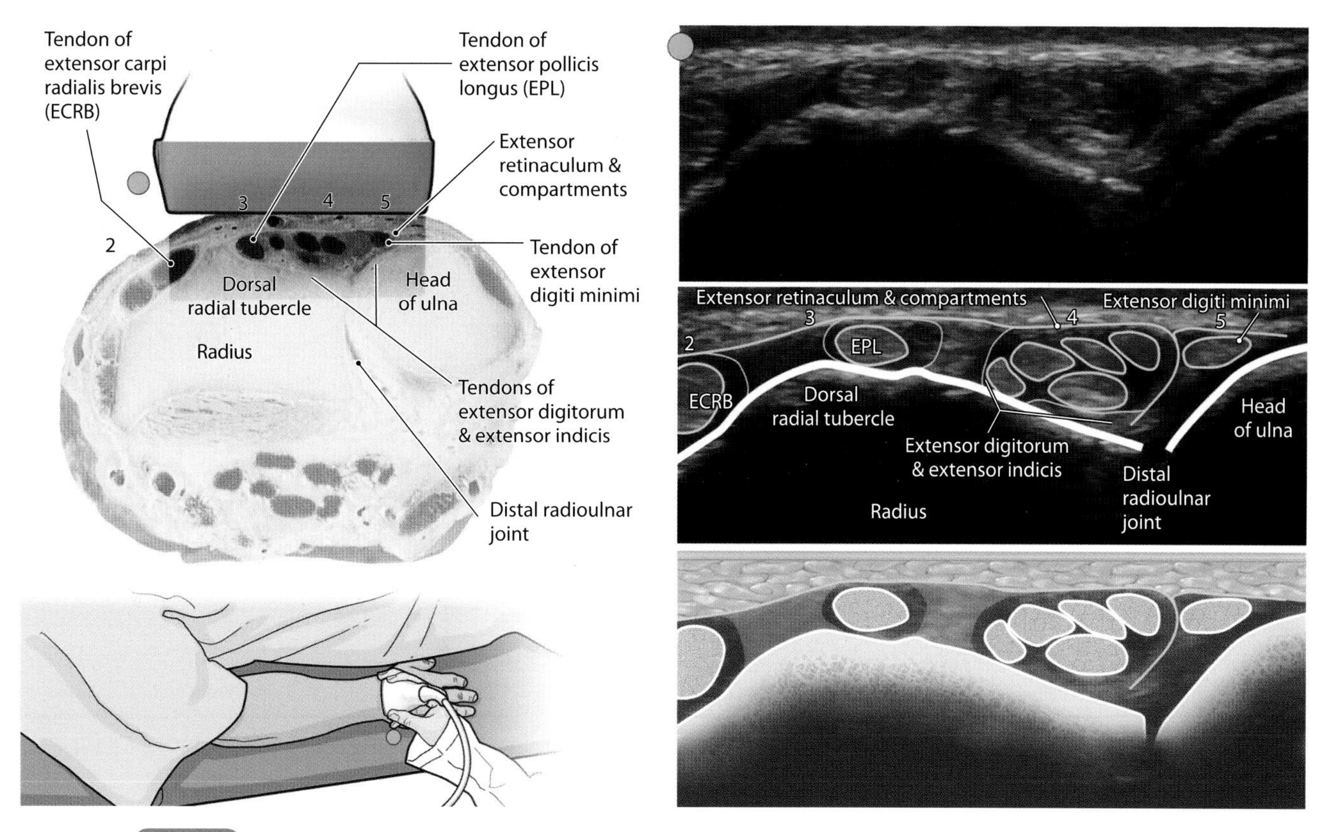

그림 4.31 신전지대구획 3, 4, 5의 횡단면 영상. 구획 3은 장무지신건(EPL,extensor pollicis longus)을 구획 4는 지신건과 시지신건(tendon of extensor digiforum, extensor indicis)을 구획 5는 소지신건(extensor digitiminimi)이 들어있다.

탐촉자를 기울여 고에코성 신전지대와 구획을 나누는 섬유성 밴드를 확보한다.

구획 6
척수근신건
횡단면
그림 4.32

완관절의 척골면의 내측에 탐촉자를 이동한다. 탐촉자 위치를 척골두의 둥근 돌출 부위와 척골경상돌기(ulnar styloid process) 위에 중심이 오도록 조절한다. 척수근신건(extensor carpi ulnaris)은 척골두와 경상돌기 기저부 사이의 홈(groove)에 있는 구획 6에 위치한다. 손목 측면의 좁은 골면 때문에 탐촉자 면과 전체 피부 접촉을 유지하는 것이 가능한 것은 아니다.

구획 2
장요수근신건
단요수근신건
그림 4.33

탐촉자를 손목의 배부를 가로질러 뒤로 외측으로 움직여 배부 요골결절을 확인한다. 요골의 후외측면에 있는 결절을 바로 지나 외측으로 계속간다. 거기는 탐촉자 전체면과 피부접촉을 유지하는 것이 불가능하다. 구획 2에서 단요수근신건(extensor carpi radialis brevis)과 장요수근신건(extensor carpi radialis longus)을 확인한다. 단요수근신건은 요배부결절의 외측면을 따라 있다. 탐촉자를 원위부로 움직여 장무지신건을 관찰하며 그것은 요수근신건(radial carpal extensor tendon)을 가로질러 외측으로 이동한다.

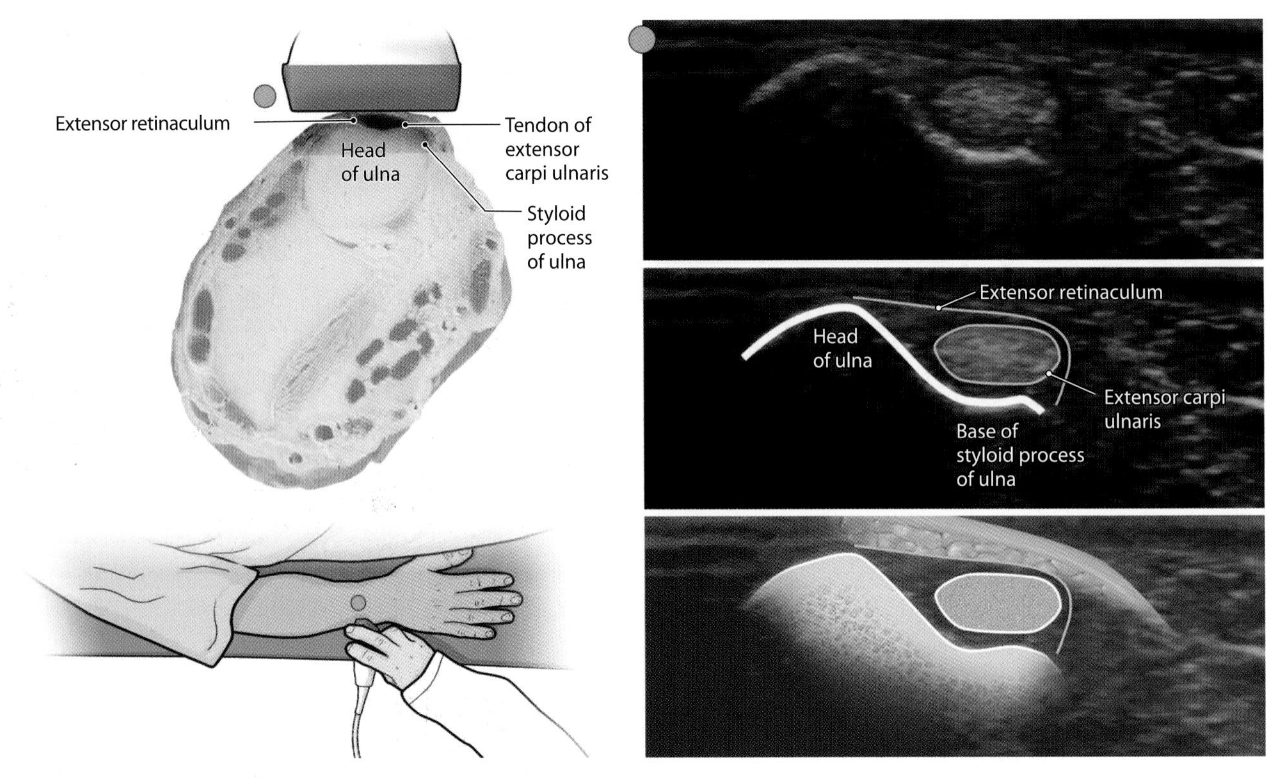

그림 4.32 신전지대 구획 6에 있는 척수근신건(tendon of extensor carpi ulnaris)의 횡단면 영상

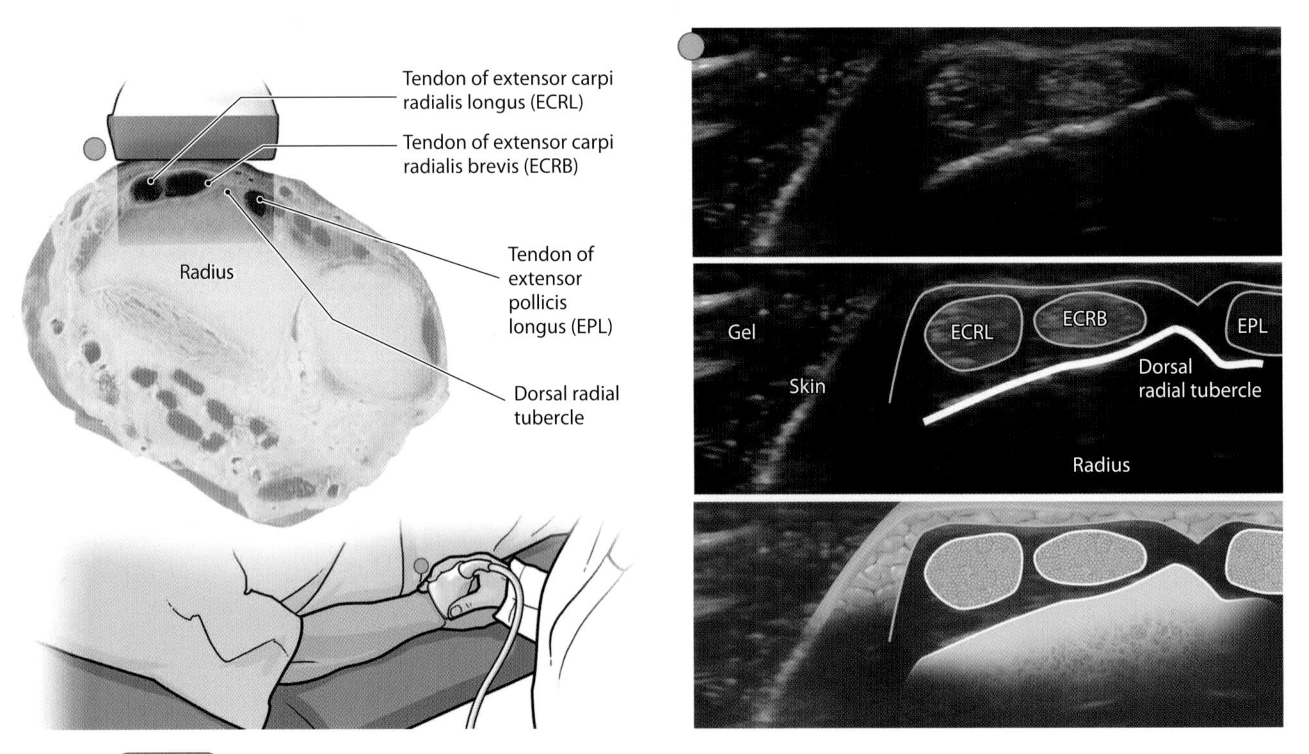

그림 4.33 신전지대 구획 2에서 장요수근신건(ECRL)과 단요수근신건(ECRB)의 횡단면 영상. ECRL, extensor carpiradialis longus. ECRB, extensor carpiradialis brevis. EPL, extensor pollicis longus

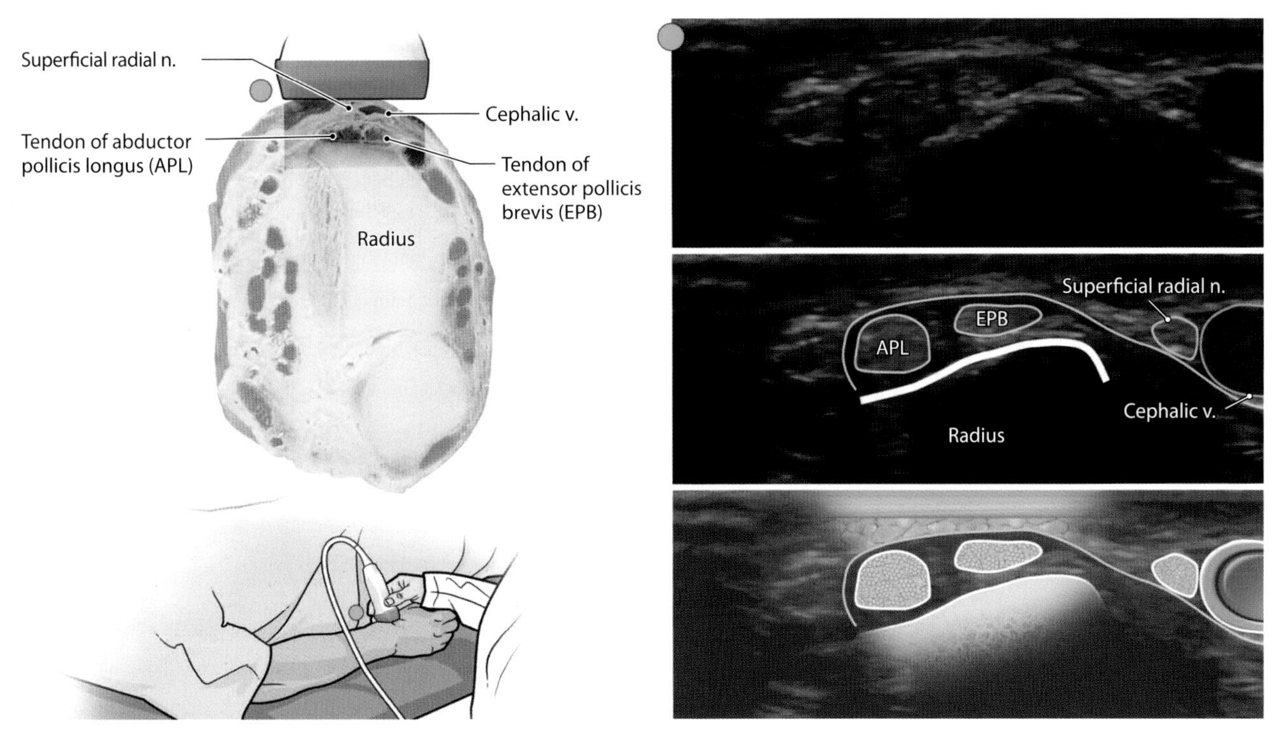

그림 4.34 신근지대 구획 1에 있는 단무지신건(EPB, extensor pollicis brevis)과 장무지외전건(APL, abductor pollicis longus)의 횡단면 영상

구획 1
단무지신건
장무지외전건
그림 4.34

탐촉자를 구획 2에 있는 요수근신건이 보이는 데까지 돌아와 탐촉자를 요골 경상돌기의 기저부에 있는 요골의 좁은 외측면으로 더 외측으로 이동한다. 구획 1에서 단무지신건(extensor pollicis brevis)과 장무지외전건(abductor pollicis longus)을 확인한다. 이 건들은 구획에 걸쳐있는 치밀한 섬유성 밴드에 의하여 종종 분리된다. 두정맥(cephalic view)과 표재성 요골신경분지(superficial radial nerve)를 해부학적 코담배갑(anatomical snuff box) 바로 근위부에 있는 구획 1 가까이에서 찾는다.

수부: 무지구(Hand: Thenar Eminence)

무지근
장무지굴건
무지내전건
첫 배부 골간근
횡단면
그림 4.35

환자는 전완을 충분히 회외전하고 손등이 진찰대 위에 놓은채 앙와위(supine)로 눕는다. 탐촉자를 무지구(thenar eminence)의 중간부위에서 첫번째 중수지골 장측에 횡으로 둔다. 1, 2번 중수지골이 보일때까지 탐촉자 위치를 조절한다. 스캔 깊이는 밝은 피부와 공기 접점이 손등에서 보일때까지 조절하여야 한다. 고에코성 장무지굴건(flexor pollicis longus)은 무지내전근(adductor pollicis)과 무지근(thenar muscle) 사이에서 무지내전근의 수장면위로 쉽게 지나가는 것이 보일 수 있다. 무지내전근을 찾고 그것의 뒤에 놓여있는 첫 번째 배부 골간근, 그리고 무지근을 확인한다. 무지구근은 명확히 찾는것이 어려울 수 있으나 단무지외전근(abductor pollicis brevis)은 무지구의 대부분인 3개 근육의 가장 표층에 위치하고 있는 경향이 있다. 탐촉자를 근위부나 원위부로 움직여 무지대립근(opponens pollicis)의 근섬유가 첫 번째 중수지골 위로 휘어져 외측면을 따라 붙는것을 볼 수 있다. 탐촉자를 원위부나 약간 내측으로 움직여 저에

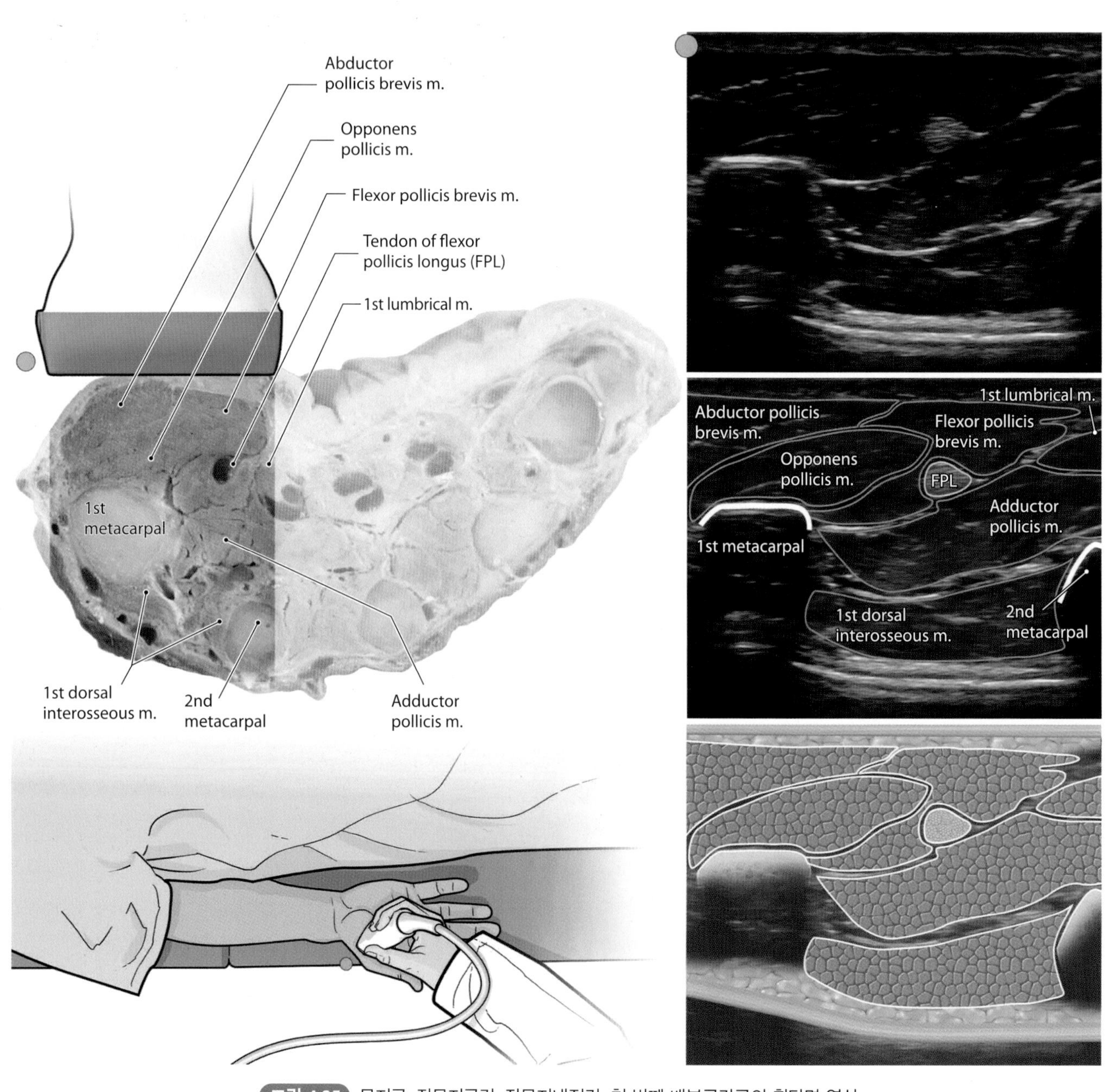

그림 4.35 무지근, 장무지굴건, 장무지내전건, 첫 번째 배부골간근의 횡단면 영상

코성 타원형 형태의 첫 번째 충양근(lumbrical muscle)이 인지의 심지굴건으로부터 기시함을 확인할 수 있다.

수부: 수지굴건(Hand: Flexor Tendons of the Digits)

중수지관절 수지굴건
종단면
그림 4.36

환자는 전완을 회외전하고 수지를 내전하고 신전한 상태로 손등을 진찰대 위에 놓은채 앙와위(supine)로 눕는다. 탐촉자를 중수지관절(metacarpophalangeal joint) 위에 수지의 장축방향으로 놓는다. 영상의 중심에 중수지골두, 중수지관절, 근위지관절의 기저부가 있도록 탐촉자를 조절한다. 뼈와 관절을 덮고 있는 골곡건을 확인하고 건의 고에코성 섬유사 모양이 영상 전체에 보일 수 있도록 주의 깊게 탐촉자 방향을 조절한다. 중수지골 근위부에서 심지굴건과 천지굴건이 섬유성 수지건막으로 들어가는

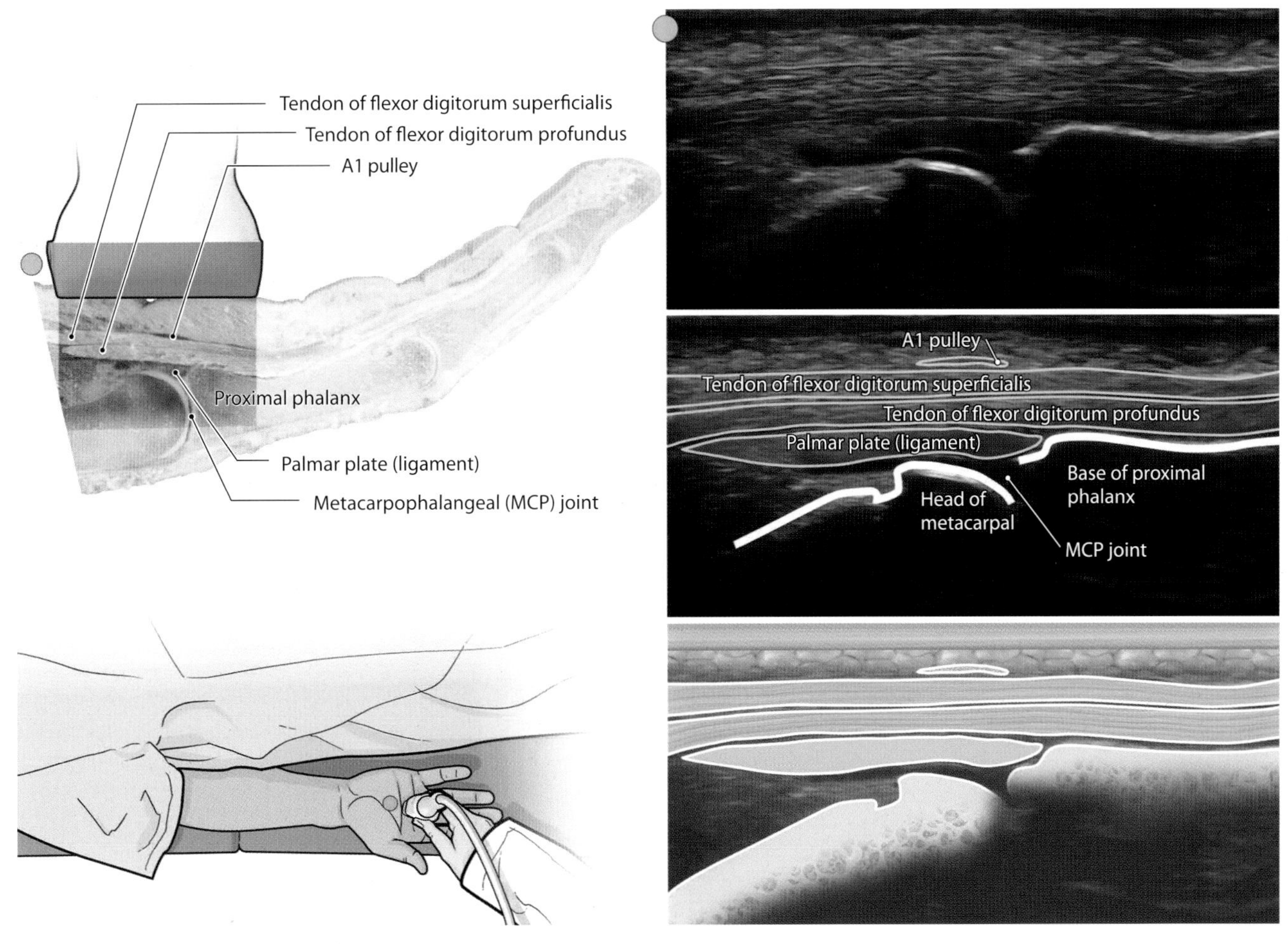

그림 4.36 천지굴건과 심지굴건에 덧붙여 관절의 수장인대 및 섬유건막의 첫 번째 윤상활차(A1)와 중수지 관절에서의 종단면 영상

것을 본다. 중수지골두에서 약간 근위부에서 관절낭을 강화시키는 고에코성 수장판(palmar plate, palmar metacarpal ligament)에 의하여 중수지골면과 건은 분리 되어진다. 중수지관절의 수장판은 근위지골의 기저부에 붙어 근위부로 좁아져 중수지관절낭과 섞여 붙는다. 중수지골두에 있는 건의 표면에서 첫 번째 윤상 활차(A1 pulley)를 탐색자를 주의깊게 움직이고 기울여 찾는다. 장축에서 정상적인 활차는 양 옆은 고에코성 모서리(margins)를 가지고 있으며 비교적 얇은 비에코성 혹은 저에코성 밴드로 보인다.

중수지관절 수지굴건
횡단면
그림 4.37

중수지 골두에 중심을 맞추고 탐촉자를 횡축으로 90도 돌린다. 중수지 골두의 고에코성 윤곽과 수장판과 섬유건막내에 있는 굴건들을 확인한다. 첫 번째 윤상활차(A1 pulley)는 굴건위에 얇은 비에코성(anechoic) 말굽모양의 밴드로 굴

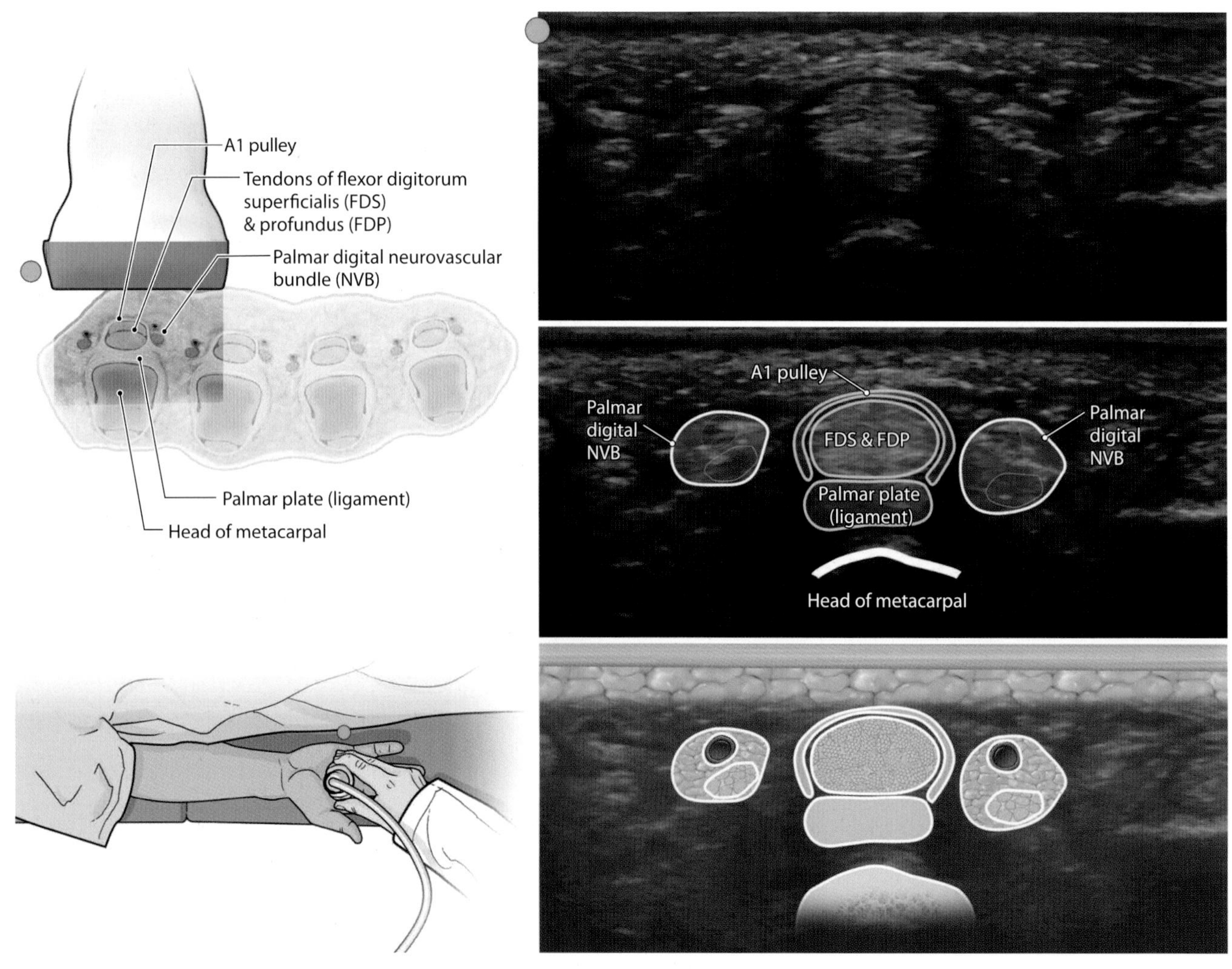

그림 4.37 중수지 골두위의 천지굴건및 심지굴건에 덧붙여 중수지 관절의 수장인대와 첫 번째 윤상활차(A1) 및 신경혈관다발의 횡단면 영상

건 위에 활(arch)모양으로 수장판의 측면을 따라 붙어있다. 섬유성 건막의 양옆에 수장수지동맥의 맥박과 고에코의 수지신경을 본다.

근위지골 수지굴건
종단면
그림 4.38

탐촉자를 중수지 관절 위에서 도로 회전하여 종축으로 놓고 건과 근위지골(proximal phalanx)이 시야에 있도록 유지하고 탐촉자를 원위부로 짧게 움직여 근위지골의 수장면의 중심부가 영상의 중심에 올때까지 이동한다. 즉시 굴곡건의 표면에 밝고 어둡고 밝은(bright−dark−bright) 형태의 두 번째 윤상활차(A2 pulley)를 찾는다. 그것은 종축에서 첫 번째 윤상활자(A1 pulley)를 찾는 것보단 더 쉽다. 두 번째 윤상활차는 근위부 끝에서 원위부로 갈수록 약간 더 두꺼워진다. 건의 섬유성 모양과 방향이 원위부로 가면서 변화가 있는데 천지굴건은 갈라져 밴드가 되어 중위지골에 붙으며 그 사이로 심지굴건이 지나가 원위지골에 붙는다.

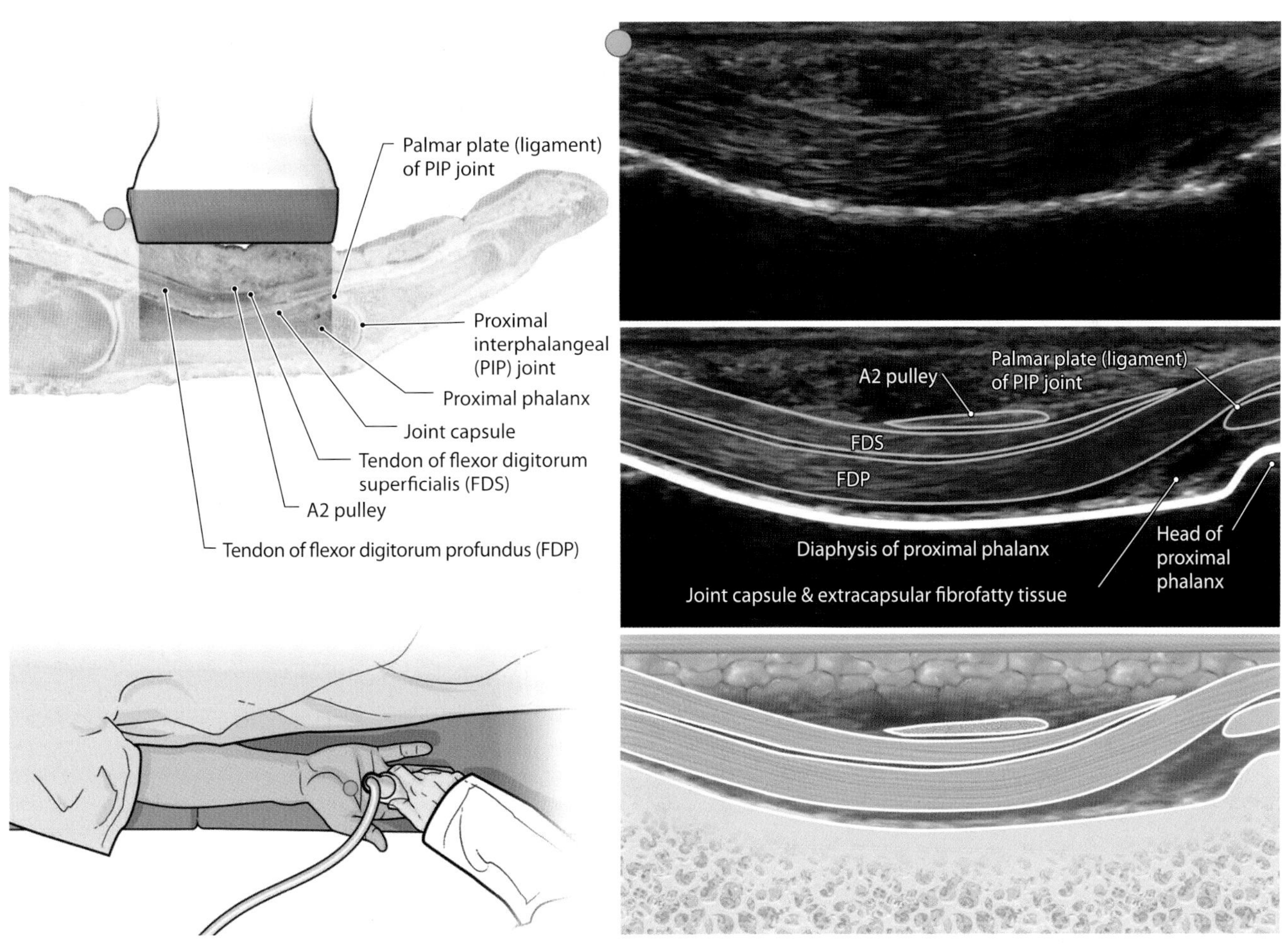

그림 4.38 근위지골 골간(diappysis)위의 천지굴건및 심지굴건과 섬유건막의 두 번째 윤상활차(A2 pulley)와 근위지관절의 종단면 영상

근위지골 수지굴건
횡단면
그림 4.39

두 번째 윤상활차(A2) 위에 중심을 두고 탐촉자를 90도 회전하여 수지에 횡축으로 둔다. 근위지골의 골간 및 섬유막 안에 있는 굴건과 두번째 윤상활차를 확인한다. 활차는 얇은 비에코성 말굽모양의 밴드로 굴건위로 활(arch)를 형성하고 근위지골 전면의 가장자리를 따라 붙는다. 섬유골성건관(fibro−osseous tendon tunnel)의 양옆에 고유수장 수지신경혈관(proper palmar digital neurovascular bundles)의 다발을 찾는다.

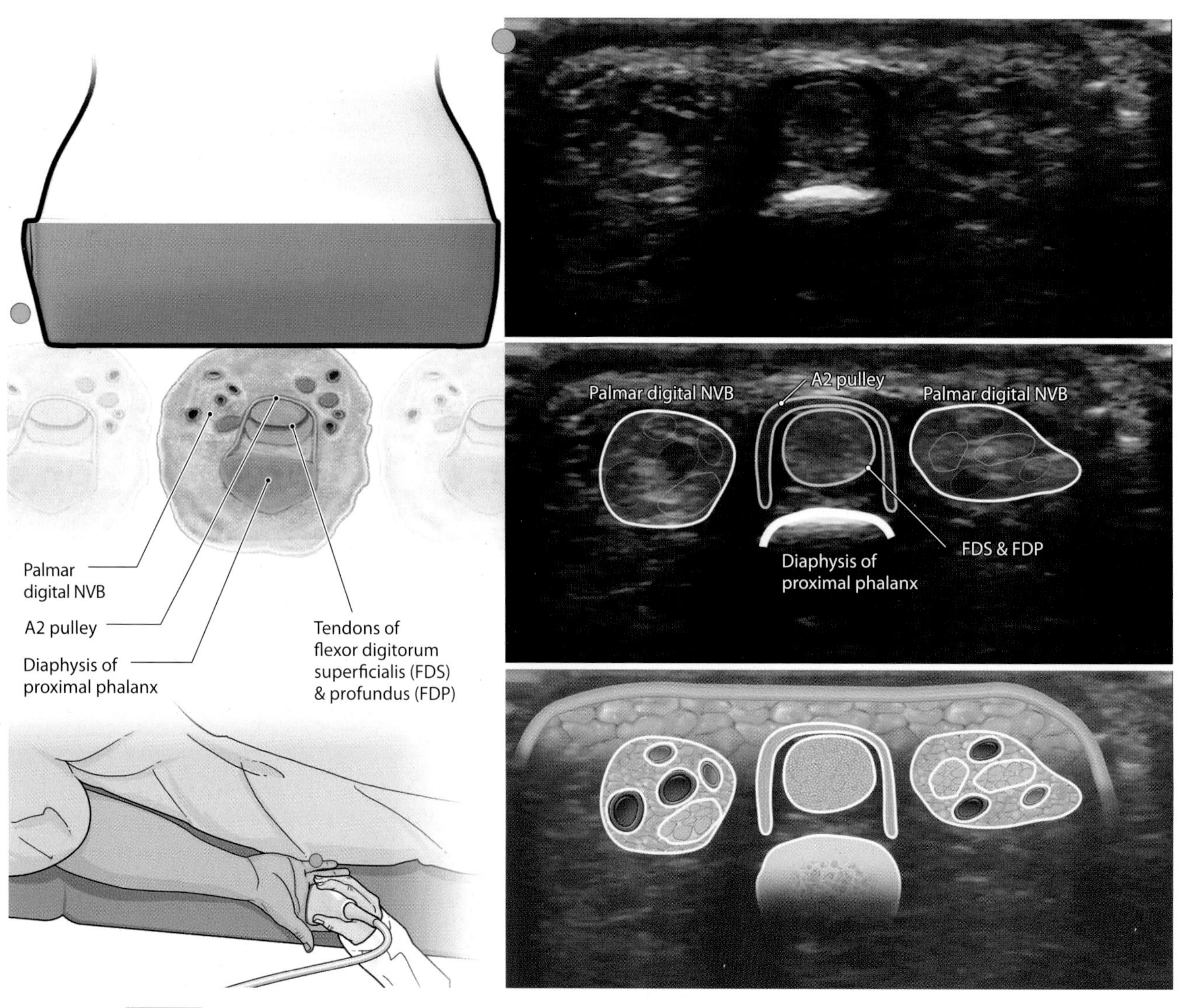

그림 4.39 근위수지골 골간위에 있는 천지굴건과 심지굴건 및 섬유건막의 두 번째 윤상활차, 신경혈관다발의 횡단면 영상

임상 응용

이 수기는 손수술을 위한 국소마취를 위하여 정중신경과 척골신경이 있는 원위 전완부와 완관절에 국소마취제를 투여하는 바늘을 유도하는데 사용될 수 있다. 초음파 진찰은 수근관에서 정중신경이 눌리고 척골신경관(Guyon's canal)에서 척골신경이 눌리는 잠재적 신경 압박손상을 밝히는데 사용된다.

초음파 진단은 다양한 근육 및 건 손상, 인대, 염좌, 찢어짐이나 기능이상 등을 밝히고 치료하는데 사용된다.

예를 들면 첫 번째 신전구획은 드꾀르벵 건활막염(De Quervain's tenosynovitis)이 관계 깊은데, 이것은 장무지 외전건과 단무지 신전건의 통증과 기능 이상이다. 첫 번째 윤상활차의 결절과 두꺼워짐은 방아쇠 수지(trigger finger)와 종종 연관되어 있고 다른 윤상활차는 특히 두 번째나 네 번째 윤상활차는 암벽 등반시에 찢어지거나 파열될 수 있다.

Chapter

5

하지(Lower Limb)

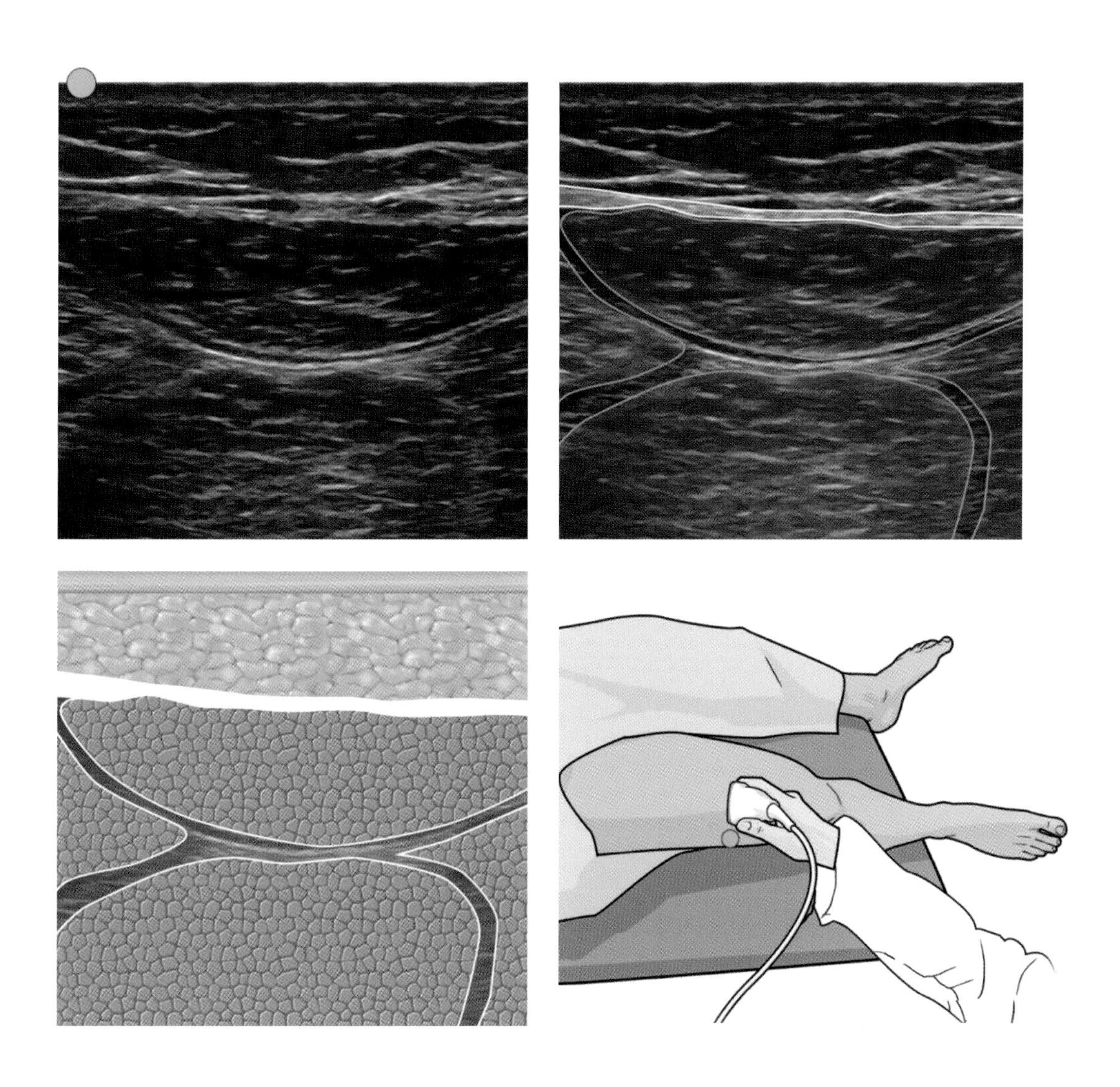

상부 대퇴부 및 서혜부
(Proximal Thigh and Inguinal Region)

해부학의 검토(Review of the Anatomy)

뼈(Bones)

상부 대퇴부와 서혜부는 골반 뼈로 구성된다.

골반(Pelvic Bones)

골반뼈는 장골, 좌골 및 치골이 결합되어 이루어진다. 장골의 확장된 상부인, 장골날개는 후복벽의 일부를 형성하는 전면과 둔부의 일부인 후면을 갖는다. 장골능은 장골 날개 위에 있고 앞으로는 상전장골극에서 뒤로는 후전장골극에 까지 이른다. 하전장골극은 고관절 비구 외측 바로 위에서 상전장골극 하내방 수 센티미터에서 장골의 앞으로 돌출되어 있다. 비구는 골반뼈의 외측에 위치하며 3개의 뼈가 합쳐져 형성되며 서혜 인대 건의 중간지점 바로 밑에 위치한다.

대퇴골(Femur)

대퇴골두는 비구와 관절을 이루며 고관절을 형성한다. 대퇴골두는 대퇴골 경부에 의해 대퇴골 본체에 연결되고 경부는 골두로부터 하외방으로 돌출되고 관상면에서 대퇴골 상부와 120도 내지 135도의 각을 형성한다. 대퇴골의 대 · 소전자와 전자간부는 경부와 간부 사이의 교차점 가까이에 위치한다. 대전자는 이 교차점의 외측에서 상방으로 돌출되고 대전자의 후 내방을 따라가면 함몰부가 보이는데 이것이 전자와이다. 소전자는 대퇴골 경부와 간부사이의 교차점 바로 밑에서 대퇴골 간부에서 후 내방으로 돌출되어 있다. 대전자와 소전자는 후방에서 두드러진 골의 능선, 전자간융선에 의해 연결된다. 앞쪽으로 두 전자는 작은 골 능선인 전자간 선에 의해 연결된다.

고관절 피막(Hip Joint Capsule)

고관절의 섬유성 피막은 위로는 비구 가장자리를 따라 붙고, 전자간 선, 전자간와에 인접한 대퇴골 경부에 붙는다. 윤활막은 비구 관절면의 가장자리와 대퇴골두를 따라서 붙고 섬유막 내의 선이 나타날 때 까지 대퇴골 경부를 따라 내려간다. 섬유막은 3개의 두터운 인대 장골대퇴인대, 치골대퇴 인대, 좌골대퇴 인대에 의해 다시 보강된다. 장골대퇴인대는 위로는 비구의 가장자리에, 아래로는 전자간 선에 붙어 앞에서 관절피막을 다시 보강시킨다. 고관절은 어깨관절보다 훨씬 안정적이나 비구의 골 가장자리는 섬유연골의 비구순에 의해 추가적으로 올려져 있다.

근육(Muscles)

대퇴근육은 대퇴근막과 그것의 근육사이의 격막에 의해 3개의 구획으로 나뉜다. 더불어 장골근과 대요근은 후복벽에서 대퇴부로 들어가는데 이때 공동건으로 되어 대퇴골 소전자에 붙는다. 전방구획근은 봉공근, 대퇴사두근, 내측구획근은 치골근, 장내전근, 단내전근, 대내전근과 박근, 외폐쇄근이다. 후방구역근은 슬근으로 대퇴이두근 반힘줄근, 반막근이다. 근육 해부에 관해서 이번 장에서는 전상장골극, 대퇴삼각, 고관절에 관계된 상부 대퇴근육의 소수 근육과 간단하게 대퇴상부의 내측 근육군에만 집중하여 설명한다. 전 · 후방구획은 다음 장에서 더 자세히 다룰 것이다.

장골근과 대요근(Iliacus and Psoas Major)

장골근은 골반골의 전복부면(장골와)에서 기시한다. 대요근은 요추의 횡돌기와 추체에서 기시한다. 이 두개의 근육은 서혜인대 밑에서 대퇴로 들어가 대퇴삼각의 기저부 외측의 반(1/2)을 형성하고, 고관절과 대퇴골 경부의 내측면을 지나 공동근(장요근건)으로 해서 대퇴골 소전자에 붙는다.

봉공근(Sartorius)

봉공근은 상전장골극 내측면에서 기시하여 대퇴부를 외측에서 내측으로 가로질러 박근, 반힘줄근과 함께 상부 경골의 내측에 붙는다.

대퇴근막장근(Tensor Fasciae Latae)

대퇴근막장근 근육은 상전장골극 외측면에서 시작해 장골능을 따라 수 센티미터 뒤로 연장해서 장골능 결절까지의 선에서 기시하여 대퇴근막의 두꺼워진 띠인 장경인대를 지나 경골 근위부에 부착된다.

중둔근과 소둔근(Gluteus Medius and Minimus)

중둔근과 소둔근은 장골날개의 둔부면에서 앞쪽으로 상전장골극까지 기시함으로 상전장골극 가까이 있는 상부 대퇴근육에 초음파를 실시하면 근육의 일부가 보인다.

대퇴직근(Rectus Femoris)

대퇴직근 근육은 주로 하전장골극(상전장골극에서 하내방 수 센티미터 부위)에서 기시하여 대퇴사두근을 지나 대퇴근 근육과 함께 따라 붙는다. 기시부 가까이서 대퇴직근은 봉공근, 대퇴근막장근보다 깊게 위치하며 상전장골극에서 각기 내측과 외측으로 나뉘어져 내려온다.

내측 구획근육군(Medial Compartment Muscles)

치골근은 서혜인대 바로 위 상치골지의 치골선에서 기시하여 서혜인대 보다 깊은 곳에서 대퇴부로 들어가 대퇴삼각 기저부의 내측 1/2을 형성하고 소전자부 바로 밑 대퇴골에 부착한다. 장내전근, 단내전근, 대내전근 근육은 치골근 내측의 골반골에서 기시한다.(대내전근 기시부의 일부는 치골근 뒤에 위치한다.) 장내전근은 이 세개의 내측구획 근육중 가장 위에 있다. 단내전근은 장내전근 보다 깊게, 대내전근은 단내전근보다 깊게 위치하며 단내전근의 가장 외측 섬유는 치골근 보다 깊게 위치한다. 장내전근은 치골 본체의 상부에서 기시하여 대퇴골 간부 뒤쪽의 중간 1/3(종익관)에 부착한다. 단내전근은 치골 본체의 하부, 좌골치골지에서 기시하여 뒤쪽으로 대퇴골 간부(종익관)의 상 1/3에 부착한다. 대내전근은 좌치골지와 좌골결절에서 기시하여 굴근부와 내전근부 두 부분으로 나뉘어 부착한다. 굴근부는 대퇴골 내측과의 내전결절에 붙고, 내전부는 단내전근, 장내전근의 종지선 바로 외측 대퇴골 본체(간부)에 부착한다.

신경과 혈관(Nerves and Vessels)

하지를 지배하는 말초신경은 요신경총(L1-L4)과 요천추 신경총(L4-S4)에서 기시한다. 하지의 주요 혈액 공급은 외장골 동맥의 연장인 대퇴동맥에 의해 공급되며 서혜인대 바로 밑에 위치한다. 신경과 혈관은 주로 앞으로는 서혜인대 밑으로, 뒤로는 대좌골공을 지나 여러 통로로 골반, 후복벽, 하지 사이로 지나간다.

대퇴신경(Femoral Nerve)

요신경총의 분지인 대퇴신경은 서혜인대 아래의 장골근과 대요근 사이 고랑사이에서 후복벽을 떠나 대퇴삼각으로 들어간다. 대퇴신경은 장골근, 치골근(항상), 봉공근, 대퇴사두근에 분지하고, 앞쪽 대퇴부, 내측 하퇴부, 발의 내측면의 피부를 지배한다.

대퇴혈관(Femoral Vessels)

외장골 동맥의 연장인 대퇴동맥은 서혜인대 아래를 지나 대퇴삼각에서 대퇴신경의 내측에 위치한다. 대퇴정맥은 대퇴동맥의 바로 내측에 있다. 전형적으로 대퇴삼각 상부에서 대퇴동맥은 심부 대퇴동맥을 분지하고 삼각정점에서 내전근관(하봉공근관)으로 들어간다. 이때 대퇴정맥과 대퇴신경의 2개 분지인 내측광근 신경과 복재신경을 동반한다.

외측 대퇴피신경(Lateral Femoral Cutaneous Nerve)

외측 대퇴피신경은 요신경총의 분지로 서혜인대 밑에서 후복벽에서 하지로 들어가 봉공근 기시부의 표면을 따라 전상 장골극 내측에 이른다. 이 신경은 처음엔 봉공근과 대퇴근막장근 사이의 대퇴근막 내에 있다가 전상골극 아래 수 센티미터에서 대퇴근막을 뚫고 대퇴부 외측면을 따라 피부를 지배한다.

대퇴삼각(Femoral Triangle)

서혜 하부공간은 서혜인대(전상 장골극과 치골결절 사이)와 골반골사이의 부위로 후복벽과 통하고 상부 대퇴부에서는 삼각형의 함몰부인 대퇴삼각으로 된다. 서혜인대는 삼각형의 기저부를 형성하고, 봉공근의 내측연과 장내전근의 외측연은 각기 내벽과 외벽을 형성한다. 삼각의 주요 내용물은 외측에서 내측 순서대로 대퇴신경과 그 분지, 대퇴동맥과 그 분지, 심부 서혜부 임파절과 임파관(대퇴관 안)이다.

수기(Technique)

전상장골극(Anterior Superior Iliac Spine)

전상장골극
횡단면
그림 5.1

환자를 앙와위로 누이고 표적을 촉진할 수 있도록 drape하고 환자의 사생활을 고려하고 편안하게 유지시키고 탐촉자를 잘 조작할 수 있도록 한다. 전상장골극과 인접한 장골능을 촉진하고, 탐촉자의 면을 전상장골극에 횡으로 위치시키고 전상장골극의 가운데에 탐촉자를 두고 내측면을 전복벽의 피부에 외측면은 둔부의 앞 피부에 둔다. 부드러운 고에코의 포물선과 조밀한 음향음영을 확인하고 전상장골극 내측에 있는 3개의 근육층인 외복사근, 내복사근, 복횡근과 복횡근 밑의 복막을 확인하여 호흡 운동과 복부 내용물의 장 운동을 확인한다. 전상골극의 외측면에서 장골날개의 둔부면에서 앞으로 돌출되는

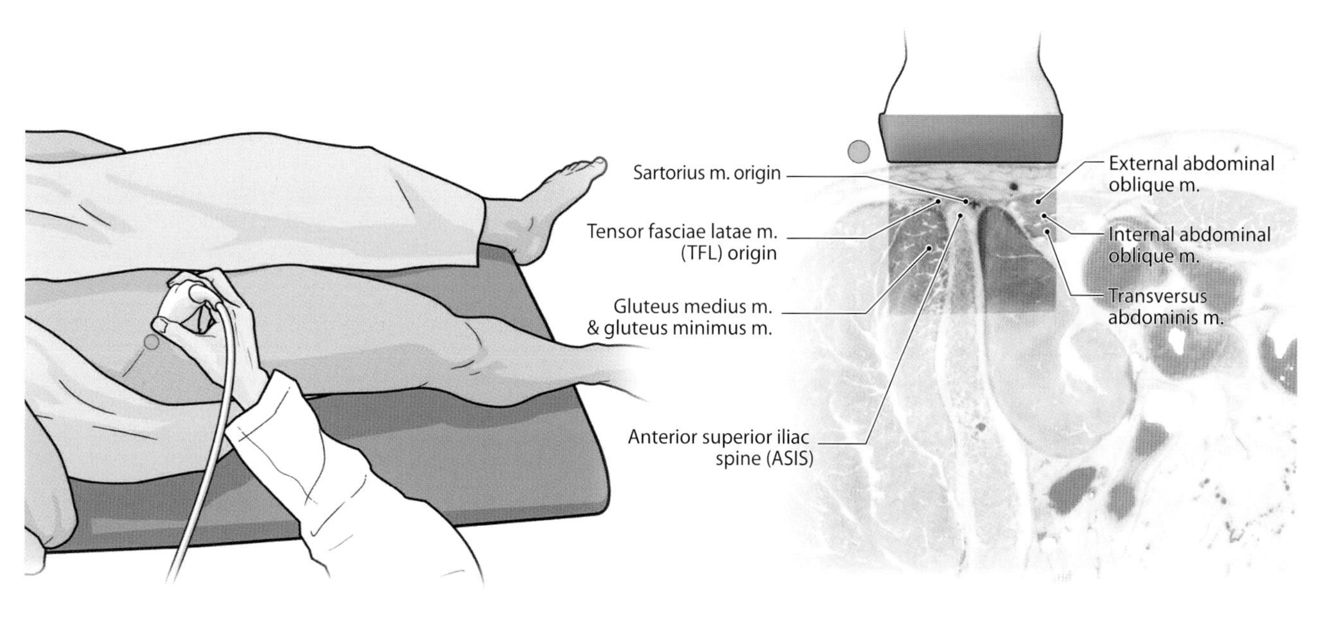

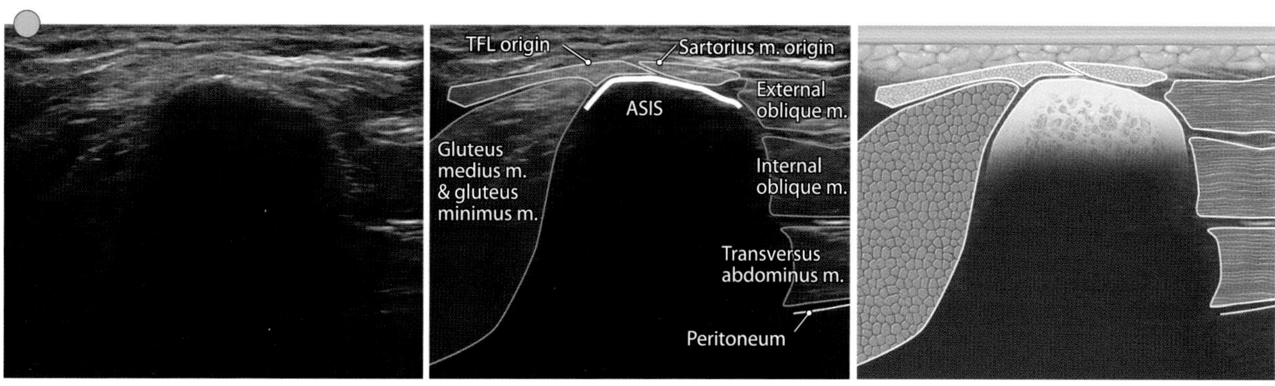

그림 5.1 전상장골극과 관계된 근육들의 횡단면 영상(중둔근, 소둔근 복벽근들과 봉공근과 대퇴근막장근의 기시부가 포함)

봉공근과 대퇴근막장근은 전상장골극에서는 구별하기 힘드나 전상장골극 하방 1–2 cm에서 스캔하면 쉽게 확인된다. 봉공근을 따라 위 아래로(전상장골극에서 내측 하방으로) 수 센티미터를 스캔하면 전상장골극 바로 밑에서 근육의 윤곽이 나타나고 근육이 빠르게 커지면서 띠모양(납작한 둥근 윤곽)으로 나타난다. 탐촉자를 전상장골극 뒤에 두고 수 센티미터를 대퇴근막장근을 위 아래로 스캔(외측 후방 그리고 전상장골극에서 아래로)한다. 봉공근과 마찬가지로 대퇴근막장근도 빨리 커져 전상장골극 밑에서 짧은 거리를 두고 확연하게 둥근 근육 조직 윤곽으로 된다.

봉공근, 대퇴근막장근과 대퇴직근
(Sartorius, Tensor Fasciae Latae, and Rectus Femoris)

봉공근
대퇴근막장근
대퇴직근
횡단면
그림 5.2

같은 환자의 자세와 치장으로 전상장골극에 탐촉자를 대고 서서히 밑으로 대퇴근막장근과 봉공근이 영상을 얻을 때까지 움직여 내려간다. 두개 근육의 영상을 얻게되면 이 두 근육 깊이있는 대퇴직근이 보일 때까지 서서히 아래로 스캔해 나간다. 대퇴직근이 확인되면 다시 탐촉자를 위로 올려 대퇴직근이 사라지고 고에코의 윤곽과 음향음영이 보이는 전하장골극까지 slide한다. 다시 탐촉자를 아래로 slide하여 대퇴근막장근, 봉공근, 대퇴직근이 한 영상에 깨끗하게 볼 수 있도록 한다. 영상의 내측에서 봉공근보다 깊이, 대퇴직근보다 깊게 있는 장요근을 확인한다. 대퇴골두와 경부의 근위부의 고에코의 반영은 섬유성 고관절 피막과 장골대퇴 인대에 의해 덮이게 되고 장요근보다 깊다. 중둔근의 앞쪽 대부분은 대퇴근막장근 보다 깊은 곳에서 볼 수 있다.

외측 대퇴피신경(Lateral Femoral Cutaneous Nerve)

외측 대퇴피신경
횡단면
그림 5.3

탐촉자를 상기한 마지막 위치에서 다시 아래로 서서히 내리면 대퇴근막장근은 후외방으로, 봉공근은 내측으로 대퇴직근은 앞의 두 근육 사이에서 보다 표층에 점유하고 있다. 외측 대퇴피신경은 대퇴근막의 심층면을 관통하여 대퇴근막과 봉공근사이의 대퇴직근 보다 표층에서 작은 지방 성분으로 차지하는 것을 관찰하고 이 신경이 대퇴근막의 천층면을 뚫고 피부 위치로 나올때까지 추적한다.

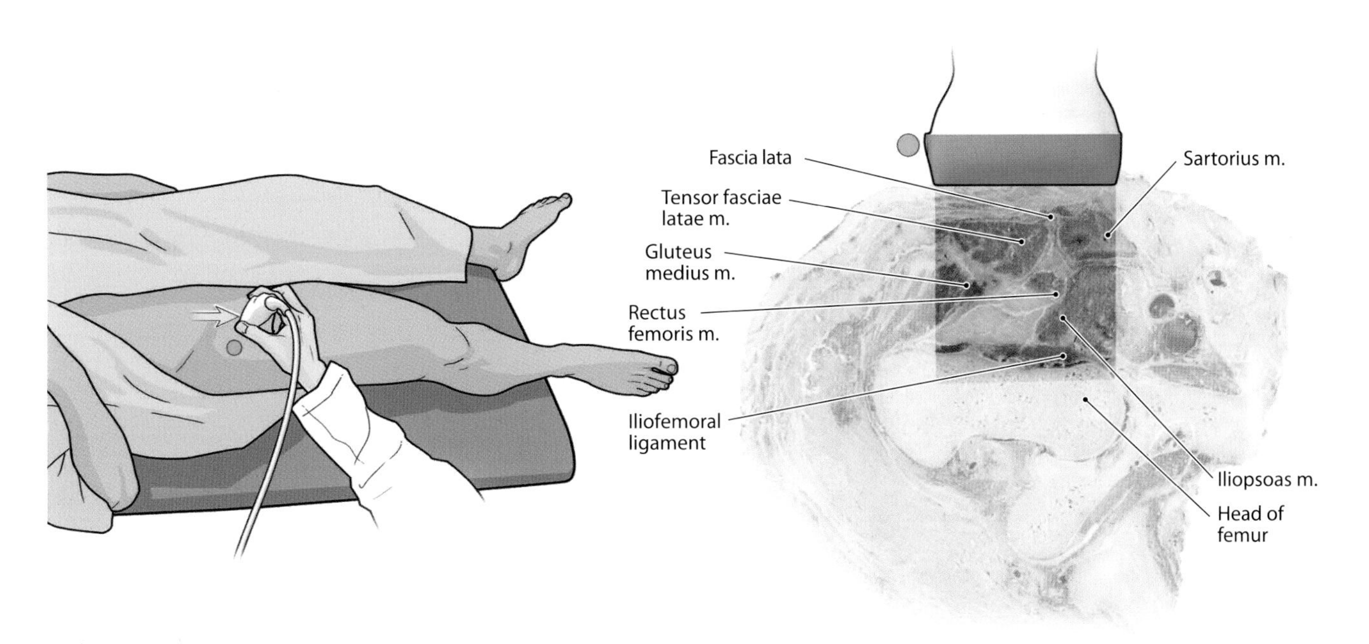

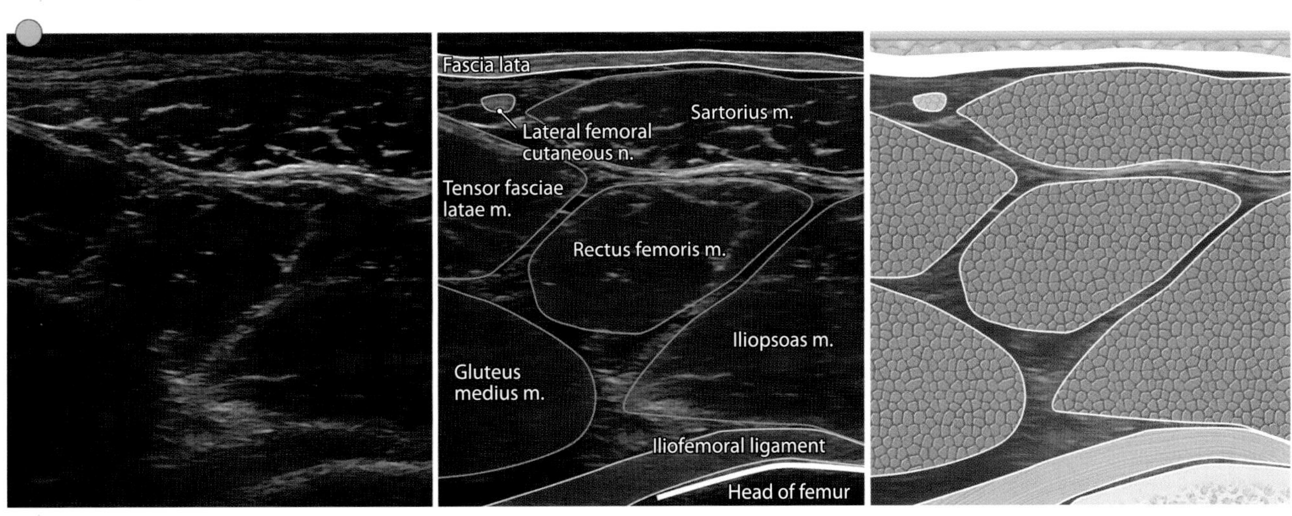

그림 5.2 전하장골극 아래서 짧은 거리를 대퇴골두 앞을 가로질러 가는 봉공근, 대퇴근막장근 대퇴직근과 장요근의 횡단면 영상

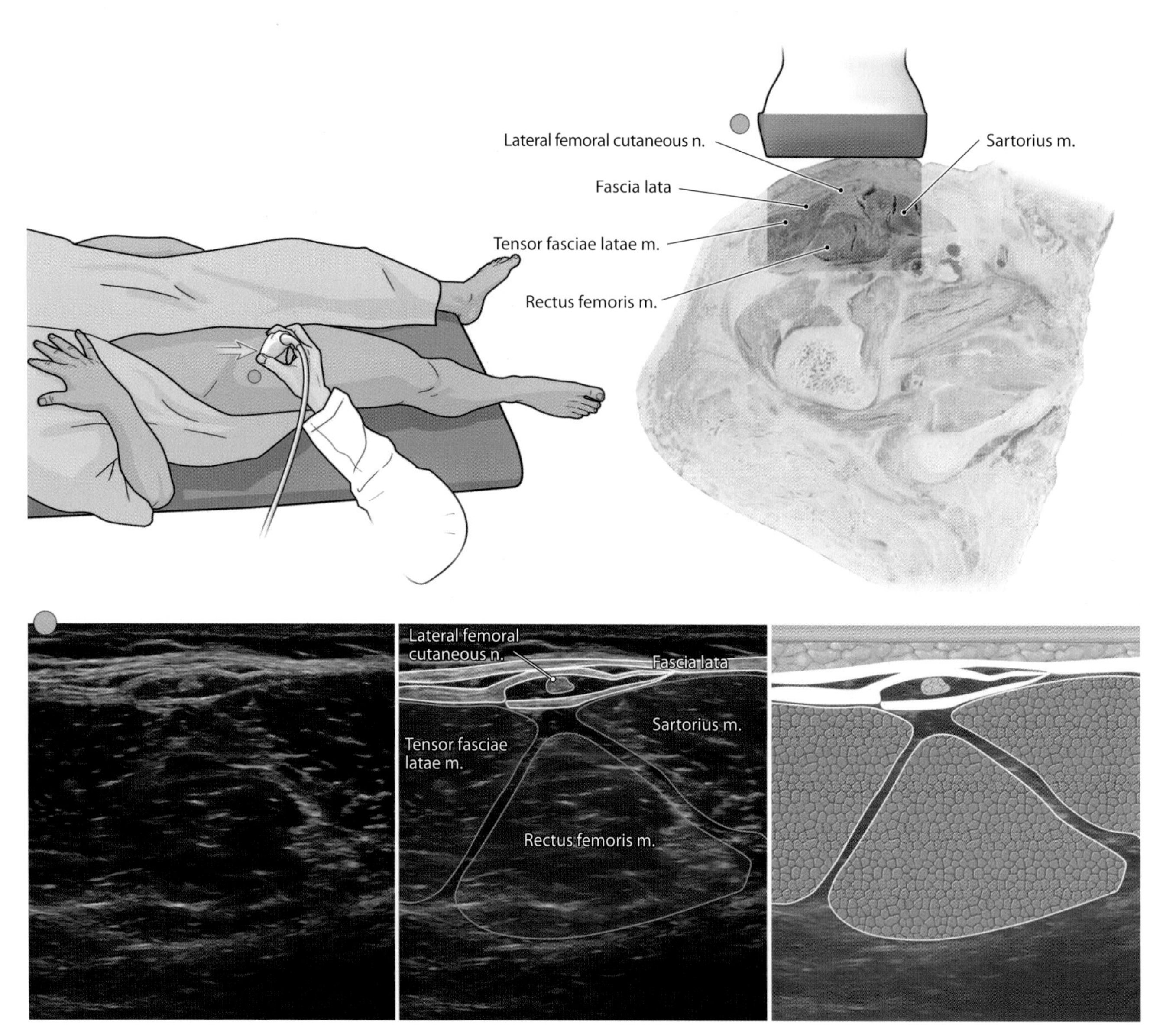

그림 5.3 봉공근과 대퇴근막장근사이 대퇴근막내의 외측 대퇴피신경의 횡단면 영상

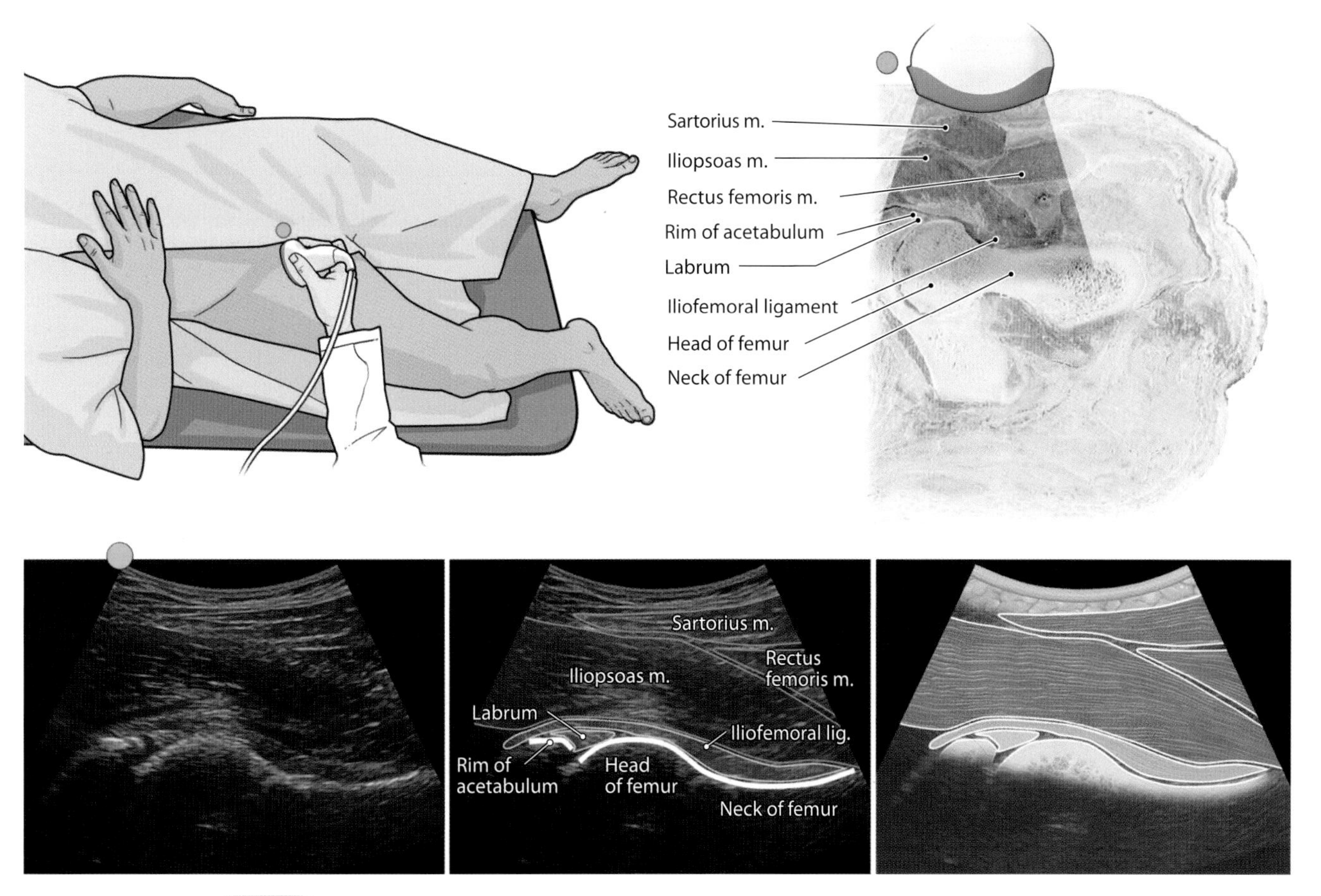

그림 5.4 비구연, 비구순, 대퇴골두와 경부 장대퇴골 인대와 장요근/건을 포함한 고관절의 종단면 영상

고관절, 장요근과 장골대퇴인대

(Hip Joint, Iliopsoas, and Iliofemoral Ligament)

고관절 종단면 그림 5.4

환자를 앙와위에서 다리를 외회전시켜 알맞게 치장한다. 휜 모양의 복부탐촉자를 이용하여 탐촉자의 면을 서혜부 주름의 가운데 아래에 두고 사선으로(줄 잡아 거의 수직으로) 내상방에서 외하방으로 배열해 간다. 탐촉자의 위치를 조정하고 tilt시켜 비구의 고에코의 윤곽을 대퇴골두와 경부를 따라 관찰한다. 비구의 가장자리에서 대퇴골두 위의 돌출된 비구순을 관찰한다. 비구연, 관절순, 대퇴골두, 대퇴골 경부보다 위에 보이는 전형적으로 다발성 선상의 고에코의 띠를 가진 저에코로 보이는 관절피막과 장골대퇴인대를 확인한다. 피막과 인대는 위로는 비구 가장자리에서 시작하여 관절순, 대퇴골두, 대퇴골 경부까지 이른다. 피막은 4–6 mm의 두께로 균등하고 대퇴골 골두와 경부에 평행하다. 관절피막의 표층에서 피막과 접촉되어 있고 특징적인 고에코의 심층의 힘줄부를 지닌 장요근을 관찰한다.(염증이 없으면 볼 수 없는 장요근 점액낭이 끼여있다.) 이 근육은 고관절과 대퇴골 경부를 지나 대퇴골

소전자에 붙는다.(그림 5.4에서 바로 후내방에 위치하나 보이지 않는다.) 이 시야에서 봉공근이 가장 표층의 근육이고 원위부에서는 봉공근과 장요근 사이에서 대퇴직근의 일부를 관찰할 수 있다.

대퇴삼각(Femoral Triangle)

대퇴삼각
대퇴혈관들과 신경
횡단면
그림 5.5

환자를 앙와위에서 다리를 외회전시키고 적절한 치장한다. High frequency linear probe를 서혜인대의 가운데 바로 내측의 서혜부 주름에 탐촉자를 두고 서혜부 주름과 평행하고 수평면 중간에서 사선으로 배열한다. 박동하는 대퇴동맥의 영상이 가운데에서 보여지게 탐촉자의 위치를 조정한다. 삼각의 기저부에서 외측의 장요근을 내측에서 치골근을 확인한다. 대퇴동맥의 내측에 대퇴정맥을 확인하고 탐촉자에 압력을 가해 변화를 관찰한다. 동맥의 외측에 대퇴신경을 확인하여 탐촉자를 조정하고, 압박, 기울기를 통해 흔히 삼각형 윤곽의 벌집모양의 에코결을 갖는 신경을 확인한다. 대퇴동맥을 따라 하방으로 짧게 스캔해 가면 심부 대퇴동맥을 관찰한다. 탐촉자에 약간의 압박을 주면서 위쪽으로 대퇴정맥을 따라 올라가면 대퇴근막의 결손 부위인 복재열공을 통해 복재정맥이 대퇴정맥으로 들어가는 지점을 확인한다. 대퇴정맥과 그 가지의 정맥판을 확인한다.

치골근과 대퇴상부의 내전근
(Pectineus and Adductor Muscles in the Proximal Thigh)

치골근과 내전근
횡단면
그림 5.6

상기한 탐촉자의 위치를 시작으로 대퇴삼각의 내용물을 보기 위한 배열을 하고 탐촉자를 내측으로 옮겨 치골근을 본다. 계속해서 치골근의 내측 가장자리가 영상의 외측에서 보일때 까지 스캔해 나가면 치골근의 내측에 세개의 내전근을 볼 수 있다. 세 근육 중 제일 표층에 있는 근육은 장내전근이고 이보다 깊게 단내전근이 있고 단내전근보다 깊게 대내전근이 있다. 대내전근의 가장 외측부는 치골근보다 깊게 위치한다. 단내전근을 따라 아래 위로 스캔하여 이 근육의 심층면과 표층면에 있는 폐쇄신경의 분지를 확인한다.

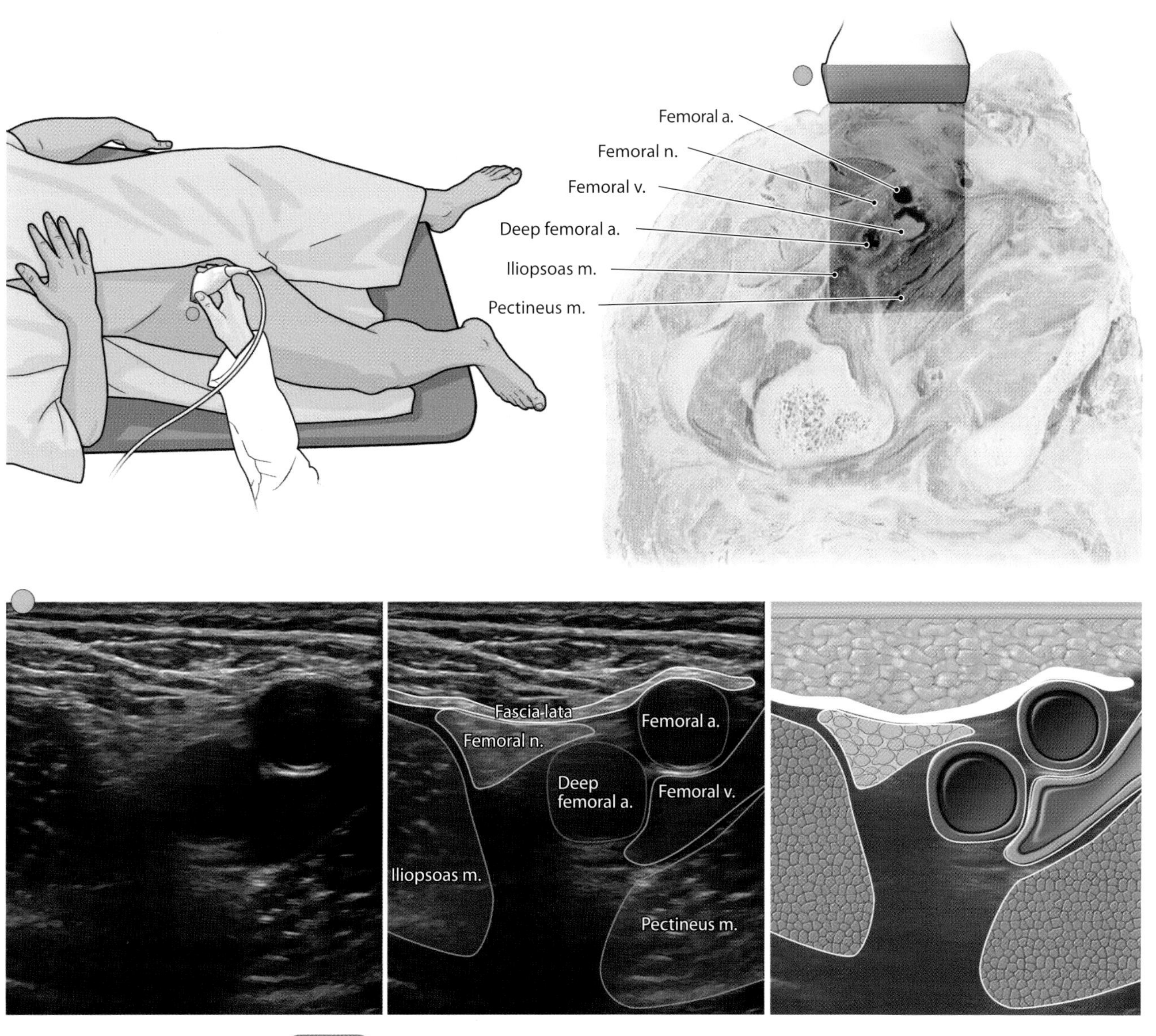

그림 5.5 대퇴삼각부에서의 대퇴신경, 대퇴동맥과 대퇴정맥의 횡단면 영상

임상 응용

초음파 검사는 근골격계 손상에서 오는 동통성 고관절 또는 장요근건증/건염 같은 퇴행성 질환, 건의 부분 또는 완전파열 장요근 윤활막염, 비구순의 파열 또는 낭종, 고관절을 침범한 염증성 질환으로 오는 삼출 등으로 오는 동통성 고관절을 평가하는데 흔히 사용된다.

초음파는 또한 고관절 천자, 항염증약과 국소마취제를 투여할 때 바늘을 유도하는데 사용된다. 이 방법들은 대퇴정맥이나 대퇴동맥에 접근해서 카테타를 위치시킬 때 바늘을 유도하는데 사용된다. 도플러를 이용한 초음파 검사는 대퇴정맥과 그 분지를 포함한 하지정맥의 심정맥 혈전를 찾아내는데 사용하며 또한 의심되는 말초동맥 질환에서 혈류 속도의 개요을 측정하는데 사용된다.

초음파 유도하의 신경블록은 전방의 대퇴수술시 그리고 무릎과 전 대퇴부 수술 후 통증을 조절할 때 사용된다. 외측 대퇴피신경블록은 신경의 압박 또는 포착으로 오는 외측 대퇴통증증후군을 평가하고 치료하는데 사용된다(대퇴감각 이상증).

대퇴부 상부를 초음파 검사시 우연하게 대퇴부 또는 서혜부 탈장을 발견할 수도 있다.

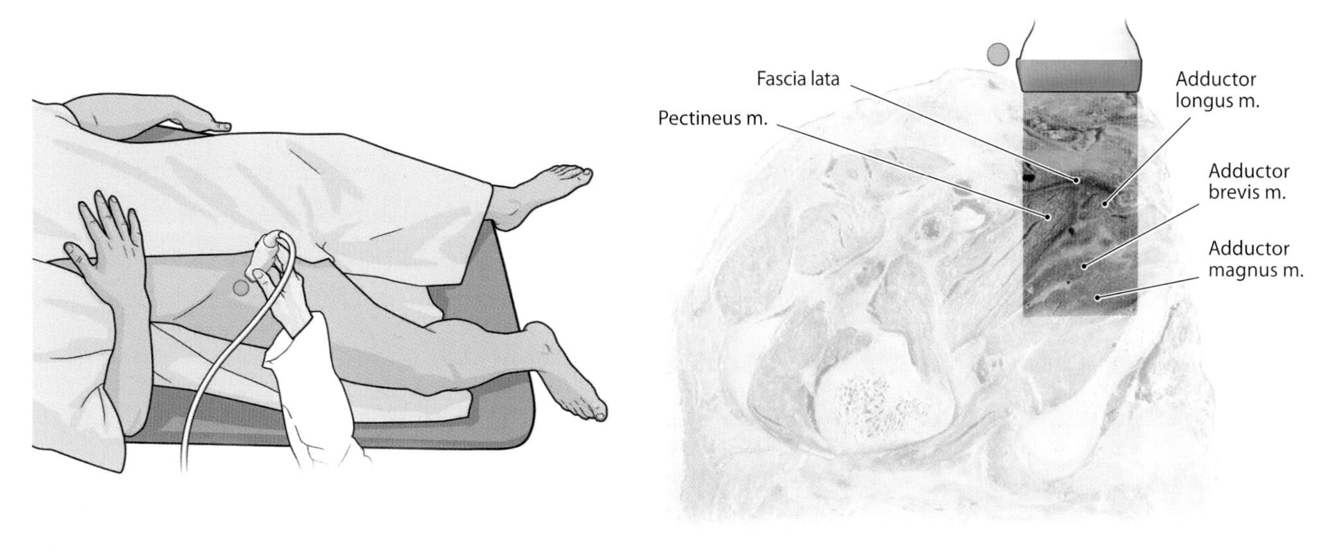

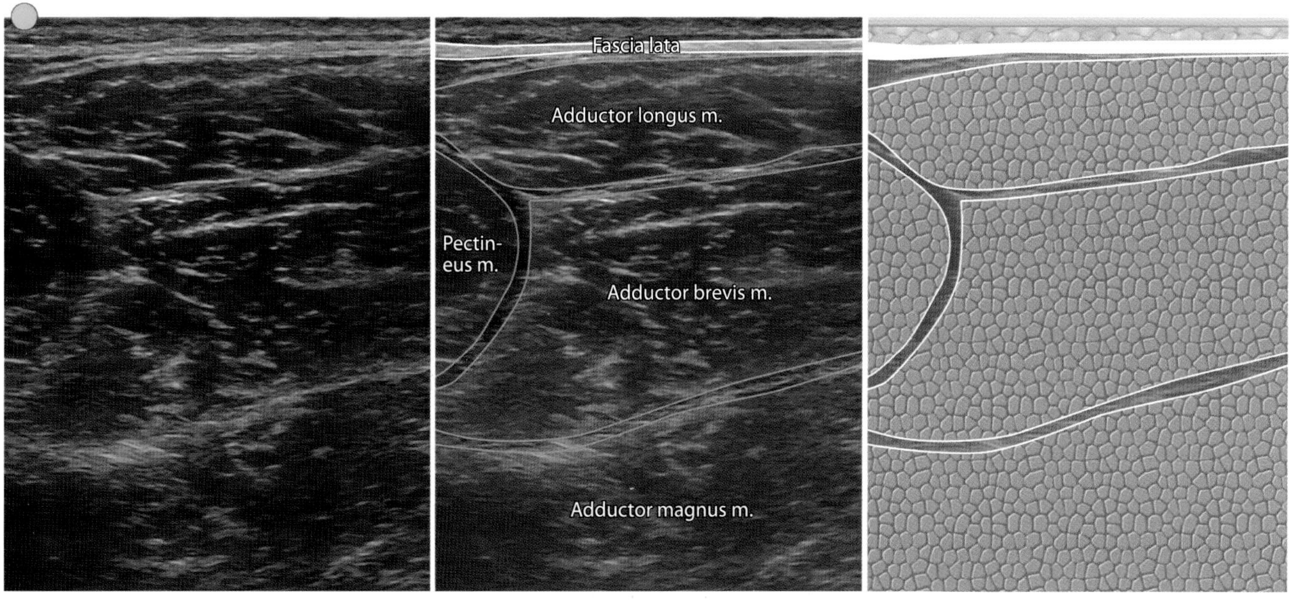

그림 5.6 대퇴삼각부 바로 내측의 치골근, 장내전근, 단내전근과 대내전근의 횡단면 영상

둔부(Gluteal Region)

해부학의 검토(Review of the Anatomy)

뼈(Bones)

둔부의 뼈들은 골반뼈, 천골, 미골, 대전자, 전자간 융기, 대퇴상부의 둔부결절이다.

대좌골공과 소좌골공(Greater and Lesser Sciatic Foramina)

천골가시인대와 천골결절인대의 두개의 인대는 골반뼈에 천골을 안정화시키며 대소좌골공인 두 개의 구멍을 형성한다. 대좌골공은 천골가시인대와 좌골극의 상방에 소좌골공은 천골결절인대와 좌골극 하방에 있다. 2개의 구멍의 골 가장자리는 골반골 후연의 대좌골공과 소좌골절흔에 의해 형성된다. 둔부는 대좌골공을 통해 골반과 연결되고 소좌골공을 통해 회음부와 연결된다.

근육과 근막(Muscle and Fascia)

대퇴근막과 장경인대(Fascia Lata and Iliotibial tract)

대퇴근막은 둔부와 대퇴의 심부근막이다. 대퇴근막은 오직 중둔근의 표면만 덮으나 두층으로 나뉘어져 대둔근과 대퇴근막장근의 심층 및 표층면을 덮는다. 외측으로 두꺼워진 띠로 장경인대를 형성하여 위로 대둔근의 심 표층면으로부터 또한 대퇴근막장근의 심 표층면으로부터 섬유성으로 연장되기 시작하여 둔부의 전면에서 함께 모인다. 장경인대는 대퇴의 외측면을 따라 아래로 연장되어 슬관절을 횡단하여 경골의 전 외측면에 붙는다.

대둔근, 중둔근과 소둔근(Gluteal Maximus, Medius, and Minimus)

장골날개의 후(둔부)면은 대둔근 중둔근과 소둔근의 기시부이다. 대둔근은 후방 둔부선의 후면, 천골의 후면, 청골결절에서 기시하는 큰 장사방형의 근육이며 장경인대의 뒤쪽 끝머리와 대퇴상부의 둔부결절에 종지한다.

대둔근은 둔부의 가장 크고 가장 표층에 있는 근육이다. 중둔근은 전후방 둔부선 사이의 장골의 둔부면에서 기시하여 대퇴골의 대전자에 종지한다. 중둔근 보다 깊게 소둔근은 전하방 둔부선사이의 장골면에서 기시하여 대전자의 전면에 종지한다.

대퇴근막장근(Tensor Fascia Latae)

대퇴근막장근은 전상장골극과 융기 결절 사이의 선을 따라 장골능에서 기시하여 장경인대를 이용하여 경골에 부착된다. 이 부위에서 대퇴근막장근은 중둔근과 소둔근보다 표층에 있다.

심층 근육군(Deep Group of Muscles)

둔부 근육들의 심층부에 있는 대퇴의 외회전근들은 골반골에서 기시하여 둔부를 지나 대퇴상부에 종지한다. 이상근은 천골의 골반면에서 기시하여 대좌골공을 통하여 둔부로 들어가 대퇴골 대전자 정점의 내측에 종지한다. 내폐쇄근은 폐쇄공과 폐쇄막 주변의 깊은 면에서 기시하여 소좌골절흔에서 거의 90도로 돌아 상쌍자근과 하쌍자근 사이의 둔부 바닥을 통해 외측으로 지나 대전자의 전자와에 종지한다. 하쌍자근은 각기 좌골극과 좌골결절의 후면에서 기시하여 내폐쇄근과 전자와에 종지한다. Hip의 가장 아래에 있는 대퇴방형근은 좌골결절 가까이 좌골의 외측면에서 기시하여 대퇴골의 전자간와에 종지한다.

슬굴곡근 기시부(Hamstring Origin)

대퇴부의 후방구획인 슬굴곡근은 좌골결절의 후면/후외면을 따라붙는 큰 근에서 기시한다.

신경과 혈관(Nerves and Arteries)

좌골신경(Sciatic Nerve)

좌골신경은 하지의 신경분포의 주요 원천으로 L4에서 S3까지의 신경섬유를 가진 요천추 신경총의 제일 큰 가지이다. 이 신경은 대좌골공을 통해 골반을 떠나 이상근 밑에 위치하고 둔부를 내려와 대둔근 바로 밑에 위치하고 상쌍자근, 내폐쇄근, 하쌍자근, 끝으로 대퇴방형근을 지나간다. 둔부 밑에서 이 신경은 대둔근과 대퇴방형근 사이에 위치하고 거기서 외측으로 전자간 융선 내측으로 치골결절 사이의 얕은 홈에 놓이며 공동 슬와근 기시부 가까이에 있다. 대퇴방형근의 하부 경계에서 대퇴부로 내려가 대퇴부의 뒤편의 슬와근 밑으로 내려가 하부 대퇴부에서 좌골신경은 종말지인 경골신경과 공동 비골신경으로 나뉜다.

요천추 신경총의 다른 분지(Other Branches of Lumbosacral Plexus)

요천추 신경총의 다른 분지는 대치골공을 통해 둔부로 들어가며 분지는 상전신경(중둔근, 소둔근과 대퇴근막장근), 하전신경(대둔근), 음부신경(회음부), 후대퇴피신경(후대퇴부피부지배), 내폐쇄근신경(내폐쇄근과 상쌍지근)과 대퇴방형근 신경(하쌍자근과 대퇴방형근)이다.

상전동맥과 하전동맥(Superior and Inferior Gluteal Arteries)

골반내 내장골동맥의 가지로 대치골공을 통해 둔부로 들어가 각기 이상근의 상하로 진행한다 이들 동맥은 둔부근육과 다른 구조물, 고관절에 혈류를 공급하고 대퇴동맥과 보조 순환하는 교차분지를 갖는다.

상전동맥은 상전신경과 동반하여 중둔근과 소둔근 사이 앞쪽으로 지나간다.

수기(Technique)

전방의 둔부(Anterior Gluteal Region)

대퇴근막 중둔근과 소둔근
종단면
그림 5.7

오른쪽 전방의 둔부를 검사하기 위해선 환자는 좌측 측와위를 취하고 적당한 drape를 하고 지표물을 촉진하고 탐촉자의 위치를 점검한다. 탐촉자를 상전장골극과 장골능 수 센티미터 아래인 장골능의 결절 사이 중간대퇴부의 장축에 배열시켜 탐촉자 면을 약간 뒤쪽으로 향하게 한다(실제의 관상배열의 반대로). 대퇴근막장근과 표층 및 심층면의 대퇴근막(tensor fasciae)의 층을 확인한다. 대퇴근막 깊이있는 중둔근(gluteus medius)을 확인하고 중둔근 보다 깊이있는 다소 다른 섬유배열과 결합조직의 밀도가 다른 소둔근(gluteus minimus)을 확인한다.

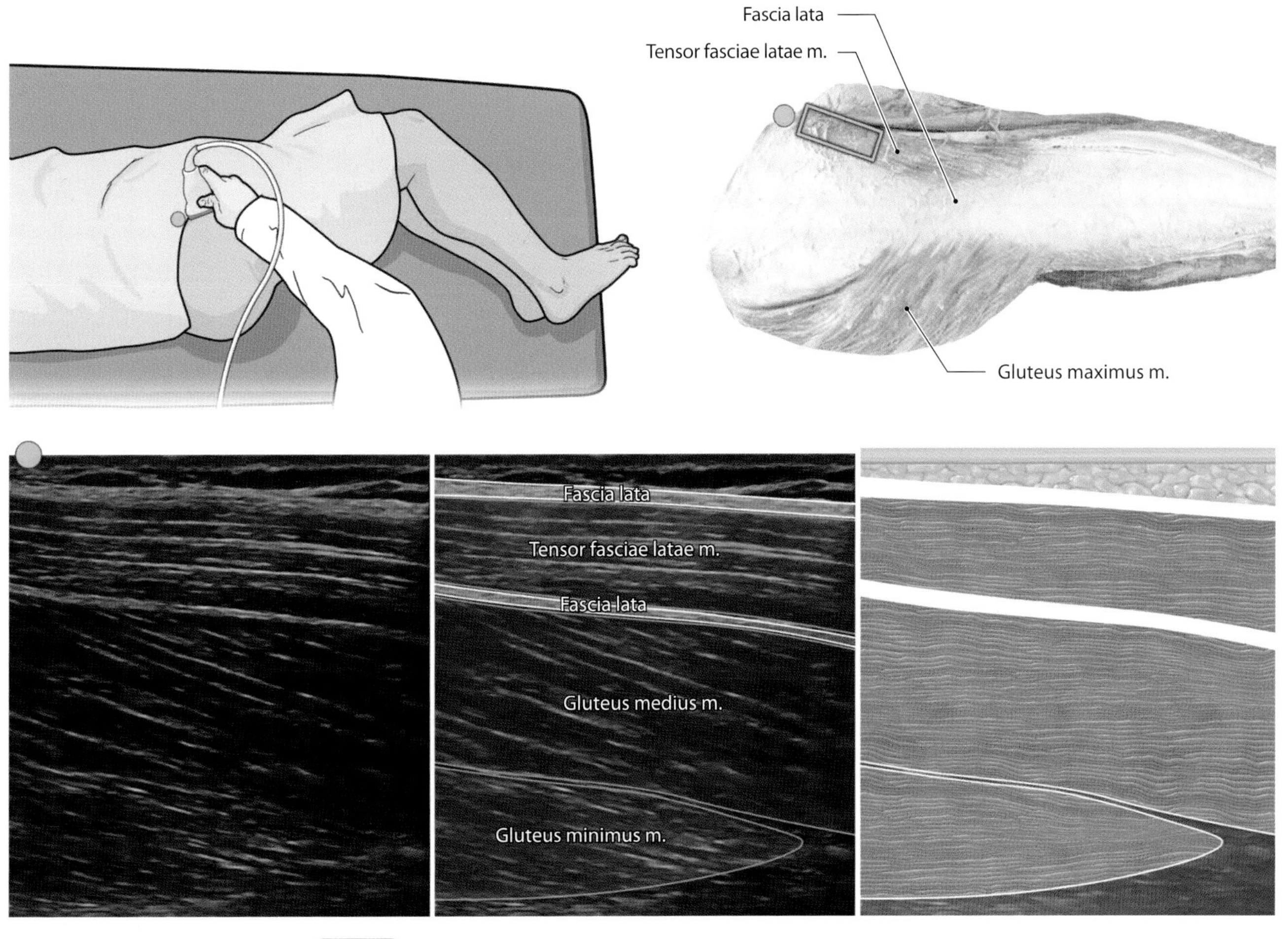

그림 5.7 둔부의 최전단에서의 대퇴근막장근, 중둔근과 소둔근의 종단면 영상

중둔근
소둔근
장골의 둔부면
종단면
그림 5.8

오른쪽 전방 둔부근을 검사하기 위해선 환자는 좌측 lateral decubitus position을 취하고 적당한 drape를 하고 landmark를 촉진하고 탐촉자의 위치를 점검한다. 탐촉자를 ASIS와 crest 수 센티미터 아래인 iliac crest의 tubercle 사이 중간 thigh의 장축에 배열시켜 탐촉자 면을 약간 뒤쪽으로 향하게 한다.

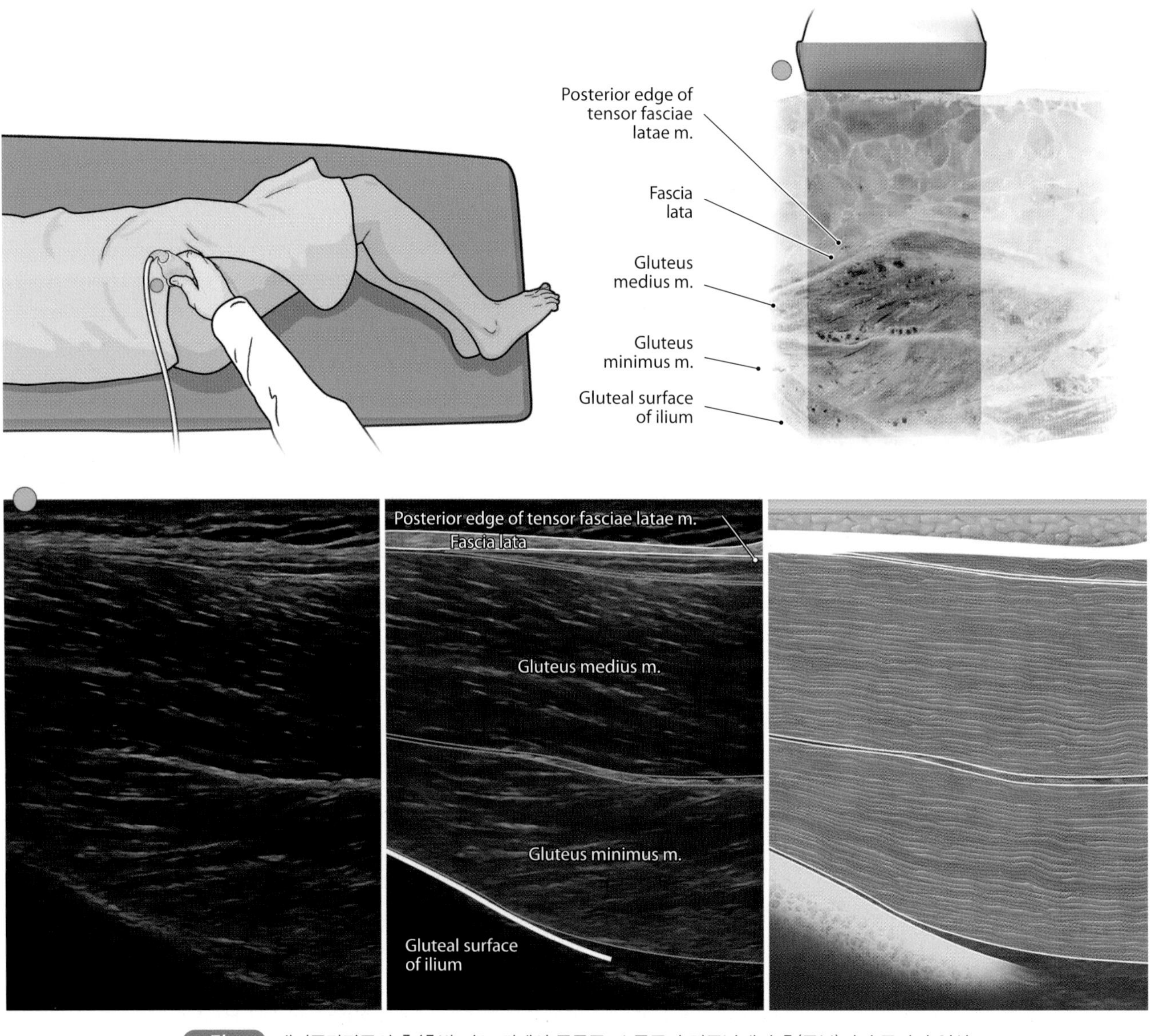

그림 5.8 대퇴근막장근의 측/후방 바로 뒤에서 중둔근, 소둔근과 장골날개의 후(둔부)면의 종단면 영상

대전자: 중둔건과 소둔건
(Greater Trochanter: Tendons of Gluteus Medius and Minimus)

중둔건과 소둔건의 장경대 힘줄
횡단면
그림 5.9

환자는 측와위에 두고 지표 촉진과 탐촉자 위치를 할 수 있게 drape하고 촉진으로 대전자를 찾아 탐촉자를 대전자의 윗면에서 횡으로 두고 대전자의 고에코 반영과 음향음영을 확인하고 탐촉자의 위치를 조정해서 다음의 골영상을 얻도록 한다. 피부와 평행한 비교적 평편한 외측면은 앞쪽으로 급격하게 떨어져 앞으로/전외측으로 향하는 전면으로 끝나고 뒤로 곡선을 이루며 후외방으로 향한다. 이 지역의 대전자는 임상적으로 흔히 전자의 정점으로 불린다. 중둔근은 외측면에 종지하고 힘줄은 전자 외측면을 따라 횡단면에서 보인다. 소둔근은 전면에 부착하고, 그것의 힘줄은 이 지점에서 흔하게 비등방성으로 인해 저에코로 보인다. 대둔근은 대전자의 후면

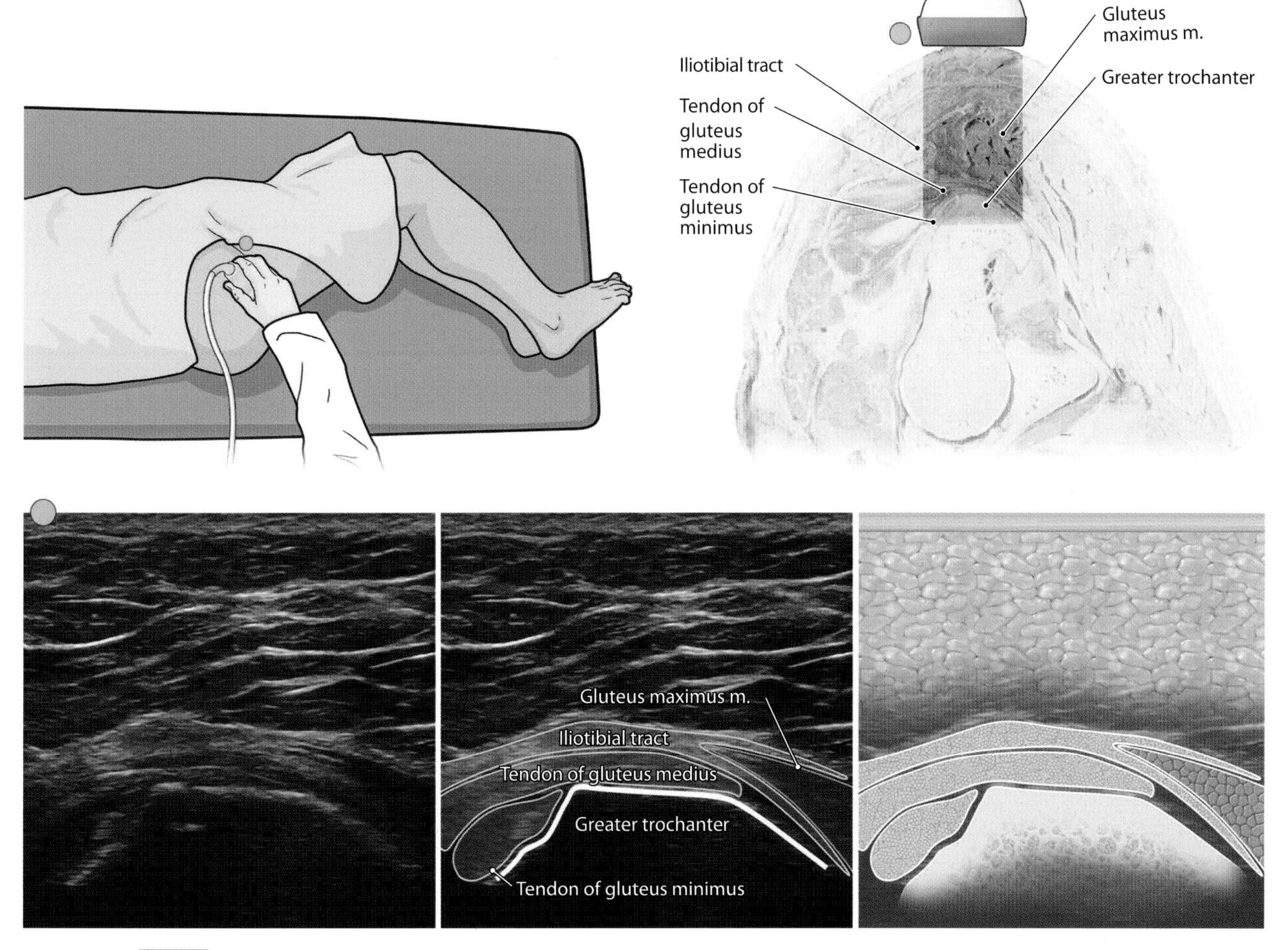

그림 5.9 대전자의 전외측면에서 소둔건과 중둔건의 횡단면 영상. 대둔근의 근섬유가 장경인대의 후방 모서리에 붙어있는 것이 보인다.

(실제로 힘줄의 부착면은 아님)을 따라 가로질러 전자부 점액낭에 의해 분리되고(단지염증이 있을 때만 보임) 대퇴근막의 장경인대(iliotibial tract tendon)의 뒤끝에 종지한다. 대전자의 횡단면에서 시작하여 영상을 외측면의 중심에 두고 탐촉자를 90도로 회전시켜 탐촉자의 표시가 위쪽으로 향하게) 외측면을 종으로 배열한다. 필요하면 탐촉자의 위치를 조정하여 중둔근의 종지점을 확인할 수 있다. 탐촉자의 면을 fanning, "heel-toe" tilting시켜 비등방성으로 인해 불분명한 것을 힘줄의 섬유성 구조를 보는게 도움이 될 수 있다. 힘줄을 덮고있는 장경인대를 확인한다. 대둔근 섬유는 영상의 윗면에서 장경인대에 종지하는 것을 본다.

중둔건의 인대
종단면
그림 5.10

대전자의 transvers view에서 시작하여 영상을 lateral facet의 중심에 두고 탐촉자를 90도로 회전시켜(probe marker가 위쪽으로 향하게) 외측면을 종으로 배열한다. 필요하면 탐촉자의 위치를 조정하여 중둔건의 insertion 지점을 확인할 수 있다. 탐촉자의 면을 fanning, "heel-toe" tilting시켜 anisotropy로 부착지점을

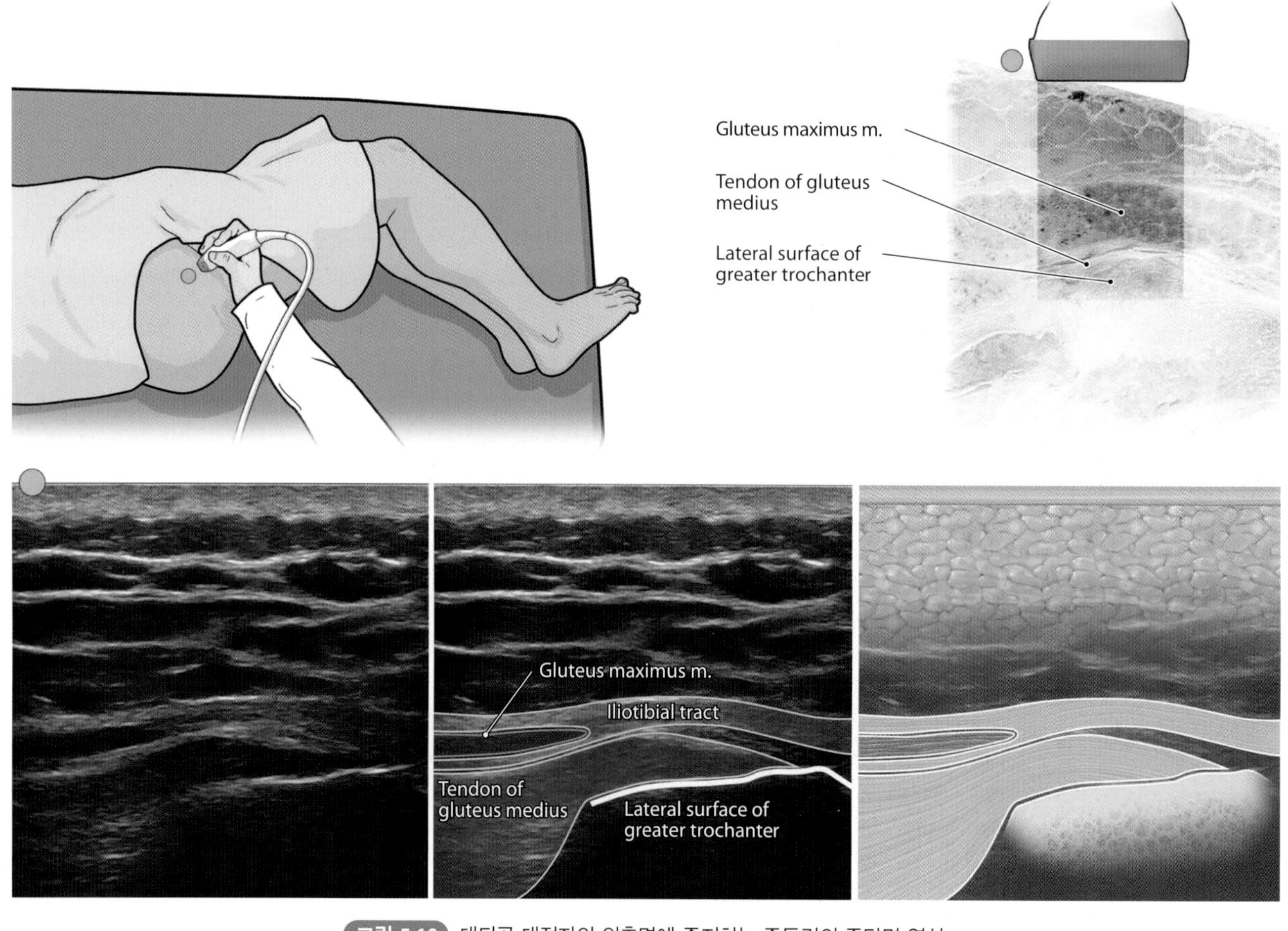

그림 5.10 대퇴골 대전자의 외측면에 종지하는 중둔건의 종단면 영상

확인할 수 있다. 이방향성(anisotropy)으로 인해 불분명한 것을 힘줄의 섬유 구조를 보는게 도움이 될 수 있다. 힘줄을 덮고 있는 장경대를 확인한다. 대둔근의 섬유는 영상의 위면에서 장경대에 부착하는 것을 본다.

둔부에서의 좌골신경(Sciatic Nerve in the Gluteal Region)

좌골신경
대둔근
대퇴사두근
횡단면
그림 5.11

환자를 복와위로 하고 지표물을 촉진하고, 탐촉자를 조작할 수 있게 drape한다. 촉진하여 대전자의 뒤끝를 확인하고 외측으로 전자간 융기, 내측으로 치골결절을 확인한다. Curved array abdominal probe를 횡으로 배열하고 이 두곳 사이에 배열시켜 전자간 융기의 고에코 윤곽이 영상의 외측 끝을 따라 볼 수 있고 고에코의 치골결절과 이를 덮고있는 비등방성 때문에 저에코 또

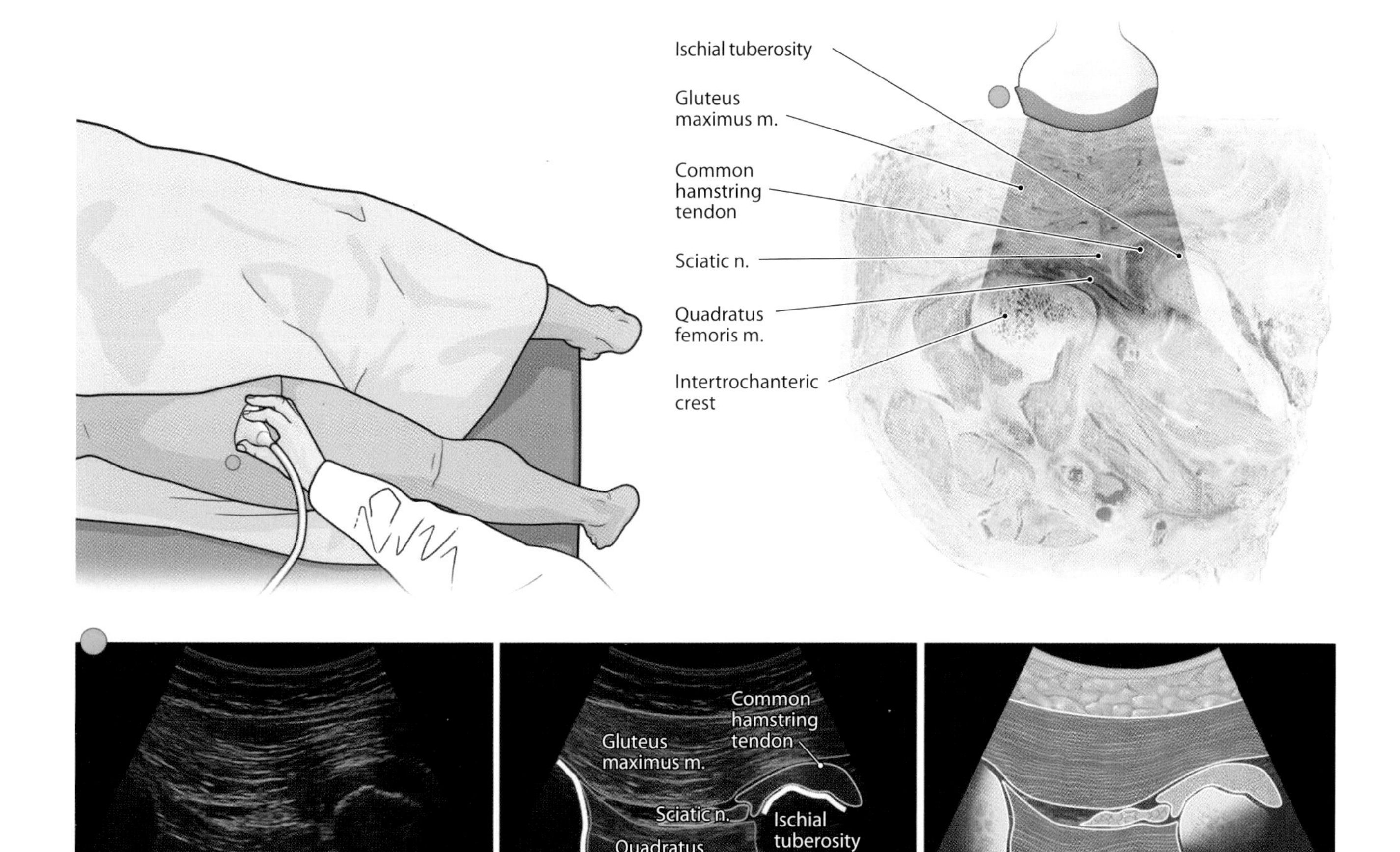

그림 5.11 대둔근과 대퇴방형근 사이 그리고 좌골결절 기시부의 공동 슬건 가까이서의 둔부 횡단면 영상

는 무에코의 공동 슬와근을 영상의 내측에서 보일 때 까지 탐촉자의 위치를 조정한다. 결절 가까이 있는 치골의 외측면과 전자간 융기에 펼쳐진(붙는) 대퇴장방근을 확인한다. 치골결절과 공동 슬와건 가까이 대퇴장방근과 대둔근 사이에서 난형 또는 삼각형 윤곽의 전형적인 고에코의 벌집모양을 지닌 좌골신경을 확인한다.(필요하다면 비등방성을 최소화시키도록 탐촉자의 면을 fanning, tilting한다.)

임상 응용

초음파 검사는 근골격계 손상 또는 중둔근 또는 소둔근의 건증/건염, 건의 부분 또는 완전 파열, 동반되는 전자간 윤활막증/윤활막염같이 과사용으로 인한 질환으로 오는 외측 골반통을 평가하는데 많이 사용되고 있다. 초음파는 또한 국소마취제와 또는 항염 스테로이드의 힘줄 주위 또는 윤활막 사이를 주사할 때 바늘을 유도하는데 사용된다. 장경인대 또는 대둔근의 앞 가장자리가 대전자가 앞뒤로 움직일 때 발생하는 외측 소음성 고관절증후군과 같은 돌발성 움직임은 검사자가 고관절을 수동적으로 굴곡, 외회전시키면서 실시간 영상으로 탐색할 수 있다.

초음파 유도하의 좌골 신경블록은 슬관절, 후하퇴부, 아킬레스건, 족관절, 발의 수술시 사용되거나 수술 후 뒤쪽의 무릎통증을 조절하는데 쓰인다. 대퇴신경 블록과 함께 좌골신경 블록은 다양한 하지 수술시 사용된다.

대퇴부(Thigh)

해부학의 검토(Review of the Anatomy)

뼈(Bones)

대퇴골은 대퇴부의 뼈이다. 대퇴경부와 전자부와의 결합점으로 부터 대퇴골 간부는 외측에서 내측으로 사선으로 내려와 대퇴골의 내외과에서 끝나고 tibial plateau의 내외과의 관절면과 관절을 이룬다. 대퇴골 간부의 상방 1/2은 삼각형 윤곽이고, 전면과 후내측면, 후외측면 사이는 부드러운 경계를 갖고 후방 경계에서는 거친 융기를 가진 대퇴골 조선(거친선)을 갖는다. 대퇴골 간부의 하방 1/2은 과상돌기에 걸수록 넓어지고 조선은 내외측 상과선으로 나뉘어져 대퇴골이 슬와에 가까워질 때 부가적인 후면을 형성한다.

근육과 근막(Muscle and Fascia)

구획(Compartments)

대퇴근육은 대퇴근막과 근육간 중격들에 의해 3개의 구획으로 나뉜다. 전방구획은 대퇴사두근과 봉공근이고, 후방구획은 슬굴곡근인 대퇴이두근, 반건양근, 반막양근이고, 내측구획은 이전편에서 간략하게 복습한다.

전방구획(Anterior Compartment)

대퇴사두근은 대퇴직근(rectus femoris muscle), 외측광근(vastus lateralis muscle), 내측광근(vastus intermedius muscle)으로 구성된다.

- 대퇴직근은 대퇴사두근중 가장 표층에 있으며 고관절과 슬관절을 지나가는 유일한 근육이다. 전하장골극에서 수직건으로 기시하여 비구 바로 위에서 오는 두 번째 반사건과 함께 대퇴사두근을 지나 광근과 함께 슬개골에 종지한다.
- 외측광근은 대퇴골 대전자의 원위하부면, 전자간 선의 상외측부, 대퇴골조선의 외측순을 따르는 선에서 기시한다.
- 중간광근은 대퇴골 간부의 후외측면, 전면, 안쪽 경계의 넓은 부위에서 기시하며 대퇴골의 대부분의 후외측면으로 부터 외측광근을 분리시킨다.

- 내측광근은 전자간 선의 하내측부에서 시작되는 선을 따라 기시하여 계속해서 대퇴골 조선의 내측순과 대퇴골 간부의 후내측면을 따라 연장해서 내측 상과선을 따라 짧은 거리의 대퇴골 원위부에서 끝난다. 광근은 대퇴직근을 따라 대퇴사두건을 지나 슬개골에 종지한다.

봉공근(sartorius)은 전상장골극의 내측면에서 시작하여 외측에서 내측으로 가로질러 간다. 이 과정의 첫 부분에서 봉공근은 대퇴삼각의 외측 경계를 형성한다. 삼각의 정점을 지나 봉공근은 대퇴 중간 1/3에 걸쳐 내전근관의 천장 또는 전벽을 형성한다. 봉공근은 박근과 반건양근을 따라 상부경골의 내측면에 종지한다. 전방구획근은 대퇴신경에 의해 지배된다. 대퇴근막은 둔부와과 대퇴부의 심층근막이다. 대퇴근막이 외측에서 두꺼워진 띠가 장경인대이며 상부에서 둔부의 전방부에서 시작하여 외측광근을 따라 아래로 연장되어 슬관절을 지나 외측 경골과의 전외측면에 부착한다.

후방구획(Posterior Compartment)

후방구획의 3개의 슬와근은 대퇴이두근(biceps femoris muscle), 반건양근(semitendinosus muscle)과 반막양근(semimembranosus)이다.

- 대퇴이두근의 장두는 치골결절의 내측 1/2에 붙는 반건양근과 함께 공동건으로 기시하여 단두와 함께 같이 비골두에 종지한다. 단두는 대퇴골 조선의 외순에서 대퇴골 중간에서 시작하는 선을 따라 기시하여 외측 상과선의 상부에 끝난다. 대퇴이두근은 후방구획의 가장 외측에 있으며 대퇴부에서 내측에서 외측으로 사선의 행로를 갖는다.
- 반건양근은 치골결절의 내측 1/2에 붙는 대퇴이두근과 함께 공동건으로 시작한다. 근복은 대퇴의 상 1/2에서 대퇴이두근 바로 내측에 위치하며 대퇴부 중간에서 길고 가는 힘줄로 가늘어지면서 봉공근과 박근을 따라 상부경골의 전내측에 종지한다.
- 반막양근은 치골결절의 외측 1/2에서 기시하여 반건양근 근복 보다 깊은 곳에 위치하며 prominent ovoid lateral free margin을 가진 넓고 평편한 건막으로 커진 건으로 나타난다. 근 섬유는 건막의 표면에서 일어나면서 커져 반막양근의 근복을 형성하며 대퇴부의 후방구획인 반건양근 건보다 보다 깊고 내측에 있다. 슬관절 바로 위에서 근육은 굵은 건으로 끝나며 내측 대퇴골과에서 슬관절 피막을 지나 내측 경골과의 후내측면의 평편한 홈에 종지한다.

후방구획의 근육은 좌골신경에 의해 지배된다.

신경과 혈관(Nerves and Vessels)

대퇴동맥과 내전근관(Femoral Artery and Adductor Canal)

대퇴동맥은 하지의 주요한 혈액 공급원이며, 대퇴동맥의 진행과 대퇴삼각과 대퇴에서 내전근관의 관계는 해부학적으로 중요하다. 대퇴동맥은 외장골동맥의 연장으로 서혜인대 밑을 지나 대퇴삼각에서 대퇴동맥의 바로 내측에 위치하게 된다. 대퇴정맥(femoral vein)은 동맥의 바로 내측에 있다.

전형적으로 대퇴삼각의 상부에서 대퇴동맥은 심부 대퇴동맥을 내며 삼각정점에서 내전근관으로 들어간다. 내전근관은 대퇴삼각의 정점에서 시작하여 대내전근의 슬굴곡근부와 내전근부의 사이인 내전근 구멍의 대퇴원위부에서 끝나며 슬와와 열려있다. 관은 대충 삼각형의 윤곽이며 외측벽은 내측광배근, 후내측 벽은 장내전근에 의해 전벽은 봉공근에 의해 형성된다.

대퇴동맥은 대퇴정맥, 대퇴신경의 두개의 가지, 내측광근 신경, 복재신경을 동반하여 관내로 들어간다. 대퇴혈관은 내전근 구멍에서 관을 떠나 슬와혈관이 된다. 복재신경은 봉공근의 심층면을 따라 대퇴부를 지나 슬관절 바로 위에서 봉공근과 박근 사이로 나타나 거기서 심부근막을 뚫고 슬관절에서 하퇴부의 내측, 족부내측까지 피부를 지배한다.

대퇴동맥의 심분지는 치골근을 지나 대퇴로 내려와 장내전근의 뒤를 지나 장내전근과 단내전근 사이에 위치하고 단내전근의 아래 끝을 지나 장내전근과 대내전근 사이에 위치한다. 대퇴삼각에서 심부대퇴동맥은 내외측 대퇴회선분지를 가지며 삼각을 지나서 3개의 관통분지를 가지며 후방구획의 구조물에 동맥분포한다.

좌골신경(Sciatic Nerve)

좌골신경은 대퇴방형근의 하연을 지나 둔부에서 대퇴부로 내려와 대퇴이두근 바로 앞에(깊게) 있게 된다. 신경은 대퇴이두근 장두의 전내측면을 따라 대퇴부를 지나 슬와 바로 위에서 종말지인 경골신경과 총비골신경으로 나누어진다. 후방구획에서 좌골신경은 경골구획을 통해 이두근 장두, 반건양근, 반막양근을 지배하고, 반면에 대퇴이두근의 단두는 좌골신경의 총비골 구획에 의해 운동지배를 받는다. 경골신경(tibial nerve)은 슬와 중심부를 지나 하퇴부의 후방구획으로 연장된다. 공통비골신경은 대퇴이두근과 건의 내측연을 따라 외측으로 갈리어 비골경부를 따라 피하로 나와 하퇴부의 외측 구획으로 간다.

수기(Technique)

내전근관(Adductor Canal)

대퇴동맥과 정맥 복재신경
횡단면
그림 5.12

환자는 앙와위에서 대퇴를 외회전시키고 전상장골극 바로 아래에서 전내측으로 대퇴 상방 1/3까지 초음파 검사를 위한 치장을 한다. 탐촉자를 전상장골극 바로 하내방에서 횡으로 배열하고 봉공근을 확인하고 영상을 근육 가운데 둔다. 탐촉자를 봉공근의 사선행로(외측에서 내측으로)를 따라 미끄러져 나가고 대퇴삼각 위에서 이 근육이 대퇴혈관을 지나가는 것을 관찰한다. 탐촉자를 계속 아래로 2-4 cm 더 미끄러져 나가면 대퇴혈관이 앞으로는 봉공근, 외측으로 내측광배근, 후내방으로는 장내전근 사이의 삼각형 틈을 차지하는 것을 본다. 천부 대퇴동맥(femoral artery)의 박동을 보고 동맥 바로 깊이있는 대퇴정맥(femoral vein)을 탐촉자로 압력을 가해 변화를 확인한다. 탐촉자의 면을 팬과 기울기를 통해 비등방성을 최소화시켜 관의 상부에서 봉공근의 심층면을 따라 동맥 바로 외측에 있는 복재신경(saphenous nerve)을 확인한다. 심부 대퇴혈관은 영상의 깊은 곳에서 보이며 장내전근에 의해 관과 분리된다.

대퇴사두근(Quadriceps Femoris)

대퇴직근 광근들
횡단면
그림 5.13

환자를 앙와위에서 대퇴를 약간 외회전시키고 작은 베개를 무릎 밑에 두어 무릎을 약간 굴곡시켜 대퇴사두근을 이완시켜 초음파 검사에 도움이 되도록 한다. 탐촉자를 횡으로 중간 대퇴부의 전면에 횡으로 배열하여 필요에 따라 대퇴직근을 가운데에 두고 대퇴사두근 그룹의 가장 표재성인 그룹을 영상에 담는다. 대퇴직근의 중심부 밑 바로 깊은 곳에 중간광근을 확인하고 대퇴골의 전면과 후외면에 대한 관계를 주목한다. 중간광근의 내측에 내측광근을 확인하고 대퇴직근의 내측면 깊은 곳에서부터 대퇴골의 내측경계와 후내면까지 그것의 위치를 본다. 대퇴직근의 외측면과 중간광근의 전면사이에서 외측광근를 확인한다. 대부분의 외측광근은 대퇴골의 전면, 외측경계와 후외측면의 중간광근의 넓은 부착 부위에 의해 분리되어 시야 밖에 있다. 대퇴직근을 따라 하방으로 탐촉자를 내리면 대퇴직근이 광근보다 상방에서 힘줄화되는 것을 주목한다.

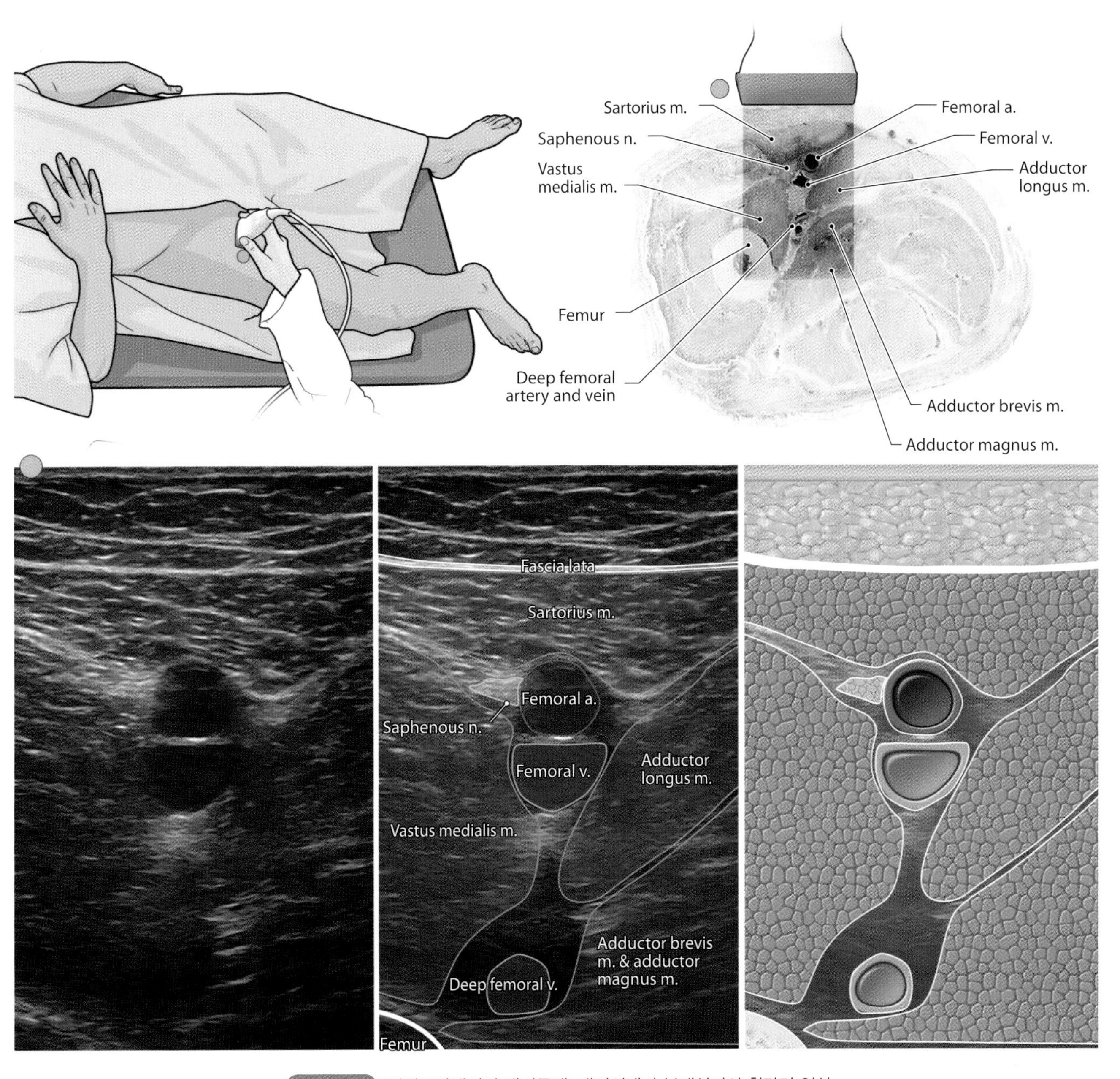

그림 5.12 내전근관에서의 대퇴동맥, 대퇴정맥과 복재신경의 횡단면 영상

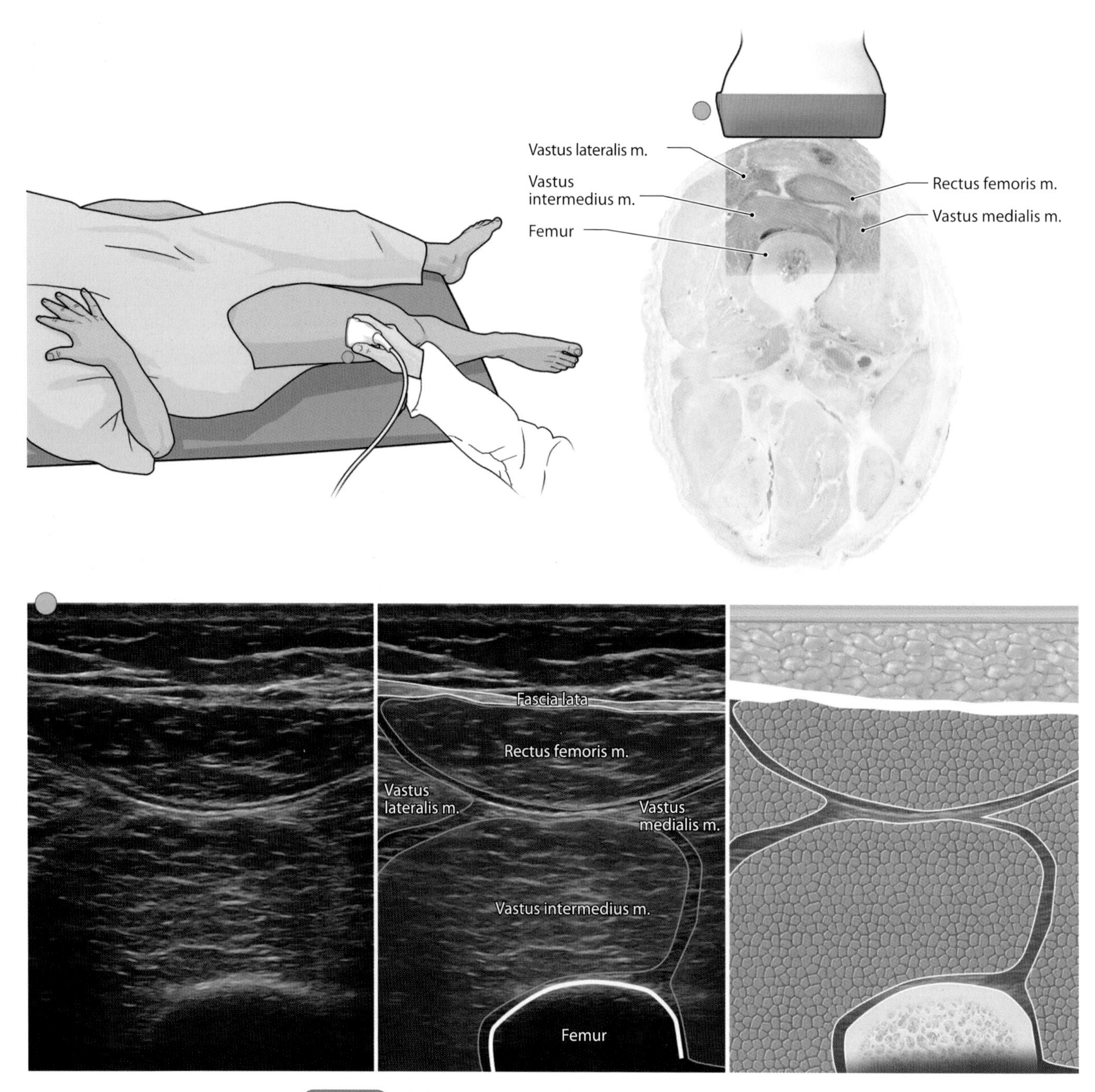

그림 5.13 대퇴 중간에서의 대퇴직근, 중간광근, 내측광근과 외측광근

장경인대(Iliotibial Tract)

장경대
대퇴근막
외측광근
종단면
그림 5.14

환자를 앙와위에 두고 대퇴를 약간 내회전하고 무릎은 살짝 굴곡시킨 상태(작은 베개를 무릎 밑에 두면 도움이 된다)에서 알맞게 치장한다. 탐촉자를 전상장골극의 외측면 밑에 횡으로 두고 시작한다. 대퇴근막(tensor fasciae) 장근의 근복을 확인하고 영상을 근육의 중앙에 둔다. 탐촉자를 밑으로 내려 근육을 영상의 가운데에 유지하고 대퇴근막장근의 진로가 약간 앞으로부터 뒤로임을 확인한다. 탐촉자를 회전하여 근복과 평행하게 종으로 배열한다. 탐촉자를 근육의 방향에 따라 근육의 아래 끊어지는 끝까지

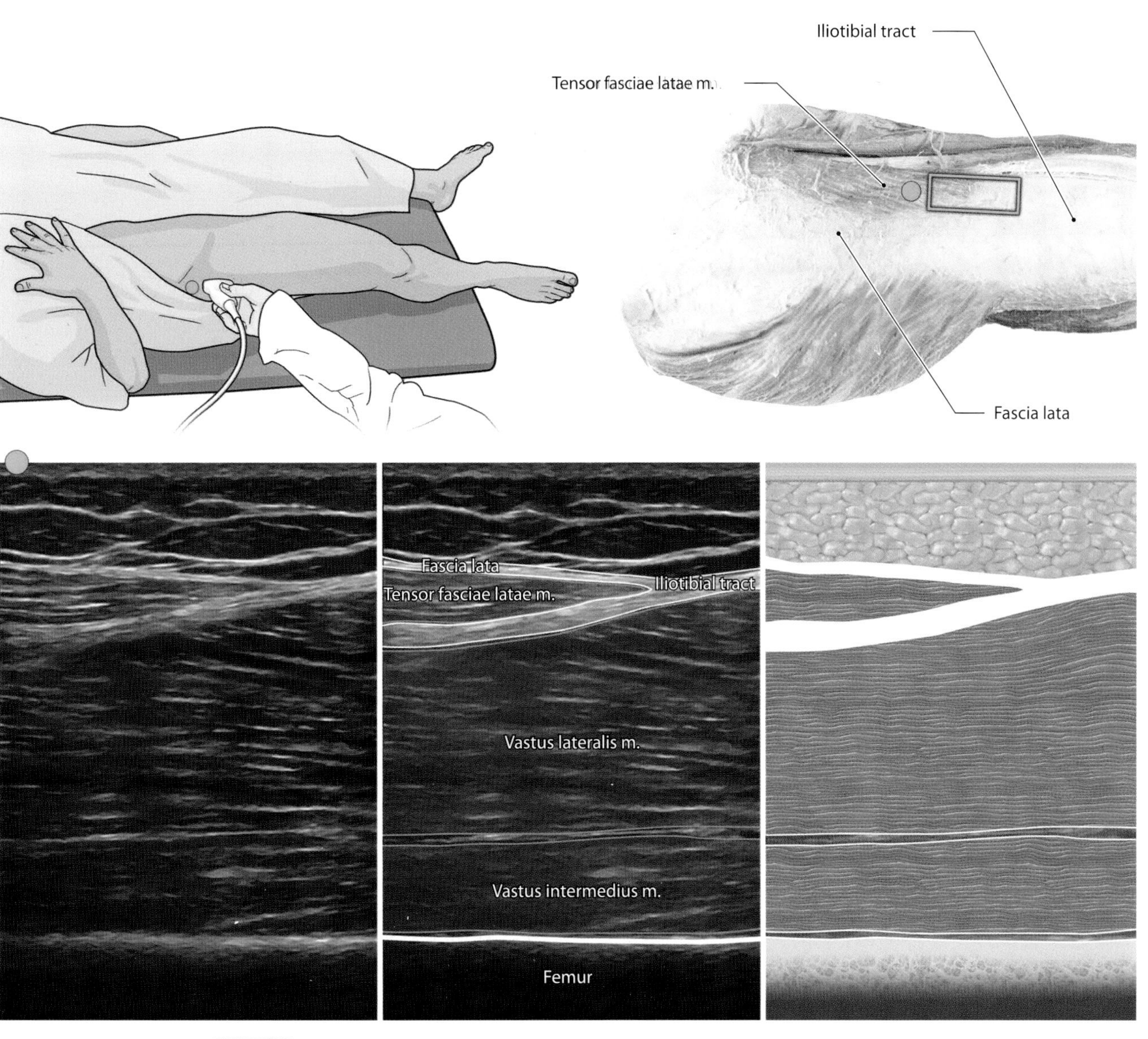

그림 5.14 대퇴 상1/3에서 외측광근의 외측면을 따라 대퇴근막장근과 장경인대의 종단면 영상

확실히 보이게 밑으로 내리고 장경인대에 종지하는 것을 본다. 장골인대는 이 지점에서 대퇴근막장근의 표층과 심층면 위의 대퇴근막의 층에서 섬유를 받는 것을 주목한다. 대퇴근막장근의 심층면을 덮는 대퇴근막보다 깊게 그리고 장경인대보다 밑 깊은 곳에 외측광근을 확인한다.

장경대
외측광근
중간광근
횡단면
그림 5.15

외측광근 보다 깊이 대퇴골 간부면에 붙는 중간광근을 확인한다. 환자의 무릎을 약간 굴곡시키고 측와위에 두고 환자의 무릎 사이에 작은 베개를 끼운다. 탐촉자를 대퇴의 중간과 하부 1/3결합점에서 전방구획의 외측에 횡의 배열로 둔다. 외측광근(vastus lateralis)의 외측면을 덮는 장경인대의 다발성 면모양(고에코, 저에코, 고에코의)을 확인한다. 중간광근(vastus intermedius)이 대퇴골의 후외측면을 덮고 있음을 명확히 볼 수 있다. 탐촉자를 약간 뒤쪽으로 미끄러져 나가 뒤로 대퇴근막과 합치는 장경인대 후연의 약간의 둥근(눈물방울) 외형을 확인하도록 한다.

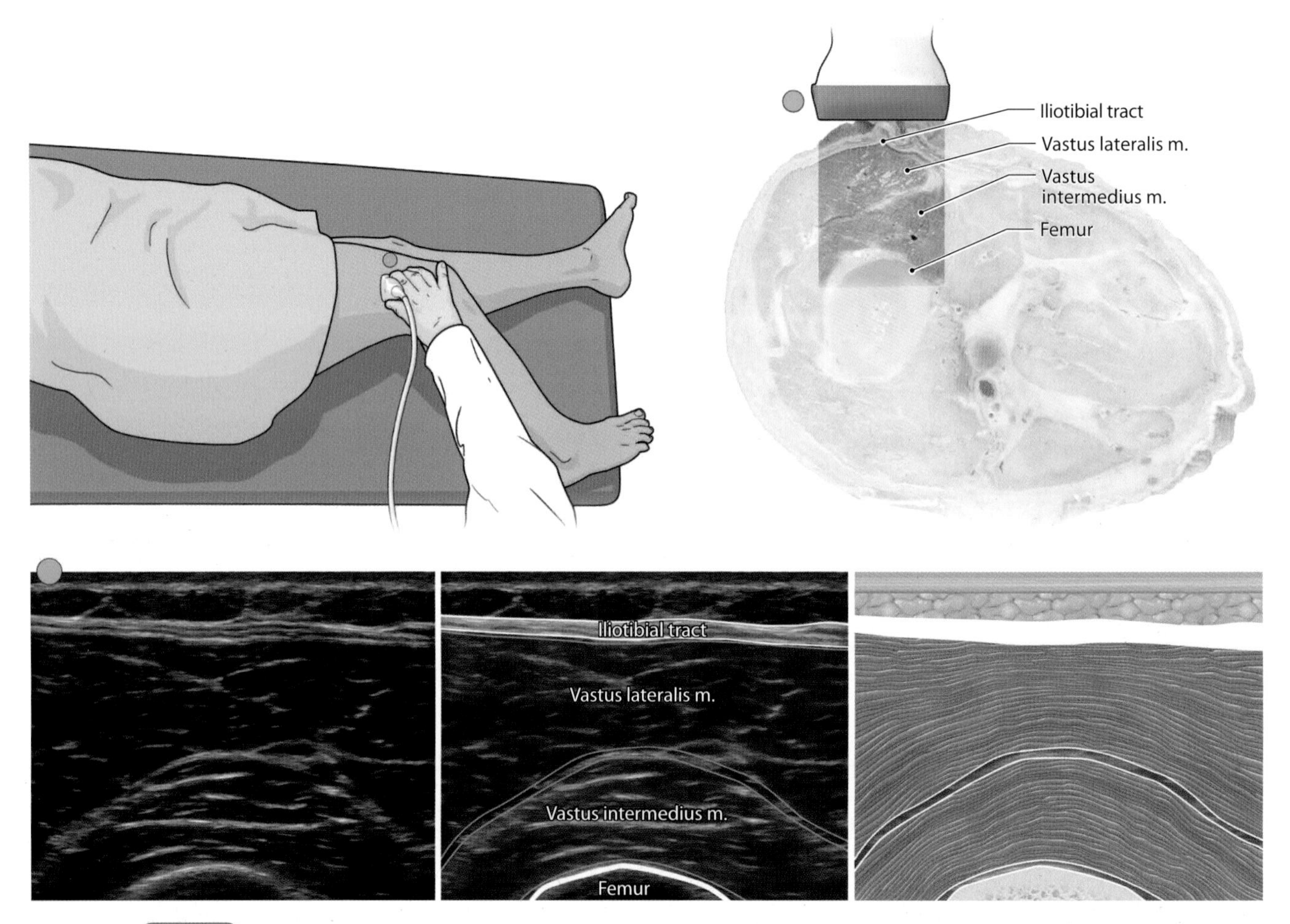

그림 5.15 대퇴중간과 하부교차점 1/3에서의 외측광근 외측면을 따라 보이는 장경인대의 횡단면 영상. 중간광근이 외측광근의 심부면과 대퇴골간부 사이에서 보인다.

후방구획: 슬굴곡근과 좌골신경
(Posterior Compartment: Hamstring Muscles and Sciatic nerve)

슬굴곡근
좌골신경
횡단면
광역영상(EFOV)
그림 5.16–5.19

환자를 복와위에 두고 지표물들의 촉진과 탐촉자의 위치를 허용하도록 적절하게 준비한다. 조그만 베개를 하퇴 원위부와 발목에 두어 후방구획 근육을 이완시키는데 도움이 되도록 한다. 촉진하여 좌골결절을 확인한다. 탐촉자를 결절에 횡으로 두고 고에코의 골 위에 있는 저에코의 슬건을 확인한다. 탐촉자를 아래로 내려 대퇴이두근의 장두와 반건양근의 근섬유가 곡선의 힘줄띠에 의해 합해지는 것을 본다. 이 지점에서 이두근의 장두는 대둔근의 inferior border 아래에 있다. 대퇴이두근의 심층면(전방)에서 좌골신경을 확인한다. 탐촉자를 내측으로 옮겨 뒤에서 대퇴근막에 덮힌 반건양근을 확인한다. 반막양근의 심층면에서 반막양근의 고에코의 건막힘줄을 확인한다. 반건양근의 심층면의 내측에 연장된 넓은 편평한 힘줄이 끝나는 외측연에서 현저한 눈물 방울의 팽창을 보고 거기서 반막양근 근섬유가 힘줄의 후면에서 형성되기 시작한다. 대내전근은 좌골신경보다 깊은 곳에서 보이며 슬글곡건도 이 위치에 있다. 이런 순서를 넓은 사양의 초음파 영상으로 한 영상에서 이들의 모든 관계를 볼 수 있다. 이어서 3개의 분리된 표준 초음파 영상으로 외측에서 내측으로 움직이면서 같은 구조 그것들의 관계를 본다.

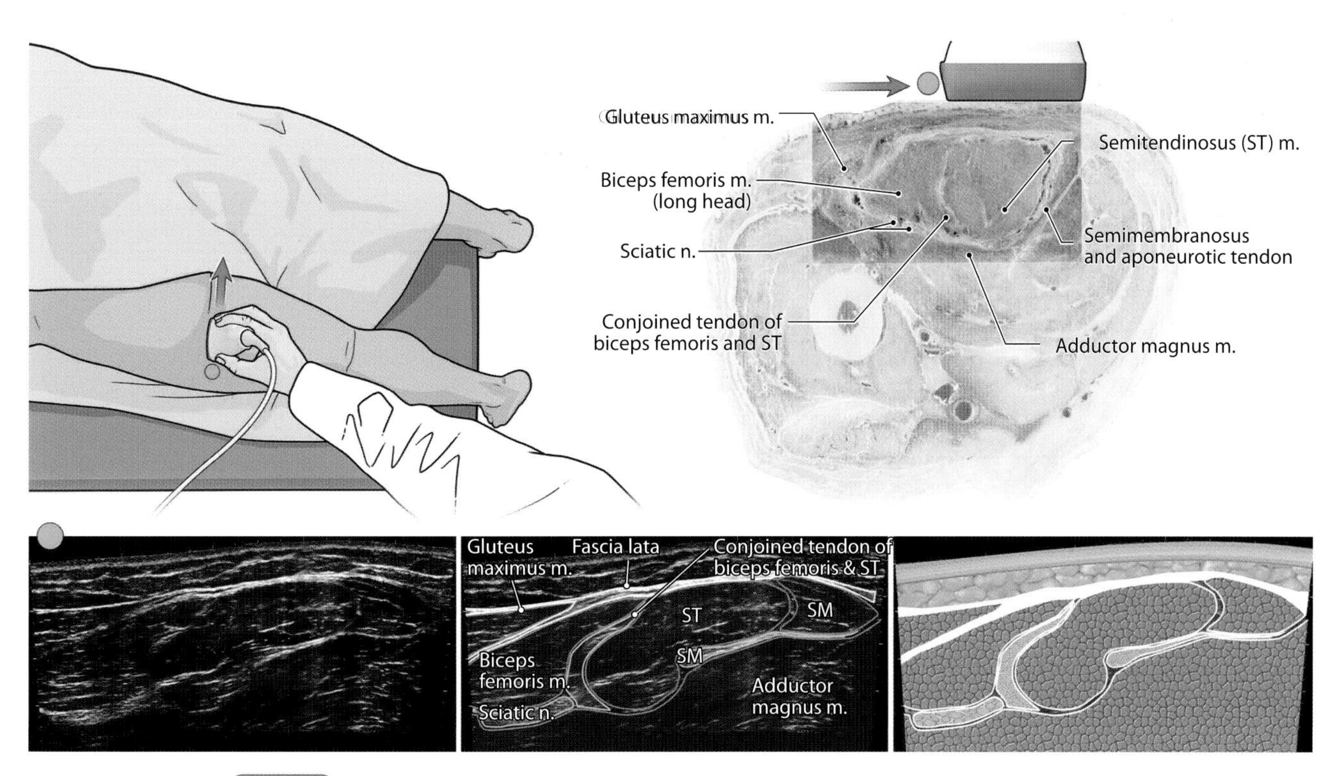

그림 5.16 후방 대퇴부 최상부 1/3에서 슬굴곡근(대퇴이두근의 장두, 반힘줄근, 반막근)의 횡단면 영상

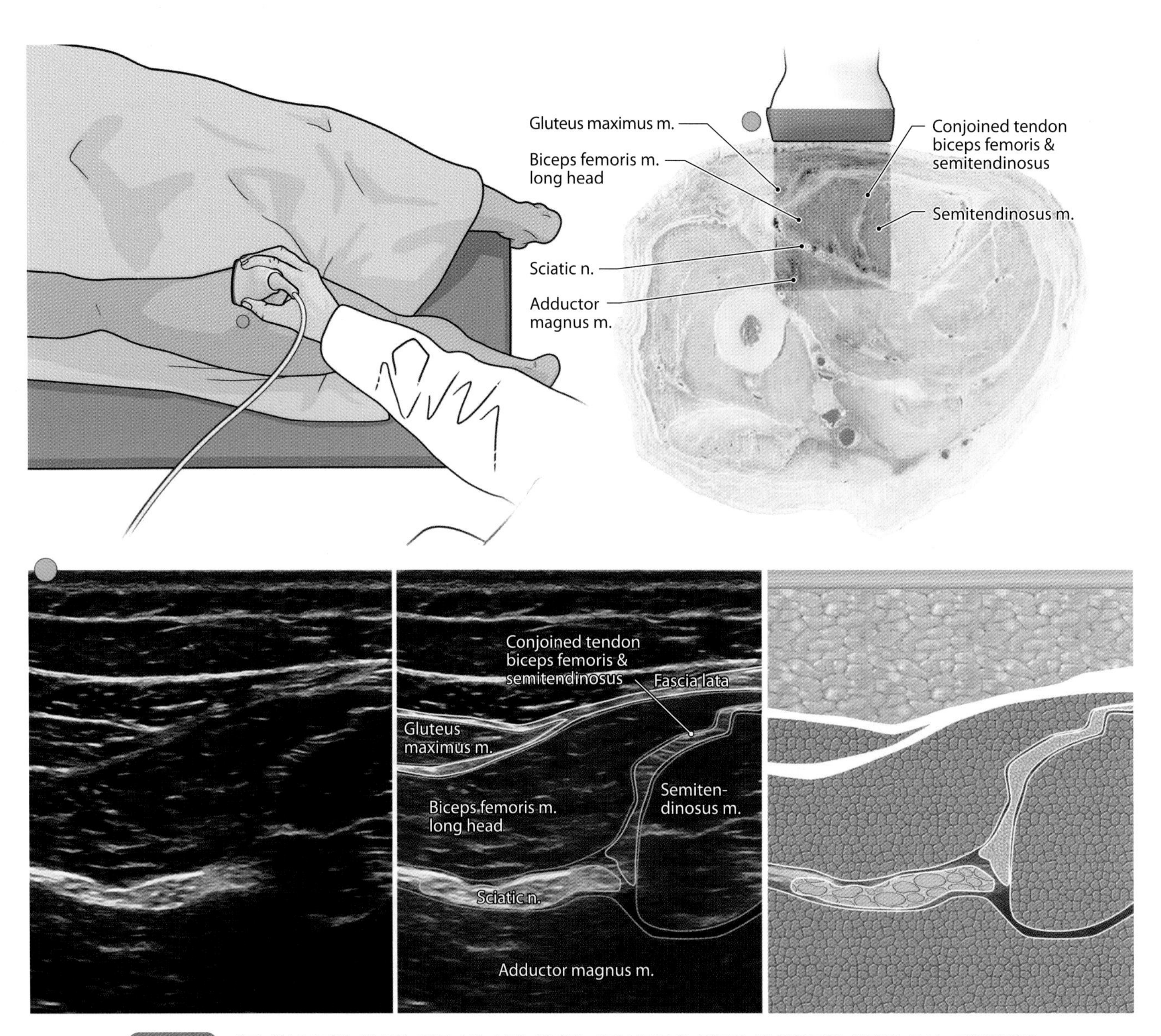

그림 5.17 대퇴 최상부에서 곡선의 힘줄띠에 의해 합쳐진 대퇴이두근의 장두와 반힘줄근의 횡단면 영상. 좌골신경은 대퇴이두근의 장두 밑에서 보이며 대퇴이두근 장두는 대둔근의 하부섬유와 부분적으로 겹쳐진다. 그림 5.16과 비교해 보세요.

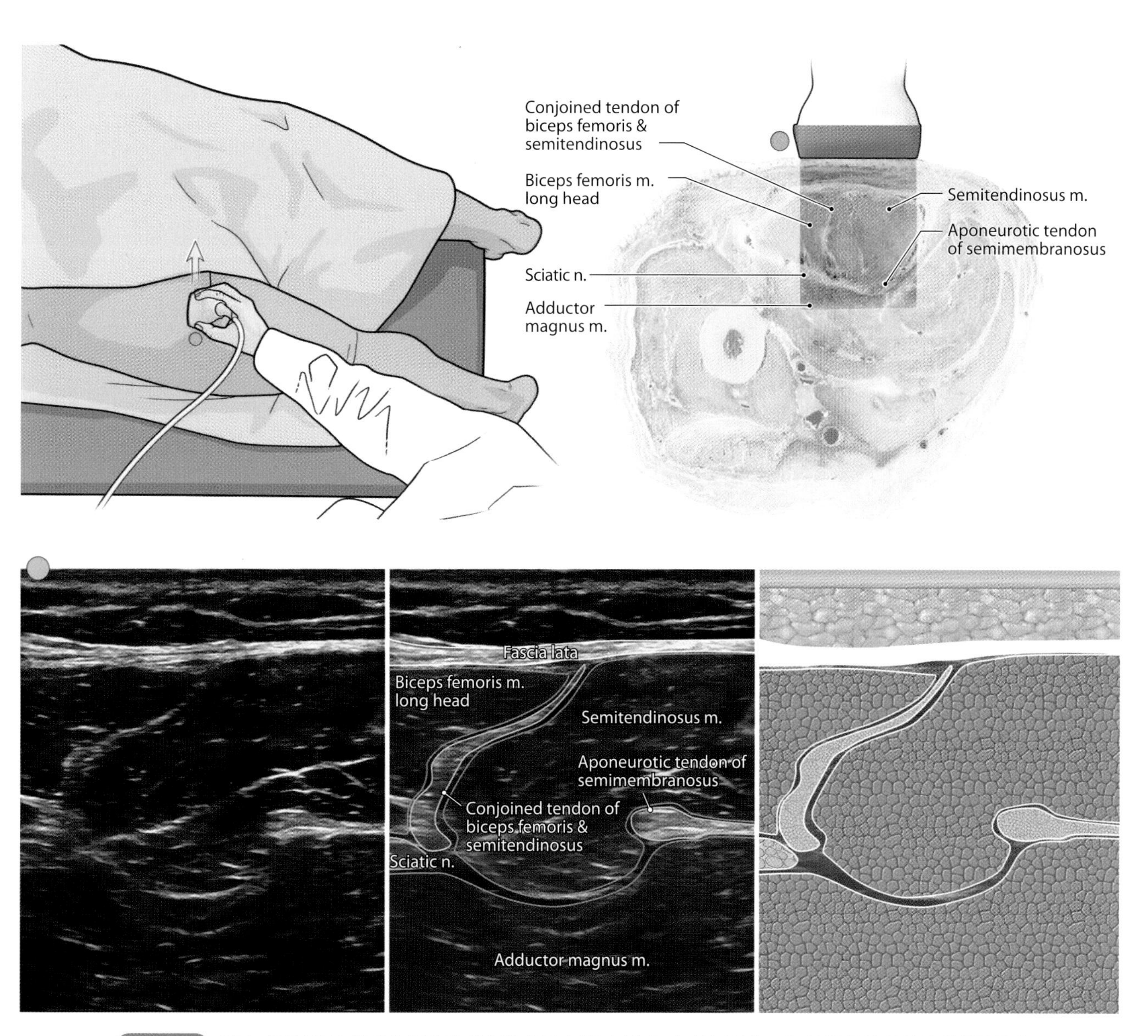

그림 5.18 상부 대퇴부에서 반막건 건막의 외측의 둥근 주변과 함께 따라서 보이는 대퇴이두근의 장두와 반힘줄근의 횡단면 영상. 그림 5.16과 비교해 보세요.

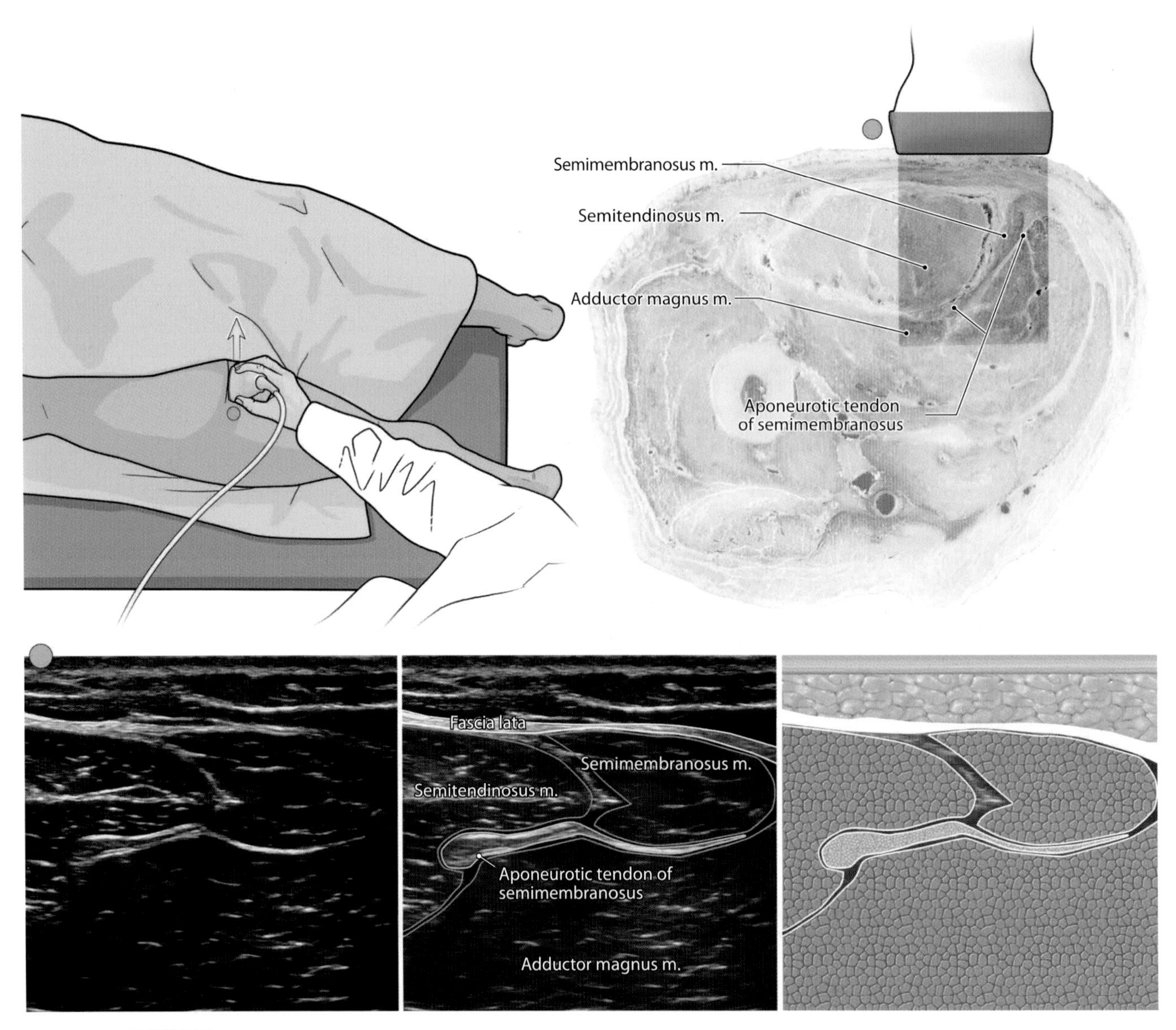

그림 5.19 상부 대퇴부에서 반힘줄근과 후면을 따라 형성된 근섬유를 가진 반막건 건막의 횡단면 영상. 그림 5.16과 비교해 보세요.

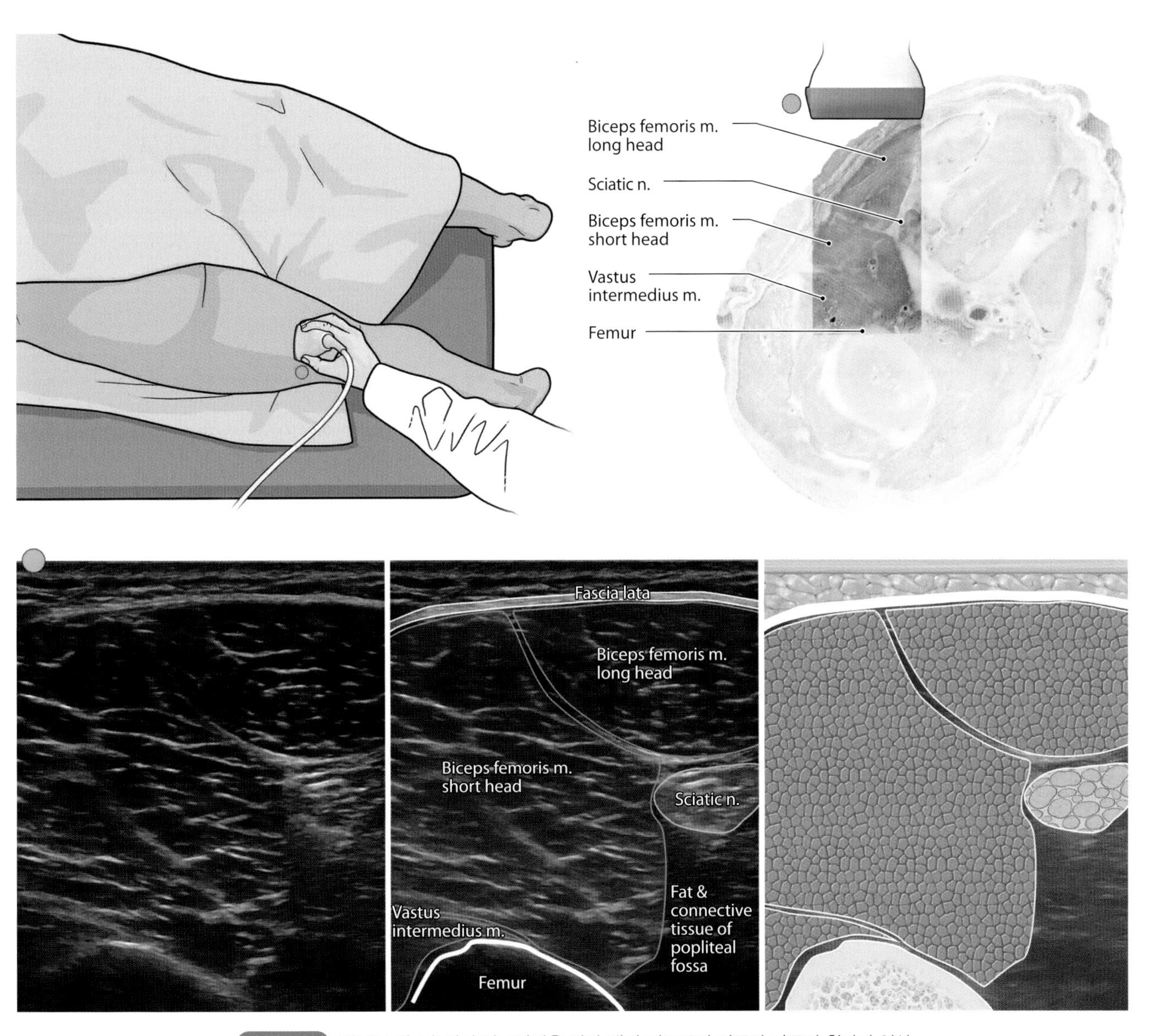

그림 5.20 대퇴부 하 1/3에서 좌골신경을 따라 대퇴 이두근의 장두와 단두의 횡단면 영상

대퇴이두근 좌골신경
횡단면
그림 5.20

탐촉자를 대퇴이두근 장두의 가운데 영상을 두도록 외측으로 움직여 근육의 사선 방향(내측에서 외측으로)을 따라 밑으로 내려간다. 대퇴 중간쯤 이두근 단두의 근섬유가 장두의 심층면(전외측)에서 나타나기 시작한다. 대퇴이두근(biceps femoris)을 따라 밑으로 내려가면 단두의 근섬유가 커지고 장두의 근복은 공통 이두근 종지부건에 가까워지면 슬와 상방에서 작아지기 시작한다. 고에코의 좌골신경(sciatic nerve)은 이두근 장두의 심층면(전내측)을 따라 볼 수 있다.

반막양근
반건양근힘줄
횡단면
그림 5.21

다시 탐촉자를 기시부 가까이서 슬굴곡근을 횡으로 돌린다. 탐촉자를 내측으로 움직여 영상에서 반건양근과 반막양근(Semimembranosus muscle)의 가운데에 둔다. 다음 이 두개의 근육을 따라 아래로 내려간다. 근섬유들이 반막양근의 근막 힘줄의 후면에서 나올 때 근육이 갑자기 커지고, 반건양근 밑 깊게 자리를 차지한다. 계속 내려가면 반건양근은 대퇴부 중간에서 비교적 얇은 건으로 되기 시작한다. 계속 아래로 대퇴의 중간 원위부 결합점에서 반건양건과 반막양근 근복을 따라 스캔해 나가면서 대퇴근막, 반건양건과 반막양근 근복을 확인한다.

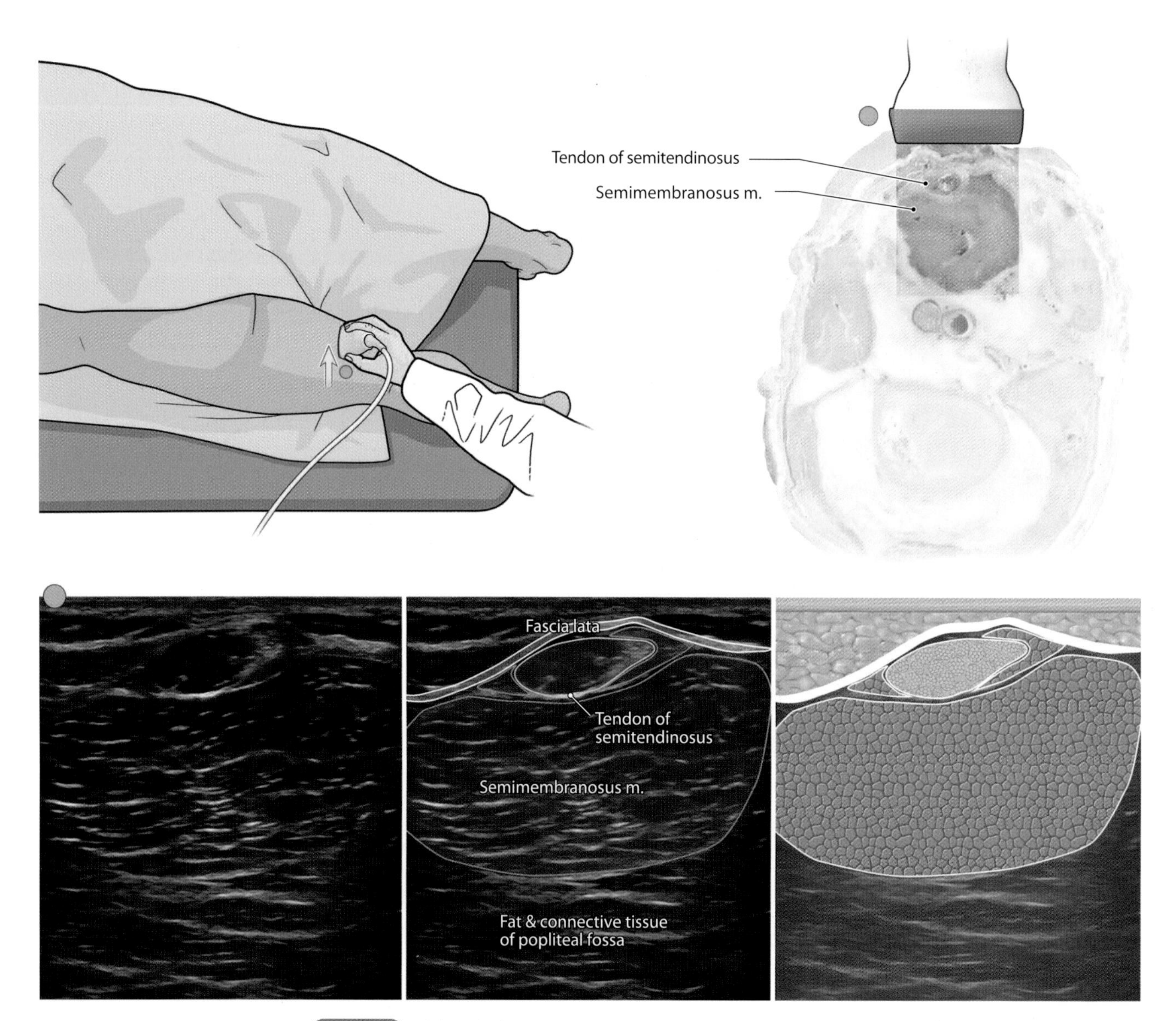

그림 5.21 대퇴부 하 1/3에서 반막근 표면에서의 반힘줄건의 횡단면 영상

임상 응용

초음파 검사는 근골격계 외상 또는 슬굴곡근 기시부의 건증/건염, 부분 또는 완전 건파열, 근육 파열에 사용된다.

도플러를 포함한 초음파 검사는 대퇴정맥과 그 분지를 포함한 하지정맥의 심부정맥혈전을 알아내는데 사용된다. 도플러 초음파는 또한 의심되는 말초동맥 질환에서 대퇴동맥의 혈류 속도를 측정하는데 사용된다.

초음파 유도는 내전근관 내의 복재신경블록할 때 사용된다. 복재신경블록은 내측 하퇴부, 발목, 족부 수술 시 사용되며 좌골신경블록과 함께 사용하면 무릎 이하의 수술에도 사용된다.(복재신경은 무릎이하의 감각 신경 분포를 갖는 유일한 신경이며 좌골신경에서 오지 않는다.)

슬관절(Knee)

해부학의 검토(Review of the Anatomy)

슬관절(Knee Joint)

슬관절은 대퇴골과와 경골과 사이, 그리고 슬개골의 후면과 대퇴골 활차사이에서 관절을 이루는 큰 복합된 활막관절이다.

골, 관절면과 반월판(Bones, Articular Surfaces, and Menisci)

아래로 대퇴골 간부는 내과와 외과에 접근될 때 까지 넓어져 슬와(popliteal fossa) 밑에서 부가적인 대퇴면을 형성한다. 대퇴골과는 후하방에서 과상돌기사이의 구(fossa)에 의해 분리되고, 앞에서 합해져 **슬개골(patella)**의 대퇴골 관절면인 대퇴골 활차를 형성한다. 활차는 과상돌기와 같이 관절연골에 의해 덮혀있다. 활차는 경사의 내외측면을 가지며 중간부를 따라 홈을 형성하고 슬개골 후면의 내측 및 외측 관절면과 서로 크기와 형태가 동일하다. 과상돌기는 뒤로는 둥글고, 밑으로는 약간 평편하며 경골 고평부 내외과의 관절면과 만난다.

경골과 사이는 경골 고평부의 경골과 사이의 부위이고 내외 **반월판**의 전후각이 붙는 면을 갖는다. 섬유성 연골의 반월판은 반달꼴 모양이고 바깥 모서리는 두껍고, 내연은 얇은 쐐기같은 윤곽을 갖는다. 이들은 전각과 후각의 중간지점인 본체에 의해 연결된다. 반월판은 대퇴골과와 경골과 사이에서 경골과의 많은 부분의 관절면을 갖는다. 경골외과의 밑면은 비골두와 관절면을 갖는다.

과상돌기(condyle) 밑에서 경골은 전내측, 전외측, 후측면을 갖는 삼각형의 본체로 줄어든다. 앞쪽에서 상부 본체는 아래로 끝나는 동그란 전면의 돌출된 경골 조면은 슬개건이 붙는 부위이다.

관절 피막(Joint Capsule)

슬관절의 활액막은 위로는 대퇴골과의 관절면 주변, 밑으로는 경골과, 관절면 주변(그리고 반월판 바깥 모서리), 앞쪽으로는 슬개골의 관절면 주위를 따라 붙는다. 이것은 큰 상부함요인 슬개골상낭(suprapatellar pouch)을 갖는데 위로는 슬개골과 활차의 관절면 사이, 앞으로 삼각 지방패드와 대퇴사두건의 후면사이와, 뒤로는 대퇴골 전면을 덮는 전 대퇴골 지방패드 사이 까지 연장된다. 슬관절의 섬유성 피막은 앞쪽의 대퇴골 부착 부위를 제외하곤 활액막과 같이 비슷한 부착 부위를 갖는다. 앞으로 섬유성 피막은 활액막의 슬개골상낭를 수용하는 활차의 관절주위 상방 수 센티미터에서 대퇴골 본체에 붙는다. 섬유막은 불안전하게 활액막에 의해 연결되고, 슬개골 상극에서의 슬개상 지방패드와 앞으로는 두개의 막, 뒤로는 슬개건 사이에 끼여있는 슬개골하 지방패드(호파의)와 같은 여러 부위에서 활액막과 분리된다. 섬유성 피막은 내측광근과 외측광근, 대퇴사두근건, 반막양근건, 경골측부 인대, 장경인대에서 오는 섬유의 확장에 의해 재보강 된다.

인대(Ligaments)

내측 측부인대(Tibial Collateral Ligament)

슬관절의 내측측부 인대는 위로 대퇴골의 내측상과에 붙는 8-10 cm 길이의 평편한 띠이다. 이 인대는 슬관절의 내측면을 지나 경대퇴골 관절선 하방, 경골 간부의 전내측면에 붙는다. 이 인대는 표층부와 심층부로 나뉘며, 표층부(경대퇴골 인대)는 내측 측부인대의 수직의 구성요소이며, 인대의 주요한 구조 성분이다. 이것은 심부근막과 붙어있다. 심층은 슬관절의 섬유성 피막과 붙으며, 또한 내측 연골판 본체의 외연을 따라 붙어 결과로 내측측부 인대가 내측 연골판 본체에 붙는다. 심층부에서 위 아래로 짧게 연장되어 반월대퇴, 반월경골인대를 형성한다. 경골과 바로 밑에서 이 인대는 내하슬 혈관을 지나 아래 끝 가까이서 부분적으로 봉공근, 박근, 반건양근(거위발) 건이 붙어 서로 겹친다. 내측 측부인대는 슬관절에서 외반력에 저항한다.

외측 측부인대(Fibular Collateral Ligament)

슬관절의 외측 측부인대는 좁고 작은 코드로 위로 슬와건 홈 직상방의 대퇴골의 외측 상과골에 붙고 슬관절의 외측면을 약간 뒤로 지나 대퇴 이두근과 같이 비골두의 외측면 밑에 붙는다. 외측 측부인대는 점액낭에 의해 슬관절의 섬유성 피막과 분리된다.(즉 피막과 외측 연골판에 붙지 않는다.) 외측 측부인대는 슬관절에서 내반력에 저항한다.

힘줄(Tendons)

앞쪽의 대퇴사두근과 뒤쪽의 슬굴곡근(hamstring)과 비복근을 포함한 여러 개의 근육이 교차하여 무릎 관절에 작용한다. 장경대(iliotibial tract) 또한 측면에서 무릎 관절을 가로지른다.

대퇴사두근(Quadriceps Femoris)

대퇴사두근 힘줄은 대퇴직근과 광근(vastus muscles)의 기여로 형성된 두껍고 강한 힘줄이다. 힘줄은 일반적으로 대퇴직근에 의해 형성된 표층, 내측과 외측광근에 의해 형성된 중간층 및 중간광근에 의해 형성된 깊은 층으로 구성된 세층으로 설명된다. 대퇴사두근 힘줄은 슬개골의 상부 표면에 부착되고, 슬개골 인대를 통해 경골 결절에 차례로 부착된다.

장경대(Iliotibial Tract)

장경대는 외측광근을 따라 원위부로 진행하여, 경대퇴골 관절 외측을 가로질러, 외측 경골관절융기(tibial condyle)의 전방 외측 표면에 있는 Gerdy's 결절(Gerdy's tubercle)에 부착한다. 경골 부착부 근처의 장경대의 후단은 외측 측부인대 앞쪽 짧은 거리에 있다.

슬굴곡근(Hamstring Tendons)

슬건대퇴이두근(Biceps Femoris)

대퇴의 후방구획에서 대퇴이두근의 장두와 단두는 원위부에서 합쳐져 둥근 코드 같은 공동건으로 비골두의 외측면에 종지한다. 힘줄은 비골두 상방 수 센티미터에서 무릎의 후외측면에서 쉽게 만질 수 있다.

반막양근(Semimembranosus)

슬관절 바로 위 내측에서 반막양근은 두터운 건으로 되어 대퇴골내과의 슬관절 피막을 지나 비복근의 내측두를 따라 주로 내측 경골과의 후내측면의 홈에 하고 일부는 섬유성 확장으로 섬유성 관절피막에 붙는다.

반건양근(Semitendinosus)

반건양근은 대퇴부 중간을 바로 지나서 길고 가는 힘줄로 되며 반막양근의 표면을 따라 아래로 내려가 슬관절의 후내측을 지나 박근과 봉공근건과 함께 내측 측부인대 아래 끝 가까이에서 경골간부의 전내측면에 부착한다.

하퇴부 후방구획(Posterior Compartment of the Leg)

하퇴부의 후방구획은 천층 근육군과 심층 근육군으로 나뉜다. 슬관절과의 관계로 천층부의 근육은 슬와근과 건을 포함해서 이곳에서 다룬다. 하퇴 후방의 천층 근육들은 비복근의 내외측두, 가자미근, 족척근을 포함한다.

비복근(Gastrocnemius)

비복근의 두 머리는 가자미근과 함께 하퇴 삼두근을 이루고 두껍고 강한 종골(아킬레스)건으로 되어 종골에 부착된다. 비복근의 내측두는 내과 바로 위 대퇴골의 후면에서 기시한다. 이 근육의 두꺼운 힘줄의 내측 가장자리는 내과의 관절피막 바로 바깥의 반막양근을 따라 위치해 있다. 비복근의 외측두는 외과 바로 상방 대퇴골의 후면에서 기시한다. 작은 족척근은 비복근 외측두 기시부 바로 위의 외측 과상선에서 기시한다. 비복근의 두 머리는 슬와 밑에서 만나 종아리 윤곽의 근복부를 형성하고 하퇴부 중간에서 넓고 평편한 힘줄띠로 줄어든다.

가자미근(Soleus)

가자미근은 비복근 보다 깊게 있으며 비골 및 경골의 후면에서 기시하여 힘줄궁을 형성한다. 하퇴 원위부에서 비복근건과 합쳐 종골건을 형성한다. 족척근의 작은 근육의 일부와 길고 가는 힘줄은 비복근과 가자미근 사이를 지나 종골건의 내측면을 따라 붙는다.

슬와근(Popliteus)

슬와근, 후경골근, 장지굴근, 장족무지굴근을 포함하는 심부근육 중 슬와근은 특히 무릎부분에서 다룬다. 슬와근건은 외측 측부인대의 상부 부착부 바로 밑의 외측 대퇴골상과의 외측면에 있는 슬와근 홈의 앞부분에 붙는다. 이 홈내에서 이 건은 슬관절의 섬유성 피막내에 있고 활액공간(슬와함요)의 작은 함요에 의해 둘러 싸인다. 이 힘줄은 슬관절을 지나고, 외측 반월판의 후외측면을 지나 하방 부착부의 섬유성 피막에 나타난다. 이 힘줄은 슬와근의 부채모양의 근복부(힘살)로 커져 가자미근 선 상방경골간부 후면에 부착한다.

슬와부와 내용물(Popliteal Fossa and Contents)

슬와부(Popliteal Fossa)

슬와부는 대퇴와 하퇴의 후방 근육군에 의해 형성되는 마름모꼴 모양의 공간으로 여기를 통해 대퇴와 하퇴 사이로 주요한 신경혈관 구조가 지나간다. 구(fossa)의 상연은 외측에 대퇴이두근 내측에 반막양근와 반건양근에 의해 형성된다. 하연은 내외측의 비복근의 내측두와 외측두에 의해 형성된다. 구의 기저부는 슬관절의 피막과 대퇴골의 후면에 의해 천장은 피부, 천근막과 슬와근에 의해 형성된다.

슬와혈관(Popliteal Vessels)

대퇴동맥은 하봉공근 관을 떠날 때 슬와동맥이 되어 대내전근의 내전근 열공을 통해 슬와로 들어간다. 슬와정맥은 와에서 동맥보다 위에 있고 하봉공근관으로 들어가는 내전근 열공을 통해 와(fossa)를 떠날 때 대퇴정맥이 된다.

좌골신경(Sciatic Nerve)

좌골신경은 대퇴이두근의 심층면을 따라 슬와에 접근한다. 전형적으로 좌골신경은 슬와 바로 상방에서 최종 분지인 경골신경과 총비골신경으로 나뉜다. 경골신경은 와(fossa)의 중심부를 지나고 슬와정맥 보다 표층에 있고, 총비골신경은 대퇴이두근과 건의 내측면을 따라 외측에서 갈라진다.

경골신경(Tibial Nerve)

경골신경과 슬와혈관은 비복근의 내측두와 외측두 사이를 지나 가자미근의 힘줄궁 밑을 지나고 슬와 밑에서 하지의 후방구획부로 들어가 슬와근의 표층을 지나 하퇴삼두 보다 깊게 위치한다. 슬와동맥은 와를 통해 슬분지를 내고 두개의 최종 분지인 전경골 동맥과 후경골 동맥으로 나뉘어져 하지의 후방구획으로 들어간다.

총비골신경(Common Fibular Nerve)

총비골신경은 대퇴이두건을 따라 비골두의 후외측면으로 간다. 이 신경은 피하에서 비골경부를 돌아 최종 분지인 심비골신경과 천비골신경으로 나뉘어서 각각 하지의 전방구획과 측방구획부로 들어간다.

수기(Technique)

슬개상 무릎(Suprapatellar Knee)

대퇴사두근 힘줄
슬개골의 상극
종단면
그림 5.22

환자는 앙와위 위치에서 약간의 회전할 수 있게 하고 무릎 밑에 작은 베개를 두어 살짝 굴곡시킨다. 탐촉자를 종축으로 하여 슬개골 바로 위 대퇴부 중간선에서 대퇴사두근의 원위부 끝에 위치시킨다. 대퇴사두근의 고에코의 섬유 모양을 확인하고, 원위부로 움직여 슬개골의 상극에 힘줄이 붙는 부위까지 미끌어져 간다. 슬개골은 고에코의 골면과 고밀도의 음향음영에 의해 쉽게 확인된다. 슬개골의 상극에서 대퇴사두근 보다 깊은 곳에서 일반적으로 고에코의 삼각형 윤곽을 지닌 슬개상 지방패드를 확인한다. 대퇴골의 전면을 따라 고에코의 전대퇴 지방패드를 확인한다. 탐촉자면을 내측과 외측으로 미끌어져 가면 두개의 지방패드 사이의 공간을 집중해서 보면 상슬개 윤활낭의 무에코 또는 저에코의 활액을 확실하게 볼 수 있다.

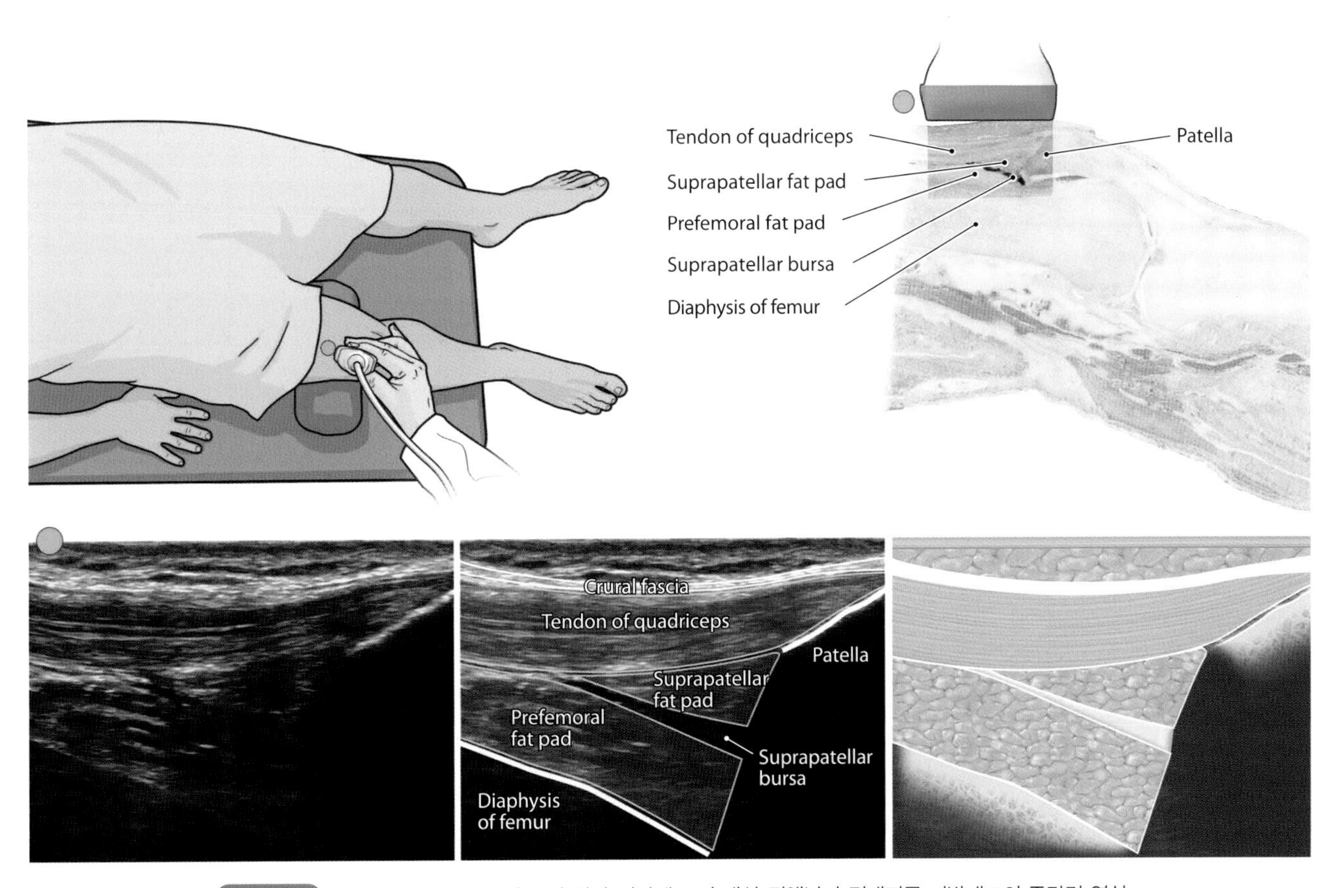

그림 5.22 대퇴사두근, 슬개골 상극, 슬개상 지방패드, 슬개상 점액낭과 전대퇴골 지방패드의 종단면 영상

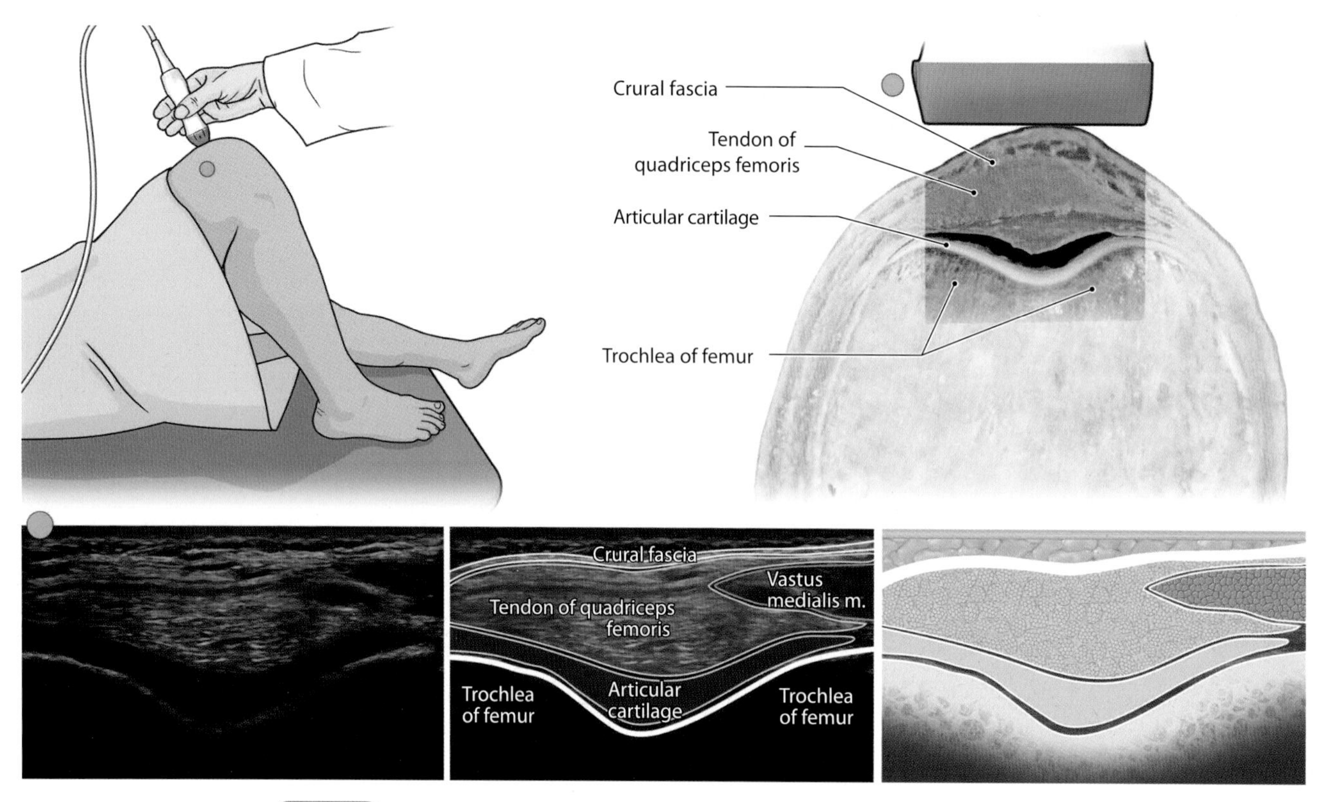

그림 5.23 대퇴골 활차의 관절면, 대퇴사두근과 내측광근의 원위부 근섬유의 횡단면 영상

대퇴활차 대퇴사두근 힘줄
횡단면
그림 5.23

환자에게 가능하면 편안하게 무릎을 굴곡시키고 발바닥을 진찰대에 올려놓는다. 탐촉자를 종축으로 슬개골의 바로 위에서 무릎의 전면에 두고 유리연골의 무에코층에 의해 덮혀진 대퇴골와의 경사진 내외측의 골면을 확인한다. 활차의 외측면이 내측면 보다 더 길고 가파르다. 관절 연골 위에서 큰 고에코의 대퇴사두근을 확인하자. 탐촉자의 면을 fanning/tilting시켜 힘줄의 에코 발생을 무에코에서 고에코의 변화를 본다. 힘줄의 내측에서 이 힘줄과 만나는 내측광근의 원위부 근육 조직을 본다.

슬개하 무릎(Infrapatellar Knee)

슬개골의 하극 슬개인대
종단면
그림 5.24

환자를 앙와위에서 무릎에 작은 베개를 넣어 굴곡시키고 약간의 회전을 할 수 있도록 한다. 탐촉자를 슬개골의 하극에서 슬개건에 종축으로 둔다. 탐촉자의 위치를 조정해서 슬개골의 하극과 영상의 위에서 선명히 보이는 슬개건의 섬유를 본다. 영상을 지나 뻗어가는 고에코의 섬유성 외관을 확인한

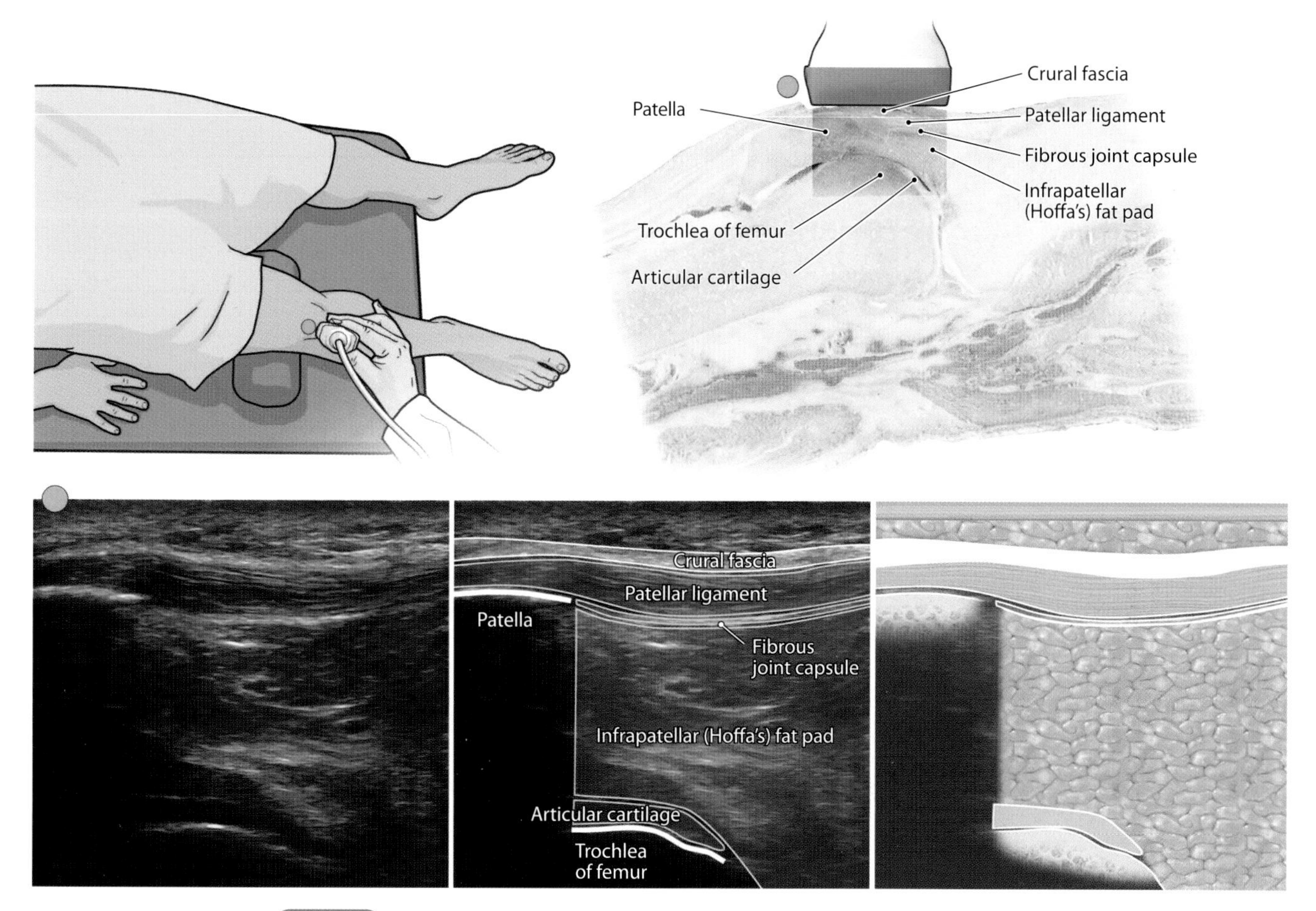

그림 5.24 슬개골 하극, 슬개건, 슬개하 지방패드(호파씨 패드), 대퇴골 활차의 종단면 영상

다.(경골과 건의 원위부 부착부는 영상의 아래 바로 위에 있다.) 슬개건과 섬유성 관절피막 보다 깊은 곳에 고에코의 결합조직 가닥이 혼합된 저에코의 지방을 가진 큰 슬개하 지방패드(호파씨 패드)가 있다. 영상의 깊은 중앙부의 슬개골의 음향음영 아래에서 무에코의 유리질 연골로 덮힌 대퇴골 활차의 고에코의 골 윤곽을 본다.

슬개인대 경골결절
종단면
그림 5.25

다음으로 탐촉자를 슬개건을 따라 이동하여 경골의 고에코의 전면을 따라 아래로 가면 인대섬유가 붙는 둥글고 튀어나온 경골조면을 확인한다. 심부슬개하 점액낭은 힘줄의 후면과 조면 직상방의 경골 사이에 위치한다. 점액낭은 염증이 없으면 흔히 구별이 안된다. 슬개건과 섬유성 관절피막 깊은 곳에서 슬개하 지방패드 밑의 연장을 쉽게 확인할 수 있다.

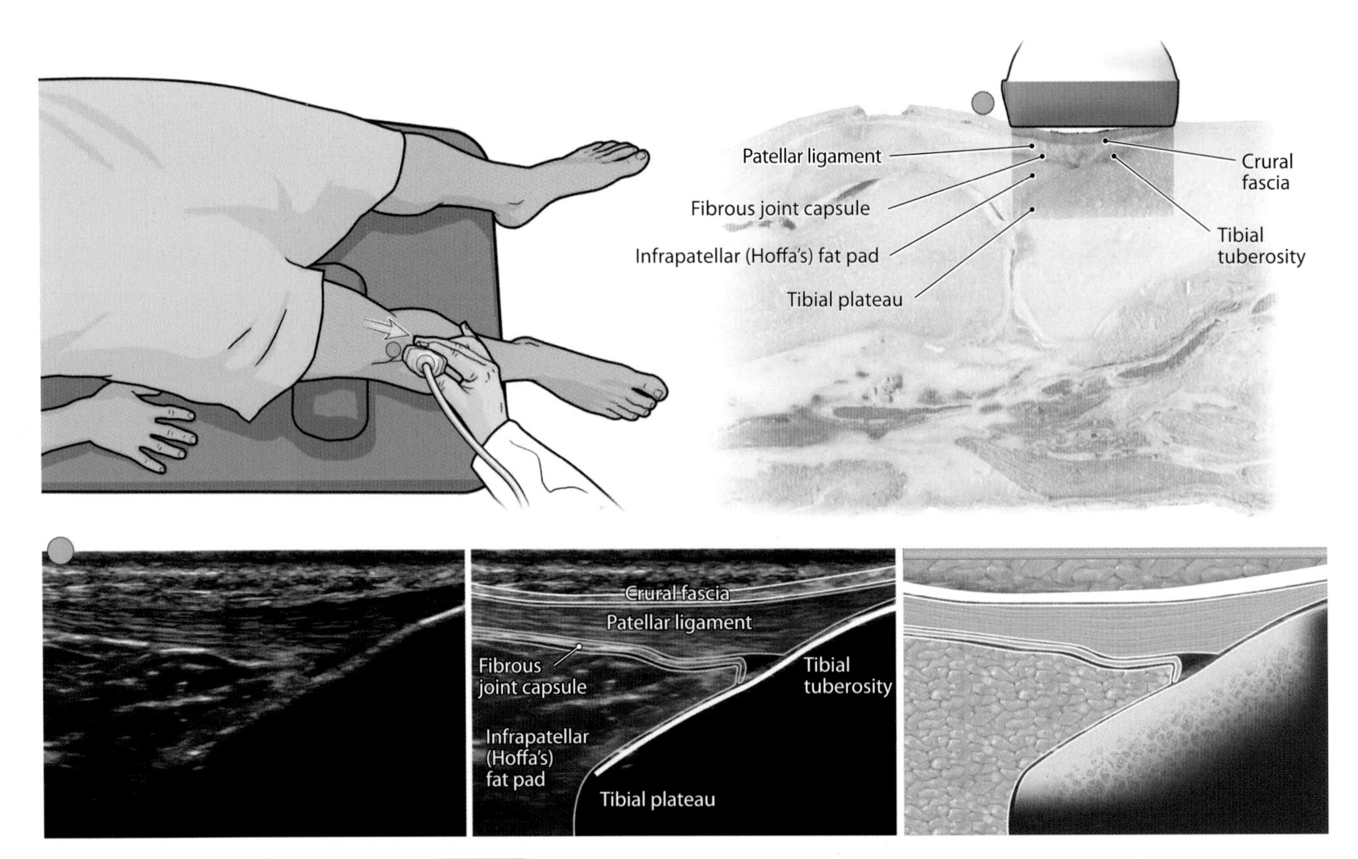

그림 5.25 경골 결절에 부착하는 슬개인대의 종단면 영상

측부인대와 장경인대(Collateral Ligaments and Iliotibial Tract)

내측 측부인대
종단면
그림 5.26

환자는 앙와위로 두고, 대퇴는 외회전시키고 무릎은 작은 베개 위에 두어 굴곡시킨다. 탐촉자를 무릎 안쪽에 종축으로 하여 경대퇴골 관절선의 가운데 둔다. 탐촉자의 위치를 조절하고 기울여 위로는 내측 대퇴골과 아래는 내측 경골과의 고에코의 윤곽을 확인한다. 대퇴골과 경골 사이에서 쐐기모양의 약간의 고에코성의 내측 반월판 본체의 윤곽을 확인한다. [탐촉자면을 기울이고(tilting), 패닝(fanning)시켜 비등방성을 최소화시킨다.] 반월판의 천층면을 접촉해서 고에코의 내측 측부인대의 심층부와 그것의 위와 아래의 연장인 반월대퇴인대와 반월경골인대를 확인한다. 심층부의 표층은 전체의 영상을 지나는 인대 표층의 비교적 적은 양의 에코 발생의 섬유성 원형을 본다. 표층의 부착 부위는 영상의 상부 끝머리와 하부 끝머리를 넘어간다. 때로 인대의 표층과 심층 사이에 작은 점액낭을 볼 수 있다. 표층은 고에코의 심층근막에 의해 덮이거나 붙는다. 탐촉자를 아래로 미끌어져 가면 내측 측부인대의 표층을 집중해 보면서, 인대가 관절선 하방 수 센티미터에서 경골의 전내측면에 붙는것을 확인한다. 환자는 무릎 사이에 베개나 작은 베개를 끼우고 외사위를 취한다. 고

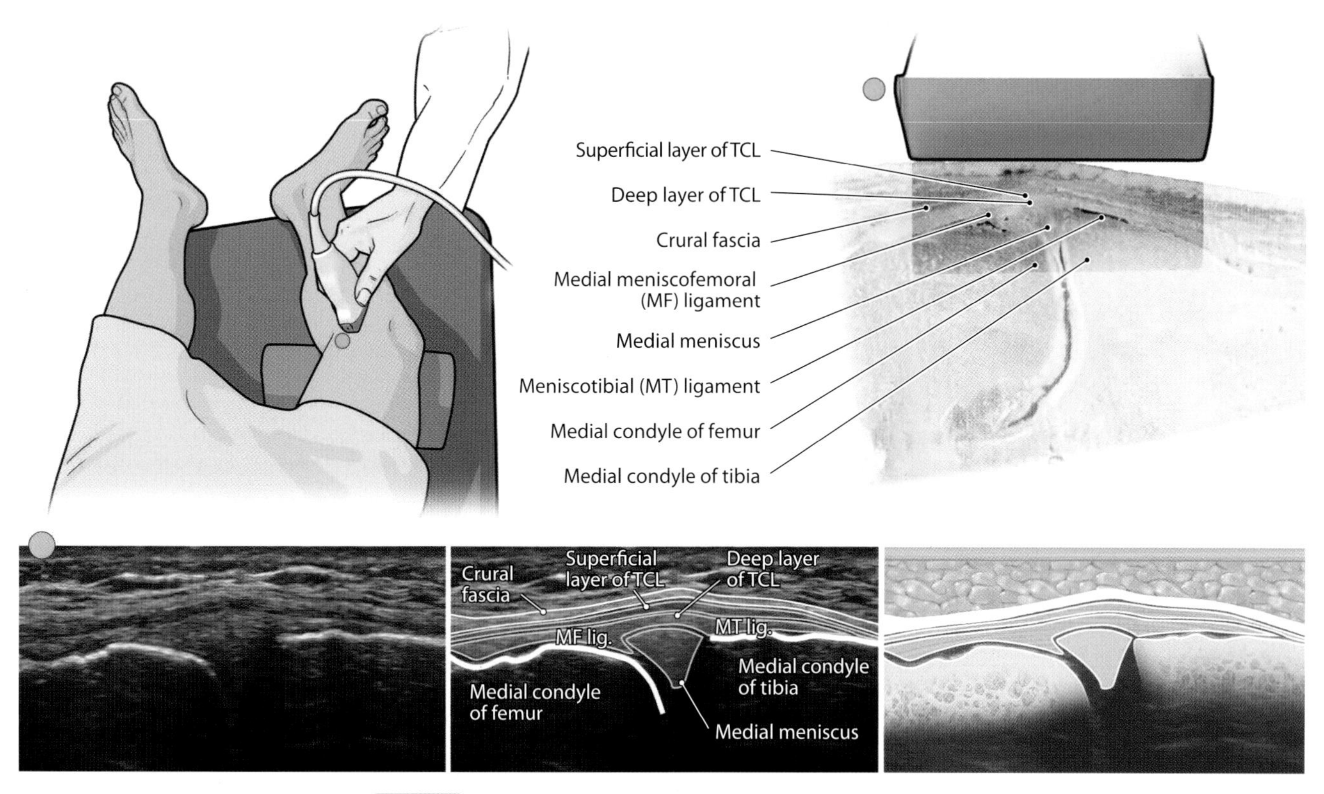

그림 5.26 무릎의 내측 측부인대와 내측 반월판 본체의 종단면 영상

관절과 슬관절은 약간 굴곡시킨다. 촉진하여 비골두 바로 위에서 대퇴이두근 힘줄을 찾는다. 힘줄 앞쪽에서 손가락으로 부드러운 함몰을 지나 단단한 끝머리를 만나는데 이것이 장경인대의 후방 끝머리이다.

장경대 부착
종단면
그림 5.27

탐촉자를 장경인대(Iliotibial tract) 바로 앞에서 평행하게 종축으로 둔다. 원위부 장경인대의 특징적인 얇은 판자모양(고에코의 천층면, 저에코의 중간부, 고에코의 심부면)을 본다. 계속해서 외측 경골과의 전외측면을 향해 거디스 결절의 둥근 돌출부가 보일 때까지 미끌어져 간다. 결절 표면에 붙은 장경인대 중간의 저에코의 중심부를 관찰한다. 영상의 상부에서 장경인대 보다 깊은 곳에 경대퇴골 관절, 외측 반월판의 본체/전각, 하외측슬동맥 혈관을 볼 수 있다. 촉진하여 비골두, 대퇴이두건, 장경경인대의 뒤 끝머리를 확인한다.

외측 측부인대 슬와근 힘줄
종단면
그림 5.28

탐촉자를 종축으로 외측 대퇴골과의 외측면에 두고 장경인대의 끝머리 바로 뒤에서 위로는 탐촉자의 표식자를 비골두를 향해서는 탐촉자의 뒤축에 둔다. 같은 배열을 유지하면서 외측 대퇴골과의 외측면을 따라 슬와홈이 명확히 보일 때 까지 탐촉자의 위치를 조정한다. 이 골 표식자는 작은 코드 같은

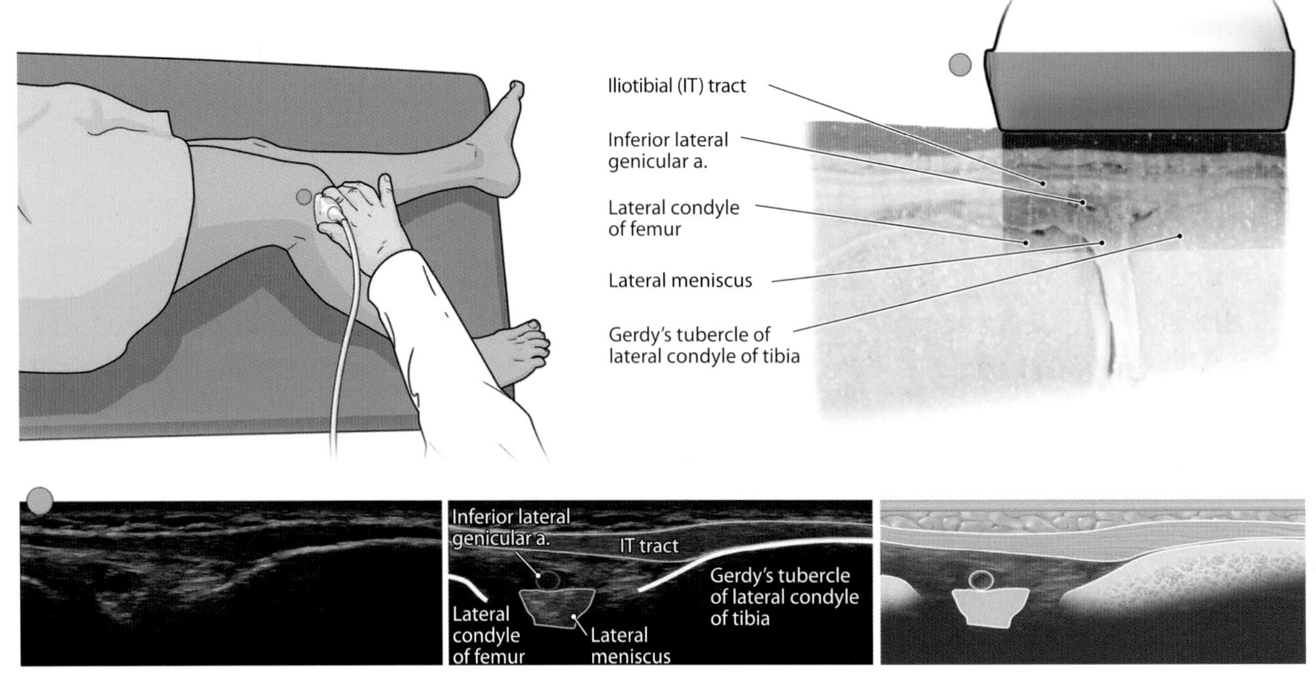

그림 5.27 외측 경골과(거디스 결절)의 전외측면의 부착부위에 슬관절을 가로지르는 장경인대의 종단면 영상

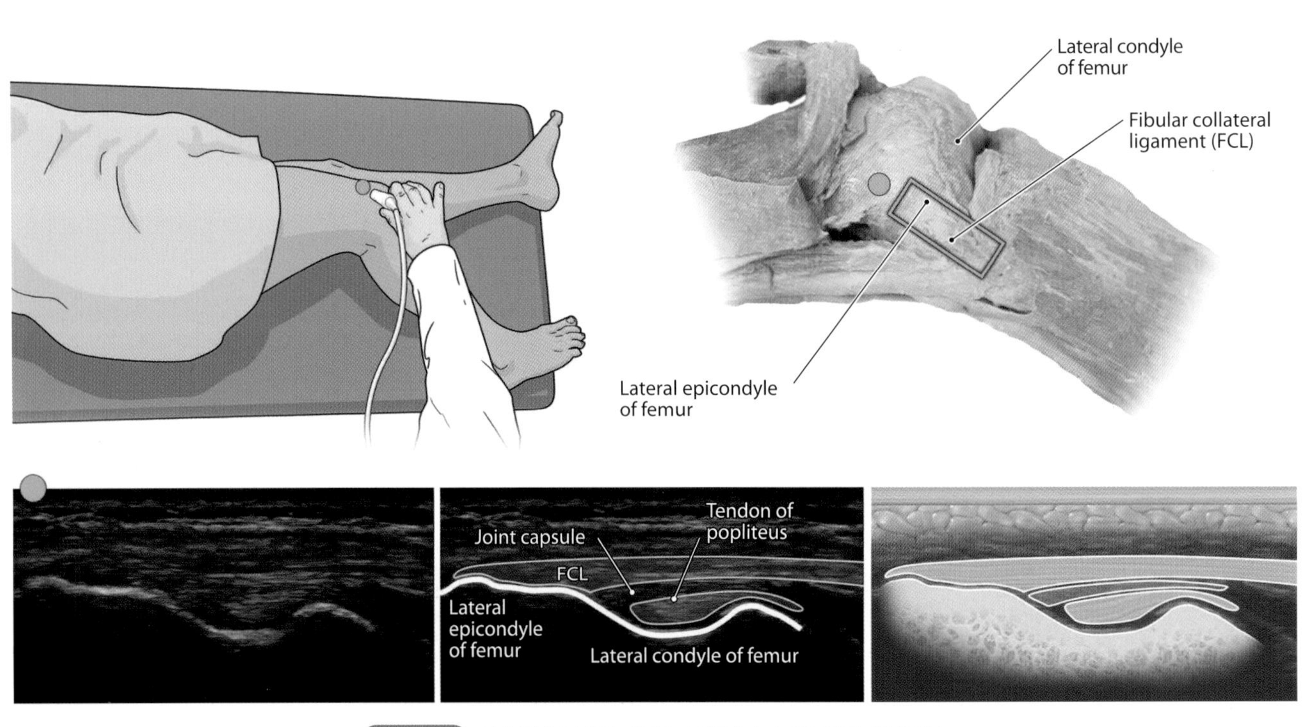

그림 5.28 외측측부 인대의 대퇴골 부착점과 슬와근건의 횡단영상

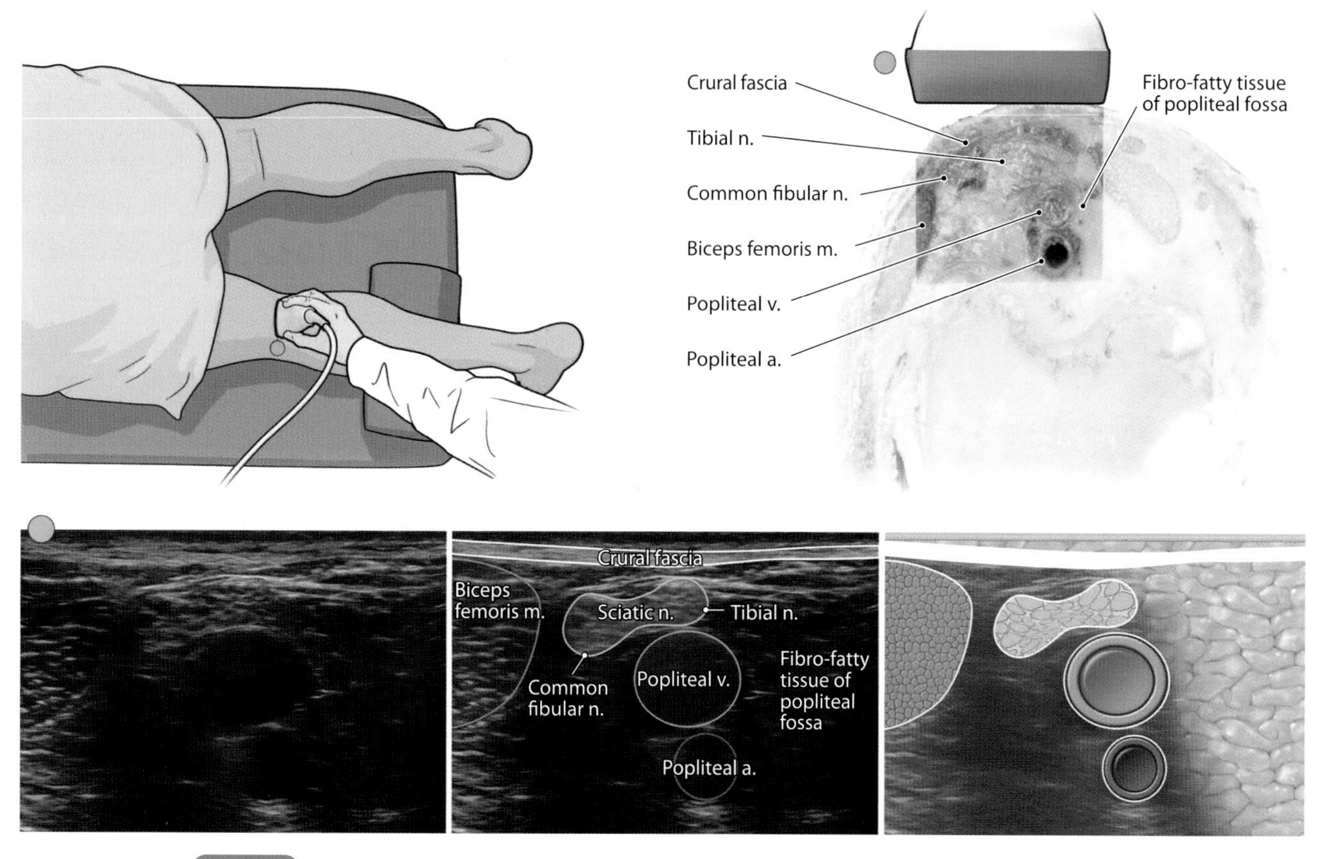

그림 5.29 좌골신경이 경골신경과 총비골신경으로 나뉨. 슬와상부에서의 슬와정맥과 슬와동맥의 횡단면 영상

외측 측부인대의 상부 부착 부위를 찾아내는데 중요하다. 이 위치에서 탐촉자의 면을 팬과 기울기를 통해 홈내의 고에코의 슬와근을 찾는다. 홈 바로 위에 고에코의 외측 측부인대 섬유가 외측 상과면에 붙는 것이 보이고 좁아져서 슬와홈 위로 인대의 밧줄같은 중심부로 된다. 이 인대는 섬유성 관절피막에 의해 슬와근으로부터 분리된다. 이 인대를 비골두까지 추적해 본다. 인대 앞에 있는 장경인대나 인대 뒤에 있는 대퇴이두근을 외측 측부인대로 오해하지 않게 주의한다. 비골두의 외측면에서 외측 측부인대와 대퇴이두근 섬유와 합쳐진다.

슬와(Popliteal Fossa)

경골신경
총비골신경
슬와혈관들
횡단면
그림 5.29

환자를 복와위로 하고 다리 밑에 작은 베개를 두어 무릎을 약간 굴곡시켜 슬관절 주위의 후방근육을 이완한다. 탐촉자를 슬와 상방의 대퇴이두근에 횡축으로 둔다. 이 근육의 전내측면을 따라 근육 깊게있는 고에코의 벌집모양의 좌골신경을 확인한다. 탐촉자의 위치를 조정해서 영상을 신경의 중심에 둔다. 이 신경을 집중해서 탐촉자를 슬와를 향해 밑으로 내려가면 신경은 작은 외측 분지인 총비골신경 보다 큰 경골신경으로 나뉜다. 전형적으로 이 분열은 슬와공간 바로 직 상방에서 일어난다. 조금 더 내려가면 경골신경은 다소 수직으로 구(fossa)로 내려가고 반면 총비골신경은 대퇴이두근의 내측 끝머리를 따라 위치를 외측으로 이동한다.

슬와동맥
슬와근
종단면
그림 5.30

경골신경을 영상의 중간 가까이에 유지하고 가능한 탐촉자의 면에 작은 압력을 가해 경골신경 보다 깊게 있는 슬와정맥에 압박/소멸을 피한다. 수동적으로 무릎을 90도까지 굴곡시켜 발과 하지로부터 정맥의 귀환을 증가시켜 정맥이 차이도록 한다. 또한 장딴지 근육을 가볍게 짜내어 잠시 정맥이 차이도록 한다. 정맥보다 깊이있는 동맥의 박동을 관찰한다. 영상에서 슬와동맥을 가운데 두고 탐촉자를 조심스럽게 회전시켜 동맥에 대해 종축으로 두고 동맥을 따라 밑으로 슬와까지 내려간다. 정맥보다 깊이 위치한 슬와동맥의 박동을 관찰한다. 영상을 슬와동맥(popliteal artery)의 가운데에 두고 동맥에 대해 종축으로 탐촉자를 주의깊게 돌린다. 탐촉자를 밑으로 동맥을 따라 슬와부까지 내려간다. 경골 고평부의 고에코의 골 윤곽을 보고 밑으로 내려 슬와근 근복에 의해 덮인 경골간부의 후면까지 내리며 관찰한다. 슬와동맥은 슬와근 위를 지나 비복근의 외측두 보다 깊게 가자미근을 따라 하지의 후방구획으로 들어간다.

반막형건
대퇴골 내과
횡단면
그림 5.31

탐촉자를 슬와 상방 대퇴부 내측에 횡으로 댄다. 후면에서 반건형근과 함께 반막형근의 둥근 윤곽을 확인하고 영상을 이들 가운데에 둔다. 탐촉자를 근육과 건을 따라 밑으로 내리면 반막양근은 넓고 굵은 건으로 줄어든다. 아래로 조금 더 가면 반막양근의 건이 내과의 뒤를 지나 섬유성 관절피막에 붙는다. 이 위치에서 힘줄 바로 외측에 내측 비복근의 저에코의 내측 힘줄 끝머리와 근육 조직을 확인한다. 반막형건(semimembranous tendon)은 슬관절과 연결된 얇은 점액낭에 의해 내측 비복근의 힘줄 끝머리와 분리되어 있다. 반건형건(semitendinosus tendon)은 반막형건보다 표층에 있다. 영상의 내측에서(필요하면 탐촉자의 위치를 조정할 것) 작은 박근힘줄을 봉공근의 후외측 끝머리에서 볼 수 있다. 봉공근은 이곳에서 아직 근육이며 바로 원위부에서는 얇은 힘줄로 된다.

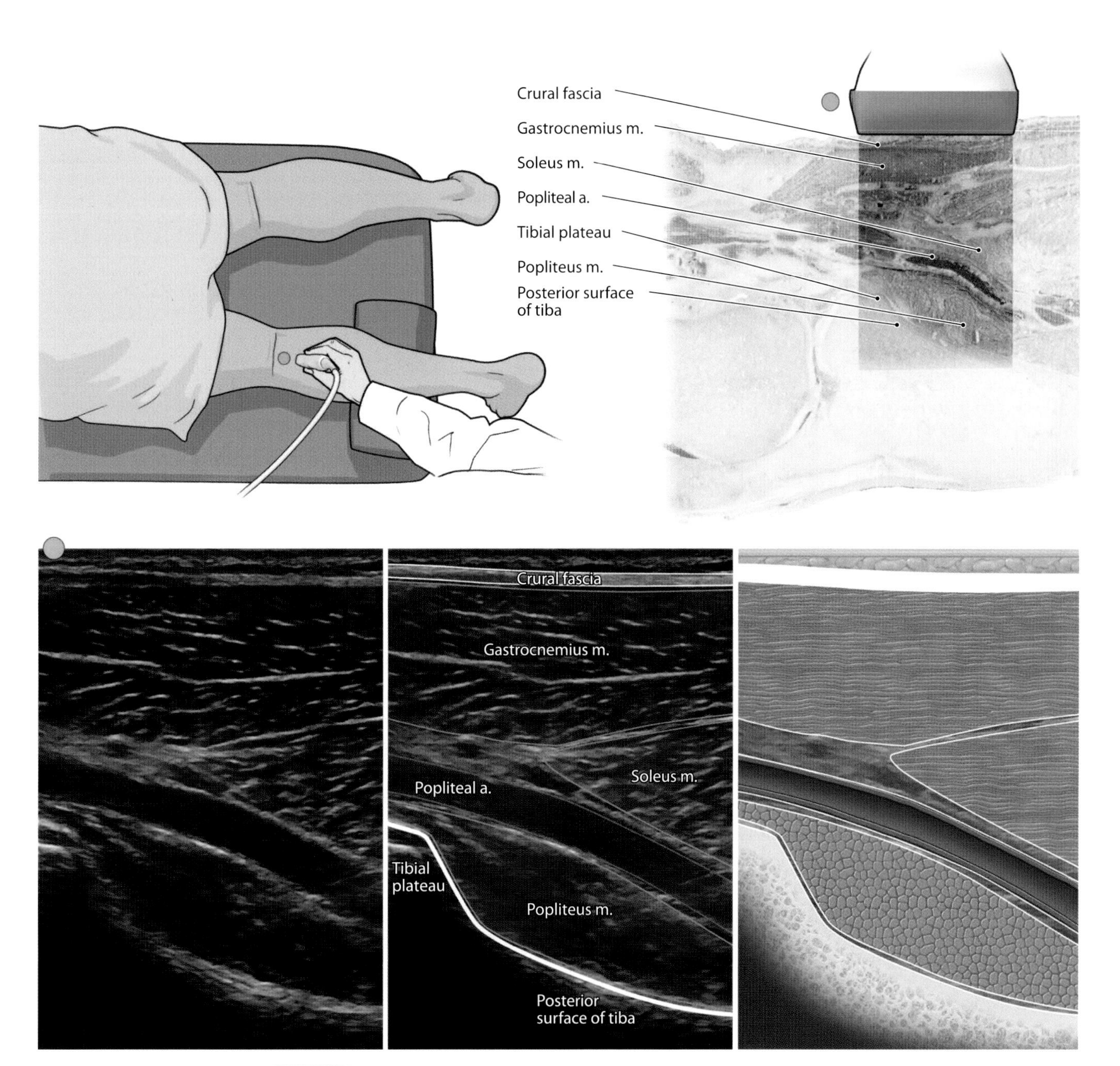

그림 5.30 슬와동맥이 슬와를 나와 하지의 후방구획으로 들어갈 때의 횡단면 영상

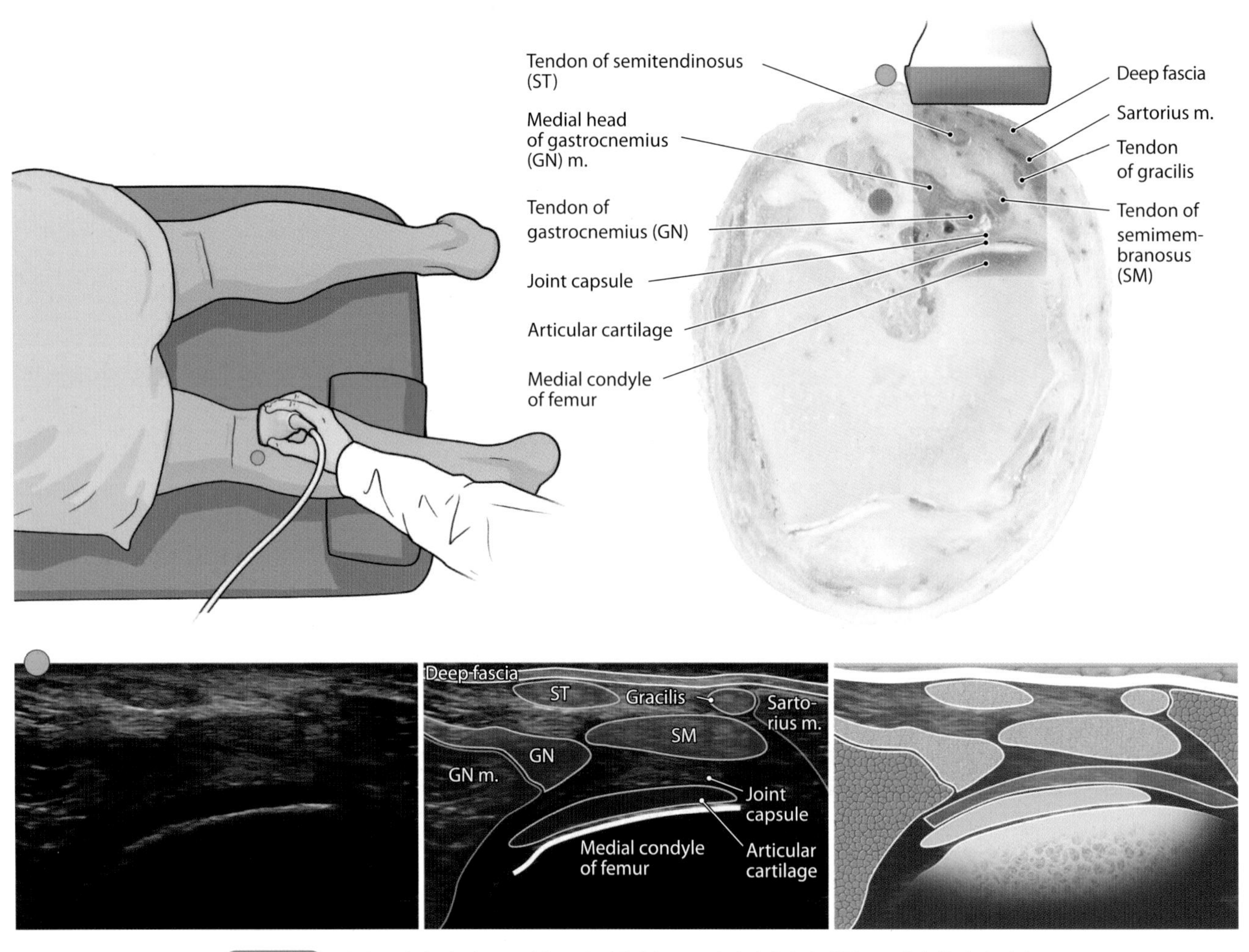

그림 5.31 대퇴골 내과 뒤 비복근 내측두의 내측 힘줄 끝 가까이에서의 반힘줄근건의 횡단면 영상

임상 응용

초음파 검사는 주로 슬관절의 외부 구조에 관계되는 무릎 통증의 원인을 평가하는데 사용된다. 이 수기는 건증/건염, 근육과 건의 부분 또는 완전 파열(대퇴사두근, 슬개건, 반건형근, 반막형근, 박근, 대퇴이두근), 점액낭염/점액낭증(슬개전낭, 심부슬개하낭, 반막형근－비복근 점액낭과 베이커스씨 낭종) 그리고 인대 손상(내측 측부인대, 외측 측부인대와 장경인대). 초음파는 매우 적은 슬관절의 삼출을 평가하고 알아내는데 그리고 삼출액을 흡인하거나 또는 항염작용이 있는 스테로이드를 주사하기 위하여 상슬개골 점액낭내로 바늘을 인도하는데(이 점액낭은 슬관절과 연결되나, 실제 점액낭은 아님) 사용된다. 대퇴골 활차의 유리질 연골 평가는 연골의 얇아짐. 주위의 미란, 연골 손실의 범위에 대한 표적으로 에코 생성의 증가/골관절염이나 다른 염증성 관절병의 결과로 인한 슬관절의 변화를 평가하는데 사용된다.

초음파는 십자인대와 연골판의 평가에서 연골판 본체 파열과 반월판낭은 흔히 보이나, 골면 뒤의 음향음영 때문에 많은 제한을 받는다. 도플러를 포함한 초음파 검사는 슬와정맥과 그 분지를 포함한 하지정맥의 혈전을 찾아내는데 흔히 사용된다. 도플러 초음파는 의심되는 말초동맥 질환에 있어 슬와동맥의 혈류 속도를 측정하거나, 슬와동맥류의 발견과 측정을 하는데 사용된다.

초음파 유도 하에 좌골신경블록은 무릎, 뒤쪽의 하지, 아킬레스건, 발목과 발등의 수술과 무릎 수술 후 통증 조절에 쓰인다.

하지(다리)(Leg)

해부학의 검토(Review of the Anatomy)

뼈(Bones)

하지의 골은 경골과 비골이다.

경골(Tibia)

경골은 슬관절의 원위부와 족관절의 근위부로 이루어진 체중부하에 관여하는 큰 장골이다. 경골 간부는 삼각형의 모양이고 전방 내측, 골간(외측 l) 경계에 의해 경계지어지는 후면, 전외측면, 전내측면으로 나뉜다. 전내측면은 전장이 피하이다. 경골의 넓어진 원위부 끝은 족관절 bony arch의 상내방면을 형성하고 거골의 윗면(활차)과 관절을 이룬다.

비골(Fibula)

체중 부하를 하지 않는 비골은 훨씬 작다. 비골의 상방 끝에서 비골두는 외측 경골과 밑면의 측면과 관절을 이룬다. 비골 경부는 간부까지 연결되고 비골의 간부는 삼각모양이고 전방, 외측, 내측경계에 의해 후면, 외측면, 내측면으로 나뉜다. 내측면을 따라 추가적인 경계인 골간융기는 경비골 골간막이 붙는 선이며 비골과 경골의 골간 경계를 잇는다. 비골은 원위부에서 외과로 커지고, 족관절의 외측면을 형성한다.

근육(Muscles)

심부(crural) 근막과 그것의 근육간 격막은 경비골 골간막을 따라 다리를 3개의 전방, 후방, 측방의 근육군으로 나눈다.

전방구획(Anterior Compartment)

전방구획의 근육은 심비골신경에 의해 지배받으며 근육은 전경골근, 장진신근, 제3 비골근, 장모지신근이다.

전경골근(Tibialis Anterior)

전경골근은 골간막 가까이 비골 간부 외측면 상방 2/3와 주위 근막에서 기시한다. 다리 원위부 하 1/3에서 건으로 되고 신전근지지띠 밑으로 족관절을 지나고 발의 내측 아래에서 돌아 첫 번째 중족골 기저부와 내측 설상골의 바닥에 붙는다. 전경골근은 발을 신전, 내번시킨다.

장지신근(Extensor Digitorum Longus)

장지신근은 외측 경골상과, 비골 골간의 내측면, 골간막의 상부, 전방 근육간격막, 그리고 주위의 심층근막에서 기시한다. 이 근육들의 건은 아래 다리에서 형성되고 족배부에서 건은 4개의 slip으로 나뉘어 외측의 발가락들의 신전건의 연장에 붙는다.

제3 비골근(Fibularis Tertius)

제3 비골근은 장지신근 바로 밑의 비골 내측면에서 기시하고 이 두근육은 항상 합친다. 족배부에서 비골건은 족지신건과 분리되어 단비골근 종지부 보다 아래에서 제5 중족골 기저부의 족배면에 붙는다. 이 작은 근육들은 발을 배굴 및 외번시킨다. 이 근육은 흔히 없다.

장모지 신건(Extensor Hallucis Longus)

장모지신건은 내측에 전경골근 기시부 외측에 장지신건 사이에서 비골의 내측면의 중간 1/3과 골간막에서 기시한다. 기시부에서 장모지신건은 이들 두 근육에 의해 덮여있고 아래 하지에서 이 두 근육 사이에서 나와 족관절을 지나간다.

외측구획(Lateral Compartment)

두개의 측부 근육은 장비골근과 단비골근이다. 이 근육은 발을 외번시키고 족관절의 장굴을 돕는다. 장비골근은 부가적으로 전경골근과 후경골근을 함께 발의 횡단궁의 역동성 지지를 돕는다.

장비골근(Fibularis Longus)

장비골근은 단비골근 보다 표층에 있으며 비골두의 외측면, 비골간부의 외측 상방 1/2, 구획을 묶는 전후 근간격막 그리고 주위의 심부근막에서 기시한다. 장비골근은 하지 중앙에서 건으로 되어 이 긴건은 단비골근의 표층면을 따라 아래로 내려가 다리의 하방 1/3에서 비골의 후면을 따라 내려가서 이 두 힘줄이 족관절을 통과할 때 단비골근의 바로 후외측에 있게 된다.

단비골근(Fibularis Brevis)

단비골근은 비골 외측면의 하방 2/3, 전후 근간격막과 그 주위의 심부근막에서 기시한다. 이 근육은 비골 원위부의 후면과 외과를 따라 내려갈 때 힘줄(건)로 족관절을 지날 때 장비골근과 합류한다.

후방구획(Posterior Compartment)

후방구획 근육은 경골신경에 의해 지배 받으며 표층과 심층으로 배열된다.

표층(Superficial Layer)

표층의 근육은 비복근의 내외측두, 가자미근, 족척근의 모든 근육이 종골건으로 되어 종골의 후면에 붙어 발을 장굴시킨다. 비복근의 두 머리와 족척근은 기시부에서 슬관절을 지나고 거기서 다리를 굴곡시킨다.

비복근(Gastrocnemius)

비복근의 내측두는 대퇴골내과 바로 위의 대퇴골의 후면에서, 외측두는 외과 바로 위 대퇴골 후면에서 기시한다. 족척근은 비복근 외측두 상방 외측 상과선에서 시작하여 비복근의 두 머리는 슬와 아래에서 만나 다리의 중간부에서 넓고 납작한 힘줄띠(비복근 근막)로 된다.

가자미근(Soleus)

가자미근은 비골근보다 깊게 있고 비골두와 경부 상 1/3의 후면, 경골후면의 가자미선, 개재하는 힘줄성 궁(arch)에서 기시한다. 가자미건은 다리 하방 1/3에서 비복건과 합쳐져 종골건을 형성한다.

족척건(Plantaris)

길고 얇은 족척건은 비복근과 가자미근 사이를 지나 종골건의 후내측을 따라 붙는다.

심층부(Deep Layer)

심층근육은 슬와근, 후경골근, 장지굴곡근과 장모지굴고근이다. 슬와근은 슬관절에 관계되는 짧은 근육이고 무릎의 구조에서 설명하였다. 후경골근, 장지굴곡근, 장모지굴곡근의 힘줄은 족관절의 내측을 따라 지나서 족근관을 통하여 발바닥으로 들어간다. 족근관의 자세한 해부와 그 내용물은 족관절의 구조에서 설명하겠다.

후경골근(tibialis posterior muscle)은 골간막 상1/2과 그 주위의 경골과 비골의 면에서 기시하고, 외측으로 장모지굴곡근 내측으로 장지굴곡근 사이에 있다. 장모지굴곡근(flexor digitorum long muscle)은 비골 간부 후면의 중간 1/2과 골간막에서 기시한다. 장모지굴곡근은 경골의 후면과 외측 border의 중간 1/3에서 기시한다. 이 3개의 힘줄은 족관절을 지나 발목의 족근관을 통해 발바닥으로 내려간다.

카거스 지방패드(Kager's Fat Pad)

카거스 지방패드는 하지 원위부에 위치하고 족관절의 뒤에 위치한다. 지방패드는 삼각형 모양이고 저부는 종골의 상피질면, 전방경계는 장모지굴근, 후방경계는 종골건의 앞면에 의해 형성된다. 삼각의 정점은 가자미근의 하부섬유와 심층부 근육 사이에서 위로 연장된다.

혈관과 신경(Vessels and Nerves)

중요한 다리의 신경혈관 조직은 대퇴부에서 슬와를 통하여 다리로 들어간다.

슬와부 혈관(Popliteal Vessels)

대퇴동맥은 대퇴의 내전근관을 떠날 때 슬와동맥이 되어 내전근 열공을 지나 슬와로 들어간다. 동반하는 슬와정맥은 구(fossa)를 떠나 내전근 열공을 지나 내전근관으로 들어갈 때 대퇴정맥이 된다. 슬와동맥은 정맥과 경골신경을 따라 슬와를 통해 내려가고 비복근밑, 가자미근의 힘줄궁(arch)를 지나 다리의 후방구획군으로 들어간다. 동맥은 가자미근의 tendinous arch를 바로 지나서 종말지인 전경골 동맥과 후경골 동맥으로 나뉜다.

전경골 동맥(Anterior Tibial Artery)

전경골 동맥은 경비골간막의 위 끝머리 위를 지나면서 후방구획을 떠나 전방구획으로 들어간다. 전경골 동맥은 전방구획을 지나 계속해서 내려가 족관절을 지나 족배부에서는 이름이 바뀌어 족배동맥으로 끝난다.

후경골 동맥(Posterior Tibial Artery)

기시부 가까이서 후경골 동맥은 중요한 외측 분지인 비골동맥을 가지며 후방구획의 외측을 따라 내려가 측방구획 조직에 관통지를 낸다. 후경골 동맥은 후방구획을 지나 표층근육과 심층근육 사이의 경골신경을 따라 내려가고 이후 족근관을 통해 다리를 떠나 발로 들어간다.

좌골신경(Sciatic Nerve)

좌골신경은 대퇴이두근의 심층면으로부터 슬와에 들어가 슬와 바로 위에서 종말지인 경골신경과 비골신경으로 나뉜다.

경신경(Tibial Nerve)

경골신경은 비복근의 내측두와 외측두 사이 구(fossa) 사이의 중간부를 지나 슬와혈관과 함께 가자미근의 힘줄궁(arch) 밑을 지나 다리의 후방구획으로 들어간다. 경골신경은 표층근육과 심층근육 사이에서 다리의 후방구획을 지나 내려가서 다리의 후방 근육군에 운동신경을 지배한다. 후경골 혈관을 따라 경골신경은 다리를 떠나 족근관을 통해 발로 들어간다.

비복신경(Sural Nerve)

내측 비복피신경은 슬와에서 경골신경으로 부터 분지되며 총비골신경에서 나오는 외측 비복피신경의 관통지와 함께 비복신경을 형성한다. 비복신경은 비복근의 내외측두 사이의 얕은 홈에서 소복재신경과 만나서 하지 중간에서 하퇴근막을 뚫고 나와 후외측 하지의 하방 1/2과 발의 외측의 피부신경을 지배한다.

총비골신경(Common Fibular Nerve)

슬와의 근위부에서 좌골신경의 총비골 신경은 대퇴이두근과 건의 내측연을 따라 분지되어 비골두의 후외방의 건을 따라간다. 신경은 비골 경부를 피하로 지나 장비골건 부착부 사이로 측방구획으로 들어가서 종말지인 심비골신경과 천비골 신경으로 나뉜다.

천비골신경(Superficial Fibular Nerve)

천비골 신경은 장비골건 보다 깊은 곳에서 측방 구획내로 내려가 운동신경을 지배하고 하지의 원위부 1/3에서 단비골근과 장지신근 사이로 나와서 심부근막를 뚫고 다리 아래의 전외측면과 대부분의 족배부에 피부신경을 지배한다.

심비골신경(Deep Fibular Nerve)

심비골신경은 전근간 격막을 뚫고 전방구획으로 들어가 전경골 혈관과 동반한다. 심비골신경은 전방구획의 근육을 공급하고 족관절을 지나 족배부에서 족배동맥을 동반하고 단지신근과 단무지신근에 운동신경을 하고 제 1, 2 중족골 사이의 심부근막을 뚫고 모지와 제2 족지 사이의 공간을 피부신경이 지배한다.

수기(Technique)

전방구획(Anterior Compartment)

전방구획 근위부
횡단면
그림 5.32

환자는 무릎을 90도 굴곡시키고 발바닥을 검사 테이블에 세운다. 촉진하여 경골 조면과 경골의 전방 경계를 확인한다. 탐촉자를 경골조면 밑 전방구획의 상부에 횡축으로 댄다. 경골의 고에코의 전외측면과 음향음영을 확인한다. 탐촉자의 위치를 조정하여 비골이 영상의 외측에 보이게 한다. 비골의 내측면과 영상의 심층부의 경골 전외측면 사이를 가로지르는 고에코의 경비골간막이 위치한다. 전경골근은 경골과 골간막의 내측 반을 따라 보이는 큰 근육이다. 족지 신전근은 전경골근과 비골의 내측면과 하퇴

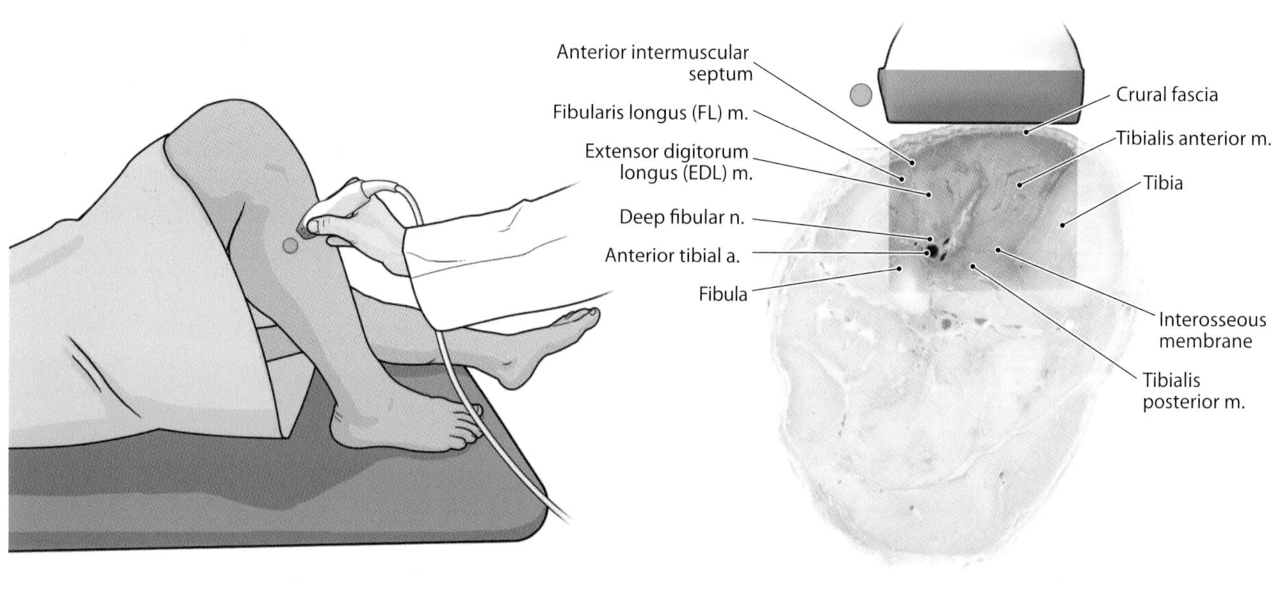

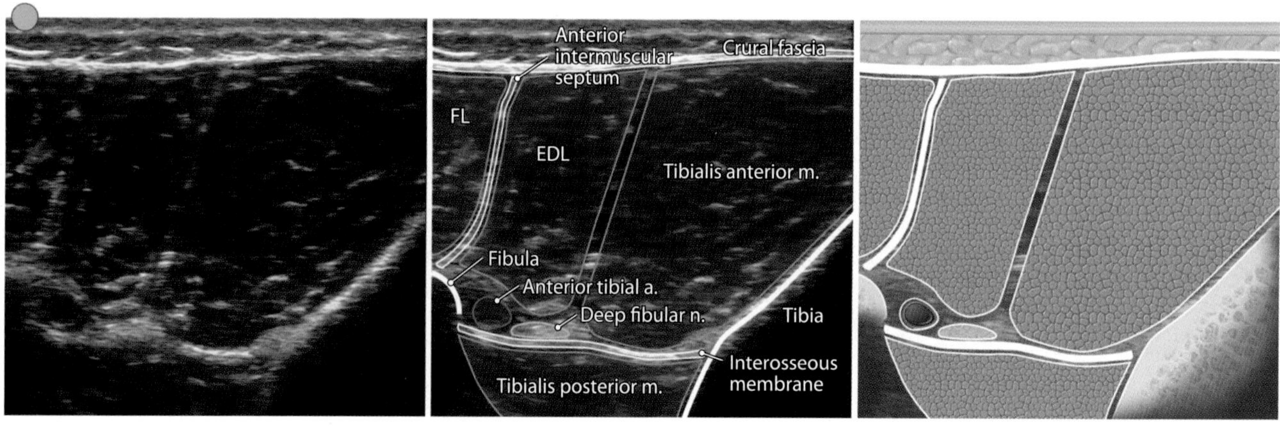

그림 5.32 하지 전방구획의 상 1/3에서의 횡단면 영상

근막의 심층면 사이를 잇는 고에코의 전방 근간중격 사이의 족지 신전근을 확인한다. 장비골근은 외측 구획군에서 전방 근간중격이 외측에서 보인다. 탐촉자의 면을 toggle(tilt/fan)하여 장족지 신근 깊이있는 골간막에 접촉된 전경골 동맥과 심비골신경을 찾는다.

전방구획 하지중간
황단면
그림 5.33

후경골근의 일부는 골간막의 후면을 따라 볼 수 있다. 이전의 탐촉자의 위치에서 시작하여 중간 다리의 전구획군을 따라 내리면서 전경골근, 장족지신건, 경골, 비골과 골간막을 본다. 탐촉자를 더 밑으로 내리는 동안에 수동적으로 엄지발가락을 시켜서 비골의 내측연과 골간막을 따라 심층부 근육에 해당하는 움직임을 보면서 장모지 신전근을 확인하고 건의 경계를 구분한다. 중간 다리에서 전경골근의 특징적인 고에코의 중심건을 확인한다. 단비골근은 장족지 굴근의 외측에 비골의 외측면을 따라 부분적으로 보인다. 전근간격막은 단비골근과 장족지 신전근을 분리시키며 비등방성 때문에 보기 어렵

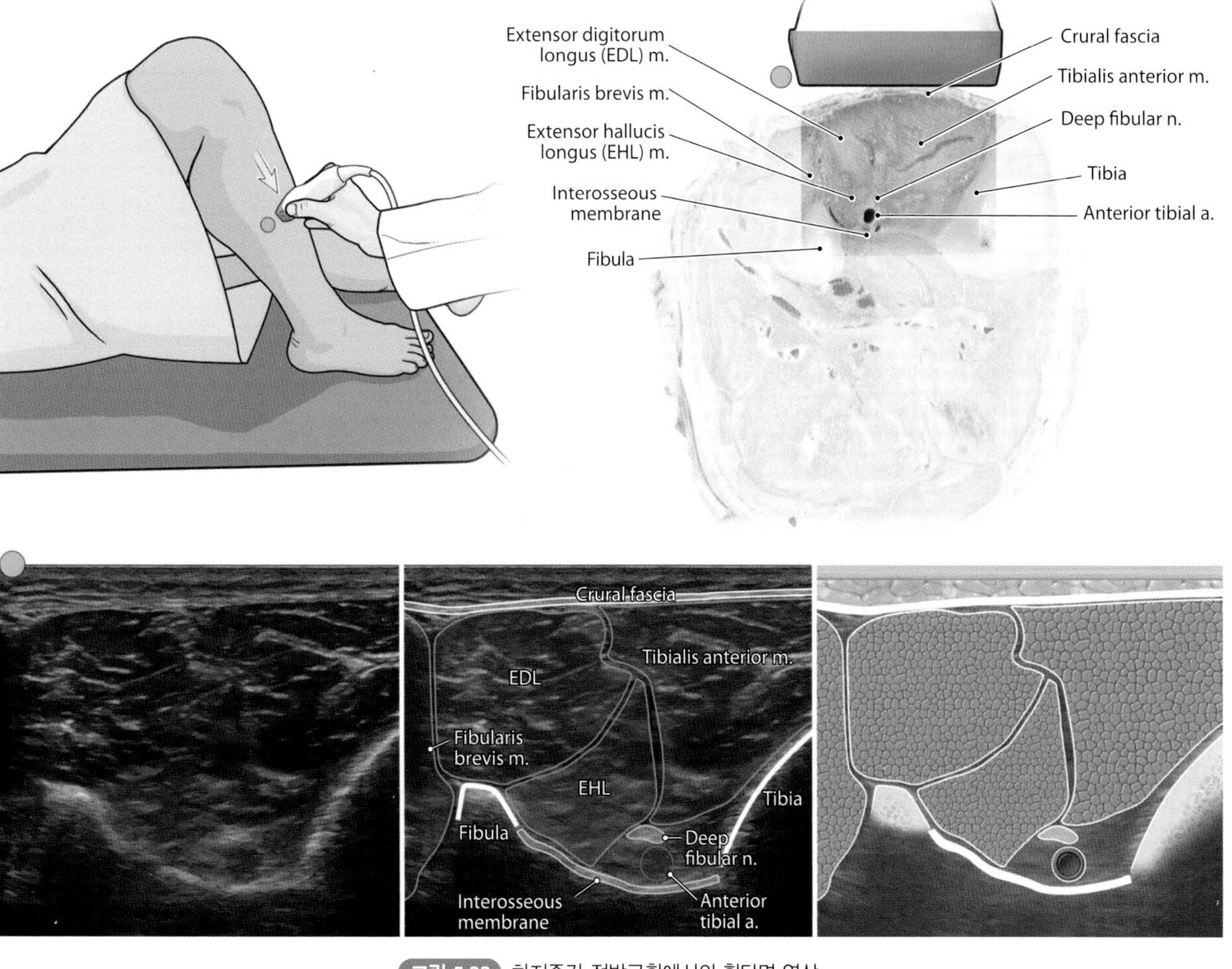

그림 5.33 하지중간 전방구획에서의 횡단면 영상

다. 탐촉자의 면을 toggle(tilt and fan)시켜 전경골 동맥과 심비골신경의 위치를 확인한다. 심비골신경은 장족무지 신근, 전경골근과 경비골간막 사이 영상의 심층부에서 보인다.

측방구획(Lateral Compartment)

측방구획
비골
횡단면
그림 5.34

환자를 측와위에 두고 무릎 사이에 작은 베개를 두고 무릎을 90도 굴곡시킨다. 촉진으로 비골의 골두와 경부를 찾고 탐촉자를 비골두와 경부의 결합점에서 다리의 외측면에 횡으로(표식자를 앞쪽으로) 둔다. 비골의 고에코의 면과 그것의 음향음영를 확인한다. 탐촉자를 위 아래로 움직여 크고 동그란 비골두에서 좁은 경부까지 윤곽의 변화를 관찰한다. 탐촉자의 위치를 조정하고 탐촉자의 면을 toggle/tilt하여 장비골근보다 깊은 비골 경부를 돌아 사선으로 지나가는 고에코의 총비골신경을 확인한다. 둥근 앞과 뒤의 edge를 가진 장비골근을 확인한다. 고에코의 전근간격막이 장비골근 전방부의 심층면을 따

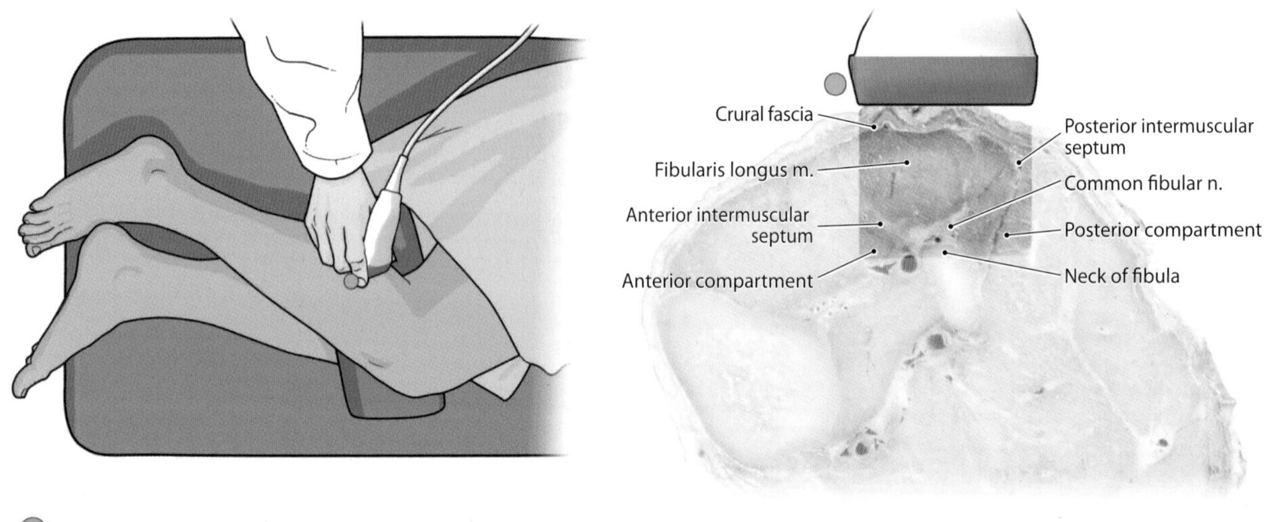

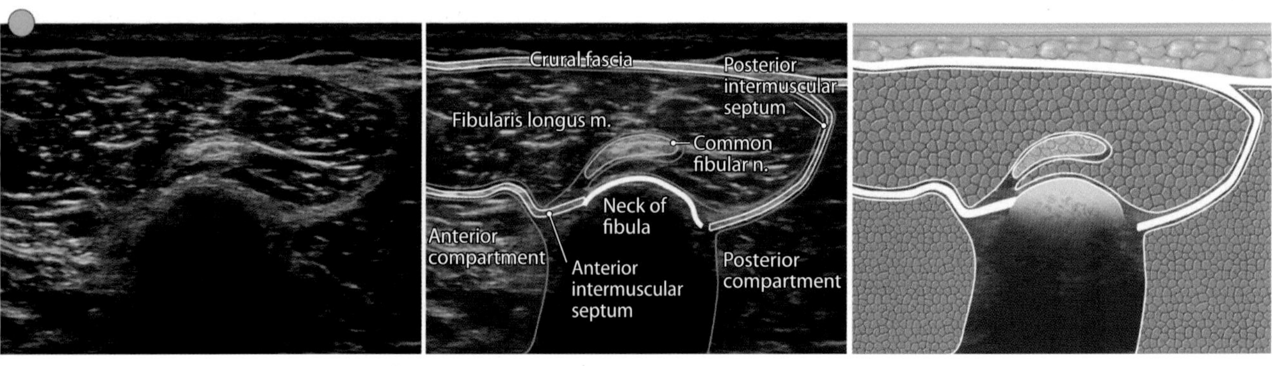

그림 5.34 비골 경부 수준에서 하지 측방구획의 횡단면 영상

라 보이고 비골에서 심층(하퇴) 근막까지 연장되고 다리의 외측구획과 내측구획을 나눈다.

측방구획 하지중간
횡단면
그림.5.35

후근간격막은 장비골근의 후방부의 심층부를 따라 보이고 비골에서 하퇴근막까지 연장되고 외측구획과 후방구획을 나눈다. 이전의 탐촉자의 위치에서 다리 중간의 외측구획을 따라 아래로 내려가면서 영상을 장비골근에 초점을 두면서 유지한다. 장비골근의 외내측 둘레가 좁아지기 시작하고 그것의 연결조직의 밀도는 단비골근이 보일 때 증가하고 비골과 장비골근 사이에서 비골의 외측면을 따라 커진다. 다시 외측구획과 전방구획을 분리시키는 전근간격막과 외측구획과 후방구획을 분리시키는 후근간격막을 확인한다.

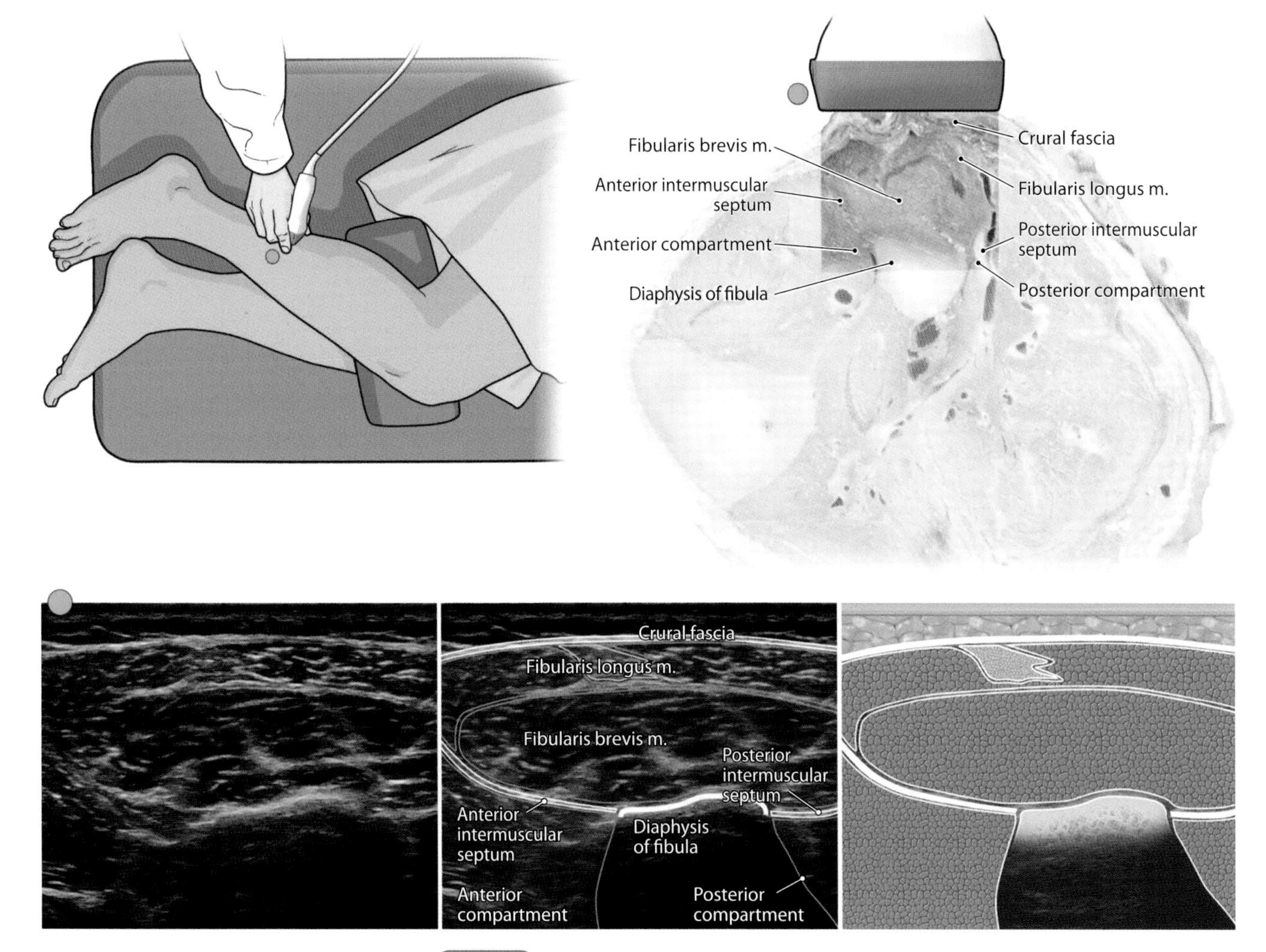

그림 5.35 하지중간 측방구획에서의 횡단면 영상

측방구획
하지의 하부 1/3
횡단면
그림 5.36

이전의 탐촉자 위치에서 시작하여 탐촉자를 다리의 상하 1/3 사이의 외측 구획을 따라 내리면서 장비골근과 단비골근에 영상을 집중시킨다. 다리의 1/3에 다다르면 장비골근은 단비골건의 표층면을 따라 힘줄띠로 좁아진다. 보다 밑으로 내려가면 힘줄띠는 단비골건의 뒤에서 둥근건으로 된다. 단비골근의 앞 부분은 좁아져 비골 원위부의 후면에서 둥근건을 형성하고 반면 뒤의 근육부는 외과의 후면부까지 계속된다. 외측구획과 전방구획을 분리시키는 전근간격막과 외측구획과 후방구획을 분리시키는 후근간격막을 확인한다.

후방구획(Posterior Compartment)

후방구획
하지중간
횡단면
그림 5.37

환자를 복와위에 두고 발목과 발을 검사 테이블 끝에 올려놓고 탐촉자를 종아리 근복의 밑 또는 다리 중간 바로 아래에서 다리 후면의 가운데에 횡축으로 둔다(탐촉자의 표식자는 외측방향으로). 탐촉자의 위치를 필요시 조정하여 비복근의 내

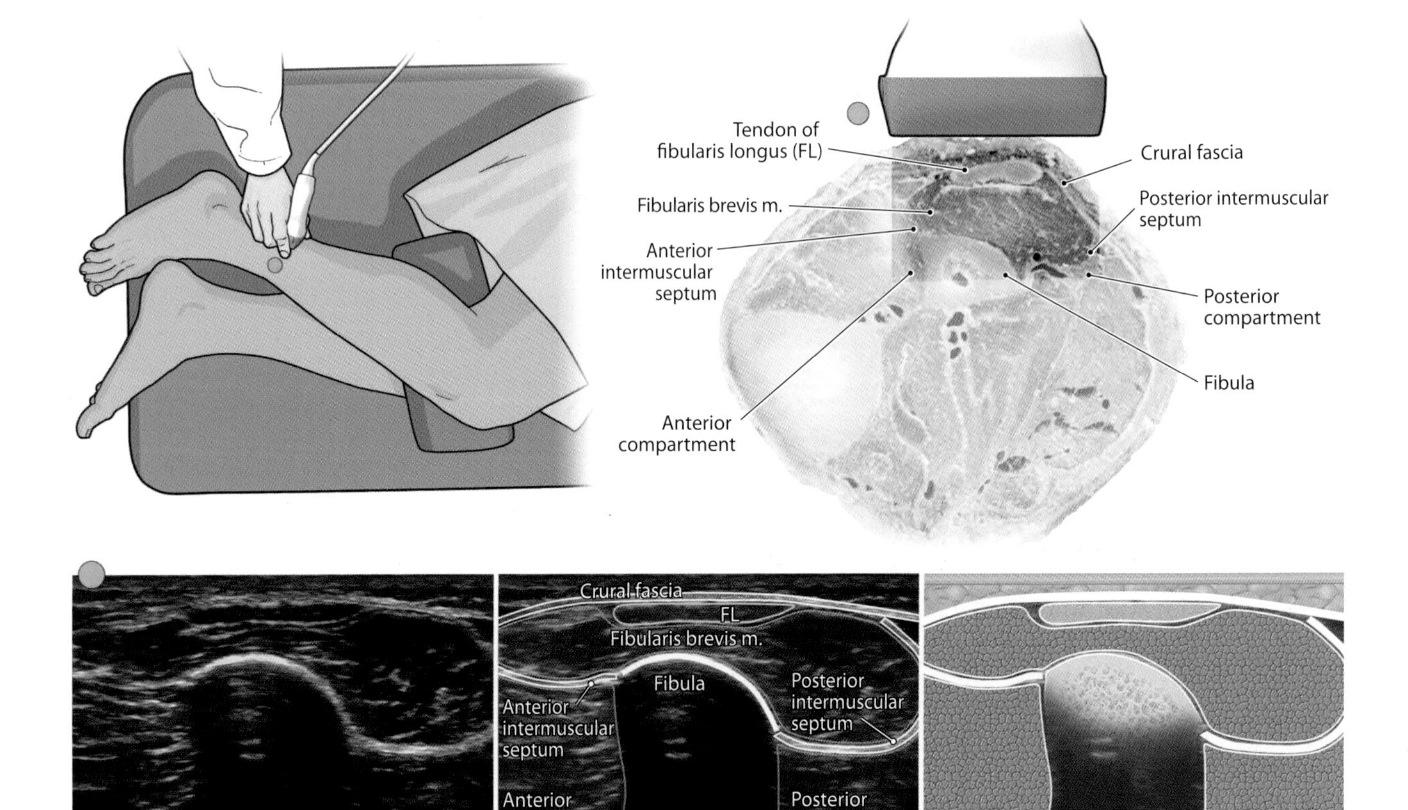

그림 5.36 하지 하1/3에서 측방구획의 횡단면 영상

외측두의 아래 부위와 가자미근을 덮는 그들 사이에 있는 근막힘줄을 확인한다. 탐촉자의 면에 약간의 압력을 가하여 탐촉자를 위 아래로 toggling/tilting하면서 비복근두 사이의 근막힘줄의 표층 구획부 안의 소복재정맥과 함께 동반하는 비복신경을 확인한다. 탐촉자의 자리를 조정하고 필요시 tilt하여 가자미근의 둥글고 직사각형의 윤곽을 확인한다. 가자미근과 후방구획부의 심층 근육들 사이에서 가자미근 내측면 깊은 곳에서 경골신경과 후경골 혈관을 확인한다. 이전의 탐촉자 위치에서 시작하여 탐촉자를 비복근 내측두 아래부분으로 옮겨 영상의 가운데에 둔다.

후방구획 하지중간
종단면
그림 5.38

탐촉자를 90도로 회전하여(표식자를 위의 방향으로) 다리의 종축으로 두고 비복근의 내측두의 짧아지는 원위부 끝을 영상에 둔다. 비복근보다 깊은 곳에서 가자미근을 확인하고 그것의 표층면을 따라 건층을 본다. 비복근의 원위부 끝에서 비복근 건막의 띠와 가자미근이 합하여 종골건을 형성한다. 같은 평면에서 아래로

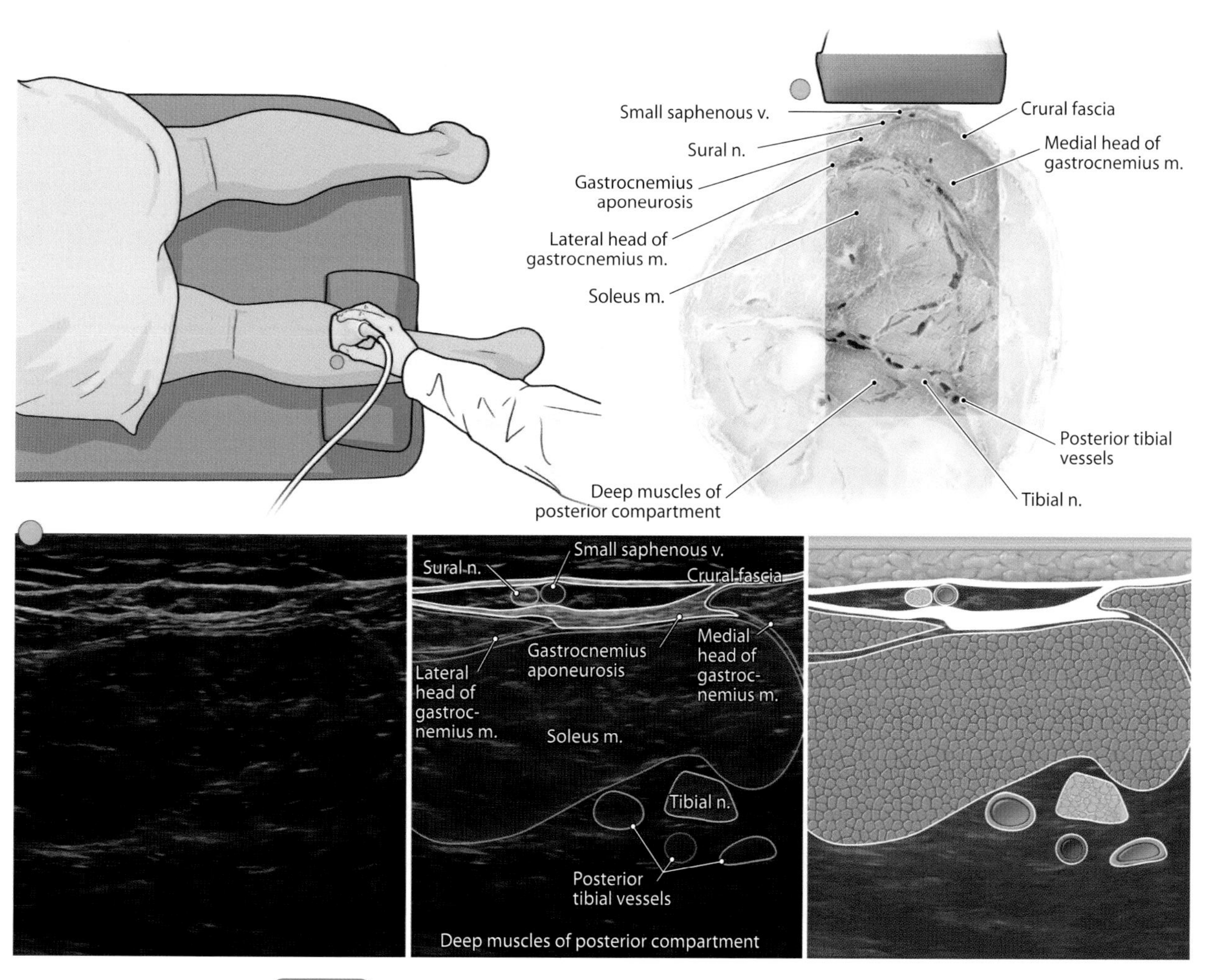

그림 5.37 소복재 정맥과 비복신경을 포함한 중간하지 후방구획의 횡단면 영상

내려 종골건이 가자미근에서 오는 건 섬유와 합해져 점차적으로 두꺼워진다. 가자미근보다 깊은 곳에 있는 후방구획부의 심부근육층을 확인한다. 내측에서 외측으로 심부근육은 장족지굴곡근, 후경골건과 장무지굴곡건이다. 필요하면 탐촉자의 면을 기울여 경골의 고에코의 후면과 그것의 음향음영을 확인한다. 촉진으로 아래다리에서 종골건을 찾는다.

후방구획 종골건 하지말단
종단면
그림 5.39

탐촉자를 발뒤꿈치 상방 4-6 cm(표식자를 위로 향하게 하고)에서 종축으로 힘줄 위에 둔다. 두꺼운 종골건의 고에코의 섬유성 외형을 확인한다. 탐촉자의 위치를 위 아래로 조정하여 가자미근의 아래 끝이 가늘어지는 것을 본다. 가자미근 내에

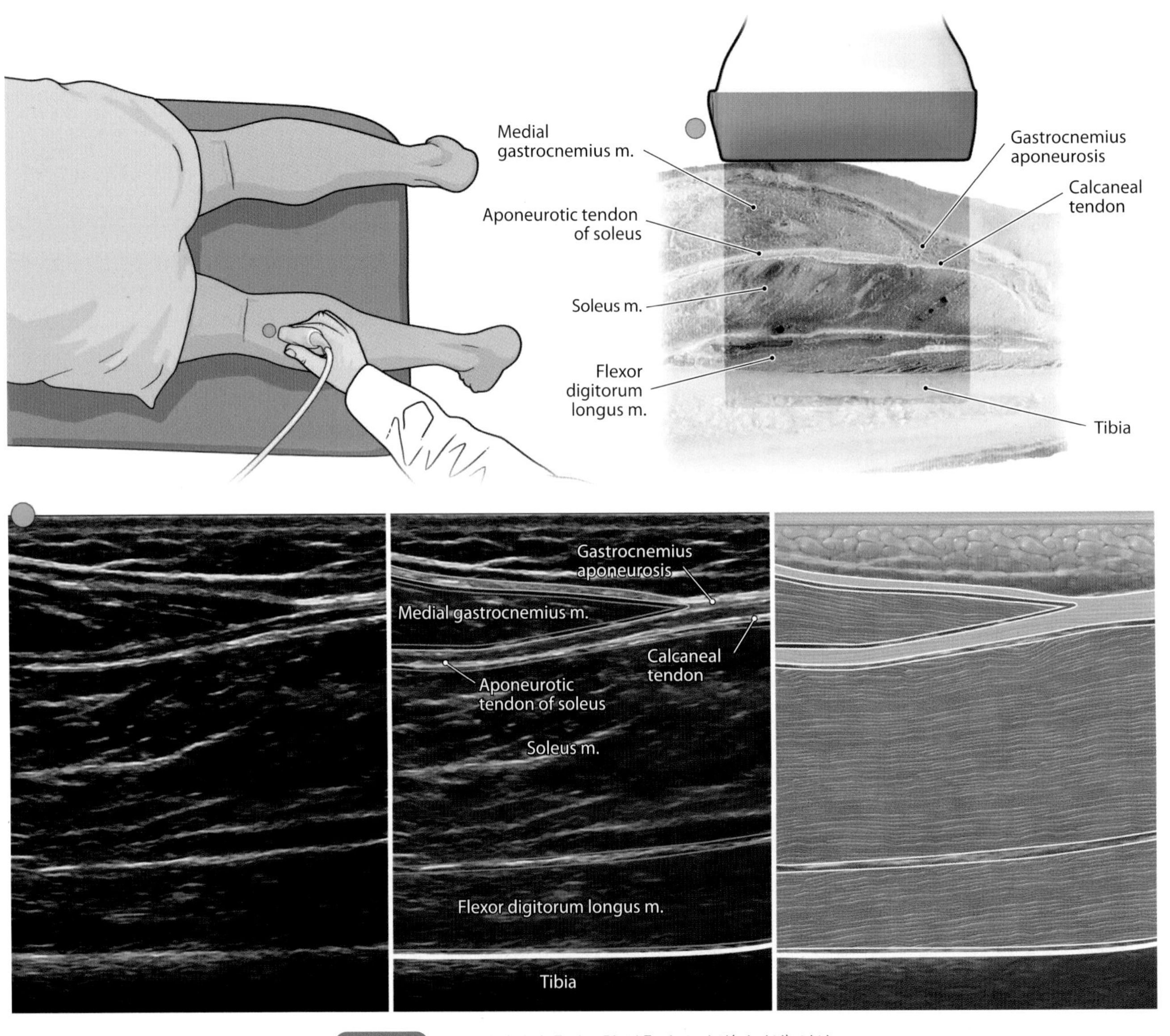

그림 5.38 중간 하지에서 후방구획 내측의 종단면(방시상) 영상

서 연결조직의 많은 평행한 고에코의 선들(근초)을 봄으로써 가자미근의 원위부 끝과 카거스 지방패드를 구별하는데 도움을 준다. 카거스 지방패드의 삼각형 모양이 종골건보다 깊은 곳에서 보이고 그곳의 정점은 비복근 원위부 끝과 심부 근육군 사이에서 돌출되어 있다. 장무지 굴곡건은 이 위치에서 심부군의 주요 근육이다. 경골의 고에코의 후면은 뒤에서 굽어져 경골의 끝부분이 동그랗게 튀어 오른 부위를 경골의 후과(posterior malleolus)라 한다.

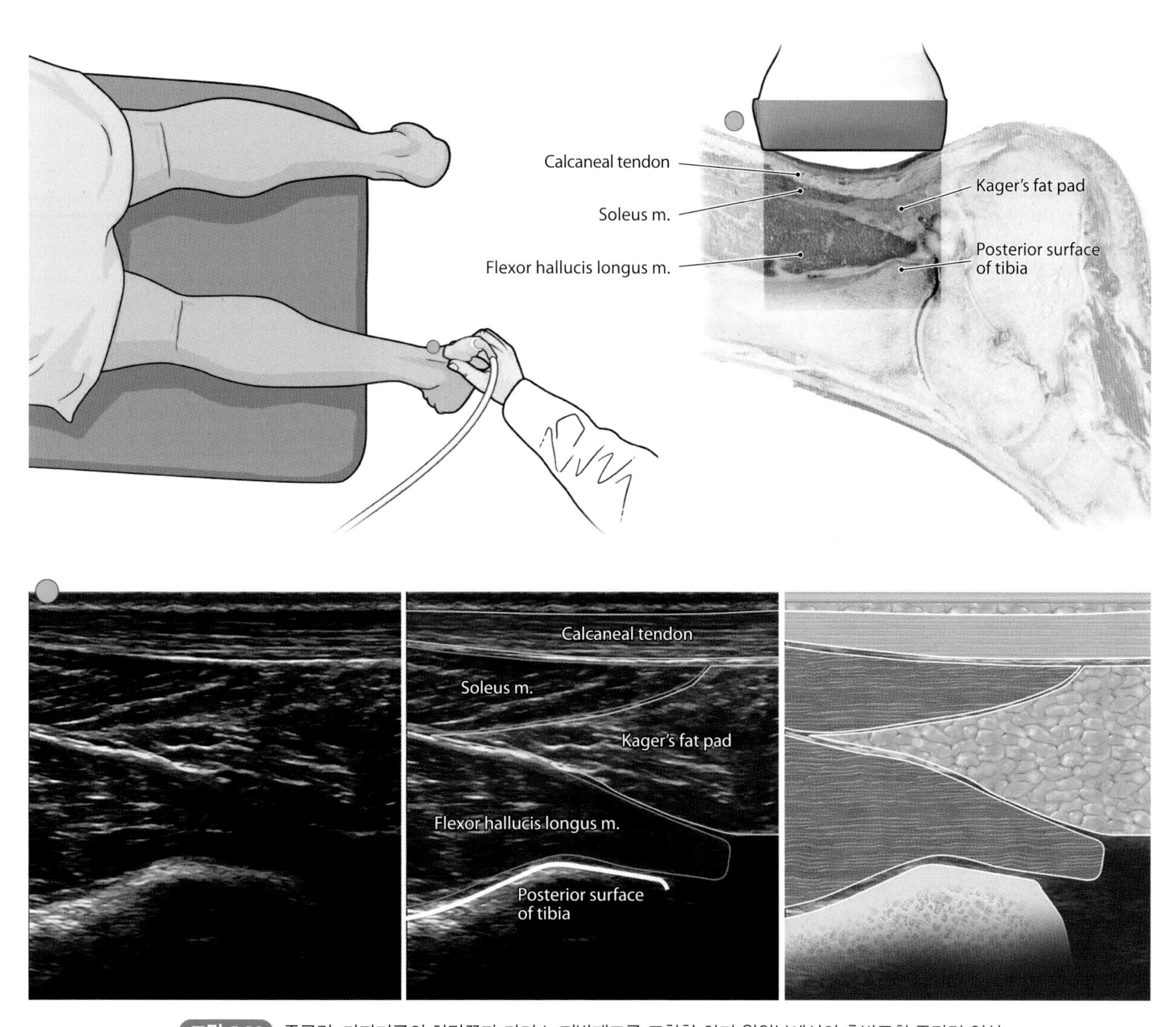

그림 5.39 종골건, 가자미근의 하단끝과 카거스 지방패드를 포함한 하지 원위부에서의 후방구획 종단면 영상

임상 응용

초음파 검사는 건증/건염, 비복근/가자미근과 그것들의 근막힘줄, 종골건, 족관절 신전건(전경골건, 장족지신건, 장족무지신건)의 부분 또는 완전 파열을 평가하는데 유용하다. 비골건의 모든 외상은 족관절에서 일어난다. 일하기 전후의 전방구획부의 초음파 측정이 만성피로 구획증후군을 진단하는데 점차 증가하고 있다.

초음파 검사와 측정은 총비골신경이 비골두와 경부를 따라 지나가는 과정 중에서, 다리 원위부에서 천비골 신경이 심층근막을 뚫고 지날 때, 심비골신경이 전방구획부를 통과하는 과정에서(골극, 점거성 병변 or 반흔조직), 비복신경이 다리 원위부에서 심층근막을 뚫고 지나갈 때, 경골신경이 다리의 후방구획부의 기시부에서 가자미근의 힘줄의 궁(arch) 밑을 지날 때 포획/압박을 평가하는데 사용된다.

초음파 유도하의 신경블록은 하지 원위부, 족관절, 족부를 포함한 여러가지의 수술에 사용되며 이때 사용되는 신경은 경골신경, 총비골신경, 천비골신경, 심비골신경, 복재신경과 비복신경이다. 초음파 검사는 심부정맥혈전이 의심될 때 후경골정맥과 비골정맥을 평가하는데 사용되나 스캔을 통상적으로 하지는 않는다. 전경골정맥은 심부정맥혈전증이 흔하지 않으며 통상적으로 검사하지 않는다. 말초동맥 질환의 평가에서 다리의 도플러 초음파 검사를 요하는 동맥은 슬와동맥, 후경골 동맥, 비골동맥과 전경골동맥이다.

족관절과 족부(Ankle and Foot)

해부학의 검토(Review of the Anatomy)

뼈(Bones)

발의 뼈는 7개의 족근골, 5개의 중족골, 그리고 각 발가락은 3개의 지골을 가지나 단지 엄지발가락은 단지 2개의 지골만을 갖는다.

족근골(Tarsal Bones)

거골(Talus)

거골의 주요 부분은 몸체이다. 거골의 활차는 경골, 비골과 함께 관절을 이루면서 족관절을 형성하고 몸체에서 상방으로 돌출된다. 작은 외측돌기는 몸체에서 외측으로 돌출되고, 종골의 외측면 위에 있다. 거골의 후방돌기는 몸체에서 뒤로 돌출되고 2개의 둥근 돌출부를 갖는데 이것은 내측과 외측 결절로서 이들 사이에 족무지장굴근이 지나간다. 짧은 경부는 몸체에서 거골의 전면에 둥근 머리로 돌출되고 주상골과 관절을 이룬다. 거골은 종골 위에 얹히고, 종골에 의해 지지된다.

종골(Calcaneus)

종골은 족근골중 가장 크다. 종골의 상부면은 거골과 만나는 3개의 관절면을 가지며 거골하관절을 형성한다. 종골의 일부는 족관절 뒤에서 돌출되어 발뒤꿈치를 형성한다. 후면은 종골건이 붙기 위한 면으로 반원형이고 발뒤꿈치의 밑면에서 종골 결절 아래로 넓어진다. 종골의 결절 앞에서 얕은 고랑에 의해 분리되는 2개의 돌출부인 내측 및 외측돌기를 갖는다.

족장근막은 보다 큰 내측돌기와 두 돌기 사이의 고랑에 붙는다. 두꺼운 골의 선반인 거골지지대는 종골의 상부 전면부에서 내측으로 돌출된다.

상부면은 두 경부 접점에서 거골을 지지하고 관절을 이룬다. 그것의 밑면을 따라 족무지 장굴곡건이 지나는 고랑이 있다. 장단비골근은 종골의 외측면을 종골의 외측면을 지나고 작은 돌출부인 비골 활차에 의해 분리되며 하방 비골지지띠의 분리된 구획을 통해 지나간다.

종골의 전면은 입방골과 관절을 이룬다.

그 외의 족근골(Other Tarsal Bones)

주상골은 뒤에서 거골두와 관절을 이루고 앞에서는 내측, 중간, 외측 설상골과 관절을 이루며 설상골은 앞으로는 제 1, 2, 3 중족골 기저부와 각기 관절을 이룬다. 입방골은 뒤에서 종골과, 내측에서 내측 설상골과 앞에서는 제 4, 5번 중족골 기저부와 관절을 이룬다. 입방골의 바닥면를 따라 장비골건이 지나는 고랑이 있다.

중족골(Metatarsals)

중족골은 내측에서 외측으로 1에서 5까지 숫자를 매기며 위로는 기저부, 아래는 두부이며 이 사이가 몸체로 이어진다. 중족골 골두는 위로 내측, 중간 외측 설상골(I, II, III 각기)과 압방골(IV, V)과 관절을 이룬다. 다섯 번째 중족골 기저부는 두드러진 후외측의 돌출인 결절이 있고 이곳이 단비골건이 붙는 부위이다. 중족골 골두는 발가락의 근위지골과 관절을 이룬다.

족관절(Ankle Joint)

족관절은 하지 원위부 말단의 경골 비골과 거골 사이에서 형성된다. 경골의 확장된 원위부는 족관절의 골궁(bony arch)의 상부와 내부면(내과)을 형성하며 흔히 임상적으로 족관절 장붓구멍(ankle mortise)이라 부른다. 비골의 외과는 족관절 또는 장붓구멍의 외측면을 형성한다. 거골의 원주모양의 활차는 거골의 몸체에서 위로 돌출되고 경골과 비골과 함께 궁(arch)을 형성한다. 경골, 비골의 관절면과 거골의 활차를 따라 붙어있는 활액막은 관절의 선을 이룬다. 활액막은 차례로 비슷한 골부착 부위를 지닌 섬유성 피막에 의해 덮혀진다. 족관절은 내외측 측부인대에 의해 안정화되고 이 인대는 내외측으로 관절피막을 보강한다. 피막은 앞과 뒤에서 느슨하고(앞뒤의 오목한 부위), 인대에 의해 보강되지 않는다.

많은 힘줄이 족관절을 지나 발에 붙는다. 후경골건, 장지굴곡건, 장무지굴곡건은 발목터널을 통해 족관절의 후내측으로 지나간다. 종골건은 관절의 뒤로 주행한다. 장/단비골건은 외과의 후면을 따라 족관절의 후외방으로 지나간다. 전경골건, 족무지신건, 족지신건은 관절의 앞으로 지나간다.

인대(Ligaments)

경비골인대(Tibiofibular Ligaments)

경골과 비골은 경비골 골간막에 의해 연결된다. 족관절 상방에서 골간막을 보강시키는 인대가 경비골의 원위부를 이어주는 전후경비골인대이다.

외측 측부인대 복합체(Fibular Collateral Ligament Complex)

전경비골, 후경비골, 종비골인대는 발목의 외측 측부인대의 세가지 구성 요소이다. 발목의 외측 인대는 내측인대 만큼 강하지 않다. 전경비골인대는 외측인대에서 가장 약하며 흔히 다치며 외과의 앞쪽 끝과 거골경부의 배면에 걸쳐있다. 후경비골인대는 외과 내측의 후방 비관절부와 거골 후방돌기의 외측결절을 잇는다. 종비골 인대는 외과 끝과 족관절 바로 뒤의 종골의 후외측면의 소결절을 잇는다. 단비골건과 장비골건은 이 인대위를 지나 외과 후면에서 앞으로 돌아간다.

내측 측부인대 복합체(삼각인대)

[Tibial Collateral Ligament Complex(Deltoid Ligament)]

합해서 삼각인대라 명명하며 네개의 이름이 주어진 내측인대 복합체이다: 전경거골인대, 경주상골인대, 경종골인대, 후경거골인대이다. 삼각인대의 구성은 외측 발목인대 보다 크고 강하다.

경주 상골인대는 내과의 전하방면과 주상골의 내측면과 주상골 뒤의 종주상골 인대(스프링 인대)의 상/내측 가장자리 사이에 붙는다. 전경거골인대는 경주 상골인대보다 깊게 위치하며 내과의 전하방 끝과 거골의 두부와 본체 사이의 내측면에 붙는다. 경종골 인대는 내과의 하방 끝과 종골의 거골 현수인대(수생탈리) (sustentaculum tali)와 거의 수직으로 잇는다. 후경거골 인대는 내과의 후하방 끝과 거골의 내측면 사이에서 후방돌기에서 본체까지 붙는다. 삼각인대의 모든 표면은 족근관을 통하거나 바로 위에서 후경골건과 장족지굴곡건이 지나간다.

발목을 지나는 건, 신경과 동맥

(Tendons, Nerves, and Arteies Crossing the Ankle)

하지의 전방구획(Anterior Compartment of the Leg)

전방구획의 근육들은 심비골신경에 의해 지배받는 전경골건, 장족무지신건, 장족지신건과 제 3 비골근이다. 이들 힘줄은 상하 지지띠 보다 깊게 족관절의 전면을 지나 발등에 이른다. 심비골신경과 전경골 혈관은 전방구획을 통해 내려가고 전방구획근육의 건을 따라 족관절 앞으로 지나간다.

전방구획건(Anterior Compartment Tendons)

전경골근은 다리의 아래 1/3에서 건이 되어 전방구획건의 가장 안쪽에서 족관절을 지나 발의 내측을 돌아 제1 중족골의 기저부와 내측 설상골의 바닥에 붙는다.

장무지신근은 기시부에서 내측의 전경골근과 외측에 장무지신근에 덮여있다. 이것의 힘줄은 하지의 아래 1/3에서 이 두 근육 사이에 나타나 이 두개의 힘줄 사이에서 발목관절을 지나고 족배부를 지나서 모족지의 원위골 기저부에 붙는다.

족지신건은 하지 원위부에서 형성되어 족무지신건의 외측에서 족관절을 통과한다. 족배부에서 힘줄은 4개의 가지로 나뉘어져 외측 발가락의 신전 확장부에 붙는다.

족배동맥(Dorsalis Pedis Artery)

족배동맥은 족관절을 지나는 전경골 동맥의 연장으로, 족무지신건의 바로 외측에서 족관절을 지나 이 힘줄을 따라 족배부에서 족배 중족분지와 심부 족저궁을 형성하여 심부 족저 동맥분지와 연결된다.

심비골신경(Deep Fibular Nerve)

심비골신경은 전경골동맥 외측에서 발목을 지나 족배부에 이른다. 발목을 바로 지나 단지신건에 운동지를 내고 원위부로 내려가 제1, 2 족지 사이에서 피하에 있다.

하지의 측방구획(Lateral Compartment of the Leg)

두개의 외측 근육은 장비골근과 단비골근으로 천비골 신경의 지배를 받는다. 이들 힘줄은 외과의 뒷면을 따라 족관절을 지난다.

측방구획건(Lateral Compartment Tendons)

장비골근은 다리 중간에서 건이 되어 단비골근(peroneus brevis muscle)의 표층면을 따라 내려가고 비골 원위부와 외과의 후면을 따라 좀 더 내려가서 단비골건의 바로 외측에 있게 된다. 단비골근은 비골 원위부와 외과의 후면을 따라가면서 건이 된다.

외과 끝의 뒤 끝머리에서 두개의 건은 작은 상비골지지띠 밑을 지나 종비골 인대위에서 종골 외측면을 지나 앞으로 돌기 시작한다. 앞으로 조금가서 작은 하비골 지지띠의 분리된 구획을 통해 지나 여기서 종골의 비골 활차에 의해 분리된다. 단비골건은 활차의 위에 장비골건은 밑에 위치한다. 비골활차를 지나 단비골건은 종골의 외측면과 입방골의 외측면을 따라 앞으로 진행하여 제5 중족골 기저부의 결절에 붙는다.

장비골건(peroneus longus muscle)은 종골의 외측면을 앞으로 지나 종골의 앞에서 깊게 돌아 입방골에 접근하여 발바닥면을 따라 홈으로 들어간다. 홈내에서 내측으로 돌아 발바닥으로 향해 사선으로 진행하여 제1 중족골 기저부와 내측설상골에 붙는다. 부골은 제5 중족골 기저부 주위에 있으며 건은 입방골의 홈을 돌아간다.

천비골신경(Superficial Fibular Nerve)

천비골 신경은 측방구획에서 내려가 심비골근을 지배하고 하지의 원위부 1/3에서 천비골근과 장지굴근 사이로 나온다. 외과 상방에서 심부근막을 뚫고 종말지로 내측과 중간 족배피신경으로 나뉜다. 내측 족배피 분지는 족배 내측과 모족지의 윗 부분을 지배한다. 중간 족배피 분지는 발위의 나머지 부분과 제2 족지에서 5족지의 윗부분을 지배한다.

하지의 후방구획(Posterior Compartment of the Leg)

후방구획근은 경골신경에 의해 지배되고 표층과 심층에 배열된다.

표층부(Superficial Layer)

표층 그룹의 근육은 비복근의 내외측두, 가자미근, 족척근이다. 이 두 머리는 슬와 밑에서 합쳐지고 다리 중간에서 넓고 납작한 힘줄띠로 짧아진다(비복근 건막). 건 섬유는 중간 장딴지에서 가자미근의 중앙 후반부를 따라 나타난다. 가자미건은 위의 비복건과 합해져 하지 원위부 아래 1/3에서 종골건이 형성된다.

종골건은 밑으로 연장하여 카거스 지방패드의 표층에 있게 되며 종골의 후면 중간지점에 붙는다.

카거씨 지방패드와 후종골 점액낭(Retrocalcaneal Bursa)

카거스 지방패드는 다리 원위부에 위치하고 족관절 뒤에 있다. 지방패드는 삼각형 모양이고 기저부는 종골의 상부 피질면이고, 앞의 경계는 족무지 굴곡근 건이고, 뒤의 경계는 종골건의 전면(심층면)에 의해 형성된다. 삼각의 정점은 가자미근의 원위섬유와 심부 그룹 근육사이에서 위로 연장된다. 후종골 윤활낭은 종골의 상후방면과 종골건 사이에 있으며 종골건은 삼각의 후하방 모서리에 위치한다. 점액낭은 염증이 없으면 보이지 않는다.

심층부(Deep Layer)

심층부 그룹의 근육은 슬와근, 후경골근, 장지굴곡근, 장무지 굴곡근이다. 슬와근은 슬관절에 관계되는 짧은 근육이다. 후경골근, 장지굴곡근, 족무지 굴곡근은 족관절의 내측을 지나 족근관을 통해서 족장부로 들어간다.

족근관(Tarsal Tunnel)

족근관은 섬유성 골터널로 굴근지지띠에 의해 이어지는 내과의 후면, 후방돌기와 거골 본체의 내측면, 종골의 내면을 따라 얕은 함몰로 구성된다. 굴근지지띠는 섬유성 연결조직의 띠로 앞으로는 내과골의 하연을 따라 뒤로는 종골의 내측면에 붙는다. 지지띠의 심층면에서 오는 섬유성 격막은 족근관내에서 분리된 구획을 형성하며 심층 후방구획근과 후경골 혈관과 경골신경으로 구성된 신경혈관 다발을 위한 족근관내의 구획이다.

다리 원위부에서 장족지 굴곡건은 앞에서 뒤로 후경골건 위를 지나 족근관 내에서는 후경골건은 장족지 굴곡건 바로 앞에서 내과의 후면을 결절 사이 홈내의 족근관으로 들어가서 후경골건과 족지굴곡건과 분리된다. 거골의 후방돌기를 지나서 장무지굴곡건은 종골의 거골 현수인대(수생탈리)의 하면을 따라 홈으로 들어간다. 신경혈관 다발은 앞으로는 족지굴곡건과 뒤로는 장족지굴곡건 사이의 공간에 위치한다. 후경골동맥과 동반되는 두 세개의 정맥인 혈관은 혈관 바로 뒤의 경골신경과 함께 족지굴곡건 바로 뒤에 있다. 터널 내에서 신경혈관 다발은 장족지굴곡건보다 약간 앞 그리고 표층(내측)에 있다.

건과 종지부(Tendons and Insertions)

3개의 건은 터널에서 앞으로 돌아 장족지 외전건보다 깊게 위치해서 발의 내측아래에서 곡선을 그리며 부착부에 다다른다. 후경골건은 퍼져나가 발의 내측을 따라 주상골의 족장부와 인접의 설상골에 붙는다. 장무지 굴곡건은 아래로 계속 내려가 무지의 원위골 기저부의 바닥면에 부착한다. 장족지 굴곡건은 장무지 굴곡건밑(보다 하방, 또는 표층)을 지나 네개의 가닥으로 나뉘어 외측 족지의 원위골 기저부의 바닥면에 붙는다.

후경골동맥(Posterior Tibial Artery)

족근 터널의 말단부에서 또는 관을 빠져나간 직후 경골동맥과 그에 수반되는 정맥은 내측 종골, 외측 족저 및 내측 족저 등 3가지 가지로 나뉜다. 외측 족저동맥은 발의 얕은 내재 근육인 굴곡근(flexor digitorum brevis)까지 깊숙한 발의 측면으로 교차한 다음 안쪽으로 구부러져 깊은 족저동맥 궁을 형성한다. 내측 족저동맥은 발의 내측면을 따라 말단으로 계속된다.

경골신경(Tibial Nerve)

경골신경은 후경골 동맥과 비슷한 경로와 분지 양상을 갖는다. 내측 종골분지는 종골 뒷부분의 족장부에서 비슷한 이름의 동맥과 동반하고 외측, 내측, 족저신경도 비슷한 이름의 동맥과 동반한다. 큰 외측 족저신경은 족부의 거의 모든 발바닥과 외측 3과1/2 족지에 피부를 지배하고, 족부 거의 모든 내재근을 운동지배한다. 보다 작은 내측 족저신경은 발바닥의 내측면과 내측 1과 1/2 족지에 피부지배하고 외측 족저신경의 신경지배를 받지 않는 발의 네개의 내재근을 운동지배한다.

족저근막(Plantar Aponeurosis)

족저근막은 뒤로는 종골결절의 내측돌기의 골피질에 앞으로는 발바닥의 중심부를 따라 단지굴근의 표면으로 연장되는 심층근막의 분명한 두꺼운 밴드이다. 발의 중간에서 건막은 내외로 확장되기 시작해서 각 족지의 분리된 밴드로 나뉘고 중족지 관절의 피막과 주변 인대에 붙는다.

수기(Technique)

족관절의 전면부(Anterior Aspect of the Ankle Joint)

전방구획건(Anterior Compartment Tendons)

전방구획
힘줄들
족관절
횡단면
그림 5.40

환자는 앙와위에서 무릎은 90도 굴곡시키고, 발바닥을 검사 탁자에 올려 놓는다. 탐촉자를 내외과 상방 수 센티미터 전방구획의 원위부에 횡으로 둔다. 하지 원위부에서 전방구획의 근육은 점차 작아지고 건 성분이 커지고 보다 확실해진다. 탐촉자의 면을 tilt/toggle하여 전경골건, 족무지 신전건, 족지신전건의 고에코의 건을 확인한다. 탐촉자를 밑으로 내려 영상을 건에 유지시키면서 양과의 위치에 둔다. 대부분의 영상의 심부를 차지하는 무에코의 유리질 연골에 의해 덮인 거골활차의 평편하고 오목한 고에코의 면을 본다. 관절피막과 족관절의 전방 함요부의 활막선은 거골의 활차보다 표층에서 보인다. 비등방성을 최소화시키기 위해 탐촉자의 면을 toggle시켜 관절피막 보다 표층에서 영상 내

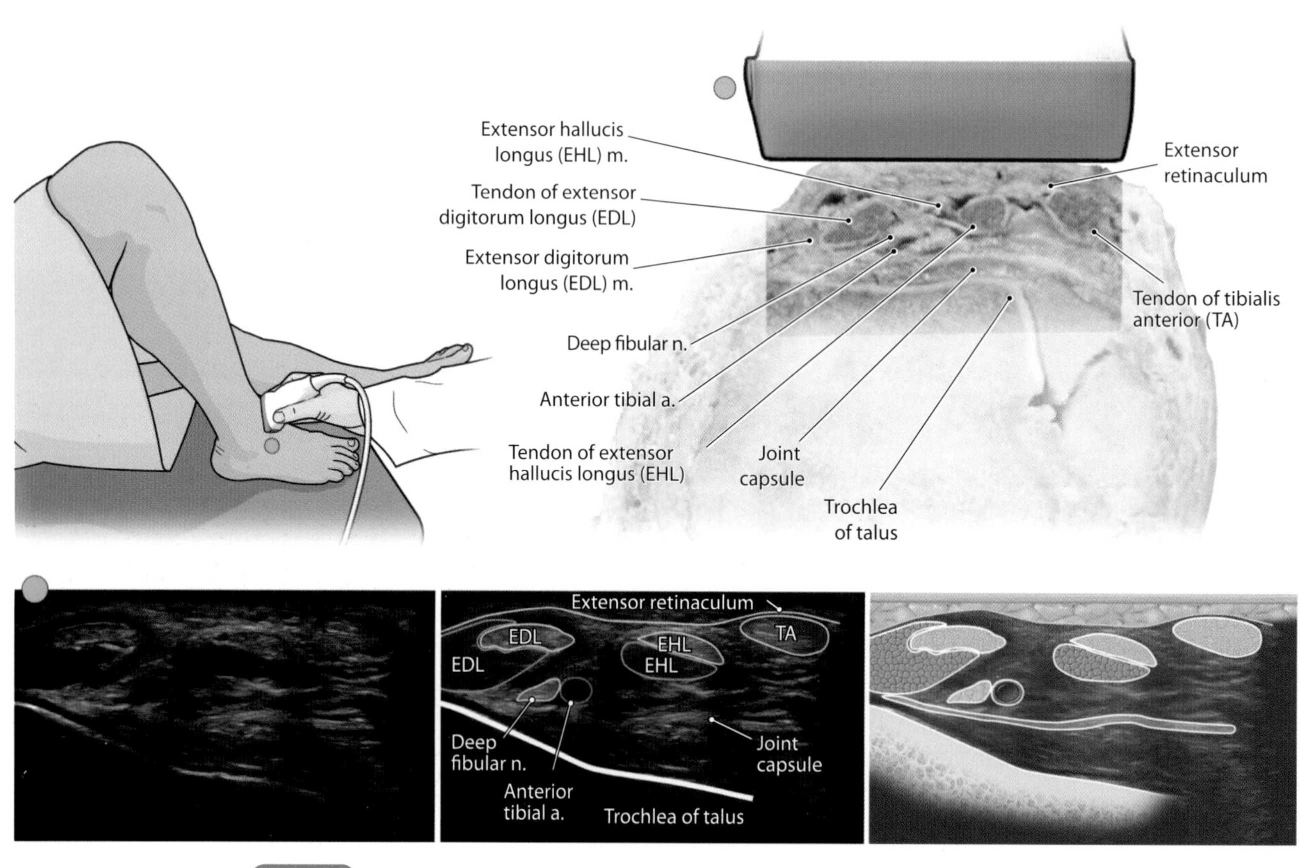

그림 5.40 심비골신경과 전경골 동맥을 따라 족관절을 가로지르는 전방구획건의 횡단면 영상

측에 있는 전경골건을 확인한다. 전경골건의 외측에 약간의 거리를 두고 족무지신전건의 건 또는 근건의 결합부를 확인한다. 족무지신전건의 외측에서 족지신전건의 건 또는 근건의 결합부를 확인한다. 필요하면 탐촉자의 면을 toggle하여 족무지신전건의 외측 끝머리 보다 깊은 곳에서 비골신경과 전경골동맥을 확인한다.

전경비골인대(Anterior Tibiofibular Ligament)

전경비골인대
종단면
그림 5.41

환자를 앙와위에 두고 무릎을 90도 굴곡시키고 발바닥을 검사 탁자에 올려놓는다. 탐촉자를 다리의 전외측에 횡으로 탐촉자를 두고 복사뼈 끝위 약 1 cm의 외과의 앞모서리 위에 탐촉자의 표시면을 둔다. 탐촉자의 표시면을 이 위치에 고정시키고 탐촉자의 뒤축(비표시면) 위쪽으로 회전시켜 표시면 보다 위로 2 cm 높은 곳에 둔다. 이것은 전경 비골인대의 종축에 평행하게 탐촉자를 가져가기 위해서이다. 경골 원위부의 골윤곽과 원위 경비골 관절을 본다. 탐촉자의 위치를 조정하고 기울기를 통해 외과의 전면과 경골 원위부의 외측을 가로지르는 전경비골인대의 원섬유의 모양을 확인한다. 발을 내회전시켜 인대에 긴장을 주도록 한다.

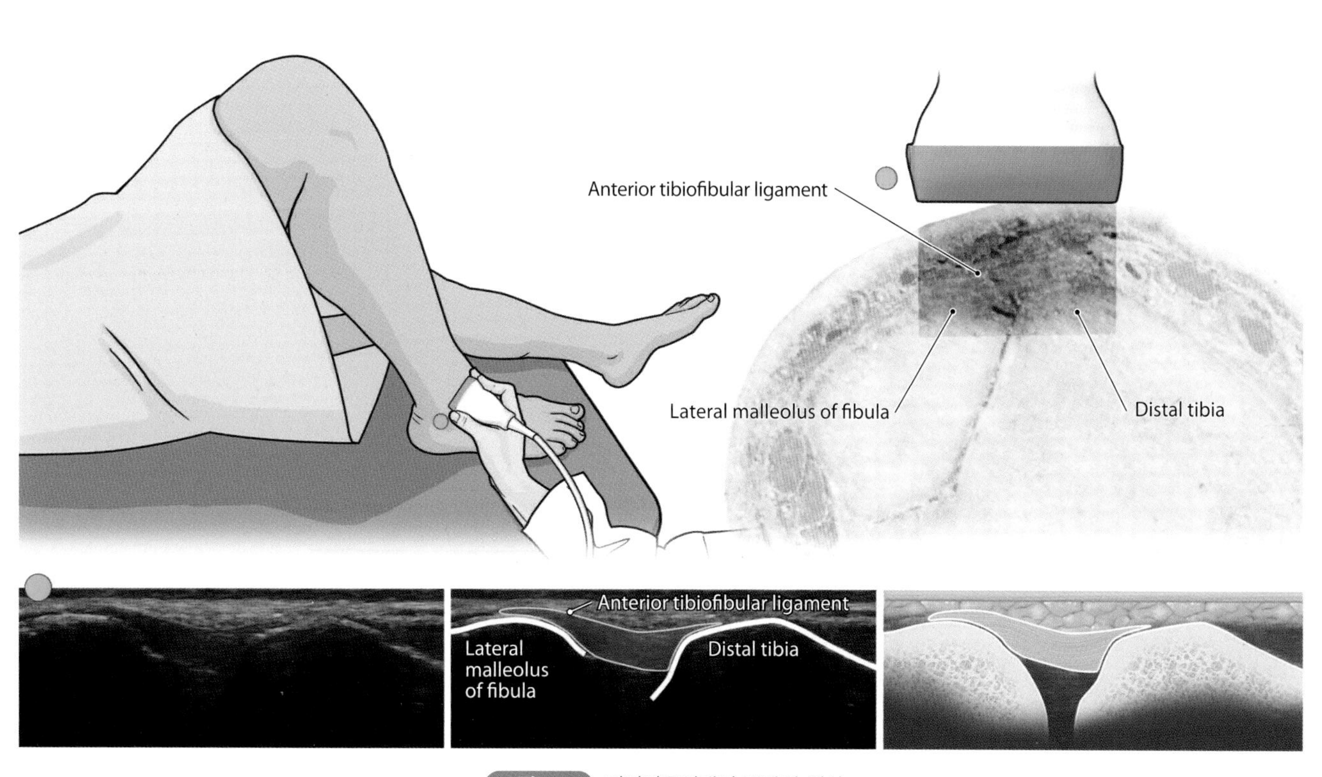

그림 5.41 전경비골인대의 종단면 영상

전방거비골인대(Anterior Talofibular Ligament)

전방거비골인대
종단면
그림 5.42

환자는 앙와위 위치에서 무릎을 90도 굴곡시키고 발바닥을 검사 탁자에 올려놓는다. 다르게 환자를 측와위 위치에 두고 무릎은 살짝 굽히고 작은 베개를 발목내측 아래에 두어 수동적으로 발을 족저굴곡 내번을 할 수 있게 한다. 탐촉자를 바로 전 전경비골인대를 보는 위치에서 시작한다. 탐촉자를 밑으로 내려 탐촉자의 표시면을 외과 끝의 전면에 두고 탐촉자의 뒤축을 약 90도 가량 족관절의 전면을 향해 회전시킨다.(전경비골인대와 전거비골인대는 거의 수직이다.) 호전중 탐촉자는 거골활차의 관절면을 지나 거골경부까지 이른다. 탐촉자의 위치를 조정하고 기울기를 통해 외과 끝의 앞끝머리와 거골의 경부사이를 잇는 전비거골 인대의 고에코 섬유모양을 확인한다.

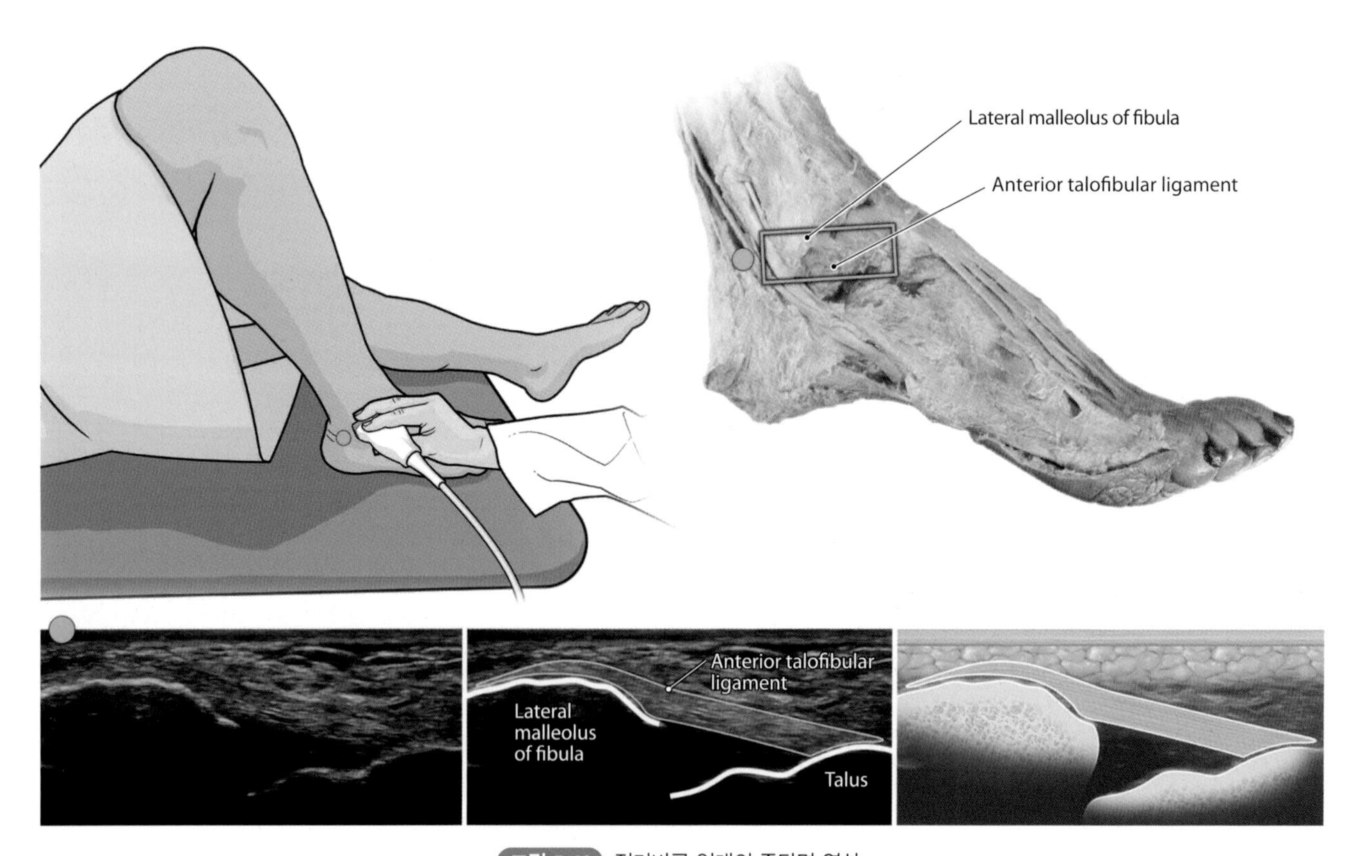

그림 5.42 전거비골 인대의 종단면 영상

족관절 외측부(Lateral Aspect of Ankle Joint)

장비골건과 단비골건(Tendons of Fibularis Longus and Brevis)

장비골건
단비골건
외과
횡단면
그림 5.43

환자는 측와위에 두고 작은 베개를 약간의 굴곡된 무릎 사이에 둔다. 탐촉자면을 다리의 장축에 횡으로 대고 탐촉자의 표시면을 외과(lateral malleolus)의 윗부분의 후외측에 둔다. 탐촉자의 위치를 조정하고 탐촉자의 면을 기울기와 팬을 통해 비등방성을 최소한으로시켜 장비골건(fibularis longus tendon)을 확인한다. 장비골건의 바로 후내측에 단비골건(fibularis brevis tendon)은 이 위치에서는 불완전하게 형성되어 보다 정확히 확인하는 것이 어렵다. 단비골근의 작고 둥근 성분은 형성된 건의 후면을 따라 보인다. 외과와 단비골건을 한 영상에 유지하면서 필요하면 탐촉자면의 압력을 적게하고 탐촉자를 뒤로 내리면 작은 복재정맥이 외과의 뒤에서 잠시 표층근막내에 위치한다.

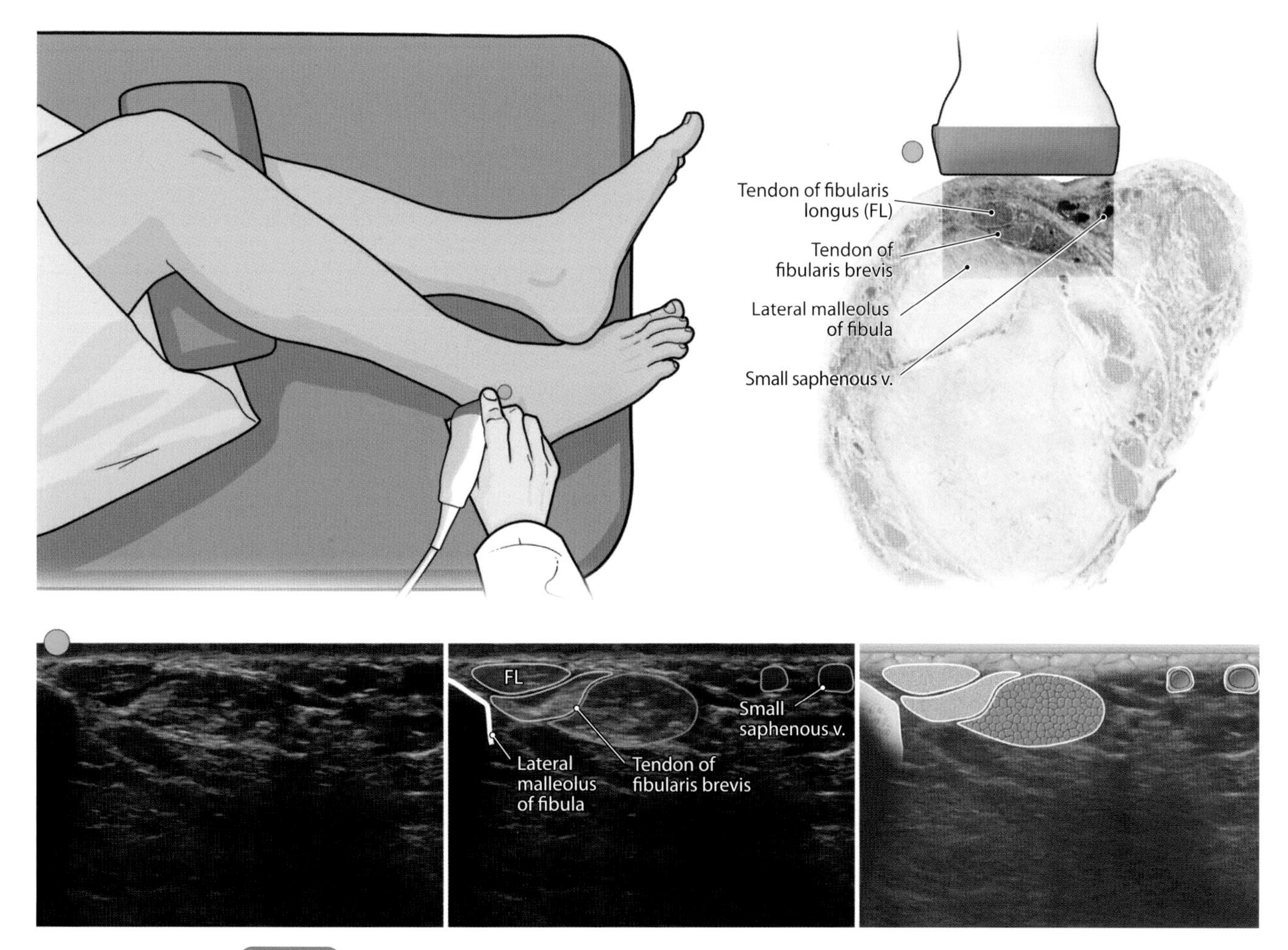

그림 5.43 장비골건과 비골 원위부와 외과의 후방에서 단비골근의 건과 근건 접합점의 횡단면 영상

종비골인대(Calcaneofibular Ligament)

종비골인대
종단면
그림 5.44

앞에서 설명하였듯이 환자를 측와위에 두고 종비골 인대에 긴장을 주기 위해 발을 배굴시켜 비골의 장축과 함께 배열한다. 탐촉자의 표시면을 외과의 끝에 두고 탐촉자의 뒤축은 약간 뒤로 둔채 탐촉자면 종비골건의 장축과 함께 나란히 배열시킨다. 탐촉자면을 조정하고 기울여 장비골건과 단비골건을 확인하고 바로 이들 건의 깊은 곳에 고에코의 섬유성 종비골 인대가 복사뼈끝 밑에서 짧게 외과의 내측면에서(음향음영으로 숨겨져 있다.) 종골의 뒷부분의 외측면까지 펼쳐진 것을 확인한다.

단비골건(Fibularis Brevis Tendon)

단비골건
종지점
종단면
그림 5.45

환자를 측와위에 두고 살짝 굽힌 무릎 사이에 작은 베개를 끼운다. 촉진해서 제5 중족골 기저부의 결절을 찾는다. 환자의 발을 외전시키면 단비골건이 외과의 바로 밑과 앞에서부터 제5 중족골의 결절 종지부까지 항상 잘 보인다. 다시 발목 주

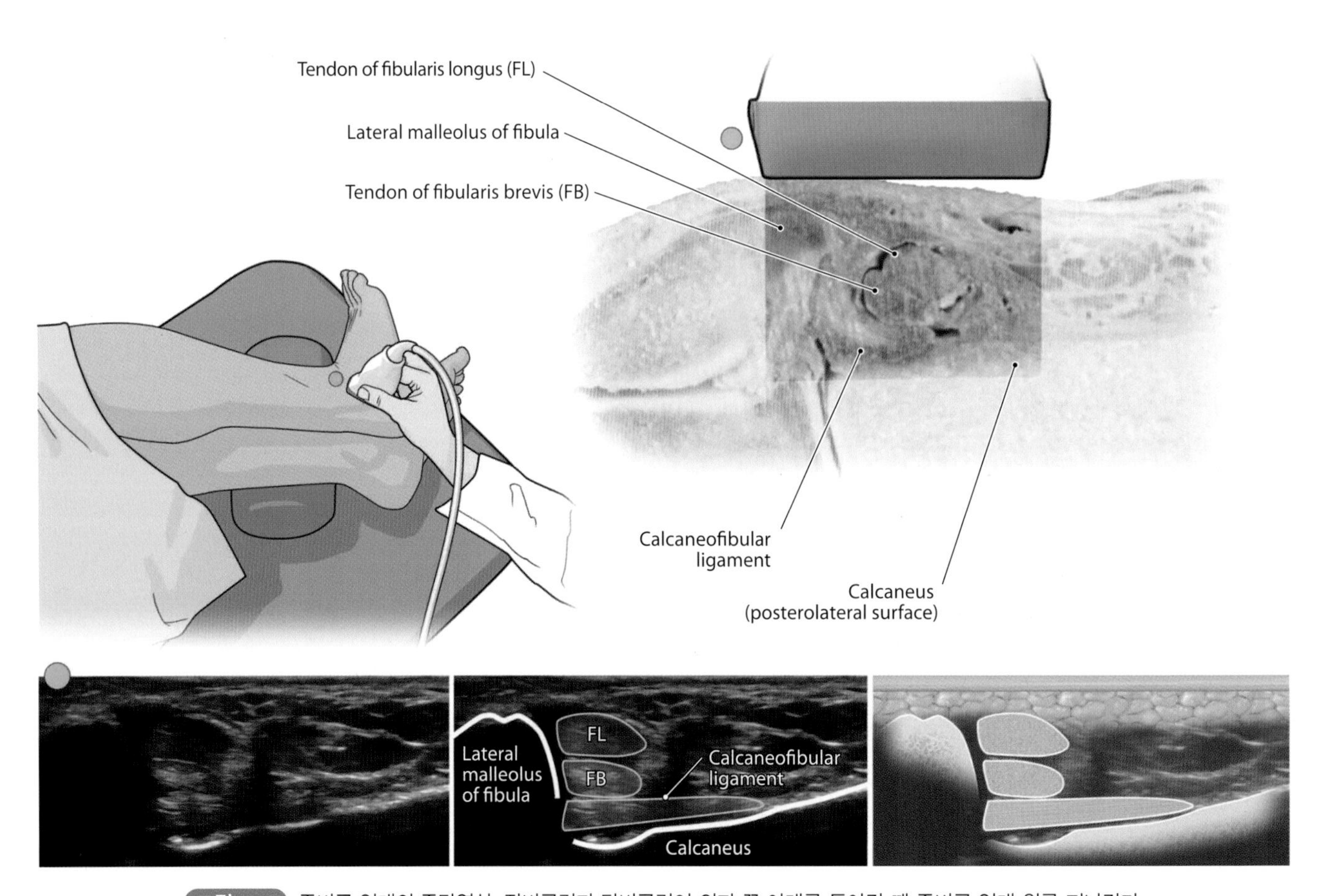

그림 5.44 종비골 인대의 종단영상. 장비골건과 단비골건이 외과 끝 아래를 돌아갈 때 종비골 인대 위를 지나간다.

변의 근육을 이완시키고 탐촉자를 건의 장축에 위치시키고 표시면은 외과 끝 앞면에 그리고 뒤축은 다섯 번째 중족골의 결절 뒷면 위에 둔다. 결절의 둥근 고에코의 면과 음향음영을 확인한다. 탐촉자의 위치를 조정해서 단비골건의 고에코의 섬유성 모양이 결절에 붙는곳까지 본다. 종지부 위에서 단비골건이 종골의 외측면 앞과 입방골의 외측면을 지나간다.

장비골건(Fibularis Longus Tendon)

장비골건
종골
종단면
그림 5.46

앞서 설명한대로 환자는 측와위에 고 탐촉자를 외과 끝과 다섯 번째 중족골 기저부결절 1 cm지점을 잇는 선을 따라 위치시킨다. 탐촉자의 위치를 조정하여 장비골건의 고에코의 섬유성 모양을 확인한다. 이 건보다 깊게 있는 종골의 외측면을 확인한다. 필요하면 탐촉자를 건을 따라 아래로 내려 이건이 종골의 전면부를 따라 족장부를 돌아 입방골에 이르는 것을 확인한다.(이때 이건의 섬유모양은 비등방성으로 없어진다.)

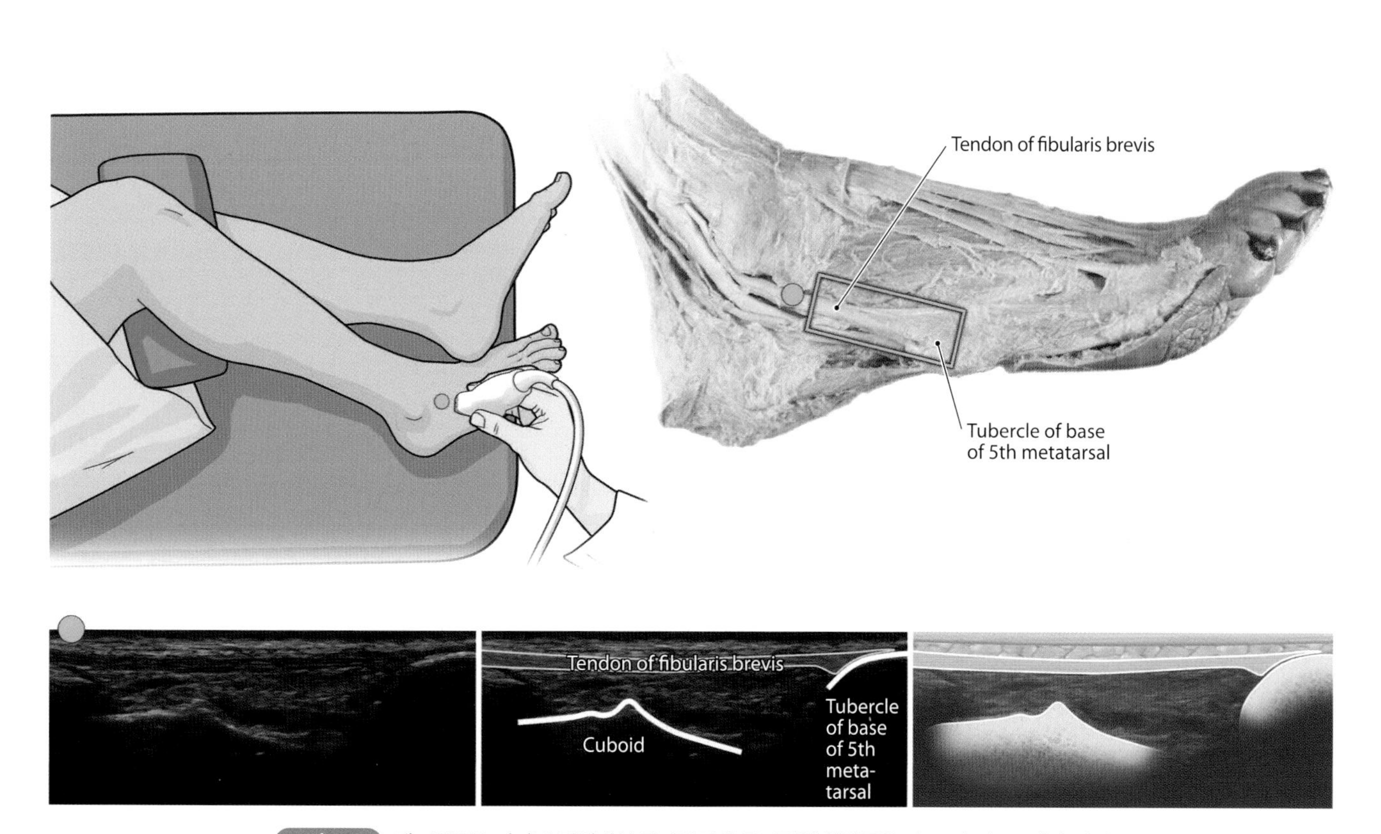

그림 5.45 제5 중족골 기저부 결절에서 단비골건의 종지점인 입방골을 가로 지르는 종단면 영상

족관절 내측부(Medial Aspect of the Ankle Joint)

족근관과 내용물(Tarsal Tunnel and Contents)

족근관 내과
횡단면
그림 5.47

환자의 무릎을 살짝 굴곡시키고 대퇴는 외회전시킨다(개구리 다리 자세). 작은 베개를 발목의 외측면의 밑에 두어 발의 외번을 할 수 있도록 하여 족근관의 함몰부를 감소시키도록 한다. 탐촉자의 표시부를 내과(medial malleolus)의 밑 모서리를 따라 두고 탐촉자의 면을 발꿈치를 향하게 각을 세운다. 탐촉자의 위치를 조정하고 기울기를 통해 내과를 따라 후경골건을 확인한다. 후경골건 바로 뒤에서 장족지 굴곡건을 확인한다.(탐촉자의 위치를 다소 조정하고 탐촉자의 면을 팬/기울기를 통하여 비등방성을 줄인다.) 후경골건과 장족지 굴곡건을 한 영상에 두고 탐촉자의 위치를 조정하고 기울여 장무족지 굴곡건이 거골의 후방돌기를 따라 홈안에 있음을 확인한다. 비등방성으로 인해 다소 확인하기 어려울 수 있다. 거골 후방돌기의 내측결절의 둥근 윤곽을 보면 장무족지건의 위치를 확인하는데 흔히 도움을 준다. 고에코의 굴근지지띠 바로 깊은 곳에 후경골 혈관과 신경이 장족지 굴곡건 뒤에 보인다.

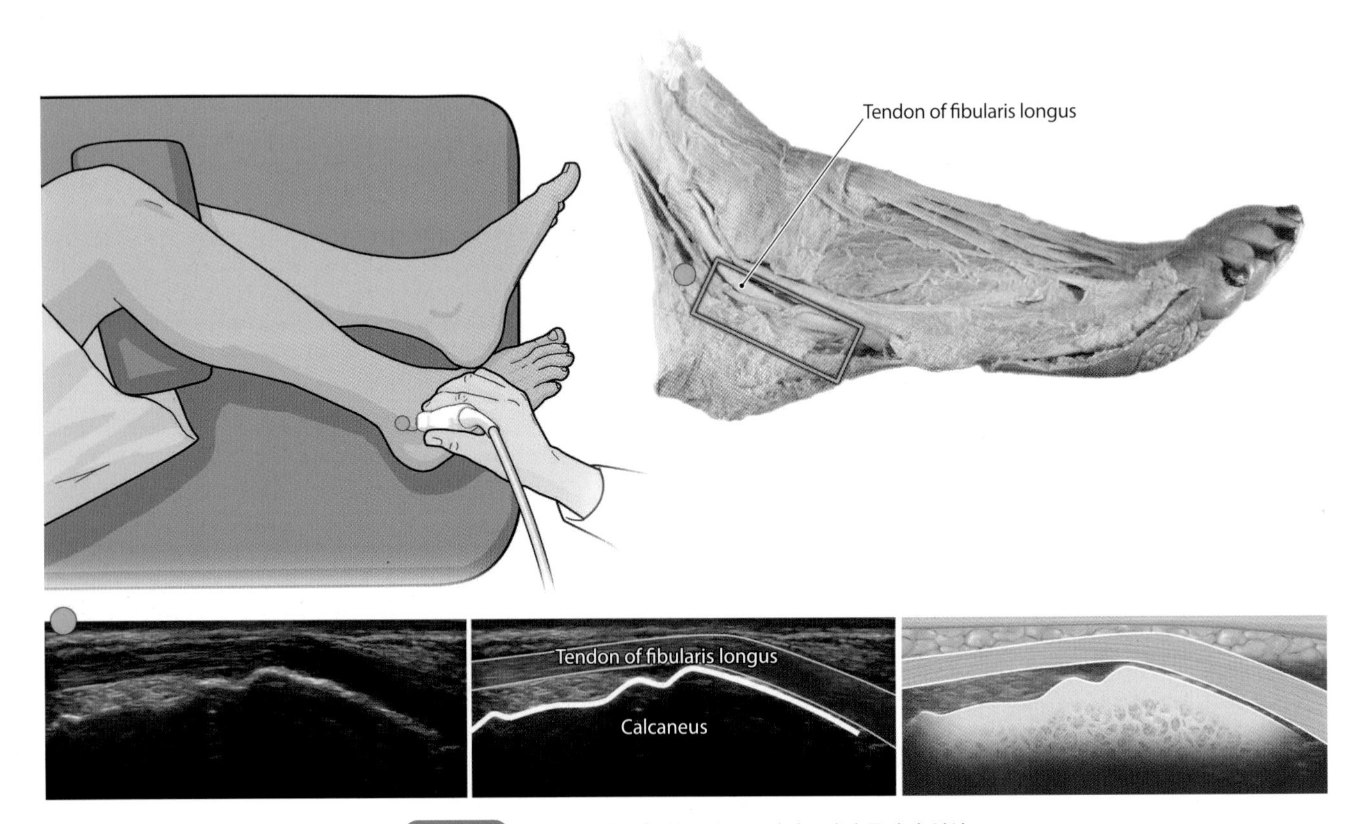

그림 5.46 종골의 외측면을 가로지르는 장비골건의 종단면 영상

경종골인대(Tibiocalcaneal Ligament)

경종골인대
종단면
그림 5.48

이전에 설명하였듯이 족근관에서 시작하여 탐촉자의 뒤축(비표시면)을 앞으로 회전하여 장무지신건을 영상에 둔다. 비표시 끝을 회전하는 동안 탐촉자의 표시 끝을 약간 앞으로 움직인다. 종골의 거골현수인대(수생탈리)인 골의 돌출된 선반 아래에서 건이 사라질때 까지 탐촉자를 서서히 회전시킨다. 다른 골융기인 거골 본채의 내측면이 내과와 수생탈리 사이로 보이게 된다. 이 두개의 내측골 돌출부는 다소 비슷한 모양이나 장족지 굴곡건의 경로를 보면 수생탈리를 확인하는데 도움이 된다. 이 시점에서 탐촉자는 다리의 장축을 따라 거의 수직으로 하고 탐촉자의 비표시 끝은 약간 후방으로 있다. 탐촉자의 위치를 조정하고 면을 기울기/팬을 통해 후경골건을 확인한다. 이 위치에서 건의 윤곽은 건이 탐촉자의 배열과 사선이므로 길어져 있다. 비등방성 때문에 저에코로 보일 수 있다. 후경골건 아래 수생탈리 보다 표층의 족지 신건을 탐촉자의 배열을 사선으로 하여 확인한다. 이 건들은 족근관의 말단(전면) 위치에서 보이며 위로 굴근지지띠 심층면의 경거골 인대 사이에 위치한다. 탐촉자의 위치를 조정하고 필요하면 기울여 발을 외번시켜 경거골 인대에 긴장을 주어 이 인대의 섬유모양을 볼 수 있다. 이 인대는 내과의 내측면과 하연을 수생탈리의 윗면에 잇는다.

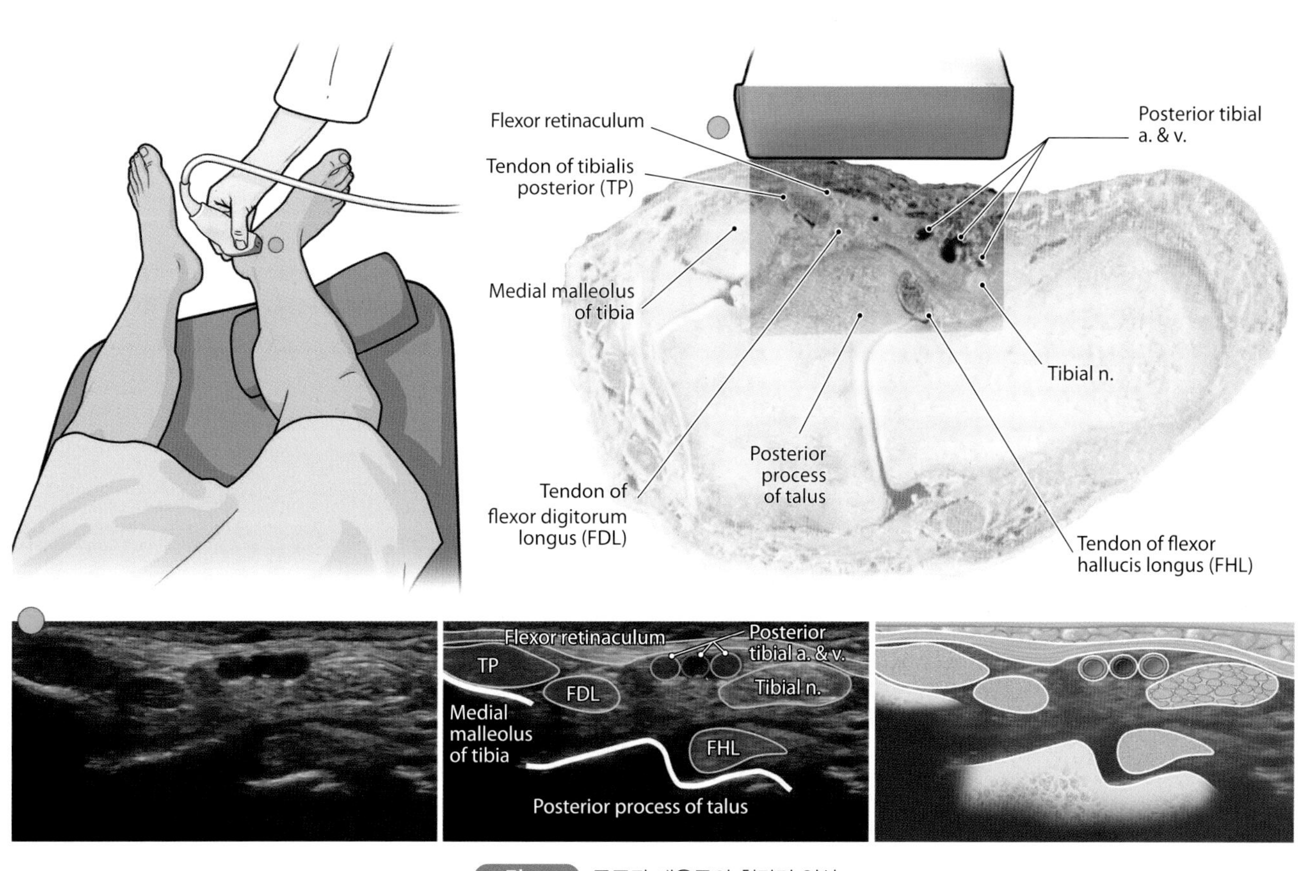

그림 5.47 족근관 내용물의 횡단면 영상

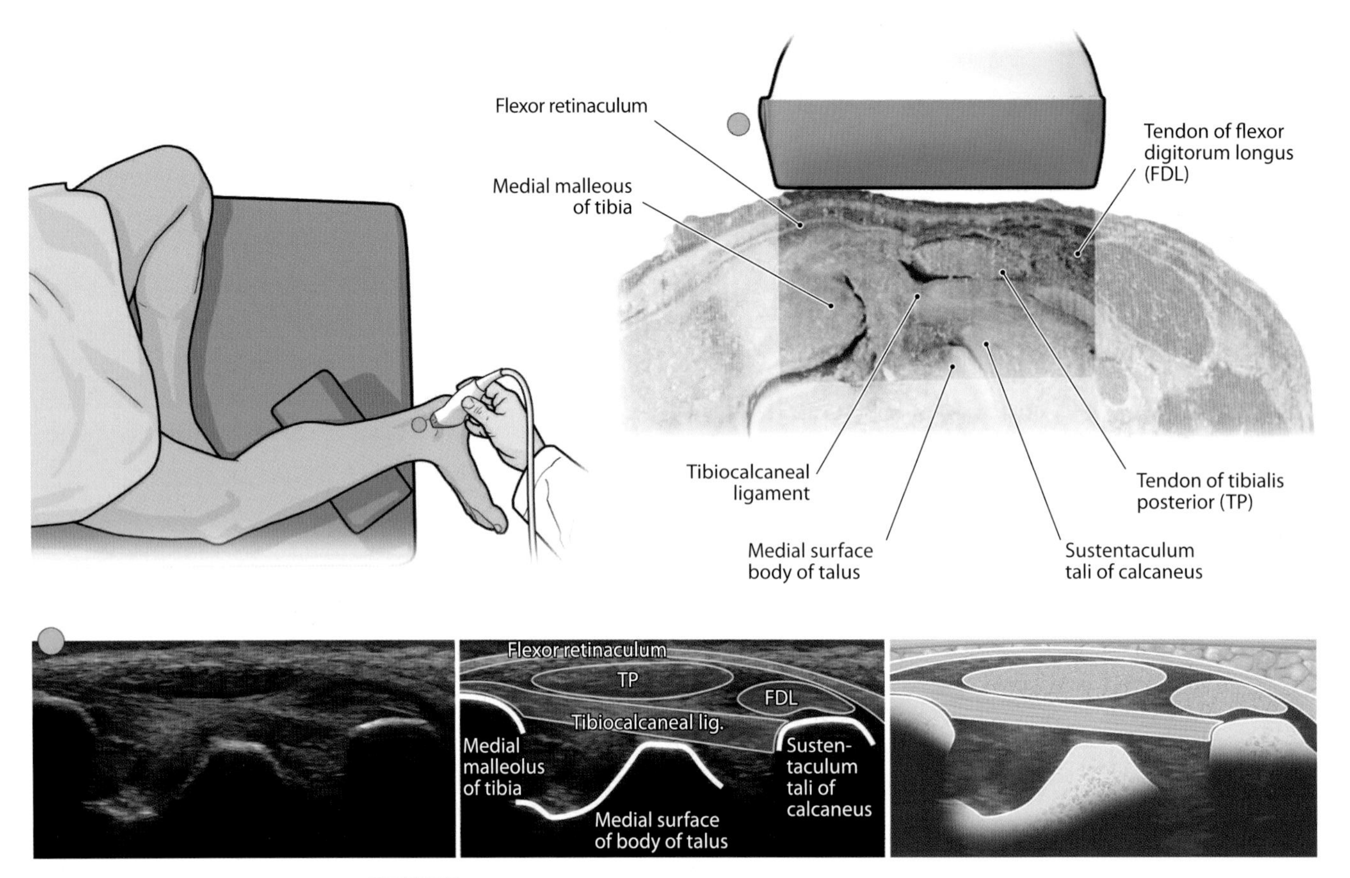

그림 5.48 족근관 바닥에서 경종골인대(삼각인대 복합체)의 종단면 영상

족관절 후면(Posterior Aspect of the Ankle Joint)

종골건 종지부
종단면
그림 5.49

환자를 복와위로 하고 발목과 발은 검사 테이블에 올려 놓는다. 촉진하여 다리 원위부에서 종골건(calcaneal tendo)을 확인한다. 탐촉자를 발굼치 바로 위에 종축으로 이 건위에 둔다(표식자를 위방향으로). 두꺼운 종골건의 고에코의 섬유 모양을 본다. 탐촉자의 면을 종골건의 종축을 따라 가운데에 두고 이 건이 가늘어지는 원위부 끝이 붙는 종골 후면의 종지부(insertion)가 보일때까지 내린다. 종골의 고에코의 후면과 그것의 조밀한 음향음영을 확인한다. 종골의 후상면을 따라 종골건 깊은 곳에서 카거스 지방패드의 삼각형 모양을 볼 수 있다. 후종골 점액낭은 종골건과 종골의 상후면 사이에 위치하나 염증이 없으면 보이지 않는다.

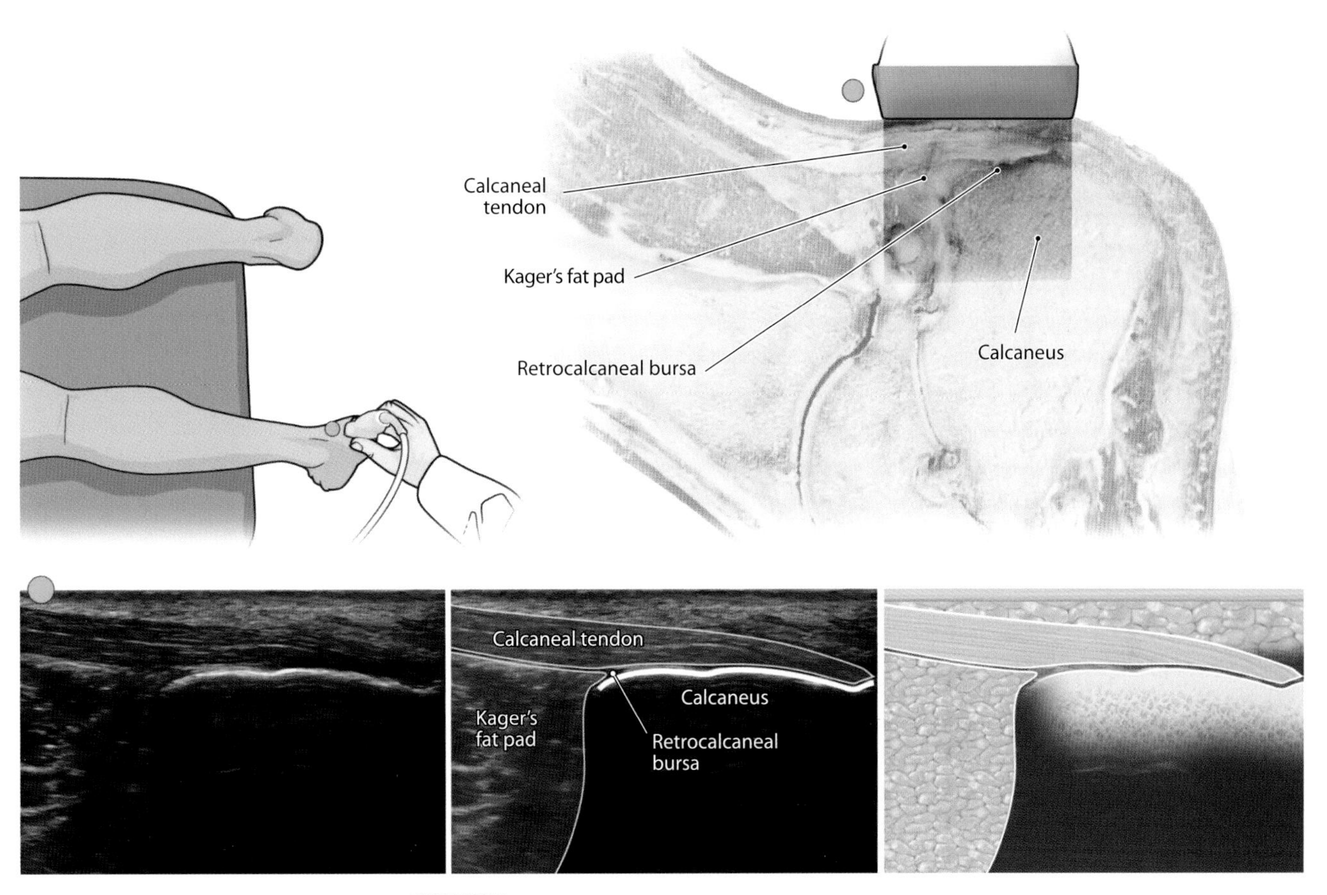

그림 5.49 종골의 후면위 종골건 종지부에서의 종단면 영상

족저근막(Plantar Aponeurosis)

족저근막
종단면
그림 5.50

환자는 복와위에서 발목과 발을 검사 탁자에 올려 놓는다. 탐촉자를 발의 종축을 따라 발꿈치의 바닥에 놓고 표식자는 후방으로 한다. 종골결절의 고에코의 면과 조밀한 음향음영을 확인한다. 탐촉자면을 내측과 외측으로 움직여 결절의 내측돌기를 확인한다. 탐촉자 면을 기울기와 fan을 시켜 두꺼운 족저근막(3–5 mm)의 섬유성 모양이 내측돌기의 골막에 붙어 앞으로 단족지 신근의 표층면을 따라 연장되어 있는 것을 확인할 수 있다. 덮여진 조직의 밀도 때문에 건막과 근육의 적절한 영상을 얻기 위해 영상의 증진이 필요할 수 있다.

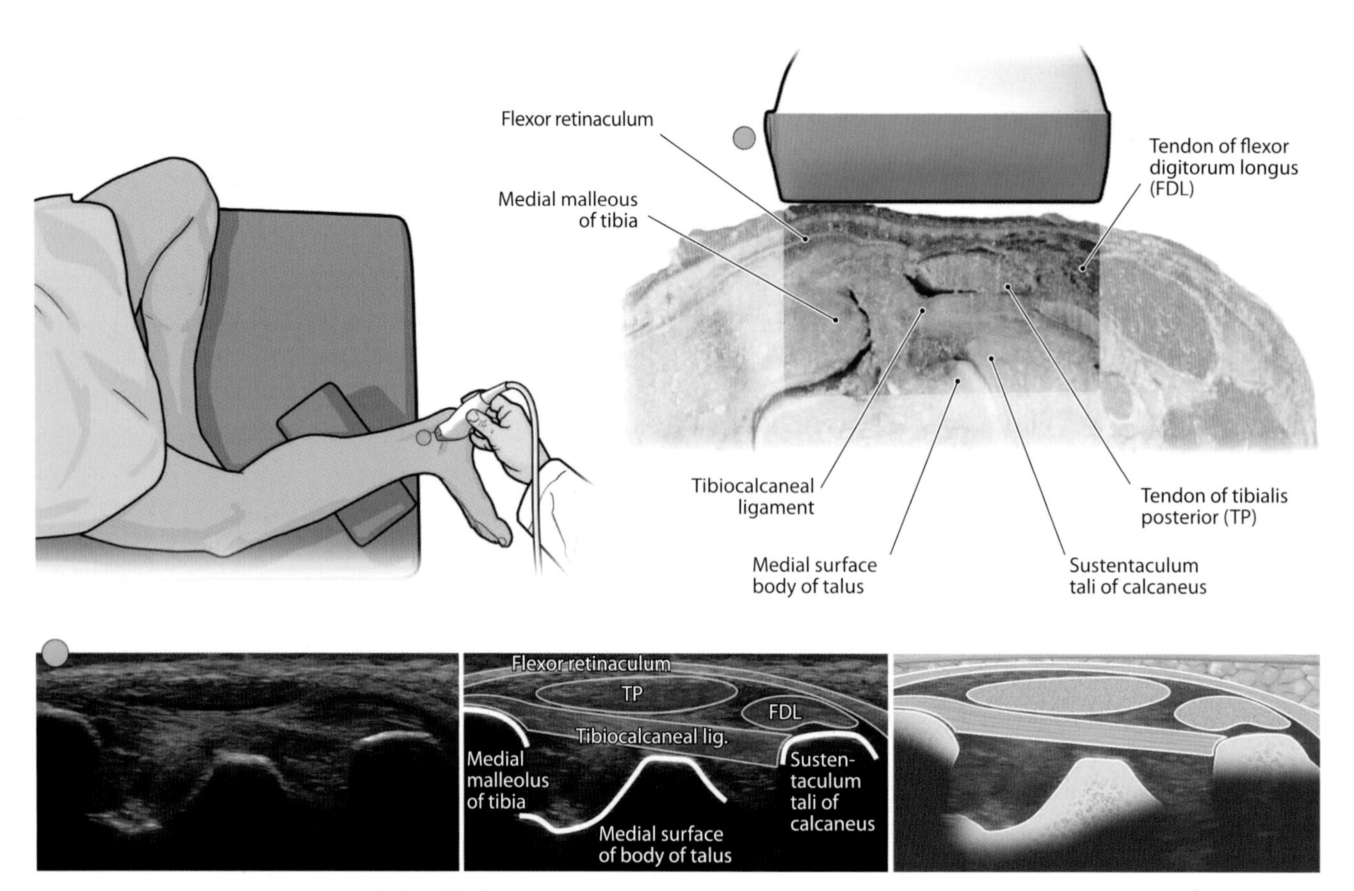

그림 5.50 종골결절의 내측돌기에서 일어나는 족저근막의 종단면 영상

임상적 적용

초음파 검사는 건증/건염, 부분 또는 완전 건파열을 포함한 근건 손상을 평가하는데 유용하다. 족관절 손상의 경우 초음파 검사를 하여 종골건, 장비골건, 단비골건을 확인해야 한다. 발목 신전건과 심층후구획군건 손상은 흔하지 않으나 일어날 수 있으며 진단이 내리지 않을 수도 있다.

종골건 파열은 노인에서 주말 전사 같은 오락 활동 중에 일어날 수 있다. 장비골건과 단비골건의 아탈구는 발목의 내번 손상과 동반하여 상비골지지띠의 파열로 일어날 수 있다. 이것은 음향성 외측 발목통증을 일으켜 비골건의 건증/건염, 닳아 해짐, 부분 또는 완전 파열로 진전될 수 있다. 가장 흔한 경우는 단비골건이 외과의 후면에서 일어난다.

족관절의 내외측 인대는 발목의 내전/외전의 염좌시 늘어나거나, 부분 또는 완전 파열이 일어난다. 전거비골 인대는 발목의 내번 손상에서 외측인대중 가장 흔하게 침범된다. 내측(삼각) 발목인대는 발의 외번 또는 내번 손상이 외회전과 동반될 때 파열될 수 있으나, 내측(삼각)인대의 강도때문에 내과의 견인골절이 더 흔하다. 때로 전방경비골인대 손상을 상위 발목염좌라 이르며 이 인대는 특히 내번 또는 외번된 발이 강한 외회전시 일어나며 다양한 족관절 염좌(그리고 족관절 골절)에 동반되어 파열된다. 초음파 검사는 몰톤씨 신경종의 진단에 사용되며 이 신경종은 총척 측지신경의 확대(신경주위 섬유종)로 항상 3, 4번째 중족골 골두 사이에서 일어나며 이 신경의 포착으로 동통 및 저린감을 유발한다.

초음파 상에서의 측정은 경골신경이 족근관(tarsal tunnel)을 통과하는 과정에서의 포착이나 압박시 이용된다. 초음파 유도는 발의 수술 과정에서 발목차단(경골신경, 비복신경, 복재신경, 천비골신경, 심비골신경)에 사용할 수 있다. 말초동맥 질환의 평가에서 발목과 발의 도플러 검사시 이용되는 동맥은 족배동맥과 후경골동맥이다.

족저근막염은 족저근막의 과사용, 반복적인 스트레스로 정상적인 교원 섬유조직의 찢어짐과 파열로 오는 통증의 질환이다. 초음파 검사는 족저근막의 조직화와 두께의 국소적인 변화, 석회화된 부위, 스테로이드 주사시 유도할 때 사용된다.

Chapter

6

흉부: 흉벽 및 흉막
(Thorax: Chest Wall and Pleura)

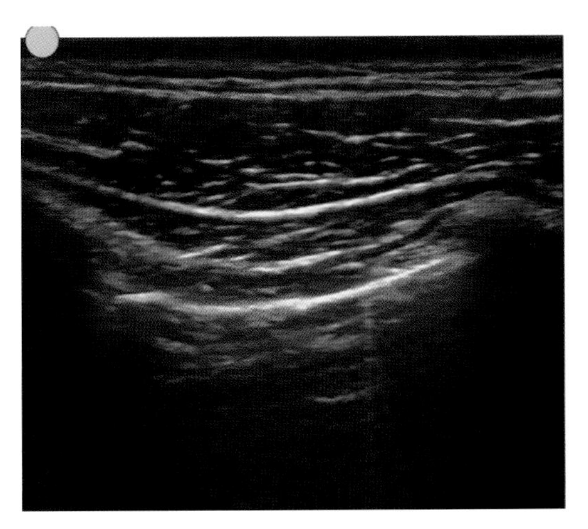

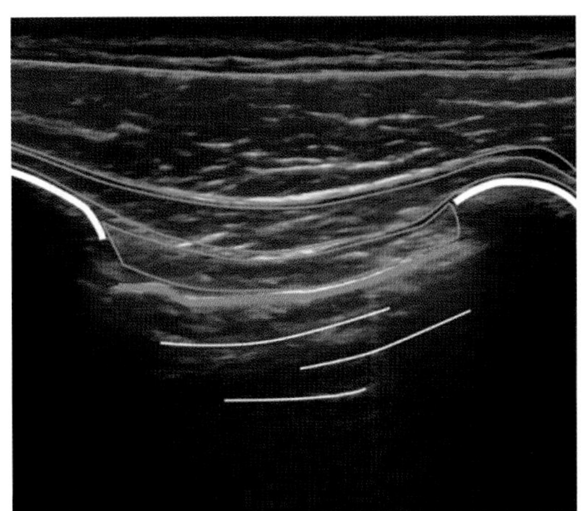

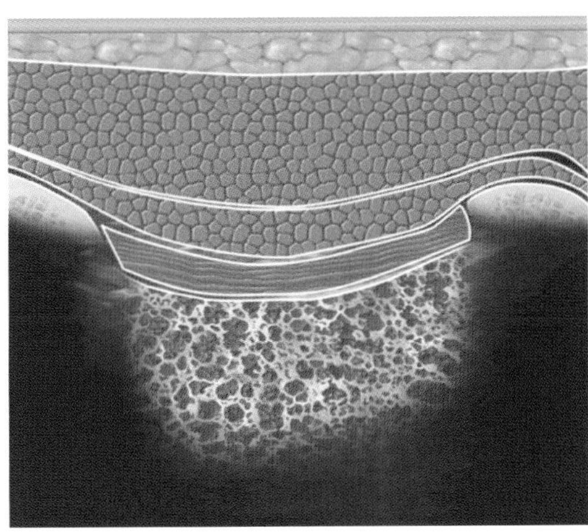

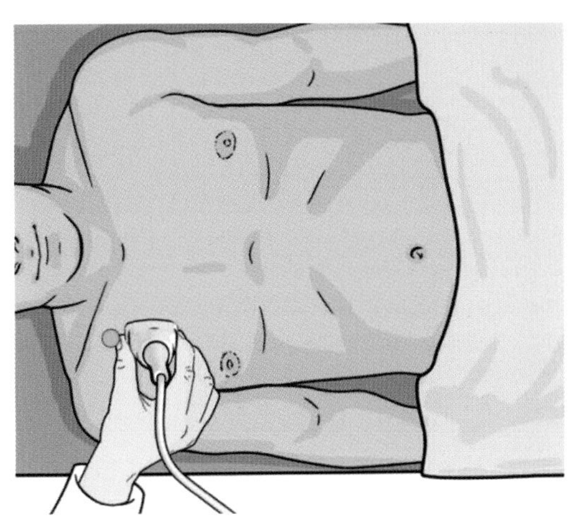

해부학의 검토(Review of the Anatomy)

흉부 벽(Thoracic Wall)

흉부는 목과 복부 사이의 공간을 차지하는 신체의 일부다. 흉부의 뼈 케이지(bony cage)는 모양이 원추형이며, 꼭대기가 좁고(목의 root로 이어지는 위쪽 흉부 개구), 하부가 넓다(하부 흉부개구는 횡격막에 의해 보호된다). 실제 흉벽에는 흉곽 케이지(thoracic cage)와 늑간근육 및 전방측면 벽의 근육이 포함된다. 뒤쪽을 덮는 동일한 구조가 뒤쪽의 일부로 간주된다.

흉벽의 뼈(Bones of the Thoracic Wall)

흉벽의 뼈는 흉골과 늑골을 포함한다. 흉골은 복장뼈자루(manubrium), 몸체(body) 및 칼돌기(xiphoid process)의 세 부분으로 구성된 평평한 뼈다.

상기 복장뼈자루는 위쪽으로 목아래패임(jugular notch)과 양측면에 쇄골과 관절을 이루기 위한 빗장패임(clavicular notch)을 갖는다. 복장뼈자루는 또한 첫 번째 늑골, 두 번째 늑골 및 흉골의 몸체와 연결된다. 흉골의 복장뼈자루와 몸체가 만나는 곳은 흉골각(of Louis)이라 하며 사이의 교차점은 루이스의 흉골각(sternal angle)이라고 하며, 자루몸통관절(manubriosternal joint) 부위다. 이 기준점은 다음을 나타낸다.

- 두 번째 늑골은 흉골과 교합
- 기관 갈림(bifurcation of the trachea)
- 대동맥 궁이 시작되고 끝나는 곳
- 상부 종격동의 아래쪽 경계
- T4/T5 척추 레벨

흉골의 몸체는 두 번째에서 일곱 번째 늑골연골과 흉늑관절들(sternocostal joints)들에서, 칼돌기는 복장칼 관절(xiphisternal joint)에서 연결된다.

12쌍의 늑골이 있는데 참과 흉골(sternum)에 부착되지 않는 마지막 2개의 부유물(floating)과 같이 거짓으로 분류된다. 참 늑골은 늑골 1번에서 7번까지이며 흉골과 직접 연결된다. 거짓 늑골은 늑골 8번에서 10번이고, 늑골 연골을 통해 7번째 늑골(costal)에 연결된다. 늑골 11번과 12번은 흉골에 연결되어 있지 않다. 전형적인 늑골은 머리(head), 목(neck), 결절(tubercle), 몸체(body)로 구성된다. 늑골의 머리는 해당 척추의 상측 및 하측 늑골관절면(costal facets) (반관절면, demifacet)과 관절을 이룬다. 결절은 해당 척추의 횡돌기와 관절을 이룬다(늑골 11 및 12

제외). 늑골의 몸체는 늑간정맥, 동맥 및 신경이 수용되는 아래 가장자리를 따라 늑골구(groove)를 포함한다.

늑간근육(Intercostal Muscles)

3개의 늑간근육이 있다: 외늑간근(external intercostals), 내늑간근(internal intercostals) 및 최내늑간근(innermost intercostals). 외늑간근은 표면적으로 위치하며, 섬유 방향은 전방 복벽의 외복사근과 일치하는 방향으로 내측 및 하향으로 진행된다. 흉골 레벨에서, 외늑간근은 전방 늑간막으로 대체된다. 외늑간근의 심부에는 내늑간근이 있다. 이 근육은 외늑간근과 반대방향인 아래쪽 바깥쪽으로 움직인다. 최내늑간근은 늑간근육 중 가장 심부에 있고, 최내늑간근과 같은 방향으로 뻗어 있다.

늑간동맥, 정맥 및 신경(Intercostal Arteries, Veins, and Nerves)

늑간동맥은 늑골사이를 이동한다. 각 늑간강(intercostal space)은 일반적으로 후 늑간동맥과 한 쌍의 전 늑간동맥에 의해 공급된다. 늑간동맥은 내흉동맥(internal thoracic arteries)의 분지이며, 늑간동맥은 하행 흉대동맥(descending thoracic aorta)의 분지다. 또한, 제1 및 제2 늑간강은 일반적으로 늑경추동맥(costocervical trunk)의 분지, 쇄골하 동맥의 분지인 최상(supreme) 또는 상늑간동맥에 의해 공급된다.

늑간정맥(Intercostal vein)은 늑간동맥 및 신경과 나란히 있다. 동맥과 유사하게, 홀정맥(azygos)/반홀정맥(hemiazygos) 계(system)로 배출되는 후방 늑간정맥이 있다. 전방 늑간정맥은 내흉정맥의 지류다. 첫 번째 늑간강의 후늑간정맥은 좌우 팔머리정맥(brachiocephalic veins)으로 배출된다. 두 번째와 세 번째 늑간강의 후늑간정맥이 함께 와서 상늑간정맥을 형성한다. 우측 상늑간정맥은 홀정맥으로 배출되고 좌측 상늑간정맥은 왼쪽 팔머리 정맥으로 배출된다.

흉벽에 분포하는 12쌍의 흉추 척추신경이 있다. 이 신경은 추간공을 빠져 나가서 바로 전방 및 후방 일차분지(primary rami)로 나뉜다. T1−T11 신경의 전방 일차분지는 늑간강에서 진행하여 늑간신경이라 한다. T12 신경의 전방 일차분지는 12번째 늑골 하방으로 진행하며 늑골하신경이라 불린다. 흉부늑간 척추신경의 후 일차분지는 척추의 관절돌기 옆으로 뒤쪽으로 진행되어 관절, 등 근육의 심부근육 및 해당 피부 분절에 분포한다.

늑간신경은 액와중간선에서 외측 피부분지(lateral cutaneous branches)를 내고 전방 피부신경(anterior cutaneous nerve)으로 끝난다. 늑간신경(Intercostal nerve)은 늑간근육과 해당 피부분절에 분포한다. 일반적으로 늑간정맥, 동맥 및 신경은 늑간 구내에서 내늑간 및 최내늑간근육과 늑간근육 사이를 주행한다.

흉막(Pleura)

흉막은 각 폐를 감싸는 두정층(parietal layer)과 내장층(visceral layer)으로 구성된 얇은 장막(serous membrane)이다. 두정흉막은 다음과 같이 세분화된다:

- 늑골에 붙어있는 늑골흉막
- 경부 흉막은 첫 번째 늑골 위 목의 뿌리로 뻗어 있다.
- 종격을 향한 종격흉막
- 횡경막의 상부 표면에 부착된 횡경흉막

두정흉막(parietal pleura)은 흉내근막(endothoracic fascia)에 의해 흉벽의 내부 표면에 부착된다. 목에서 경부흉막은 Sibson's fascia(흉막상막, suprapleural membrane) 라고도 하는 흉내근막의 응축된 부분에 의해 강화된다. 내장층(visceral layer)은 폐 자체를 감싼다. 늑골흉막은 늑간신경에 의해 지배된다. 종격동과 횡격흉막은 횡경막신경이 지배한다. 따라서 통증에 둔감하지만 미주신경을 통한 스트레치 및 호흡 반사를 위한 혈관 운동 신경분포를 받는 내장흉막과 달리 두정흉막은 통증에 민감하다.

내흉동맥, 상횡경막동맥, 후늑간동맥, 상늑간동맥 들은 두정흉막에 공급하고, 반면에 내장흉막은 기관지 동맥에 의해 공급된다.

두정과 내장흉막 사이에는 잠재적 공간, 흉막강이 있다. 흉막은 소량의 장액을 생성하는 중피세포로 구성되어 폐의 움직임을 촉진한다. 정상적인 호흡 중에 폐가 완전히 팽창되지 않아 두정 흉막이 내장 흉막과 접촉하지 않는다. 두정흉막이 폐 실질과 직접 접촉하지 않는 부위를 오목(recesses)이라 하며, 두개가 있다. 늑골횡격막오목(costodiaphragmatic recesses)은 늑골과 횡격흉막의 반사에 의해 형성된다. 늑골종격오목(costomediastinal recess)은 늑골과 종격흉막 사이에 형성된다.

수기(Technique)

가슴근육
늑골
늑간강
흉막
종단면
(방시상)
그림 6.1

환자는 앙와위로 하고 사생활과 안락함을 유지하면서 주요 구조물들(landmarks)을 촉진하고 탐촉자를 배치 및 조작할 수 있도록 적절하게 덮는다(draped). 마커가 머리 쪽을 향하도록 하여 고주파 선형탐촉자를 사용한다(곡선 배열탐촉자를 사용하여 모든 관련 해부 구조를 볼 수 있지만, 선형탐촉자를 사용하면 해상도가 훨씬 우수하므로 해부 학습에 더 좋다).

두 번째, 세 번째 또는 네 번째 늑간 공간 위의 탐촉자를 빗장중간선(mid-clavicular line) 위에 놓고 마커쪽이 늑골 위를 가리키고 heel이 늑골 아래로 놓는다[영상의 각 측면의 위와 아래에 늑골의 음향음영(acoustic shadow)].

표재에서 심부까지 다음 구조를 식별한다:

- 대흉근(Pectoralis major)
- 소흉근(Pectoralis minor)
- 늑간근육과 막
- 고반향(hyperechoic) 흉막선(늑골의 심부 표면에)
- 초음파 A 및 B선

흉막(pleura)의 두께는 약 0.2 mm로 초음파 식별 한계에 매우 가깝다. 그러나 세심한 검사를 통해 두정(parietal)과 내장(visceral) 흉막(pleura)을 두 개의 분리된 반향(echo)선으로 묘사할 수 있다. 일반적으로 두정흉막은 내장흉막과 비교하여 더 잘 보이고 가는 반향선으로 보인다. 고화질 초음파를 사용하면 두정흉막과 흉내근막을 나타내는 이중선을 볼 수 있다. 그러나 내장흉막은 식별하기가 더 어렵다. 그것은 공기로 채워진 폐에 초음파의 거의 전체 반사에 내장된 섬세한 반향선으로 표현된다. 반사 및 반향 허상(artifact)들은 내장흉막 및 그 주변 구조의 지배적 영상 특징이다. 주의깊게 관찰하면 흉막 미끄러짐(sliding) 징후로 불리는 왔다갔다 반짝이는 움직임을 볼 수 있고, 내장흉막은 호흡시 두정흉막을 따라 미끄러진다. 흉막 슬라이딩의 존재가 이 위치에서 실재 기흉을 배제하게 한다.

가끔 초음파 B선은 정상에서 볼 수 있다. 이들은 흉막선에 수직으로 얇은 고반향 혜성꼬리 반향 허상(comet-tail reverberation artifact)으로, 흉막 슬라이딩과 같이 왔다갔다 움직인다. 이것은 폐표면 근처의 폐포 벽(alveolar walls)/폐포내 중격(intraalveolar septa)에서의 폐포(alveolar) 공기와 간질(interstitial) 액의 소리저항(acoustic impedance)의 차이로 인한 것일 수 있다. 다수의 또는 합쳐진 두꺼운 B선(lung rockets)은 폐부종 및/또는 폐렴을 나타낸다.

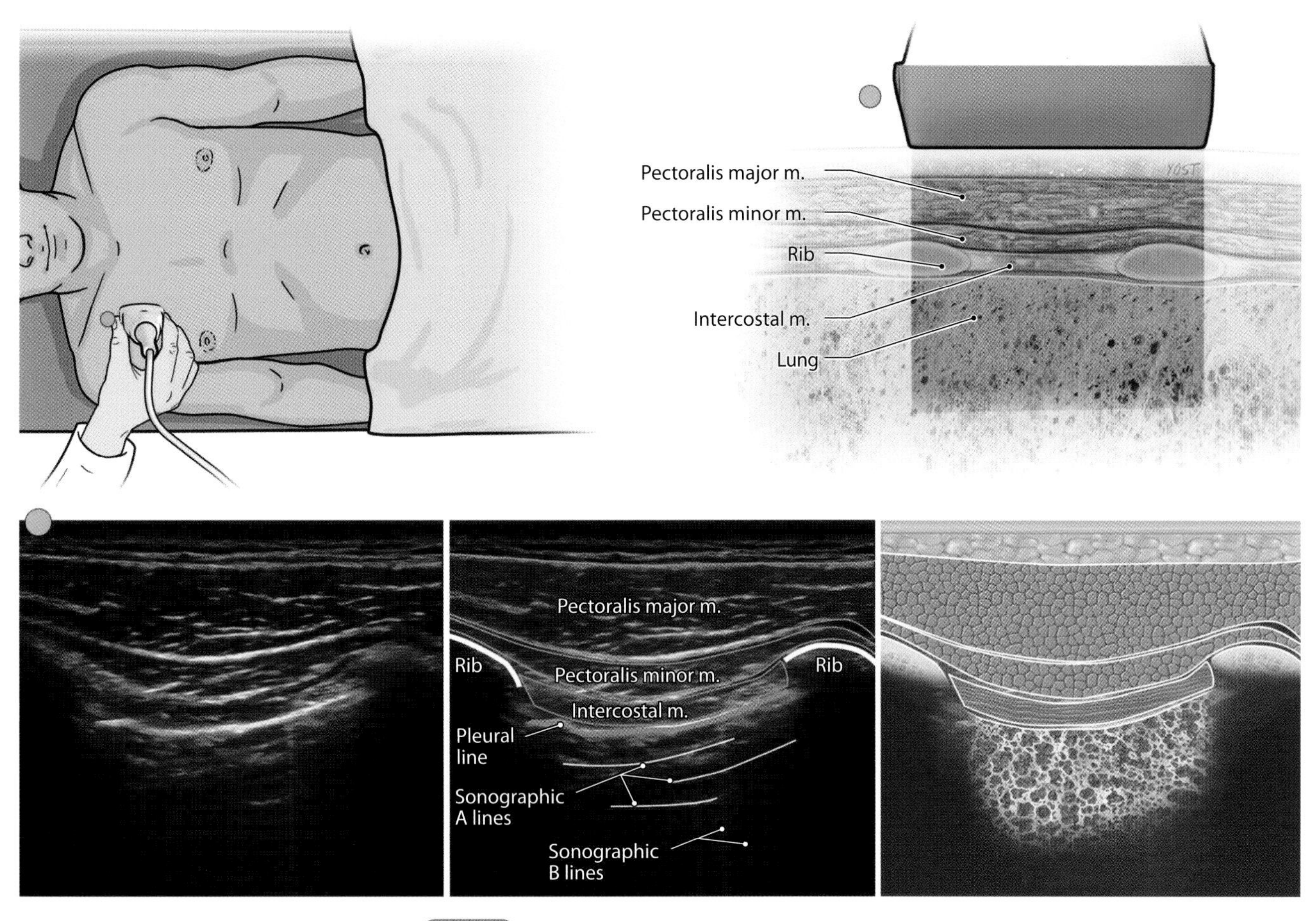

그림 6.1 늑간강과 흉막선의 정상 종단면(방시상) 영상

초음파 A선은 흉막선과 평행하게 균등한 간격의 고반향(hyperechoic) 선이며 반향(echo)허상(artifact) (정상 폐와 기흉에서 보이는)이다. 흉막 미끄러짐이 없으면 기흉을 나타내며, 미끄럼 멈춤 위치는 폐점(lung point) (기흉의 가장자리 대 정상 폐/흉막강)을 나타낸다. B선의 부재는 역시 기흉 진단에 중요하다. 확실한 흉막 미끄럼이 없는 경우에도 B선이 보이면 기흉의 확률이 크게 줄어든다.

가슴근육
늑골
늑간강
늑막
횡단면
그림 6.2

그림 6.1에 대해 위에서 설명한 탐촉자 위치에서 시작하여, 포인터가 환자의 오른쪽을 향하도록 탐촉자를 시계 반대방향으로 90도 회전시킨다. 시상면(sagittal view)과 같이 늑골 음영없는 늑간강에 탐촉자를 놓고 주변 구조물들을 식별한다.

- 대흉근(pectoralis major)
- 소흉근(pectoralis minor)

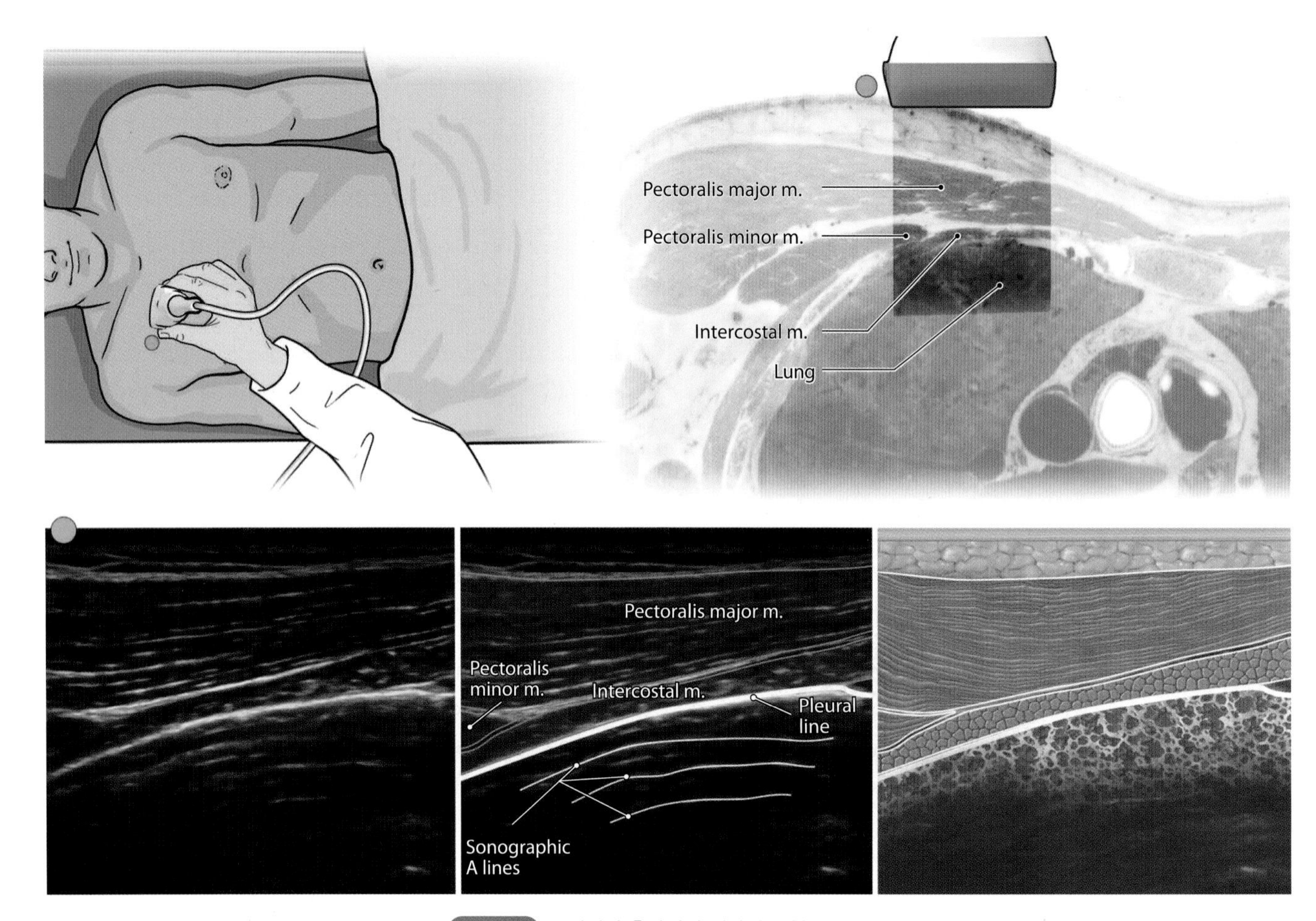

그림 6.2 늑간강과 흉막선의 일반적인 횡단면 영상

- 늑간근육(intercostal muscles)과 막(membrane)
- 고반향(hyperechoic) 흉막선(hyperechoic pleural line)
- 초음파 A선

임상 응용

흉막, 흉막선 및 흉막 슬라이딩 징후의 초음파 검사는 외상(eFAST) 검사를 위한 초음파 검사를 통한 확장된 집중 평가의 일환으로 흉복 외상의 기흉을 선별(screen)하는 데 사용된다.

비외상성 기흉, 폐부종, 흉막삼출액, 혈흉 및 혈종에 대한 병상 검사에도 동일한 수기가 사용된다. 흉부의 초음파 검사는 꽤 높은 정확도로 늑골 골절을 감지하고 , 흉벽을 침범한 골 전이 및 말초 폐암에서도 유사하다.

Chapter

7

심장(Heart)

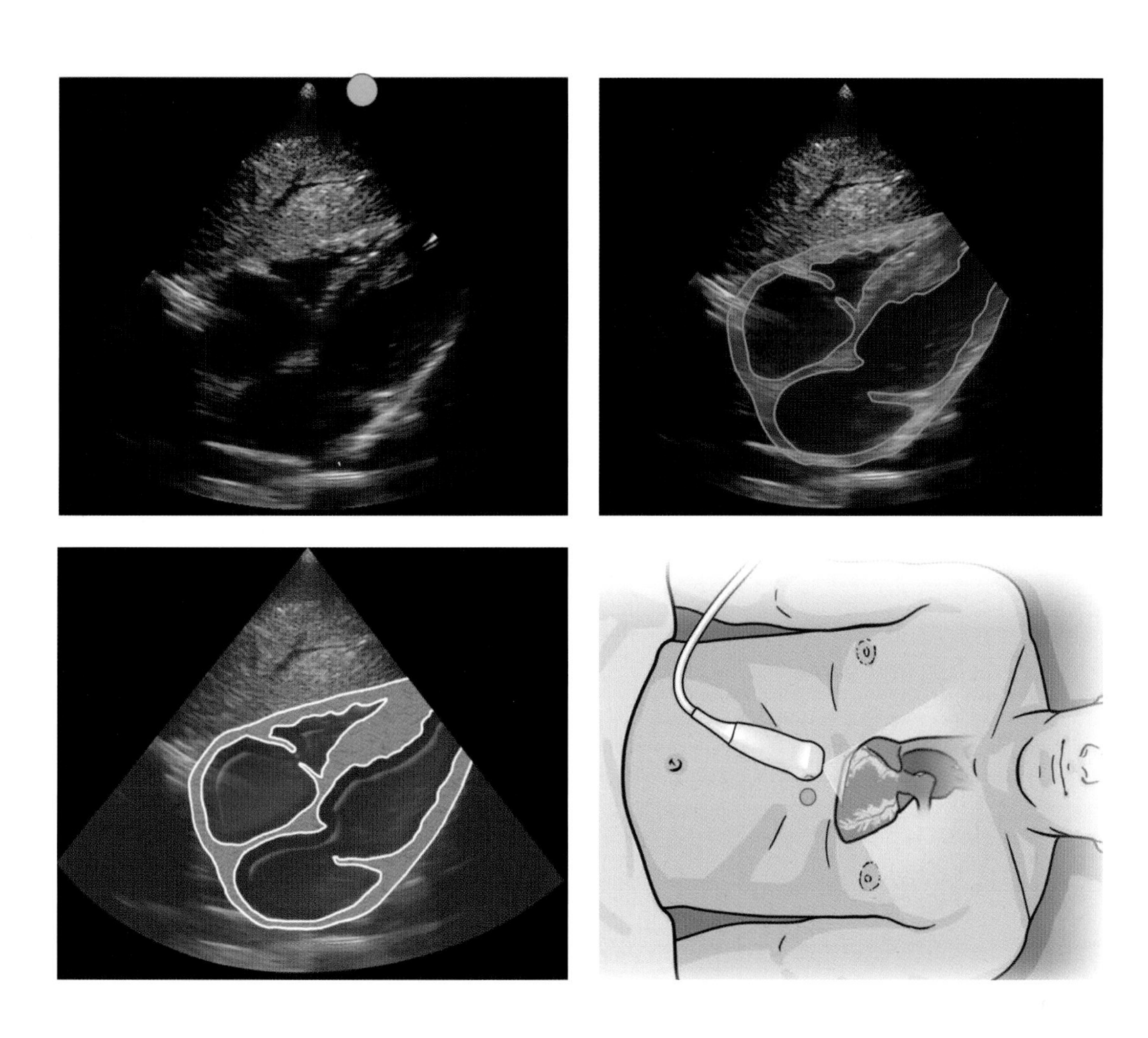

해부학의 검토(Review of the Anatomy)

심막(심낭, Pericardium)

심막은 전심장과 대혈관 일부를 감싸고 있는 섬유장막성 낭이며, 섬유성과 장막성 두층으로 구성되어 있다. 섬유성 심막은 심장막의 제일 외벽을 형성하는 강하고 고밀도의 막이다. 섬유성 심막은 흉막의 소극성 조직으로 응축되어 구성된 흉골 심막인대(sternopericadial ligament)로 흉골의 심층벽에, 아래로는 횡격막에, 대동맥과 폐혈관 구간의 외막층에 부착되어 있다. 장막성 심막은 중피세포(mesothelial cell)의 두층, 체벽과 내장벽으로 구성되어 있다.

내장심막의 체벽층은 섬유성 심막의 내벽으로 연결되었으며, 내장 심막을 흔히 자주 심막으로 언급되고, 심장의 제일 외벽층을 형성한다. 섬유성 심막과 장막성 심막 사이 공간을 심막강이라 한다. 장막성 심막의 중피세포는 심막의 액체를 분비한다. 심막의 액체의 기능은 마찰시 에너지를 감소시키는 효과로 심장의 작동을 도와준다.

심장(The Heart)

심장은 심막낭 안에 위치하며, 심장 무게는 여성 250 g, 남성 300 g 가량이고, 횡축직경과 흡기와 호기에 따라 다양하고, 서 있는 상태에서의 심호기시 횡축직경은 방사선상 정상시 8~9 cm로 측정되고, 전형적으로 정상 심장의 폭은 흉곽의 1/2 미만이다. 심장벽은 뚜렷하게 3층으로 구성되며, 심내막, 심근층, 심외벽으로 되어 있다. 심내막은 내피세포(endothelial cell)로 구성되고, 혈액과 접촉되는 심장의 내벽을 구성한다. 심근층은 심근세포로 구성되며, 수축 시 혈류를 방출한다. 심외층은 심장의 제일 외벽을 형성하고, 장막성 심근막이다.

심장경계(Cardiac border)

심장경계는 임상적으로 중요하며, 심장의 병리진단에 경계지표로 사용한다. 심우측 경계는 하대정맥, 우심방, 상대정맥으로 이루며, 심좌측 경계는 좌심실, 폐혈관 주간으로 이루어진다. 좌혹은 폐, 표면은 주로 좌심실로 거의 구성되고, 심장아래 경계는 우심방으로 구성된다. 우심실은 흉막표면과 심장의 횡경막면의 일부이다. 심장의 첨단(apex)은 건강한 심장에서 5번째 늑간극간에 위치한다. 예를 들어, 심장의 시진과 청진시 최고로 좋은 위치이다. 심장바닥은 좌심방으로 경계되고 우심방 일부로 경계된다.

우심방(Right Atrium)

우심방은 심장의 4상중 제일 얇은 벽이다. 우심방은 전형적으로 대정맥동과 고유 우심방, 2부분으로 구분된다. 우심방의 대정맥동(sinus venarum)은 상대정맥, 하대정맥과 관상정맥동 기시부를 포함하는 부드러운 벽부분이며, 대정맥동은 발생학적으로 정맥동에서 발생한다. 고유 우심방은 우심방 분계릉, 즐상근(pectinate muscle), 우심방귀과 심방중격을 포함한다.

우심방의 외표면은 형태적으로 넓고 삼각형과 피라미드형이다. 우심방에는 2개의 상대정맥과 하대정맥의 큰 입구에 있다. 상대정맥은 상흉격 안에서 좌 · 우 완두정맥(brachiocephalic vein) 접합부에서 형성된다. 하대정맥은 작은 반월상 판막, 유스타키오판(Eutachian valve)을 함유한다. 희귀하게 이 판막은 심방전정(Chiari's network)에 연결되는 구멍이 있는 구조물로 보인다. 어떤 경우는 하대정맥의 거대 구멍판이 **혈전**(혈액응고)으로 오진할 수 있다.

전방 심정맥은 역시 우심방으로 연결되어 있다. 우심방 분계구는 우심방의 천장에 있는 낮은 도랑이며, 상대정맥 기시부 우측과 하대정맥 기시부 우측 상에 뻗어있다. 우심방 분계구는 외적으로 근육이랑, 내적으로 우심방 분계능으로 생각된다. 우심방 분계능은 우심방과 우심방귀에 연결되는 표시다. 우심방귀는 심방의 부속물이다. 우심방 분계구는 동방결절에서 동맥을 함유한다. 즐상근(pectinate muscle)은 우심방 분계능에서 생긴 근육의 얇은 끈이며, 우심방 귀벽을 통해 부채모양이다. 우심방의 천장은 귀의 천장과 대조적으로 부드럽다. 우심방 귀의 부속물은 작고, 단단한 즐상근을 함유해, 정맥혈전으로 가능한 함정일때, 그리고 만약 움직이면 폐혈전이 있다는 결과다. 심방중격은 우심방의 내벽을 형성한다. 중격안에 들어간 부위 난원와(fossa ovalis), 근육의 두꺼운 테로 경계되고, 가장자리 난원와가 있다. 난원와는 기원 발생학적 2차 중격과 1차 중격사이 융합되는 선상의 표시며, 중격의 형태학적으로 형성되어 2차 중격막이 닫힌다. 거의 20% 가량 개인적으로 심방중격이 융합 안되는 부위이며 두 심방간 사선열상으로 소통되는 상태로 남는다. 이 상태는 난원와의 소식자 구멍(probe patency)으로 알려졌고, 보통 생리학적 변화는 없다. 마지막으로 우심방이 우심실로 우심방실 삼첨 판막(tricuspid valve)을 통해 열려있다.

좌심방(Lt Atrium)

좌심방은 심장 구조상 제일 뒤쪽에 위치한다. 좌심방은 우심방보다 더 두꺼운 벽과 좌심방의 내심벽은 높은 압력때문에 우심방 보다 더 두껍다. 좌심방의 내면은 부드럽고, 매우 적은 즐상근을 소유하고, 심 귀로 확인된다. 좌심방 귀는 상대적으로 길고 얇고 검지 손가락과 비슷하다. 좌심방은 좌폐에서 2개, 우폐에서 3개, 4-5개의 폐정맥을 유입한다. 여러 개의 최소 심장정맥

(vanae cordis minimae)은 좌심방벽 안에 존재한다. 좌심방은 폐로부터 산소 포화된 혈액을 유입하고, 좌심방과 승모판을 통해 연결된다.

우심실(Rt. Ventricle)

우심실은 전심방의 가장 앞쪽에 있고, 흉골에 대부분 접촉되어 있다. 우심실은 얇은 벽과 두부분, 유입부와 유출부로 구분된다. 유입부분은 삼첨판, 유두형 근육, 심실 중격막과 근육기둥(trabeculae carneae)을 함유한다. 삼첨판은 3엽, 전방, 후방, 중격방으로 구성되어 있다. 3엽은 분리가 잘 구분되지 않을 수도 있다. 엽들은 가늘고, 질긴 힘줄 끈(chordae tendineae)으로 심방안의 유두근에 부착되어 있다. 힘줄 끈은 큰 앞쪽 유두근, 뒤쪽 유두근, 중격유두근과 연결되어 있다. 심실 중격에서 생긴 여러개의 작은 유두근이 있고, 판막의 중격엽을 지나는 짧은 힘줄끈과 함께 있을 수도 있다. 유두근과 힘줄끈은 삼첨판을 열지 못한다는 것을 인식하는 것이 중요하다. 실제로, 판막은 우심방이 이완기때 우심방과 우심실의 압력의 차이로 수동적으로 열린다. 유두근과 힘줄끈은 우심실에 혈액이 있을시 우심실 수축기때 우심실로 위로 부푸는 힘으로 부터 판막엽을 유지시킨다. 우심실의 혈액은 폐동맥의 판막을 통해 일정하게 한 방향으로 분출한다.

우심실은 두껍고, 불규칙한 모양의 근육다발과 힘줄끈을 함유한다. 이 근육다발에 하나는 적당한 밴드(중격변연기둥−septomarginal trabeculation)는 매우 중요하다. 근육의 이 밴드는 근육 심실벽 중격막으로부터 앞전방 유두근의 기저로 통과된다. 심실 위능선은 심장의 유출부분과 유입부분으로 분리된다. 폐동맥판막은 접합면에서 다른 것과 합쳐진 3개의 반월상 모양의 엽(우, 좌, 전방)으로 구성된다. 각 엽은 초생달 모양의 결합조직의 테 때문에 변두리가 강하고, 각 엽의 두꺼운 중심부는 결절로 불린다. 폐동맥구간은 폐동맥판막의 레벨에서 시작하고, 3~5 cm이후에 좌우 폐동맥으로 갈라진다. 원뿔 혹은 동맥원뿔은 폐동맥판막의 2/3정도를 차지하는 근육 조직으로 수평적인 덩어리이다.

좌심실(Lt. ventricle)

좌심실의 벽은 혈액을 전신 순환으로 추진해야 하기 때문에 우심실의 벽보다 약 3배 더 두껍다. 전통적으로 좌심실은 대동맥 전정과 심실로 나누어져 있다. 대동맥 전정은 심실중격, 막 중격, 대동맥 반월판 및 대동맥 근의 매끄러운 부분을 포함한다. 대동맥 반월판에는 3개의 반월판, 오른쪽(오른쪽 관상동맥 소엽), 왼쪽(왼쪽 관상동맥 소엽) 및 후방(비 관상동맥 소엽)이 있다. 또한 폐 판막과 비슷한 각 소엽에 대한 반월상과 결절을 가지고 있다. 관상동맥의 개구는 발살바(valsalva)의 대동맥동의 대동맥 벽안에 함몰된 부위에서 발생한다.

좌심실 판막(승모판)은 좌심방과 좌심실 사이에 있다. 판막 입구의 좌측 및 우측 단부에서 전방 전단, 후방 전단 및 2개의 더 작은 전단을 구별할 수 있지만, 이 판막을 종종 이첨판 판막이라고 한다. 그러나 승모판은 일반적으로 앞다리와 뒷다리의 2개의 전단지를 가지고, 힘줄끈(chordae tendineae)과 유두 근육은 수축기 동안 판막 전단지가 심방으로 밀려가지 않도록 한다. 좌심실에는 근육능선, 근육기둥이 있다.

심장 판막 및 위치(Cardiac Valves and Their Location)

심장 판막의 위치는 다음과 같다. 폐 반월판은 일반적으로 왼쪽 세 번째 늑골연골의 중간 끝에 있다. 대동맥 반월판은 제3 늑간공간 수준에서 흉골의 깊숙한 곳에 위치한다. 삼첨판 판막은 네 번째 늑간공간에서 흉골 뒤에 위치하고 있다. 승모판은 제4 늑간공간에서 흉골의 깊숙한 곳에 왼쪽에 위치한다.

관상동맥(Coronary Arteries)

오른쪽 관상동맥(Right Coronary Artery)

오른쪽 관상동맥은 발살바(Valsalva)의 전방(오른쪽) 대동맥동에서 발생한다. 동맥은 폐줄기와 오른쪽 귀의 가장자리 사이를 지나 오른쪽 관상동맥으로 내려간다.

오른쪽 관상동맥의 첫 번째 분지는 동 결절(sinus node)의 동맥으로, 오른쪽 관상동맥의 근위 부분에서 인간의 약 60%에서 발생하여 오른쪽 심방의 내벽을 상층을 교차점으로 통과시킨다. 상대정맥과 오른쪽 귀의 접합점에서 동 결절으로 들어간다. 그러나 이 동맥은 근위 좌측 관상동맥에서 발생하거나 두 관상동맥에서 이중으로 공급될 수 있다.

오른쪽 관상동맥의 두 번째 가지는 원추의 동맥이다. 원추동맥은 오른쪽 관상동맥에서 발생하여 폐 반월판 위치에서 우심실 주위의 왼쪽으로 통과한다. 심장의 횡격막 표면에 가까운 우측 관상동맥은 일반적으로 우심실의 아래 경계를 제공하는 오른쪽 모서리 동맥(Rt. marginal artery)을 방출한다. 우측 관상동맥은 심방실(AV) 홈(Groove)에서 후방으로 계속되며, 대부분의 경우 후방 심실 홈에서 후심실간구(하행) 동맥으로 하강 및 종료된다. 이 동맥은 뇌실 중격의 하방 1/3과 좌심실의 하벽 일부를 공급한다. 인간의 80%에서, 심방실(AV) 마디의 동맥은 후심실 홈 근처의 오른쪽 관상동맥에서 발생한다.

왼쪽 관상동맥(Left Coronary Artery)

왼쪽 관상동맥은 발살바(Valsalva)의 후방(왼쪽) 대동맥 동에서 발생하는 짧은 동맥이며, 앞쪽 심실 및 주위 굴곡동맥으로 분기하기 전에 폐간과 상승하는 대동맥 사이를 이룬다. 심실간 동맥은 종종 임상적으로 약칭된 형태로 좌전 하행동맥(LAD)으로 지칭된다. 이 혈관은 전형적으로 좌심실의 전방 표면에 2개 이상의 큰 대각선 가지를 방출한다. 깊게 관통하는 중격 분지는 전 심실동맥의 깊은 표면에서 발생하여 근육질 심실중격으로 들어가서 중격의 앞쪽 2/3를 공급한다. 중격의 후반 1/3은 후방 하강 관상동맥에서 유사한 가지에 의해 공급된다. 주위 굴곡 관상동맥은 왼쪽 심방실(AV) 홈에서 왼쪽 경계를 향하고 심장의 바닥을 중심으로 진행된다. 이 혈관은 전형적으로 좌심실 자유벽을 공급하는 심장의 왼쪽경계를 가로지르는 왼쪽 가장자리 동맥을 방출한다.

심장정맥(Cardiac Veins)

관상정맥동은 약 2 cm길이의 정맥의 작은 합류점이며 외부에 있는 AV 홈에 있다. 하대정맥의 개방부와 삼첨판 사이에 개구되고 우심방으로 완전히 유입된다. 그것은 큰 심장정맥, 중간 심장정맥, 때로는 작은 심장정맥 및 좌심방의 비스듬한 정맥이 유입된다. 관상정맥동, 테베시안 판막(Thebesian valve)에 의해 보호된다.

큰 심장정맥은 전 심실 홈에 있으며, 좌심실 동맥을 동반하여, 심실 중격의 전방부분과 두 심실의 전방 측면으로 유입된다. 중정맥은 후 심실 홈에 있으며, 후 심실동맥을 동반하며, 심실 중격의 후부와 두심실의 후부를 유입한다. 작은 심장정맥은 관상정맥의 구멍 옆에 있는 AV홈에 있다. 일반적으로 오른쪽 가장자리 정맥에 합류하거나 오른쪽 심방을 별도로 개방한다. 그것은 우심실의 가장자리 부분을 배출하고 오른쪽 가장자리 동맥을 동반한다. 심근의 모든 정맥 배수가 관상동맥으로 들어가는 것은 아니다. 전 심정맥은 우심방으로 직접 유입된다. 심근내의 다른 정맥 통로의 심벽 특히 우심방 안에 있는 작은 개구부를 통해 심장의 방으로 직접 비워진다. 이것을 테베시안(thebesian)정맥 혹은 최소 심장정맥이라고 한다.

심장의 전도 조직(Conduction Tissue of the Heart)

특수한 심장 근육섬유는 심장의 전도 조직을 구성하여 심장 근육에 전기신호를 보내 수축을 일으킨다. 주요 전문 심장 전도 근육섬유는 굴심방결절 및 방실결절 뿐만 아니라 히스(His)와 푸르킨예(Purkinje) 섬유의 다발이다.

굴심방결절은 우심방귀와 상대정맥 기저의 교차점에 있다. 방실결절은 삼첨판의 중격 첨판에 인접한 우심방의 내벽의 근육층 깊이에 위치한다. 하스(His) 다발(온방실 다발, common AV bundle)은 중앙 섬유체를 통해 방실결절 보다 아래에 근육 심실중격의 상부 경계에 도달해 막성중격 아래로 돌아 있다. 히스 다발은 심실중격의 상부에서 짧은 거리를 통과한 다음 좌심실의 넓은 왼쪽 분지와 우심실로 지나는 작은 우분지로 갈라진다. 특수한 심장 근육세포(푸르킨예 섬유, Purkinje fiber)의 심내막하 망상조직은 좌 · 우다발분지로 생긴다. 이 net-work는 심실의 심근육에 총다발(His)의 분지를 통해 흥분성 충격 전파를 전달한다.

수기(Technique)

심장 초음파라고도 하는 **심장 초음파** 영상은 심혈관 질환의 기능성 심장 평가에 통합되었다. 매우 기본적인 영상 방식이지만, 심장 구조 및 기능과 관련된 방대한 양의 정보를 제공한다. 심장 초음파 영상의 가장 흔한 2가지 유형은 경흉부 심초음파 및 경식도 심초음파이다. 이 장에서 우리는 서로 다른 심첨접근법, 즉 심첨부창, 흉골연창, 늑골하부창 4실(4–chamber view)을 설명할 것이다.

심첨부창 4실도
그림 7.1

심첨부 영상을 얻으려면 환자를 앙와위(supine) 위치에 놓는다. 심장을 시각화하기 어려운 경우, 환자를 왼쪽 옆누운 자세(decubitus) 위치에 두면 영상이 크게 향상된다. 심장의 심첨 또는 심첨 맥박지점에서 탐촉자를 젖꼭지 라인의 측면에 놓는다. 탐촉자는 오른쪽 어깨쪽으로 향해 60도 기울여야 하고 탐촉자 표시기는 환자의 왼쪽 겨드랑이, 우심실과 좌심실을 분리하는 심실중격을 확인한다. 승모판과 삼첨판을 확인한다. 삼첨판은 수평면에서 승모판보다 아래에 위치하여 좌심실이 우심실보다 길다는 인상을 준다. 또한 심실은 심방꼭대기에 앉아 있는것 처럼 보인다. 이 위치에서 변환기가 심방보다 심실에 더 가깝기 때문이다.

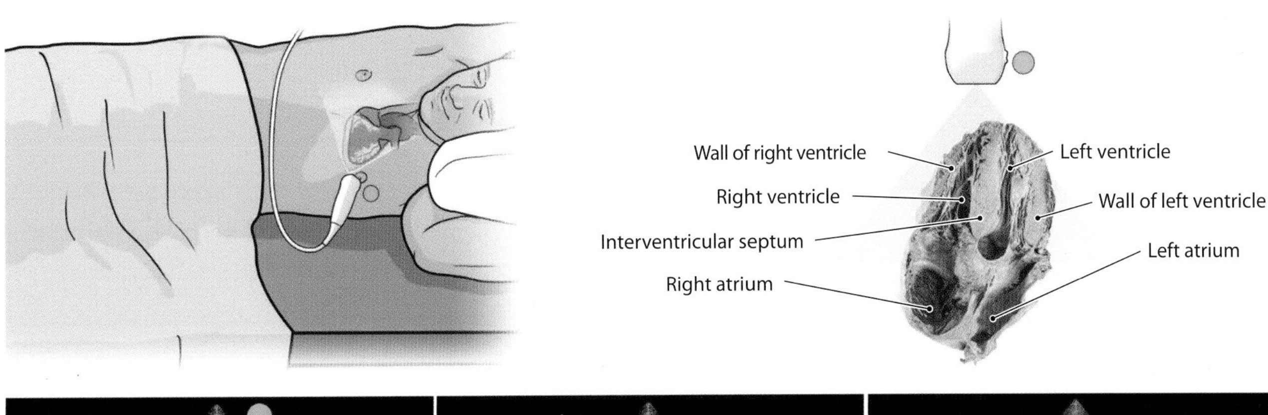

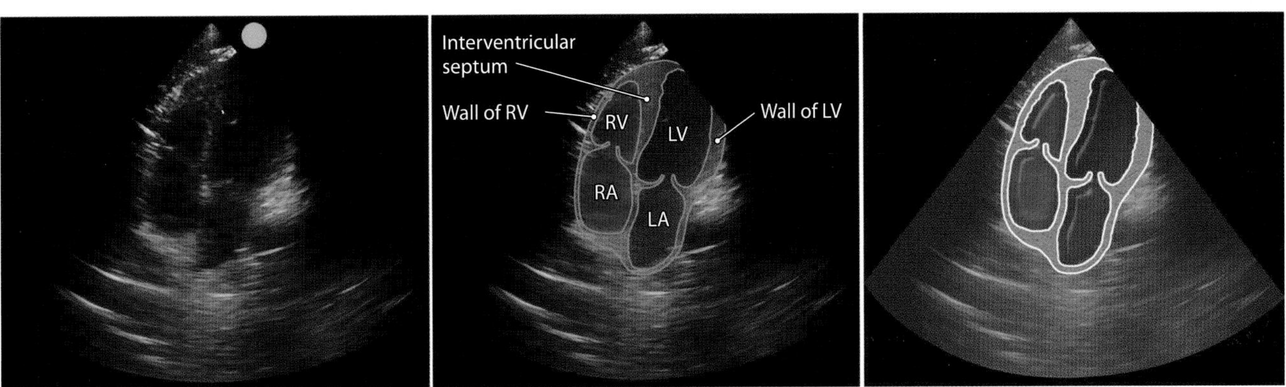

그림 7.1 심장의 심첨부창 4실도(4–chamber view). LA(좌심방), LV(좌심실), RA(우심방), RV(우심실)

흉골연창 장축도
그림 7.2

흉골연창 장축영상을 얻기 위해, 3번째, 4번째 또는 5번째 늑간공간(가장 일반적으로 4번째)에서 흉골의 왼쪽에 탐촉자를 놓는다. 탐촉자가 보여지는 영상의 왼쪽에 있을 때 탐촉자의 방향표시가 아닌 쪽이 환자의 오른쪽 어깨를 향해야 한다(탐촉자의 방향 표시쪽이 4시방향을 향하도록). 스크린 방향표시가 보여지는 영상의 오른쪽에 있으면 탐촉자의 방향 표시쪽이 오른쪽 어깨를 향해야 한다. 왼쪽 심실의 긴 축을 따라 탐촉자 혹은 초음파 광선의 방향을 조정하면 그림 7.2와 같이 영상이 보여진다. 그림 7.2와 같이 심장의 영상이 가장 잘 보일때까지 필요에 따라 한번에 하나의 늑간 공간 위 또는 아래로 탐촉자 위치를 조정한다. 이 보기에서 우심실은 영상 상단에 더 표재성으로 위치하여 우심실이 좌심실 위에 위치하는 느낌을 준다. 우심방은 보이지 않는다. 좌심실의 후방 자유 벽과 인접한 후방 심낭은 먼 측면에서 식별되어야 한다. 좌심방, 승모판, 좌심실의 유입관, 좌심실의 유출관, 대동맥판막 및 상행대동맥을 식별해야 한다. 우심실의 심실중격과 유출은 근거리에서 보여야 한다. 하행흉부 대동맥은 종종 승모판고리의 위치 근처의 좌심방 바로 뒤에서 볼 수 있다. 좌심실의 심첨은 보여지는 영상의 가장자리를 넘어 왼쪽에 있어야 한다.

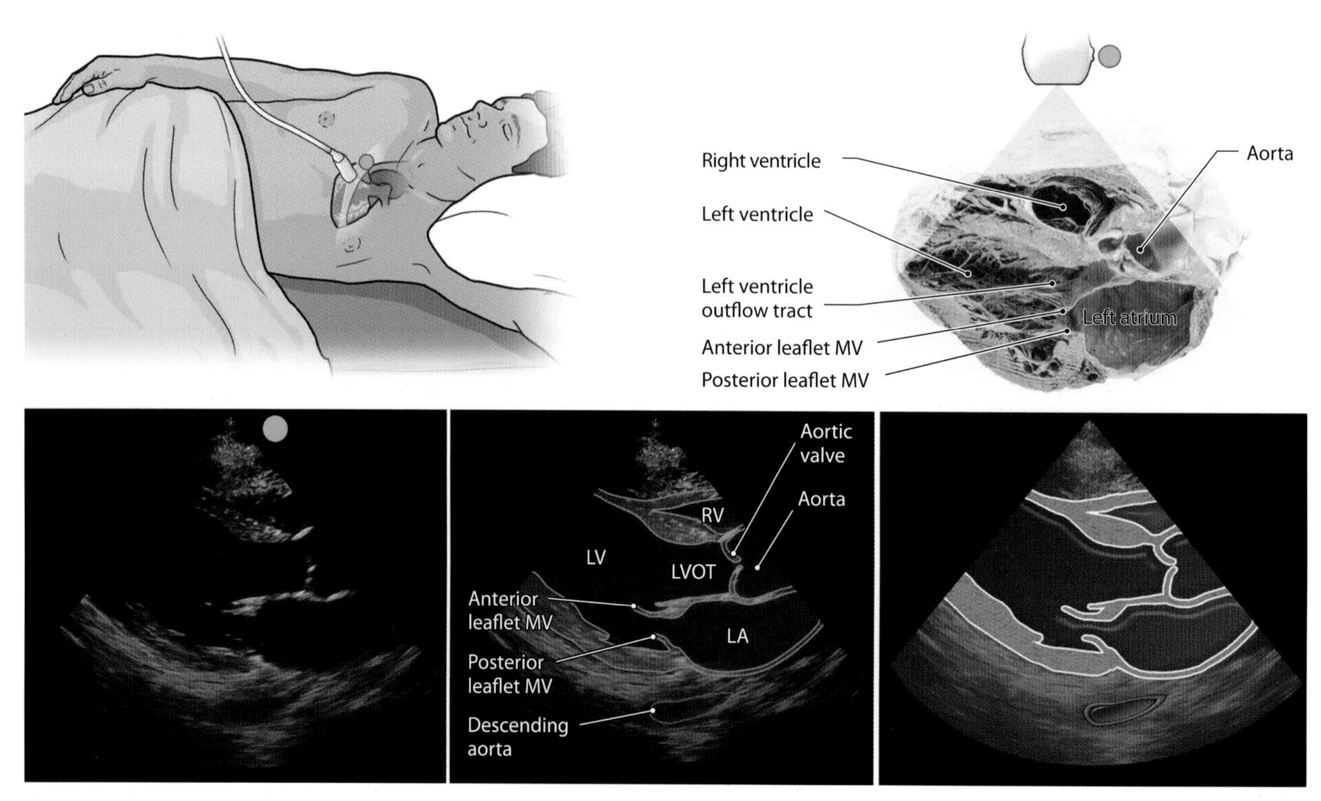

그림 7.2 심장과 심낭의 흉골연창 장축도(Parasternal long axis view). LA(좌심방), LV(좌심실) LVOT(좌심실의 유출관), MV(승모판막) RV(우심실)

흉골연창 단축면
그림 7.3

흉골연창 단축면을 얻으려면 앞의 지침에 따라 장축면을 얻은 다음 탐촉자를 시계방향으로 90도 회전시킨다. 스크린 방향표시가 보여지는 영상의 왼쪽에 있을 때, 탐촉자의 표시가 없는 쪽이 환자의 왼쪽 어깨를 향해야 한다(탐촉자의 방향표시쪽이 시계 8시방향). 스크린 방향표시가 보여지는 영상의 오른쪽이 있으면 탐촉자의 방향표시쪽이 왼쪽 어깨를 향해야 한다. 이것은 좌심실의 짧은 축을 따라 탐촉자 혹은 초음파 광선을 향하게 하고, 심장은 그림 7.3에 표시된것처럼 생성 긴축에 수직인 평면에서 보인다. 원거리 필드에서 왼쪽 심실의 영상이 원형 패턴으로 나타나고 근거리 필드에서 초승달 모양의 우심실이 보일 때 까지 한번에 하나 늑간공간 위 또는 아래로 탐촉자 위치를 조정한다.

대동맥 판막을 보고 식별하기 위해 탐촉자를 심장 기저쪽으로 향하게 한다. 이 보기에서 대동맥 판막의 3개의 전단지는 대동맥 판막이 열리고 닫힐 때 분명한다. 대동맥 판막을 닫는 동안 대동맥 전단이 합쳐져 "Mercedes Benz" 표시가 나타난다. 대동맥 판막에는 3개의 전단지, 오른쪽 관상동맥 전단지, 왼쪽 관상동맥 전단지 및 비관상동맥 전단지가 있다. 오른쪽 관상동맥 전단지는 오른쪽 심실 및 폐동맥 판막 다음(영상 아래)에 위치한 가장 앞 첨판이다. 비관상동맥 전단지는 우심방과 심방중격에 인접하고 왼쪽 관상동맥 전단지는 좌심방 앞에 위치한다. 탐촉자를 심첨쪽으로 아래로 이동하면 좌심실 내부의 특징적인 "물고기 입" 모양으로 승모판을 시각

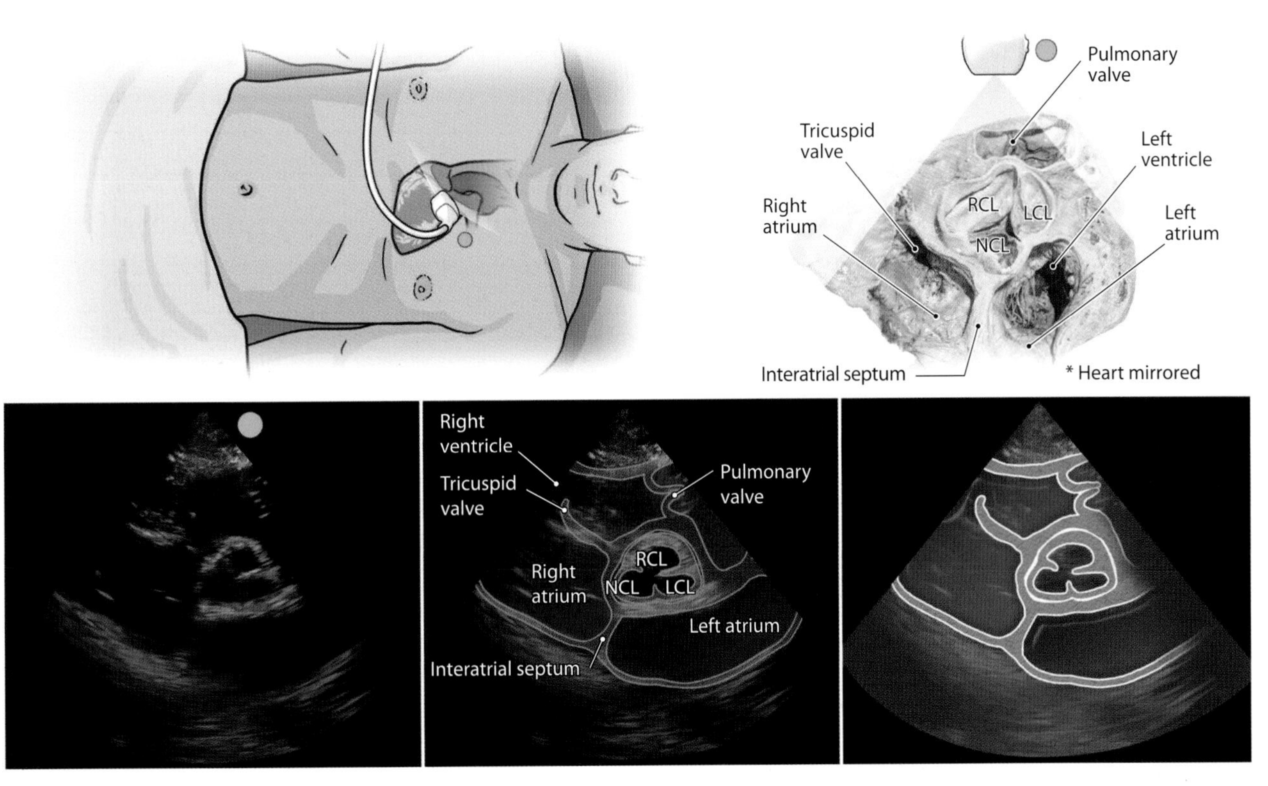

그림 7.3 대동맥 반월막 위치에서 심장의 흉골연창 단축면(Parasternal short axis view). 오른쪽(오른쪽 관상동맥 소엽), 왼쪽(왼쪽 관상동맥 소엽) 및 후방(비관상동맥 소엽)

화할 수 있다. 심장의 심첨쪽으로 탐촉자를 더 아래로 기울이면 2개의 유두 근육(후내 및 전외, posteromedial and anterolateral)을 보여질 수 있다.

심첨부 4방 단면도
그림 7.4

심첨부 4방 단면도(subxiphoid 4-chamber view)는 간을 초음파 창으로 사용하여 심장과 심낭을 본다. 환자가 협조할 수 있다면, 무릎을 90도로 구부리고 발바닥을 침대에 놓으면 복근이 이완된다. 이 창을 얻으려면 늑간궁(arch)의 너비에 따라 검상돌기 2–4 cm 아래의 중간선 바로 오른쪽에 탐촉자를 배치한다. 탐침면의 측면이 늑골 혹은 늑연골에 닿지 않도록 탐침이 검상돌기 아래로 충분히 떨어져 있어야 한다. 다음으로 직접 뒤쪽으로 압력을 가한 다음 스쿠핑(scooping) 동작으로 복벽을 향하여 탐촉자를 평평하게 하여 초음파 광선 위와 약간 왼쪽 어깨쪽으로 향하게 한다. 간, 오른쪽 및 왼쪽 심실, 오른쪽 및 왼쪽 심방 및 심낭이 식별될 때까지 탐촉자 위치를 조정하고 기울인다. 우심실 그림이 탐촉자에 가장 가깝기 때문에 그림의 상단에 있는 것처럼 보인다. 필요한 경우 왼쪽 심실의 자유 벽에 인접한 후방 심낭이 원거리에서 명확하게 보일 때까지 깊이 조정을 늘린다. 가능하면 환자에게 심호흡을 하도록 요청한다. 이로 인해 심장이 탐촉자에 더 가까워지고 영상의 질이 향상된다.

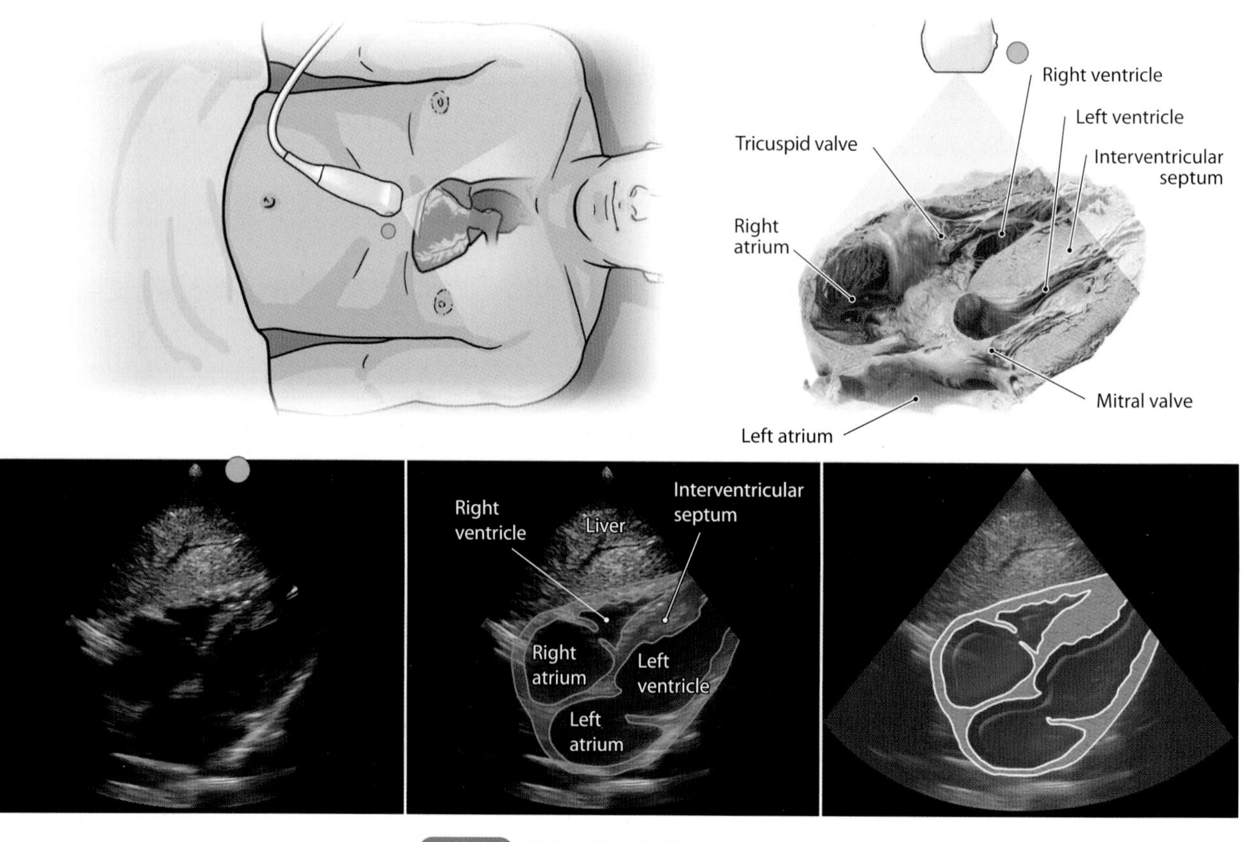

그림 7.4 심장과 심낭의 심첨부 4방 단면도

참고: 소형 볼록 위상배열(심장) 탐촉자를 사용하는 경우 많은 초음파 장치가 다른 모든 응용 프로그램에서와 같이 화면 표시를 화면 영상의 왼쪽이 아니라 화면 영상의 오른쪽에 자동으로 배치한다. 스크린 방향 표시점이 평소와 같이 영상 왼쪽에 있는 경우 그림 7.1과 같이 탐촉자의 영상 표시쪽을 환자의 오른쪽 겨드랑이쪽으로 향하게 하여 화면의 영상을 가져와야 한다. 영상표시 점이 화면 영상의 오른쪽에 있는 경우 탐촉자의 표시쪽이 환자의 왼쪽 측면을 향하도록 하여 영상에서 동일한 영상 방향을 가져와야 한다.

임상 응용

심장 초음파 검사는 다양한 조건에서 심낭, 심장 및 심장판막을 검사하는데 사용된다. 외상검사(eFAST, focused abdominal sonography for trauma)를 통한 확장된 집중 평가는 흉부 및 복부의 둔상 및 또는 관통 외상 설정에 사용된다. 심첨부 4방 단면에 축적되는 자유 액체가 있는지를 결정하기 위해 심첨부 4방 단면 또는 흉골연창이 **응급 외상검사(eFAST)** 및 잠재적인 발견은 12장에서 자세히 설명한다.

심장 눌림증(Temponade)은 갑작스런 팽창에 저항하는 심낭이 과도한 체액 또는 혈액을 함유할 때 발생하는 심장의 압박이다. 체액 및 혈액이 너무 많으면 심장이 확장기를 제대로 채울 수 없다. 따라서 심장 출력이 손상된다. 심낭 공간에서 체액 축적을 관찰하는 것 외에도 오른쪽의 이완기 붕괴 심실 탐폰의 설정에서 초음파로 심실을 관찰할 수 있다.

심실의 수축은 초음파에서 실시간으로 관찰될 수 있으며, 관상동맥 질환 또는 심실 부전으로 인한 것과 같은 전체 또는 부분 벽운동 이상을 탐지할 수 있다. 도플러 기술은 불완전한 판막의 역류를 관찰하고 협착판막의 수축기 유속을 측정하는데 사용된다. **심낭천자**는 심낭에서 액체를 제거하여 심장 눌림증 문제를 완화한다. 심막천자 수술은 경계 표시를 사용하여 수행할 수 있지만, 초음파 유도성 심낭수액은 시술 중에 바늘 경로 및 유도 철사 뿐만 아니라 삼출물을 시각화할 수 있으며, 기흉과 같은 임상적 합병증을 줄이는 것으로 나타났다. 초음파는 또란 심방 벽화혈전 및 좌심방 점액종과 같은 심장 종양의 존재를 검출하는데 사용될 수 있다.

Chapter

8

복부(Abdomen)

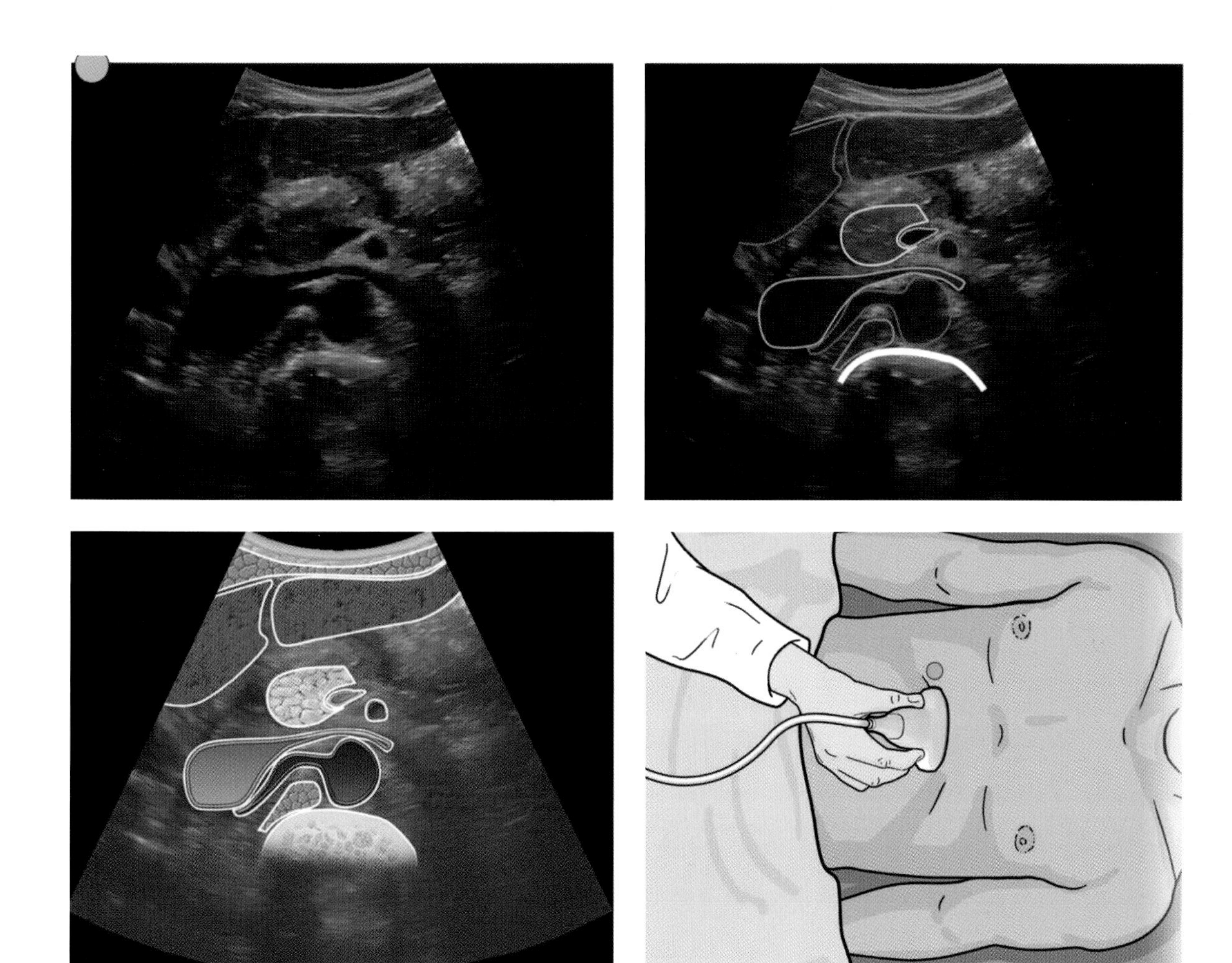

복벽(Abdominal Wall)

해부학의 검토(Review of the Anatomy)

전방 복벽(Anterior Abdominal Wall)

복벽은 2개의 가로방향 평면과 2개의 세로방향 평면에 의해 9개의 구역으로 지형적으로 분리된다. 이들은 오른쪽 갈비하 부위, 상복부, 왼쪽 갈비하 부위, 오른쪽 요추, 배꼽, 왼쪽 요추, 오른쪽 서혜부, 치골 및 왼쪽 서혜부이다. 또한 복벽은 4개의 사분역을 형성하는 수직 및 수평 평면을 통해 오른쪽과 왼쪽 상단 사분역과 오른쪽과 왼쪽 하단 사분역으로 분리될 수 있다. 복벽은 피부, 피하조직, 지방, 근육 및 이들의 **건막** 및 심층근막, 복막지방 및 복벽쪽 복막으로 구성된다.

근막, 인대 및 근육(Fasciae, Ligaments, and Muscles)

전 복벽의 근막은 표면과 깊은 층으로 구성된다. 표면층은 **표면 지방층(Camper's fascia)**과 심막성층(Scarpa's fascia)을 포함한다. 표면 지방층 근막은 서혜부 인대 위에 있으며 허벅지의 표재성 근막과 합쳐진다. 그것은 표재성 회음 근막의 표면층으로서 치골과 회음부 위에서 계속된다. **심막성층**의 근막은 음경의 표면근막과 음낭(tunica dartos) 위로 막성층과 함께 아래로 또 안쪽으로 **Colle's 근막**과 결합한다. 심근막은 외정자 근막과 결합하여 표면 서혜부 구멍의 정삭 위로 계속된다. 깊은 근막은 또한 음경 위에 위치한 **심근막(Buck fascia)**으로 알려진 음경의 심근막과 연결되며 깊은 회음근막으로 치골과 회음부 위로 뻗어있다.

앞쪽 복부벽에는 양측 5쌍으로 이루는 근육이 있다. 이 근육 중 3개는 외부 복부경사, 내부 복부경사 및 횡단복부를 포함하는 평평한 근육이다. 두 개의 근육 그룹이 수직방향이며, 복직근 및 추체근이다. 3개의 평평한 근육의 근육 섬유는 각각에 대해 대각선 및 수직으로 배향된다. 이 3개의 평평한 근육은 강화된 시트형 건막으로서 전방 및 내측으로 연장된다. 외부 복부경사, 내부 복부경사 및 횡단 복부근육의 건막의 융합은 백색선으로 알려진 중간선 무혈관 결합조직인 **백색선(linear alba)**을 형성한다. 백색선은 2개의 복직근 사이에 위치하며 검상돌기에서 치골결합까지 뻗어 있다. 직장 복부의 측면경계를 따라 곡선을 백색 반달모양(linear semilunaris)이라고 한다. 백색 반달모양 또는 활꼴선(arcuate line)이라고 불리는 초승달 모양의 선은 장골의 높이보다 아래에 위치에 있는 직장 외벽막의 뒤쪽 층의 아래쪽 경계를 형성한다. 외부 복부경사,

내부 복부경사 및 횡단 복부근육의 근막의 융합은 **직장 외벽막**을 형성한다. 그것은 직장 복부와 때로는 추체근을 둘러싼다. 또한 상 및 하배벽 혈관과 흉부신경 7~12의 복부측 1차 분지를 포함한다. 활꼴선보다 위에서 외부와 내부 복부경사 근육의 건막이 직장 외막벽의 앞쪽으로 형성하고, 아치형 선보다 아래에서 외부, 내부 복부경사 및 횡단 복부근육의 건막이 직장 외막벽의 앞쪽으로 형성한다. 직장 외벽막의 뒤쪽 층은 내부 복부경사와 횡근육의 건막에 의해 활꼴선 위에서 형성된다. 복직근막은 활꼴선 아래에서 횡단 근막에 연결된다.

서혜부 지역(Inguinal Region)

Hesselbach's 삼각형은 백색반월상에 의해 내측으로, 하복 배벽 혈관에 의해 외측을 그리고 서혜부 인대에 의해 하측으로 경계를 이룬다. 얕은 서혜부 구멍은 치골결절 옆에 위치한 외복사근의 건막에서 삼각형 구멍이다. 다른 한편으로, 깊은 서혜부 구멍은 하복 배벽혈관의 옆에 위치한 횡단근 근막에서 발견된다. **서혜부 관**은 깊은 서혜부 구멍에서 시작하여 그것이 끝나는 얕은 고리로 계속 이어진다. 이 도랑은 정삭 또는 자궁의 둥근 인대와 음부대퇴신경의 생식기 분지를 운반한다. 이 두 구조는 깊은 서혜부 구멍과 서혜부 관을 통과한다. 장골서혜 신경은 서혜부 관의 일부와 얕은 서혜부 구멍을 통해 전달되지만, 깊은 서혜부 구멍을 통해 이동하지 않는다. 서혜부 관의 전방 벽은 외부 및 내부 복부경사 근육의 근막에 의해 생성된다. 후벽은 횡단 복부근육 및 횡단근막의 건막에 의해 형성된다. 표재성면(지붕)은 내부 복부경사 및 횡단 복부근육의 아치형 섬유로 형성된다. 하부 표면(바닥)은 서혜부 및 갈고리 인대에 의해 형성된다.

신경(Nerves)

앞쪽과 앞옆쪽의 복벽은 흉복부 신경으로 알려진 7번에서 11번 사이의 늑간 신경의 앞쪽 분지에 의해 자극된다. 또한, 앞옆복벽의 아래영역은 늑간, 장골하복 및 장골서혜 신경을 포함한 추가된 신경에 의해 공급된다. 늑간 신경은 제 12흉추 신경의 배쪽분지로서 앞쪽 복벽의 근육에 신경분포를 제공한다. 장골하복신경은 첫 번째 요추신경에서 나오고, 복부의 내부 경사근육과 횡근육을 자극한다. 그 후 엉덩이와 대퇴부 측면의 피부를 공급하기 위해 측면 피부가지로 분지되고, 치골 결합보다 표면인 피부를 공급하기 위한 앞쪽 피부분지다. 장골서혜부신경은 첫 번째 요추신경에서 발생하고 깊은 서혜부 구멍 근처의 내부 경사근육을 관통한다. 그것은 서혜부 관과 표면 서혜부 구멍을 통해 정삭과 함께 동반하며 내부 복부경사 및 횡단 복부근육에 신경분포를 제공한다. 또한, 장골서혜부 신경은 앞쪽 허벅지의 상부 및 내측부분을 자극하는 대퇴부에 분지하고, 음경의 뿌리의 피부(또는 불두덩의 피부)와 음낭(또는 대음순)의 전방부분을 자극하는 앞 음낭가지로 신경을 분포한다.

혈관성(Vasculature)

위배벽동맥은 내흉동맥에서 나오고, 복직근의 벽외피로 들어가고, 복직근의 후벽을 따라 하행하며 결국 복직근 내부에서 아래배벽동맥과 합류한다. 아래배벽동맥은 서혜부 인대보다 위에서 바깥 엉덩동맥에서 나오고 복직근의 외피로 들어가서 복직근과 복직근의 벽외피의 후벽층 사이로 올라간다. 아래배벽동맥은 그후 위배벽동맥과 결합하여 쇄골하 및 바깥엉덩동맥 사이의 결순환을 제공한다. 그것은 또한 정삭 옆으로 함께 이동하는 고환 올림근 동맥으로 분지한다. 얕은위배벽동맥 분지는 대퇴부동맥에 의해 생기며 서혜부 인대 위의 배꼽쪽으로 상행하여 아래배벽동맥의 분지로 연속된다. 가슴배벽정맥은 가쪽 가슴정맥과 얕은 배벽정맥사이의 세로 정맥연결이다.

림프 배수로(Lymphatic Drainage)

배꼽보다 위쪽 부위의 림프는 액와 림프절로 비운다. 배꼽하 부위의 림프는 표면의 서혜부 결절로 비워진다. 표면 서혜부 림프절은 복부하벽, 둔부, 음경, 음낭, 대음순, 질 및 항문관의 아래부분에서 림프를 얻는다. 그들의 원심성 혈관은 주로 외부 장골결절과 결국 요추결절에 배출한다.

수기(Technique)

복직근 및 복직근 외피(Rectus Abdominis and Rectus Sheath)

복직근
복직근 외피
횡단면
그림 8.1

환자가 앙와위 위치에 있고 적절히 움직일 수 있는 상태에서 탐촉자를 중간 선의 중앙에, 검상돌기와 배꼽의 중간에 배치한다. 피부, 표면근막, 복직근의 전방층의 강초음파선, 왼쪽과 오른쪽 복직근의 내측 절반, 복직근의 후방의 외피막층 및 배가로근막을 식별한다. 오른쪽과 왼쪽 복직근의 안쪽 가장자리 사이에 중심인 에코성 백색선를 식별한다. 배가로근막 배벽복막 사이의 저에코성 복막 지방층을 추적한다.

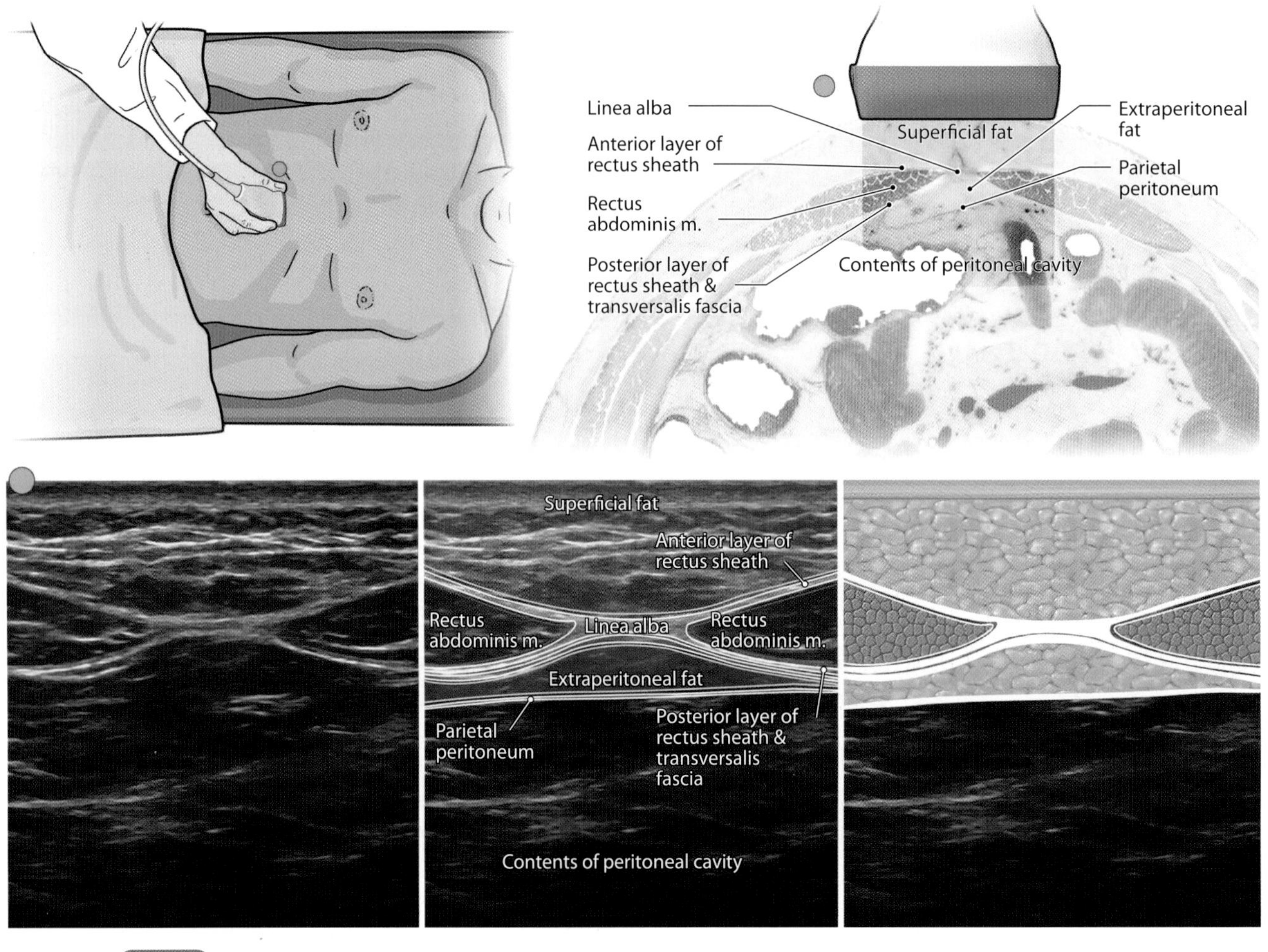

그림 8.1 검상돌기와 배꼽사이 중간에서 정상 횡축면 영상. 복직근, 복직근 근막, 백색선, 배가로근막, 외복막 지방층 및 배벽복막

외복사근 경사, 내복사근 경사 및 횡복근(External Abdominal Oblique, Internal Abdominal Oblique, and Transversus Abdominus)

외복사근 경사
내복사근 경사
횡복근
횡단면
그림 8.2

환자가 앙와위 위치에 있고 적절하게 움직이는 상태에서 반월선에서 복직근의 측면 가장자리 옆에 검상돌기와 배꼽 사이의 중간쯤에 탐촉자를 놓는다. 복직근이 확인될 때 까지 탐촉자를 안쪽으로 민 다음, 복직근육이 화면 영상에서 사라질때 까지 옆으로 뒤로 민다. 복벽 근육의 3층이 명확하게 보일 때까지 탐촉자와 기울기와 각도를 조정한다. 필요에 따라 탐촉자와 각도를 조정하여 고에코 배가로근막 및 횡단 복부근육의 깊은 면에 배벽쪽복막을 시각화한다. 복막의 벽쪽 복막 깊숙이 있는 위장관의 가스에서 발생하는 고에코 반사 및 그림자에 주목한다.

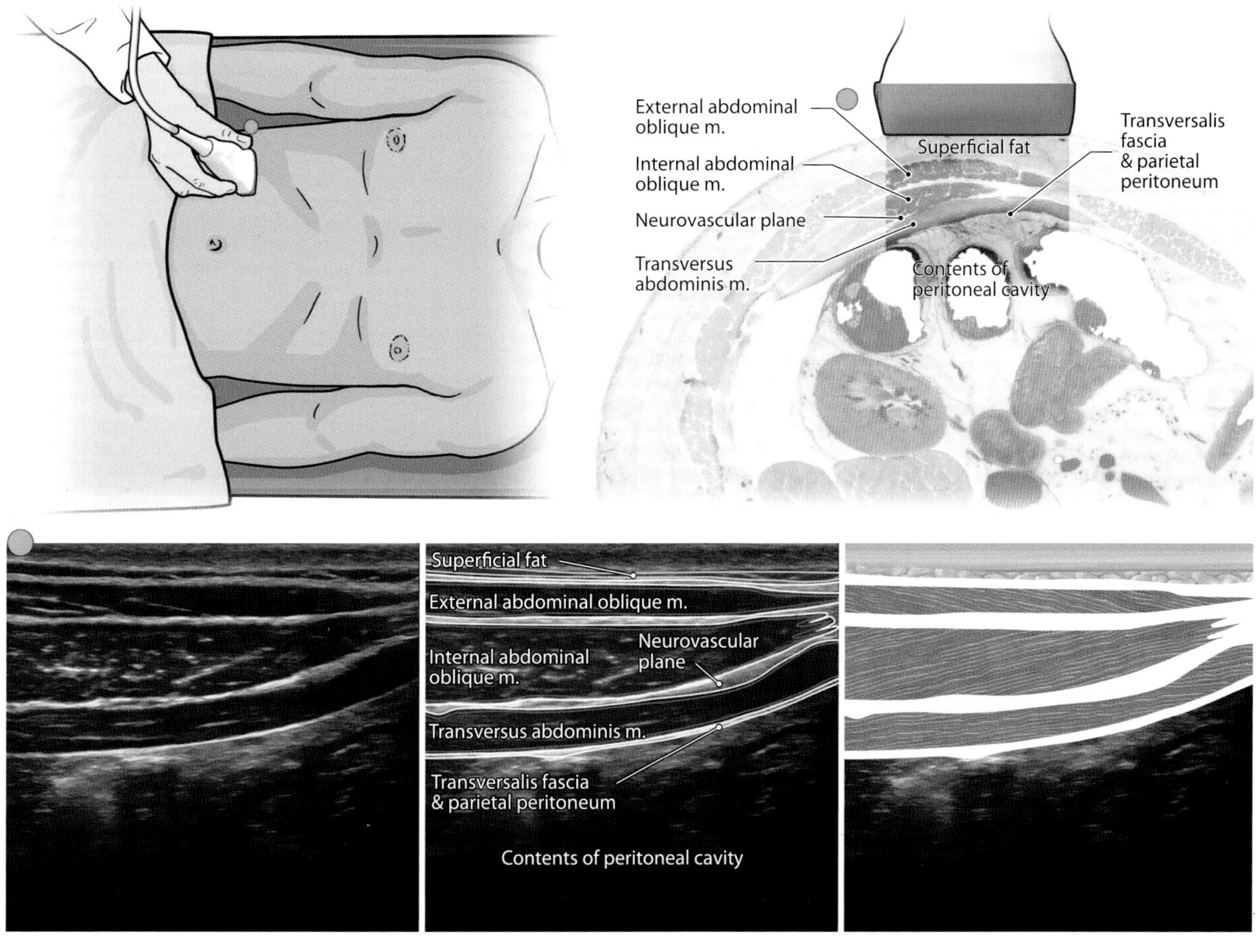

그림 8.2 검상돌기와 배꼽사이 중간에서 정상 횡축면 영상. 복직근, 복직근 근막, 백색선, 배가로근막, 외복막 지방층 및 배벽복막

임상 응용

탈장

명치(Epigastric) 탈장은 바깥복막 지방 또는 큰 그물망의 일부 또는 소장의 일부가 배꼽보다 상부의 백색선의 결함을 통해 돌출되는 복벽의 앞측면에 위치에서 탈장하는 유형의 탈장이다. 이러한 탈장의 합병증에는 소장의 창자조임 또는 창자꼬임이 포함된다.

스피겔(Spigelian) 탈장(외측 복부탈장)은 반월라인에 위치한 전외복부벽의 탈장이다. 스피겔 탈장의 진단은 초음파 또는 컴퓨터 단층촬영으로 확인되며, 임상 설명은 탈장 주머니의 구성과 탈장의 정도 및 유형에 따라 다르다. 가장 흔한 구성과 탈장의 정도 및 유형에 따라 다르다. 가장 흔한 증상은 통증이다.

절개(Incisional) 탈장은 수술 및 외상으로 복부 내장이 복벽의 결합으로 복부 장기가 확장되어 외내쪽 복부벽으로 나오는 또 다른 탈장 유형이다. 수술이나 외상으로 인한 결과 이러한 유형의 탈장은 일반적으로 환자의 약 5%에서 15%의 복부 개복술 후에 발생한다. 또한 인구의 비만과 복부 수술의 복잡성이 증가함에 따라 매우 큰 또는 거대 탈장의 발생률이 증가한다는 것이 밝혀졌다.

횡단복부차단(TAPB, Transversus Abdominis Plane Block)

횡단복부차단(TAPB)은 일반적으로 T9에서 T10신경을 차단하는데 사용되는 초음파 유도하 차단이다. 초음파 유도하 횡단복부차단은 바늘 복부를 내부 복부경사와 횡단복부근육 사이의 평면으로 정확하게 안내하여 복벽 내벽절개를 위한 국소마취를 제공하는데 사용된다. 이 차단은 탈장수술, 개방 충수절제술, 제왕절개, 복부 자궁적출술 및 근본적인 전립선 절제술과 같은 여러 수술 절차에 대해 표시된다.

복막, 위장관 및 간
(Peritoneum, Gastrointestinal Tract, and Liver)

해부학의 검토(Review of the Anatomy)

복막 및 복막강(Peritoneum and Peritoneal Cavity)

복막은 중피세포로 구성된 장막에 의해 형성된다. 그것은 두 부분, 복벽복막(parietal peritoneum)과 내장복막이 있다. 복벽복막은 복부 및 골반벽과 횡격막의 하단측면 위에 있으며, 반면 내장복막은 복부내장 위에 씌워진다.

복막의 복벽 및 내장층은 복부 내장 위의 자유로운 움직임을 가능하게 하는 잠재적인 공간을 형성한다. 남성의 복강은 폐쇄된 강이다. 그러나 여성의 복막강은 질, 자궁관 및 자궁을 통해 개방되어 있으며 소량의 복막액이 들어있다. 복막은 통증에 둔감한 내장 복막과 달리 통증에 민감한 원인이 되고, 횡경막, 아래늑간, 갈비밑, 장골하복부 및 장골서혜부 신경에 의해 신경분포된다.

복벽복막과 내장복막(visceral peritoneum)은 복부 내장에 복막반사를 만든다. 이러한 반사는 작은 및 큰그물망, 고유장간막, 횡 및 구불결장막 및 중간 충수막이다.

작은 그물망은 간 통로에서 복막의 이중층이며, 위장의 작은굽이와 십이지장의 시작부에서 이어진다. 간위 및 간십이지장 인대는 작은 그물망을 구성한다. 그들은 또한 복막강의 작은주머니의 전방벽을 형성하고, 위장의 작은굽이를 따라 두막층안의 길을 따라 왼쪽 및 오른쪽 위혈관을 전달한다. 작은 그물망은 고유간동맥, 담관 및 문맥을 공급하는 자유로운 경계를 갖는다.

큰 그물망은 위의 큰굽이로부터 아래로 내려오며 횡대장과 다른 복부 장기 위를 덮는다. 그것은 위의 큰 곡률을 따라 오른쪽 및 왼쪽 위혈관을 전달하며 소낭의 입구을 밀봉하여 소장의 코일이 이소낭에 들어가지 못하게 한다. 더 큰그물망은 염증 부위에 부착하고 염증이 있는 기관주위를 감싸서 심각한 확산되는 복막염을 예방한다.

큰 그물망은 종종 다음과 같은 복막 인대, 위비장 위횡경막 및 위대장인대를 포함하는 것으로 정의된다. 비신장인대는 또한 일부 저자들에 의해 더 큰 그물망의 일부로 간주된다. 위비장인대는 위의 큰굽이의 왼쪽부분에서 비장의 입구까지 뻗어있으며 짧은 위 및 왼쪽 위대망막 혈관을 포함한다. 위횡격막인대는 위의 큰굽이의 상부 표면에서 횡격막으로 이동한다. 위대장인대는 위의 큰굽이에서 횡행대장으로 이어진다. 마지막으로, 비신장 인대는 비장의 입구에서 왼쪽 신장으로 이동하고 비장 혈관과 췌장의 꼬리를 유지한다.

소장 또는 고유장간막의 장간막은 복부 후벽에서 공장과 회장을 지지하고 소장에 나가고, 들어오는 신경, 혈관 및 림프를 운반하는 복막의 이중 막이다. 그것은 십이지장 공장 굴곡에서 오른쪽 장골 공간으로 확장되는 뿌리를 형성한다. 소장을 둘러싼 자유로운 경계가 있으며 상장간막 및 소장(공장 및 회장), 혈관, 신경 및 림프를 포함한다.

횡행대장 간막은 횡행 대장의 후방 표면을 후방 복벽에 접속시킨다. 그것은 큰 그물망과 결합하여 위대장 인대를 형성하고 중간대장 혈관, 신경 및 림프를 둘러싸고 있다. 구불대장간막은 구불대장을 골반 벽에 연결하고 구불대장 혈관을 포함한다. 맹장 장간막은 맹장을 회장의 장간막에 연결하고 맹장혈관을 포함한다.

횡경막대장 인대는 왼쪽 대장굴곡에서 횡경막으로 이동한다.

겸상인대는 간을 횡격막과 앞쪽 복벽에 부착시키는 복막 주름이다. 그것은 또한 간의 둥근인대 및 배꼽주위 혈관를 포함하며, 이는 문맥의 왼쪽가지와 배꼽의 피하정맥과 함께 문합한다.

간의 둥근인대(간원삭, ligamentum teres hepatis)는 겸상 인대의 자유 가장자리에 있으며, 배꼽부터 간의 아래면(장기면) 위로 이동하고 간의 사분엽의 왼쪽경계를 형성하는 균열에 누워있다. 발생학적으로, 그것은 태아의 왼쪽 제대 정맥의 잔여물이며, 태아에서 태반에서 문맥의 왼쪽 가지로 산소화된 혈액을 운반한다(오른쪽 제대 정맥은 배아 기간동안 소실된다.)

관상인대는 복막 반영이며, 간의 횡격막 경계에서 생겨 횡격막으로 연결하며 간의 오른쪽엽의 삼각형 영역을 둘러싸고 있고, 오른쪽 및 왼쪽 삼각형 인대를 만들어 오른쪽 및 왼쪽 확장한다.

정맥관인대는 배아관의 발생학적 잔유물이다. 그것은 본래 섬유질이며 간 아래부분의 균열에 위치하며, 간의 꼬리엽의 왼쪽 경계를 형성한다.

제대주름은 중앙, 내측 및 외측 제대주름을 포함하여 배꼽 아래에서 복막의 5층이다. 직장자궁주름은 자궁의 자궁경부에서 직장의 측면을 따라 골반 후벽에 이어져 더글러스(Douglas)의 직장자궁 오목를 만든다. 회막창자주름은 말단 회장에서 막창자까지 이어진다.

위장의 내장(Gastrointestinal Viscera)

위장(Stomach)

위장은 복막에 의해 완전히 덮혀있고 왼쪽 갈비아래 부위 및 상복부 지역에 있다. 위는 소 및 대만곡, 전방 및 후방벽, 분문및 유문개구부, 분문 및 각진 패임이 있다. 그것은 날문, 위바닥, 몸통 및 날문방의 네 부분으로 구분된다.

날문은 날문구멍을 둘러싸고있는 위 윗부분이다. 위바닥은 왼쪽 횡격막 천장의 다섯 번째 갈비뼈 수준에서 심장의 정점보다 아래인 위의 영역이다. 몸통는 위의 주요 부분을 차지하며 위바닥와 날문방 사이의 영역이다. 날문는 날문방과 날문 입구로 세분된다. 날문 입구는 날문 괄약근으로 둘러싸여 있으며, 이는 십이지장으로의 위 내용물의 방출 속도를 조정하는 두껍고 원형의 평활근이다. 괄약근의 수축은 교감자극에 의해 조절되고, 부교감 작용에 의해 이완된다. 위는 오른쪽 및 왼쪽 위동맥, 오른쪽 및 왼쪽 위대망막 동맥, 그리고 짧은 위동맥으로 부터 동맥을 공급을 받는다. 위가 수축을 경험함에 따라, 그것은 **주름(rugae)**은 알려진 점막의 세로 주름의 모양으로 구별된다. 주름에 의해 형성된 위 작은 굽은을 따르는 홈이 있는 도랑인 위관은 액체를 날문쪽으로 향하게 한다. 위는 또한 위바닥와 몸통에서 염산과 단백질 소화 효소인 펩신을 생성한다. 또한 가스트린(gastrin) 호르몬을 합성한다. 가스트린은 미주신경으로부터 부교감신경 섬유를 통해 날문방에서 위산의 방출을 자극한다.

소장(Small Intestine)

소장은 날문 구멍에서 회맹장 접합부까지 확장된다. 소화 및 물, 전해질 및 칼슘 및 철과 같은 미네랄의 내용물의 완전한 소화 및 흡수 과정은 소장에서 발생한다. 소장은 십이지장, 공장 및 회장의 세 영역으로 나뉜다.

십이지장(Duodenum)

십이지장은 췌장의 머리를 둘러싼 C 모양의 튜브이다. 다른 3개 지역 중에서, 십이지장은 가장 짧지만(길이 25 cm 또는 길이가 12손가락 폭) 그러나 소장에서 가장 넓다. 십이지장의 근위 부분을 제외하고 나머지는 후복강에 있다. 근위 영역은 작은그물망의 간십이지장 인대에 의해 간에 연결된다. 십이지장의 동맥 공급은 복강동맥과 상장간막 동맥의 가지에서 나온다.

십이지장은 4개 부분으로 나뉜다.

1. 상(첫 번째) 부분: 이 부분에는 십이지장 캡으로 알려진 이동식 부분이 있는데, 이 부분은 날문에 의해 수축된다.
2. 내림차순(두 번째) 부분: 여기에는 공통 담즙 및 주 췌장관이 열리고 전장 및 중장의 접합부가 포함된다. 또한 담즙과 주 췌관의 말단이 위치한 큰 유두와 큰 유두보다 위 2 cm 정도 떨어져 있고, 보조 췌장관의 개구부를 나타내는 작은 유두가 들어있다.
3. 횡(세 번째) 부분: 가장 긴 부분이며 하대정맥, 대동맥 및 척추를 왼쪽으로 횡단한다. 그것

은 상장간막 혈관에 의해 전방으로 교차된다.

4. 오름차순(네 번째) 부분: 십이지장의 이 부분은 대동맥 왼쪽에서 두 번째 요추 수준까지 올라가 십이지장 공장 접합점에서 멈춘다. 수술적 표시점인 트리이츠(treitz)의 유지 인대로 고정된다. 이 섬유 근육 끈은 횡경막의 오른쪽 다리에 연결된다.

공장(Jejunum)

공장은 소장의 근위 2/5에 위치하고, 반면 회장은 원위 3/5에 위치한다. 공장은 회장과 비교할 때 비어있고 넓으며 두껍다. 공장은 판막형같이 키가 크고 원형이며 조밀하게 쌓인 주름을 가지고 있으며, **윤상주름(Plicae circularis)**이라 불린다. 림프 조직의 집합인 페이어방(Peyer's patch)이 없다. 공장은 또한 장간막 혈관 사이에 창문이라고 불리는 빛나는 영역을 가지고 있다. 회장과 비교하면 공장은 장간막에 덜 눈에 띄는 동맥 아케이드가 있다. 그러나 그것은 더 긴 곧은 혈관(vasa recta) (곧은동맥 또는 arteriae rectae)을 가지고 있다.

회장(Ileum)

회장은 공장보다 길며 복부의 오른쪽 하사분면의 거짓 골반에 있다. 그것은 공장과 비교할 때 원위 부분에 페이어방(Peyer's patch)이 존재하고, 짧은 윤상주름과 곧은 혈관, 더 많은 장간막 지방과 동맥 아케이드로 구별된다. 회맹장 주름은 Treves의 무혈 주름이다.

대장(Large Intestine)

대장은 회막창자 접합부에서 항문까지 뻗어 있으며 길이는 거의 1.5 m이다. 막창자, 맹장, 대장, 직장 및 항문관으로 구성된다. 주요 역할은 물, 염분 및 전해질을 흡수하여 회장의 액체 내용물을 반고체 대변으로 변환하는 것이다. 또한 점액으로 대변을 저장하고 윤활 역할을 한다.

막창자(Cecum)

대장의 장님 주머니이다. 그것은 오른쪽 장골공간에 위치하고 있으며 종종 복막으로 둘러싸여 있지만 장간막이 없다.

맹장(충수돌기, Appendix)

이것은 벽에 림프 조직이 많이 있는 좁고 속이 빈 근육질 튜브이다. 충수돌기는 충수돌기 혈관을 포함하는 작은 장간막(mesoappendix)에 의해 말단 회장으로 부터 걸려있다. 염증이 생길 때, 충수돌기는 경련과 팽창의 원인이 될 수 있으며, 이로 인해 통증이 배꼽 주변 부위에 연관 통증이 나타나며 그리고 오른쪽 아래 사분면으로 이동한다. 충수돌기는 **McBurney's 지점**에 깊숙이 위치한 기저부가 있는데, 이는 우전상장골극과 척추 사이의 선의 1/3의 교차점에 있다.

직장 및 항문 통로(Rectum and Anal Canal)

이들은 구불 결장의 접합점에서 항문까지 뻗어있다. 그들은 골반 장기로 묘사된다.

대장(Colon)

대장은 후복부에 상행과 하행대장이 있고, 횡과 구불대장은 복부의 복막으로 둘러싸여 있다. 상장간막 동맥 및 미주신경은 결장의 상행 및 횡행 대장부분을 공급하는 반면 하행 및 구불대장 부분은 하장간막 동맥 및 골반 내장신경에 의해 공급된다. 결장의 특징은 다음과 같다.

- 주름창자(Teniae coli): 바깥쪽 세로 근육 막의 좁은 끈 3개이다.
- 소낭형성 혹은 주름창자 팽대(sacuulation or haustra): 이들은 장보다 조금 작으며 주름창자에 의해 생성된다.
- 상피 부속물(Epiploic appendages): 복막으로 덮인 지방 주머니로, 주름창자를 따라 줄로 연결되어 있다.

간(Liver)

간은 인체에서 가장 큰 내장기관이며 가장 큰 샘이다. 지방을 유화시키기 위해 담즙의 합성과 분비에 중요한 역할을 한다. 해독(장내 점막을 통과한 박테리아 및 이물질을 제거하기 위해 혈액을 여과함으로써); 글리코겐으로서 탄수화물의 저장(나중에 포도당으로 분해하기 위해); 트리글리세리드로서 지질의 합성 및 격리; 혈장 단백질 합성(알부민 및 글로불린); 헤모글로빈의 분해로부터 혈액 응고제(피브리노겐 및 프로트롬빈), 항응고제(헤파린) 및 담즙 색소(빌리루빈 및 빌리버 딘)의 생성; 혈액 및 혈소판 저장; 특정 비타민, 철 및 구리의 저장. 태아에서 간은 적혈구 합성에 중추적인 역할을 한다.

간은 복막으로 둘러싸여 있으며 관상인대와 낫 인대와 좌우 삼각인대에 의해 횡격막에 연결된다. 그것은 횡격막 표면에 노출된 영역을 가지고 있으며, 관상인대의 층에 의해 제한되지만 그러나 복막은 없다. 간은 간동맥으로 부터 산소화된 혈액과 문맥으로부터 탈산소화 되고, 소화된 영양소가 풍부한 때로는 독소 함유 혈액을 받는 이중 혈액 공급장치를 갖는다. 또한 일반적으로 **간세동이(Poartal triad)** 알려진 간동맥, 문맥의 가지 및 담관으로 함께 그룹화된 혈관 그룹을 포함한다. 간은 혈관 주위 섬유막이라고 불리는 결합 조직 덮개로 둘러싸여 있다. 간은 간 배액과 혈액 공급에 따라 담낭과 하대정맥 위한 오목에 의해 좌우 엽으로 나뉜다.(이 엽은 기능 단위 또는 간 분절에 해당한다.)

간 엽(Lobes of the Liver)

간 엽은 다음과 같다:

- 오른쪽 엽: 앞쪽과 뒤쪽으로 나뉘며, 각 부분은 상하 부분 혹은 분절로 나뉘어진다.
- 왼쪽 엽: 안쪽과 옆쪽 분절로 나뉘며, 각 부분은 상위 영역과 하위 영역(분절)으로 세분된다. 그것은 내측 상층(꼬리엽), 내측 하층(사분엽), 외측 상방 및 측면 하방 분절로 구성된다. 사분엽은 왼쪽 간 동맥으로부터 산소화된 혈액을 받고 담즙을 왼쪽 간담관으로 배출시키는 반면, 꼬리 엽은 오른쪽 및 왼쪽 간동맥에서 산소화된 혈액을 받고 담즙을 오른쪽 및 왼쪽 간담관으로 배출한다.

간 균열 및 인대(Fissures and Ligaments of the Liver)

여기에는 균열의 H모양의 그룹을 포함한다:

- 좌엽의 외측면과 사분엽 사이에 위치한 둥근인대(간원삭, ligamentum teres hepatis)에 대한 균열
- 왼쪽 엽의 외측면과 꼬리 엽 사이에 위치한 정맥관 인대의 균열
- 사분엽과 오른쪽 엽의 주요 부분 사이에 위치한 담낭의 공간
- 꼬리 엽과 오른쪽 엽의 주요 부분 사이에 위치한 하대 정맥의 균열
- 간세동이(Portal hepatis). 이 횡열상은 사분엽과 꼬리 엽 사이의 간내장 표면에 위치하고 간담관, 간동맥, 문맥의 가지, 간신경 및 림프관을 포함한다

수기(Technique)

간의 좌엽
좌문맥
하대정맥
상복부
횡단면
그림 8.3

환자가 앙와위 자세로 올바르게 준비된 상태에서 빔을 약간 위로 향하게 하여 상복부 중간선의 오른쪽에 횡방향으로 탐촉자를 놓는다. 간은 문맥(주변 결합조직/지방) 주위에 얼룩덜룩한 패턴과 고에코 달무리(때때로 입구지점이 긴 축으로 보일때 때로는 "기차 트랙"이라고 불림)와 함께 나타난다. 하대정맥과 좌 문맥(좌문맥의 상행분지)을 분리하는 꼬리엽을 식별한다. 정맥관 인대로 보이는 꼬리엽과 왼쪽 간엽사이의 균열에 고에코 선이 있다(환자는 간을 스캔하는 동안 심호흡을 하고 호흡을 정지하도록 요청해야 한다).

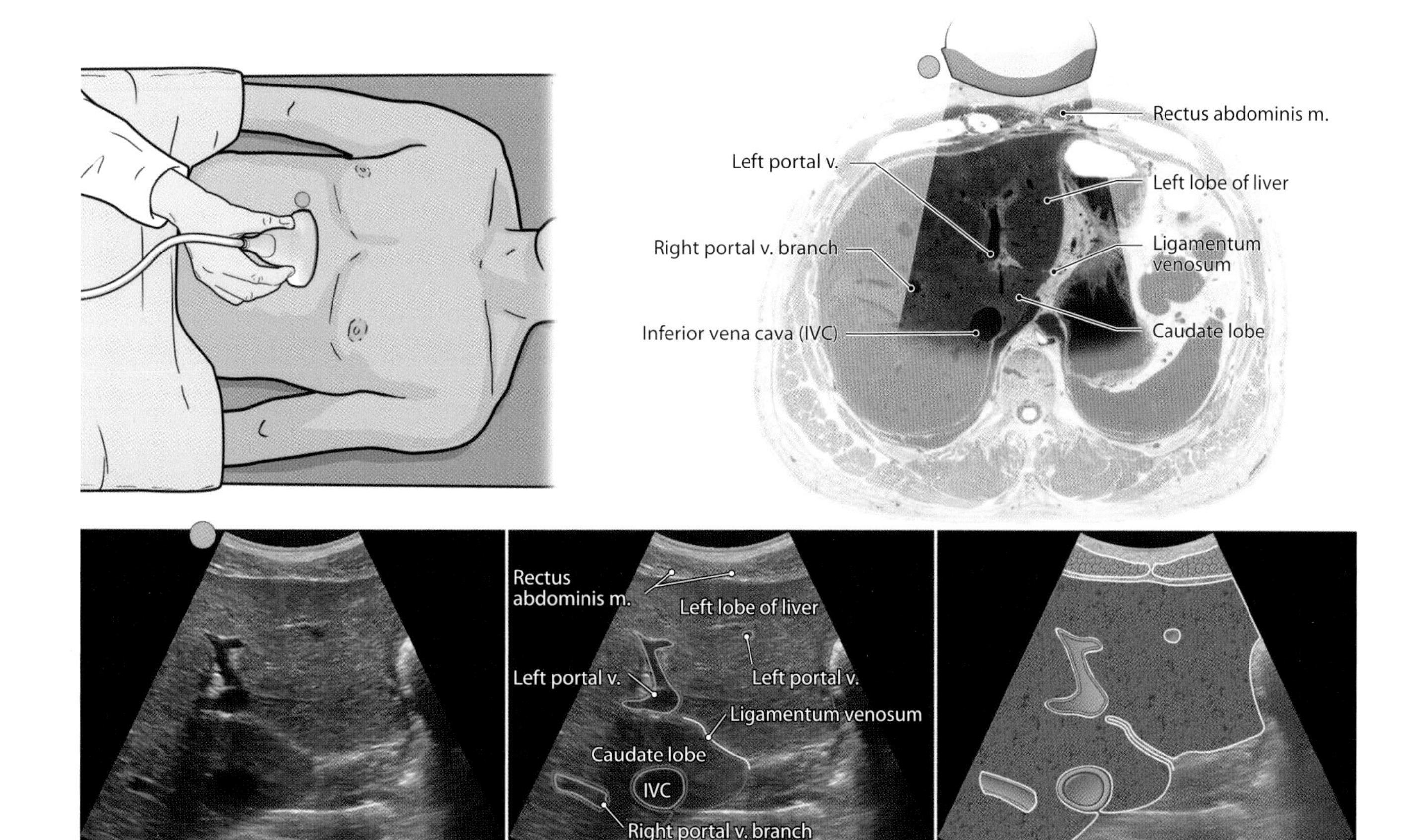

그림 8.3 좌간엽, 좌문맥과 분지, 꼬리엽, 하대정맥 및 정맥관 인대의 상복부 횡축면 영상

하대정맥
간정맥
늑골하
횡단면
그림 8.4

환자가 앙와위 위치에 있을 때, 하대정맥을 따라 간정맥(hepatic vein)이 식별될 때 기울기와 각도를 조정하여 빔을 겨냥한 상태에서 올바른 늑골마진 하에 탐촉자를 횡으로 놓는다. 간정맥과 문맥을 구별하기 위해 간정맥 주위에 하대정맥으로 들어가는 달무리이나 기차 트랙이 없음을 주목한다. 왼쪽, 중간 및 오른쪽 간정맥을 식별한다.

왼쪽 간엽
꼬리엽
문맥
온간장동맥
늑골하면
종단면(방시영상)
그림 8.5

환자가 앙와위 위치에 있을 때, 늑간 마진 하에서 중간 선의 오른쪽으로 세로방향으로 탐촉자를 배치한다. 간 및 꼬리 엽의 왼쪽 엽을 식별하기 위해 탐촉자를 조정하고 기울이거나 배치한다. 췌장의 목 뒤에서 아래에서 상장간막 정맥이 이어져 나오는 문맥을 확인하고 온간장 동맥(common hepatic artery)과 함께 확인한다.

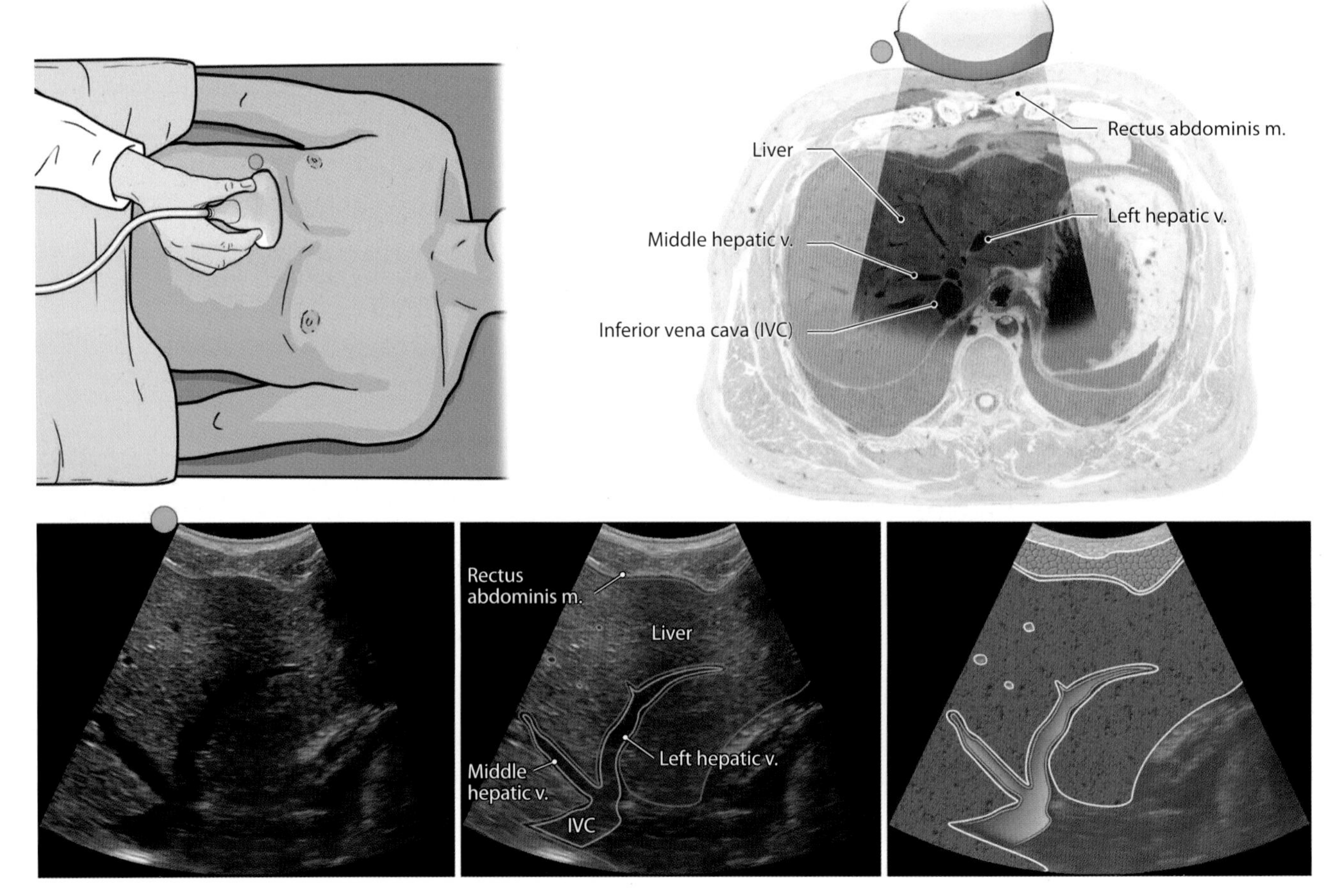

그림 8.4 중간 및 좌 간장 정맥응 유입하는 하대정맥의 늑골하 횡축면 영상

간세동이 하대정맥 대동맥 늑골하
횡단면(사위)
그림 8.6

환자가 앙와위 위치에 있는 상태에서 탐촉자를 복부의 횡방향 평면에 약간 비스듬히 놓고 늑간 마진의 오른쪽에 평행하게 둔다(일부 임상 연구계획서에는 표시가 왼쪽 어깨를 향해 있지만, 표시는 오른쪽을 가리켜야 한다). 문맥을 식별하여 간세동이(Portal hepatis)로 이동한 후 미키 마우스 표시를 보이도록 조정 및 기울기/각도를 조정한다. 이 표시는 머리가 문맥을 나타내며 오른쪽 귀는 담관이고 왼쪽 귀는 고유간동맥이다. 하대정맥은 문맥(그물망 구멍)과 요척추(lumbar vertebra)의 몸체의 왼쪽에있는 대동맥(aorta)의 뒤쪽에 보인다.

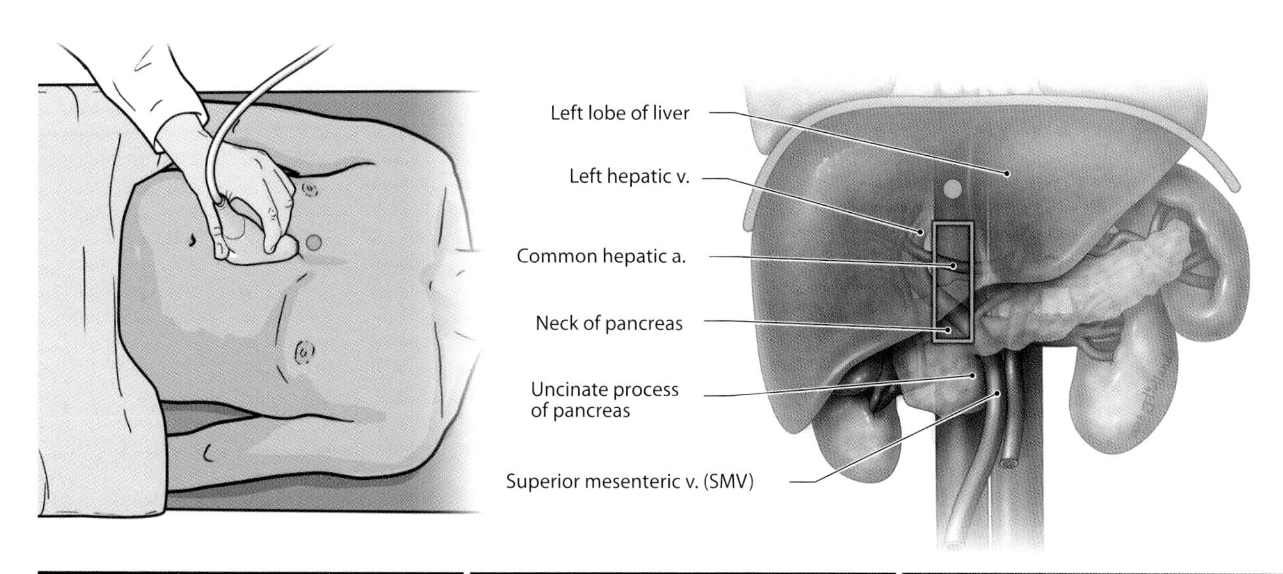

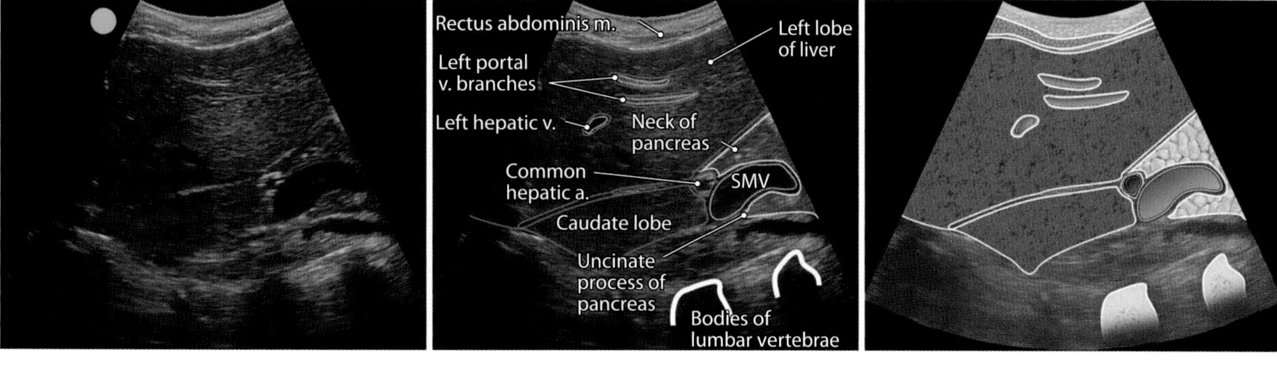

그림 8.5 간 좌엽, 간 꼬리엽, 간문맥(비장정맥과 상장간막 정맥에 의해 결합하여 형성되는), 췌장의 주변 목 및 갈고리 돌기, 및 온간동맥의 늑골하 종방향 측면영상

문맥
하대정맥
늑골하면
종단면(사위)
그림 8.7

환자가 앙와위 위치에 있을 때, 신체의 종축을 따라 배향된 늑골 마진의 오른쪽 하에 탐촉자를 놓는다. 탐촉자를 시계 반대방향으로 돌려 세로방향(경사정맥이 왼쪽에서 오른쪽으로 비스듬히 교차 함)을 가하여 문맥의 장축을 따라 놓는다. 위/하 및 왼쪽/오른쪽으로 기울여 간이 접근하고 들어가는 문맥을 식별한다. 하대정맥은 뒤쪽에 수직 경로가 있으므로 몇 센티미터 이상 문맥과 평행하지 않는다.

문맥 분지
오른쪽과 왼쪽 문맥
하대정맥
늑골하면
횡단면
그림 8.8

환자가 앙와위 위치에 있을 때, 늑간 마진 아래 목표로 탐촉자를 몸의 축을 가로 지르는 중간 선의 오른쪽에 배치한다. 환자에게 심호흡을 하고 탐침자를 기울이거나 부채꼴로 움직여 하대정맥, 꼬리엽의 꼬리 및 문맥이 오른쪽과 왼쪽가지로 나뉘어 있는지 확인한다. 문맥에는 문맥 주위에 특징적인 고에코 달무리/기차 트랙이 있다.

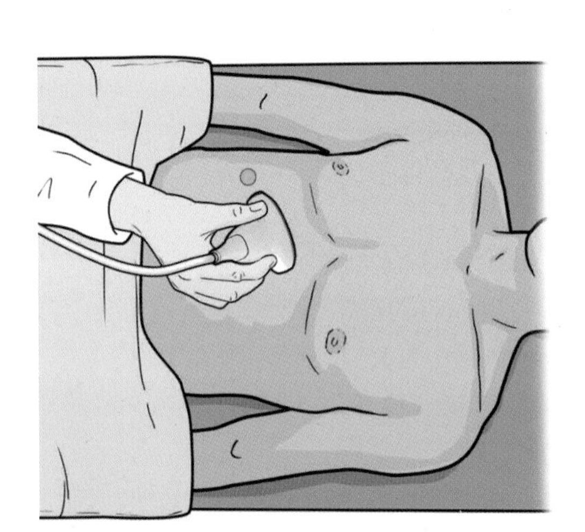

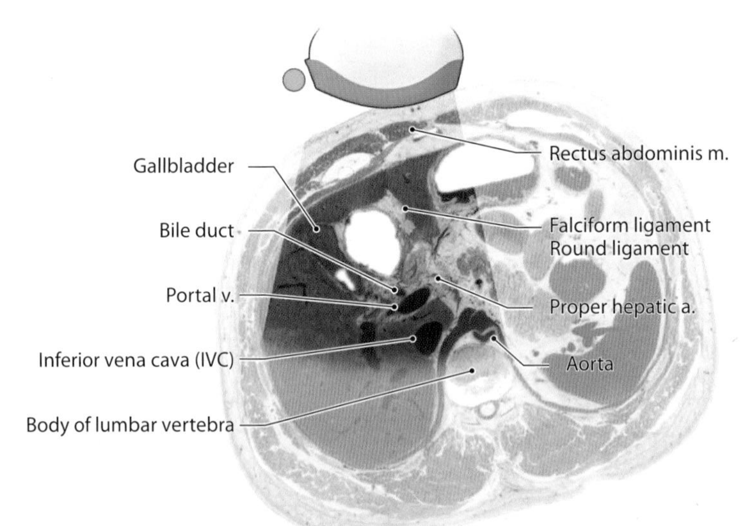

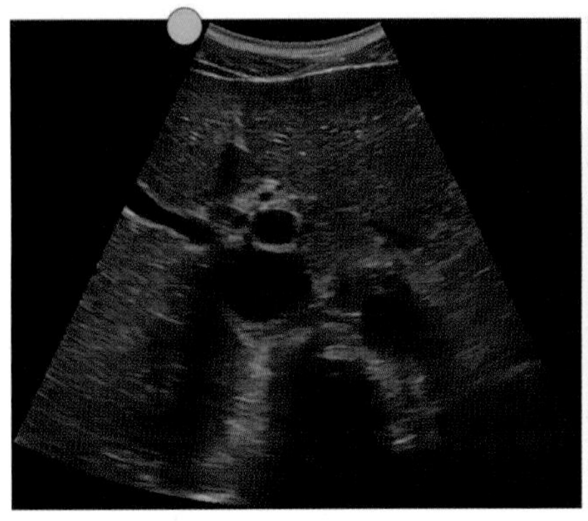

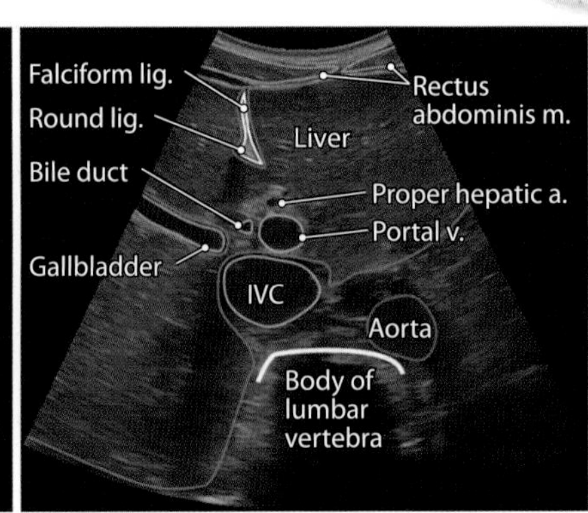

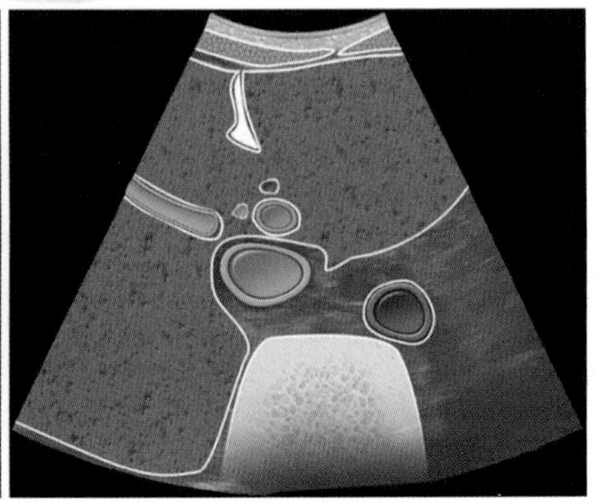

그림 8.6 간 출입구를 통해 간으로 들어오고 나가는 간세동이(Portal hepatis) (문맥, 고유간동맥 및 담관)의 횡방향(사위) 늑간하 도면. 하대 정맥은 문맥 뒤에 바로 보인다. 간의 고에코 낫 인대와 둥근 인대(간원삭, ligamentum teres hepatis)는 간 왼쪽 엽(분절 2, 3)과 사문엽(분절 4b) 사이의 경계에서 볼 수 있다.

하대정맥
간 오른쪽 심방
오른쪽 심실
늑골하면
종단면
그림 8.9

환자가 앙와위 위치에 놓고 흉부를 향하도록 오른쪽 늑골경계 아래에서 정중선의 오른쪽을 향하도록 탐촉자를 세로로 놓는다. 환자에게 심호흡을 하고 간 얼룩 무늬와 정맥을 확인하고, 하대정맥의 리듬같은 전달맥동과 흡기시 수축를 확인한다. 문맥은 고유 간동맥과 동반하는 하대정맥의 앞쪽에서 보인다.

오른쪽 간엽
모리슨오목
오른쪽 신장
종단면(늑간사위)
그림 8.10

환자를 앙와위 위치에 놓고 오른손 손바닥을 머리 뒤에 놓고 팔을 외전하면 오른쪽 늑간공간을 넓게 하는데 도움이 된다. 탐촉자 표시를 위로 향한 상태에서 검상돌기 흉골 접합부의 수평 위치에서 중간 겨드랑선을 따라 탐촉자를 배치한다. 탐침자면은 늑간 공간(늑골간 경사방향)과 평행이 될 때까지 회전해야 한다. 이렇게 하면 관심있는 구조물 위에 있는 늑골영상을

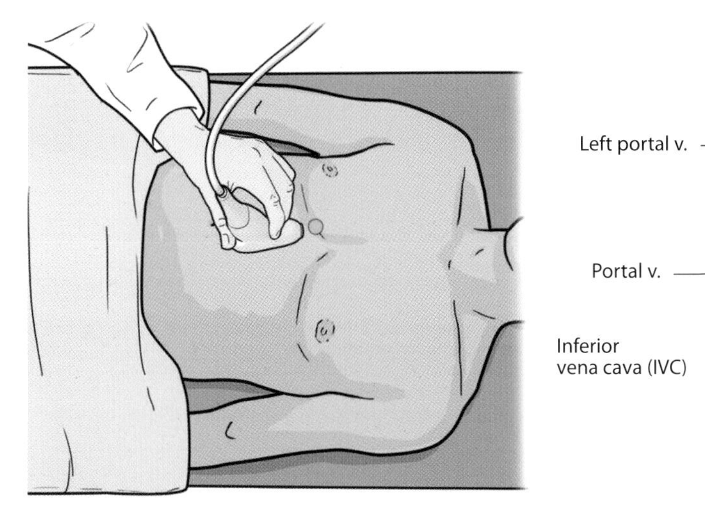

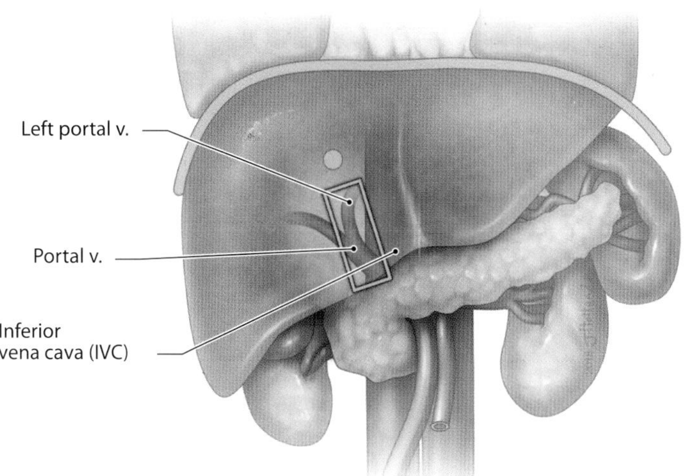

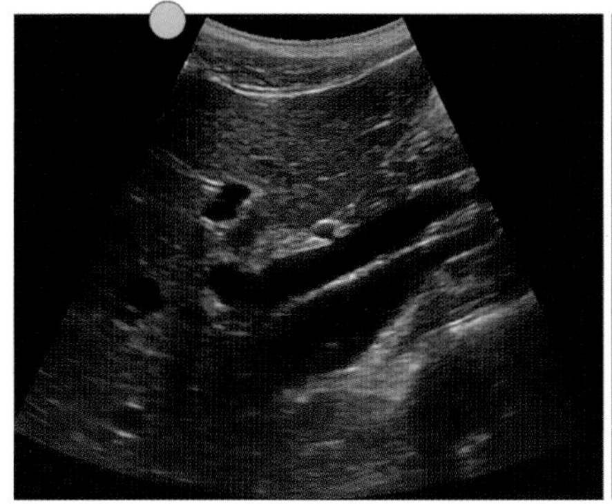

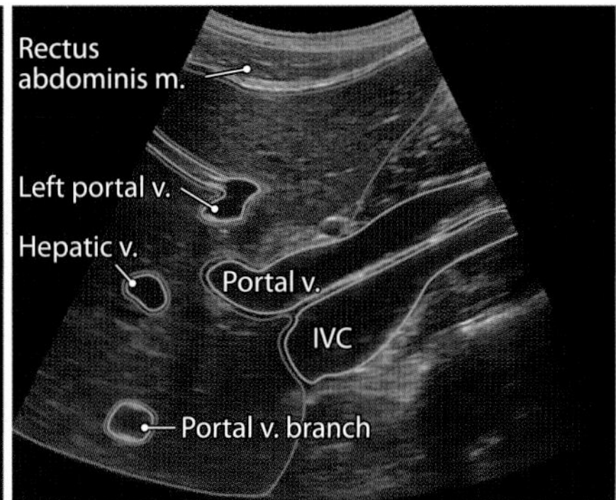

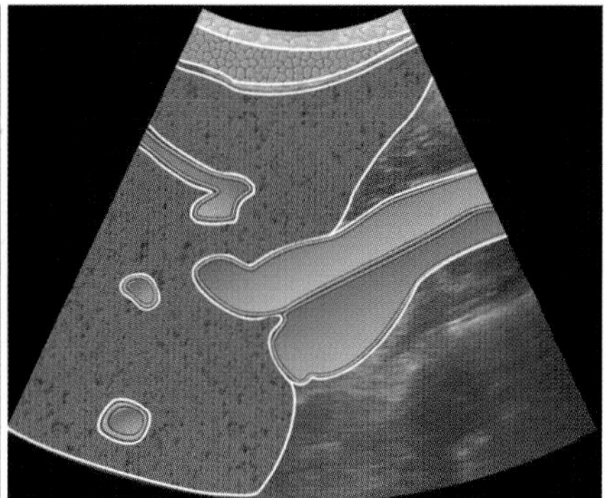

그림 8.7 늑간하 수직(사각) 도면에서 간 입구에서 접근해 간으로 들어가는 문맥보기. 하대정맥은 문맥정맥 뒤에서 보인다.

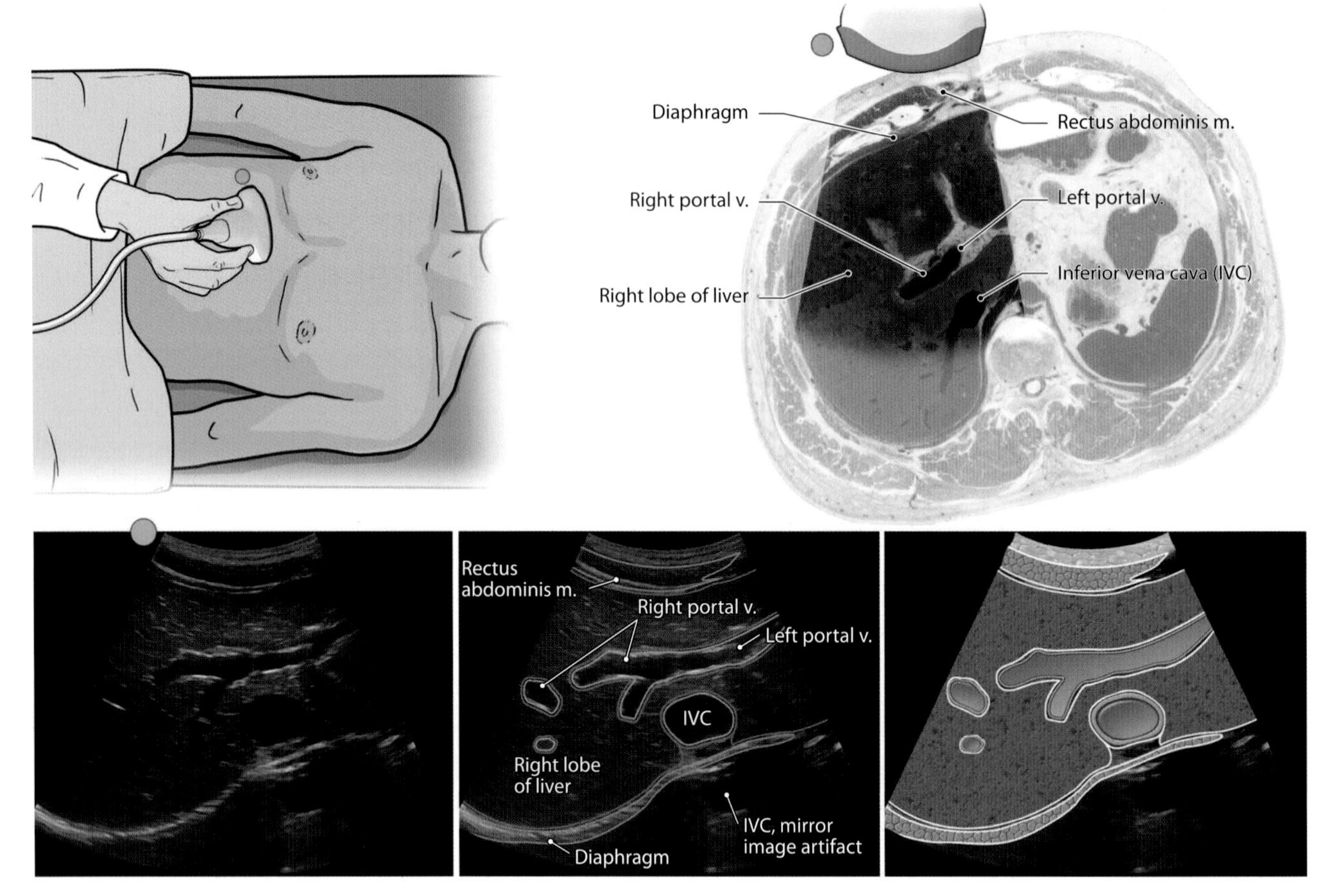

그림 8.8 간 내에서 오른쪽과 왼쪽 문맥으로 나누는 문맥을 횡단늑간하 영상. 하대정맥은 분지하는 문맥(꼬리 엽의 "꼬리"로 분리해) 뒤에 나온다.

최소화하고 우신장의 전형적 방향에 더 가까이 하면 좋은 영상에서 볼 수 있다. 간 얼룩 무늬와 간의 굴곡상부 표면을 덮고 있는 횡경막의 고 에코선을 확인한다. 탐침자면이 간의 내장면과 신장사이 공유영역이 잘 보일때까지 뒤쪽으로 기울인다. 간신장오목에서 가능한 공간이 일반적으로 모리슨 주머니(Morison's pouch)로 언급된다. 이곳은 횡결장막 위에서 복강의 제일 낮은 위치이다. 그래서 상복부에서 자유로운 액체가 모여지는 일반적인 장소이다. 간신장 오목에 무에코 고임이 있는지 주의깊게 또 완전하게 검사해야 한다.

다음 탐촉자를 간의 상부면과 횡격막, 우반흉곽의 하부가 영상에서 보일때까지 위로(한-두늑간 간격) 움직인다. 정상적으로 공기찬 폐가 존재하는 경우 고에코 횡격막은 폐영역에 거울상 인공물을 생성하여 간장의 반점 모양이 오른쪽 반흉곽/흉막공간에 반영된다. 흉막공간(혈흉 또는 흉막 삼출액)에 자유로운 액체가 존재하면 거울상 인공물이 사라지고, 횡격막 위의 공간에

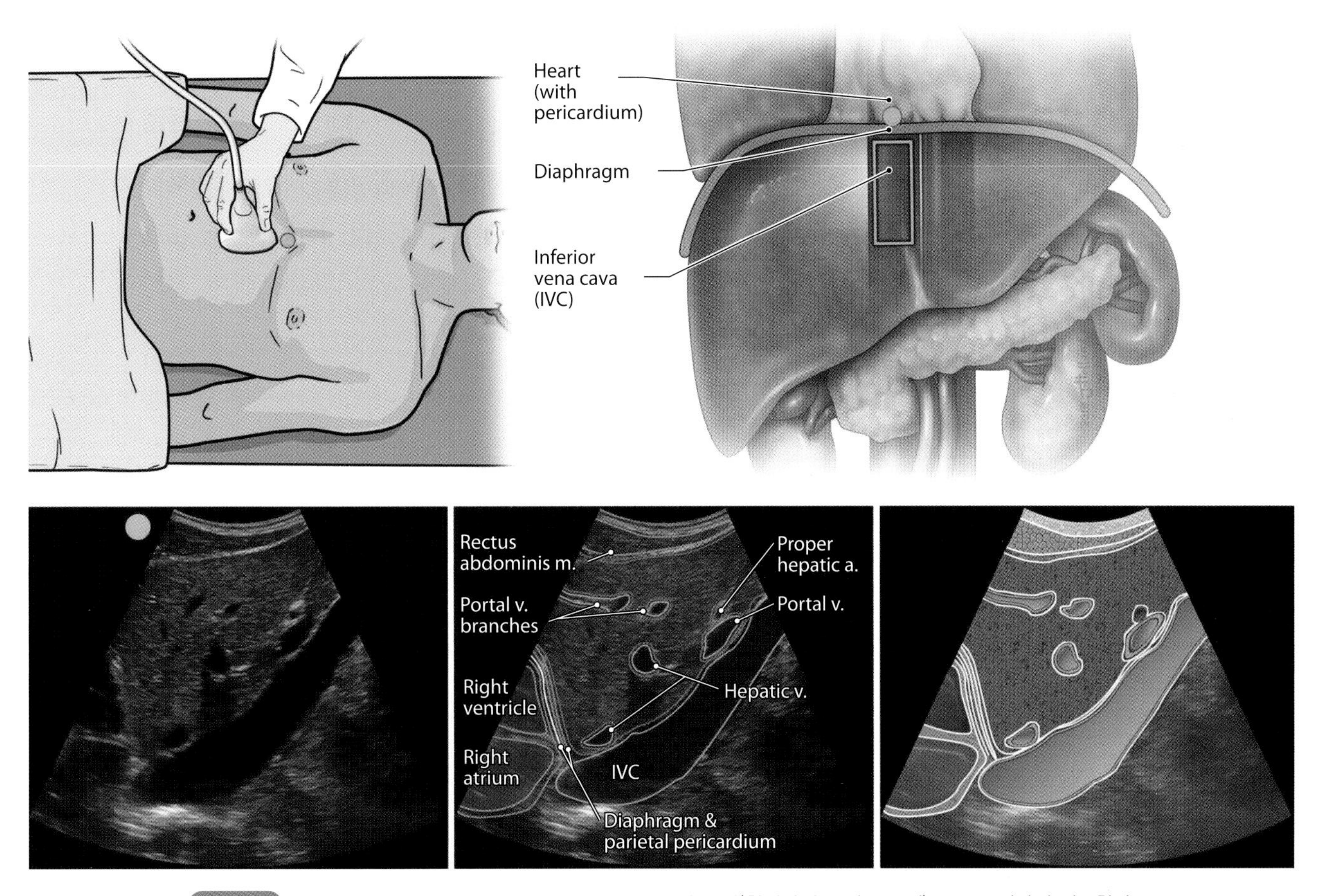

그림 8.9 간 후방에 하대 정맥의 진로을 대한 종횡 늑간하 보기(횡격막의 틈새를 통해) 오른쪽 심방에 접근한다.

무에코 상태로 나타나며, 종종 호흡에 따라 무기폐가 떠 다니고 있는 모습으로 보인다. 또한 오른쪽 하 횡격막 공간, 횡격막과 간장 상부면 사이의 잠재적 공간에 자유로운 액체가 축적이 있는지 주의깊게 살펴본다.

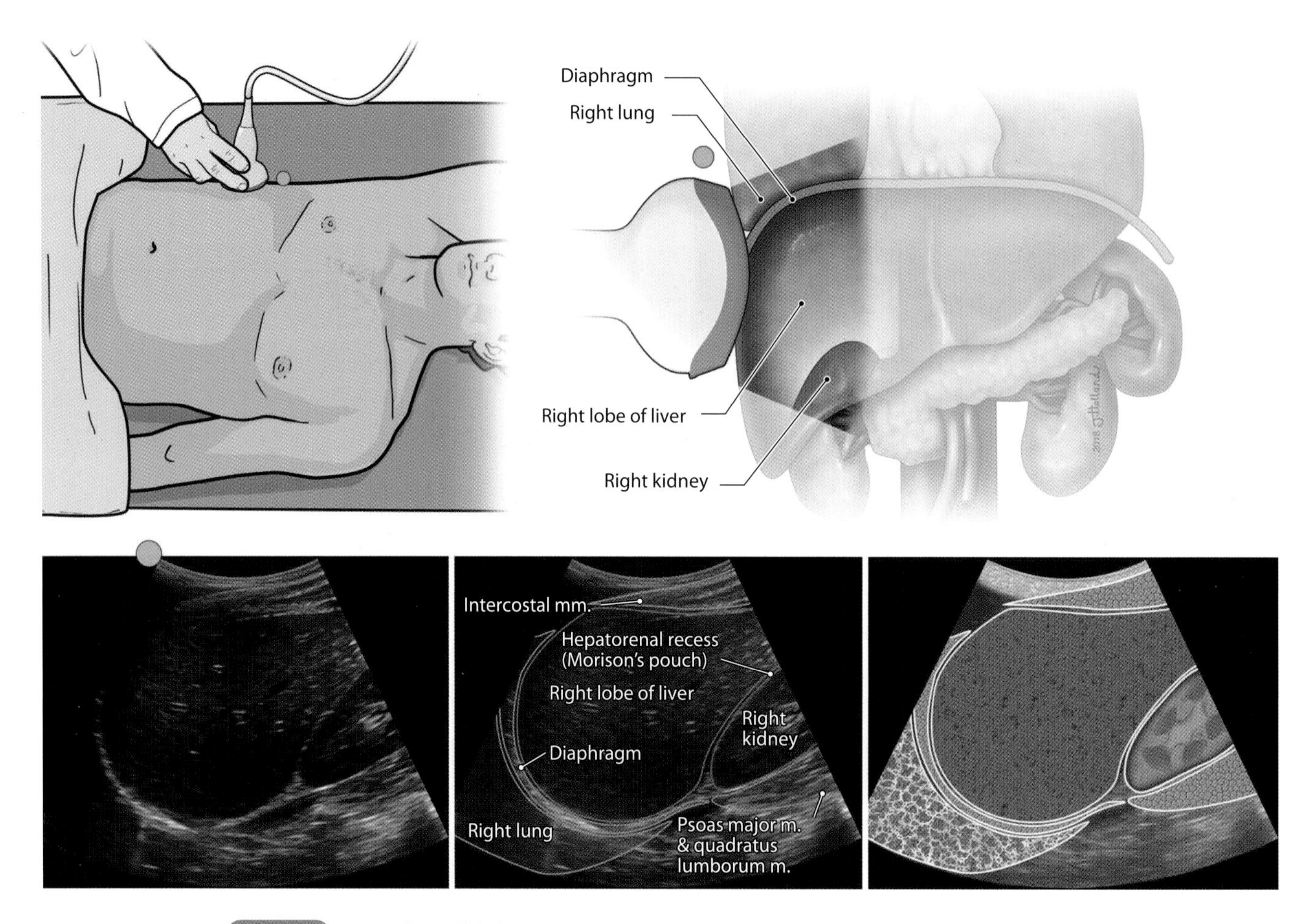

그림 8.10 오른쪽 흉부, 횡경막, 간 오른쪽 엽, 모리슨 주머니 및 오른쪽 신장의 수직방향(늑간경사) 영상

임상 응용

메켈의 게실: 메켈의 게실은 회장의 돌출을 말한다. 이 조직은 제거되지 않은 난황줄기에서 유래하며 회막창자 접합부에서 2피트 떨어져 있다. 일반적으로 길이는 2인치이고, 인구의 약 2%에서 발생하며, 2가지 유형의 전위된 조직(위와 췌장)을 포함 할 수 있으며, 생후 20년 동안 존재하며 여성(소녀)에서 소년보다 2배 자주 발견된다. 게실은 자유롭거나 혹은 누공 또는 섬유질을 통해 제대와 연결된다. 합병증에는 궤양, 천공, 출혈 및 폐쇄를 포함되며 외과치료가 필요할 수 있다. 또한 유사한 우하복부 복통, 구토 및 발열 포함한 급성 충수염 증상과 비슷하다. 심한 통증, 심각한 출혈 또는 폐쇄를 유발하는 경우 외과적으로 치료해야 한다.

급성 충수: 급성 충수염은 변석(장에서 발생하는 단단하고 돌이 많은 대변)에 의한 내강의 막힘 결과로 충수의 급성 염증을 나타낸다. 그것은 배꼽주변 영역에서 시작하여 반동압통, 식욕 부진, 메스꺼움, 구토 및 발열이 우하복부 통증(맥버니 지점, McBurney's point)으로 나타난다. 급성 충수염 파열은 감염(패혈증)이 확산되어 복막염을 유발하고 사망을 초래할 수 있다. 급성 충수염은 충수절제술로 외과적으로 치료한다.

간경화증: 간경화증은 간내 혈관 및 담즙관을 둘러싸고 있는 섬유질 조직이 간세포을 점진적으로 대체되는 상태를 말하며, 간을 통한 혈액순환의 폐색을 초래한다. 만성 알코올 중독으로 인해 발생할 수 있다. B, C, D형 간염과 같은 감염; 그리고 독성. 간경화증은 문맥 고혈압을 유발된 결과, 식도 정맥류, 치질, 메두사 머리(caput medusa) 거미모반 또는 거미혈관종, 복수, 페달 부종, 황달, 간성 뇌병증, 비장 비대, 간대 비대, 손바닥 홍반, 고환 위축, 여성형 유방 및 가슴 탈모증. 추가 증상으로는 피로, 메스꺼움, 식욕 부진 및 체중 감소가 있다. 저염 및 저단백식이와 이뇨제를 관리한다. 간세포 암종은 가장 흔한 암 중 하나이다. 바이러스성 간염, 알코올 중독 및 혈색소 침착으로 인한 간경변이 위험 요인에 포함된다. 간세포 암종은 간경화 결절 수에 기초해 진단된다.

간 생검: 간 생검은 오른쪽 겨드랑 중심선에서 오른쪽 8번째 또는 9번째 늑간 공간에 바늘을 사용하여 초음파 유도하에 경피적으로 수행한다. 환자는 늑막 횡격막 공간을 수축하기 위해 호흡을 심호흡하고 정지하면 폐 손상 및 기흉의 가능성을 줄인다. 경정맥을 통한 간 생검은 카테터를 오른쪽 내부 경정맥에 삽입하고 이를 상하대정맥 및 오른쪽 간정맥을 통과해 시행할 수 있다. 그런 다음 바늘을 카테터를 통해 간으로 삽입하고 생검을 한다.

지방간: 이 용어는 가장 흔한 알코올성 지방간 질환과 비 알코올성 지방간을 가진 광범위한 질병으로 열거한다. 알코올성 간 질환은 알코올 소비의 초과와 관련이 있는 반면 비 알코올성 지방 간은 인슐린 저항성과 대사증후군과 관련이 있다. 또한 바이러스성 간염 및 특정 약물은 또한 중성지방 축적(지방증)을 유발할 수 있다. 지방증이 뚜렷하고 만성적이라면 섬유증으로 이어지고 결국 간경변으로 이어질 수 있다. 최근 연구에 따르면 간 지방증의 유병률은 일반 인구의 약 15 %에 달한다. 초음파는 간내 구조의 불량한 경계를 식별하고, 횡격막 경계의 손실을 밝혀 내고, 간 에코발생이 신장 피질 및 비장의 것보다 높다는 것을 보여줌으로써 간 지방증을 진단할 수 있다.

담낭(Gallbladder)

해부학의 검토(Review of the Anatomy)

담낭은 복직근의 내측면 경계가 오른쪽 아홉 번째 늑골 연골과 만나는 곳에 위치한다. 이곳은 **머피의 징후(Murphy's sign)**, 즉 담낭의 급성 염증(급성 담낭염)으로 인한 압통 부위이다. 담낭은 간보다 아래의 사분엽과 오른쪽 엽 사이의 공간에 있으며 용량은 30~50 ml이다. 그것은 횡결장보다 상부에 십이지장의 상외측에 위치한다. 그 구조는 목, 기저 및 몸통으로 나눌 수 있다. 담낭의 목은 가장 좁고 나선형 밸브(Heister's valve)를 포함하는 낭성관에 연속적이다. 기저는 횡 결장과 접촉하는 오른쪽 아홉 번째 늑골 연골의 끝에 중심쇄골선에 위치한 둥근 막힌 끝이다. 몸통은 담낭의 주요 부분을 형성한다. 십이지장과 횡결장의 윗부분과 접촉한다. 어떤 경우는 담낭의 목에 비정상적인 원뿔형 오목(Hartmann's pouch)이 있을 수 있다(역시 담낭의 팽대라 알려짐 함).

담낭 기능은 담즙을 수용하고, 소금과 물을 흡수하여 농축하여 저장하고, 소화 중에 방출하는 기능을 한다. 음식이 십이지장에 도달함에 따라 콜레시스토키닌(cholecystokinin)은 십이지장 점막에 의해 생성되며, 부교감 신경 자극과 함께 담낭을 수축시켜 담즙이 십이지장으로 배출된다.

담낭은 낭성 동맥에 의해 공급되며, 담낭간 삼각형(of Calot)에 위치한 오른쪽 간 동맥에서 유래하며, 온간담관에 의해 내면을 형성하고, 간의 내장 표면에 의해 상면을 낭성 관에 의해 하면을 형성한다.

수기(Technique)

담낭
간
종단면(늑간사위)
그림 8.11

늑골하, 오른쪽 늑골하 경사 및 늑간사이와 같은 담낭을 검사하는 여러가지 수기가 있다. 그러나 늑간사이 보기는 간을 **초음파 입사창**으로 사용하면 장 가스로 보기를 방해하지 않는다. 이것은 아마도 학습자가 가장 신뢰할 수 있는 방법이며 다음과 같이 설명된다.

환자가 앙와위 위치에 있고 환자의 오른손이 머리 뒤에 있는 상태에서(오른쪽의 늑간공간을 넓히는 것임) 탐촉자를 배치한다. 검상돌기의 수평 수준에서 검상돌기의 옆으로 약 7–8 cm의 수평면에서 오른쪽 어깨/겨드랑이를 향해 탐촉자 표시쪽이 위로 향하게 위치한다. 배 모양의 담낭의 무에코성 속 공간을 식별하기 위해 위 복부를 횡으로 질러 약간 뒤쪽으로 조준하여 늑간공간과 탐촉자를 정렬한다(후부를 너무 기울리면 오른쪽 신장이 보일것이다). 가능한 많은 담낭을 시각화하기 위해 탐촉자를 아래로 민다. 종종 장내 가스는 간 가장자리/늑골 경계를 넘어 기저 영상을 방해한다. 간에서 정맥을 확인하고 간정맥과 문맥 분지(고에코 달무리/기차 트랙)를 구별하려고 시도한다.

임상 응용

담석: 담석(담석증)은 담즙 성분의 결정화로 형성되며 담즙 색소와 칼슘이 혼합된 콜레스테롤 결정으로 만들어진다. 담즙은 결정화되어 모래, 자갈 및 마지막으로 돌을 형성한다. 담석의 일반적인 증상은 비만하고 출산(다산)한 40세 이상 나이가 많은 뚱뚱한 여성이다(4F's). 담낭의 기저에 있는 돌은 기저벽에 궤양을 일으켜 횡결장으로 연결되어 자연스럽게 직장을 통해 배설될 수 있다. 그들은 또한 기저벽을 통해 십이지장으로 궤양을 일으켜 회막창자 접합부에서 갇혀 막힘을 일으킬 수 있다. 담관에 박힌 돌은 십이지장으로의 담즙 흐름을 방해해 결과적으로 패쇄성 황달이 생긴다. 마지막으로 간췌장 팽대부에 박힌 돌은 담도 및 췌장관 계통을 차단한다. 이 경우 담즙이 췌장관 계통에 들어가 무균 또는 비감염성 췌장염을 유발할 수 있다.

초음파 머피의 증상(Murphy's sign): 초음파 머피의 증상은 늑골하 창에서 담낭 기저에 탐촉자로 압력을 가해진 경우 나타난다. 담낭에 대한 직접적인 압력으로 인해 환자가 통증이나 최대의 불편함을 나타내면 징후가 긍정적이다.

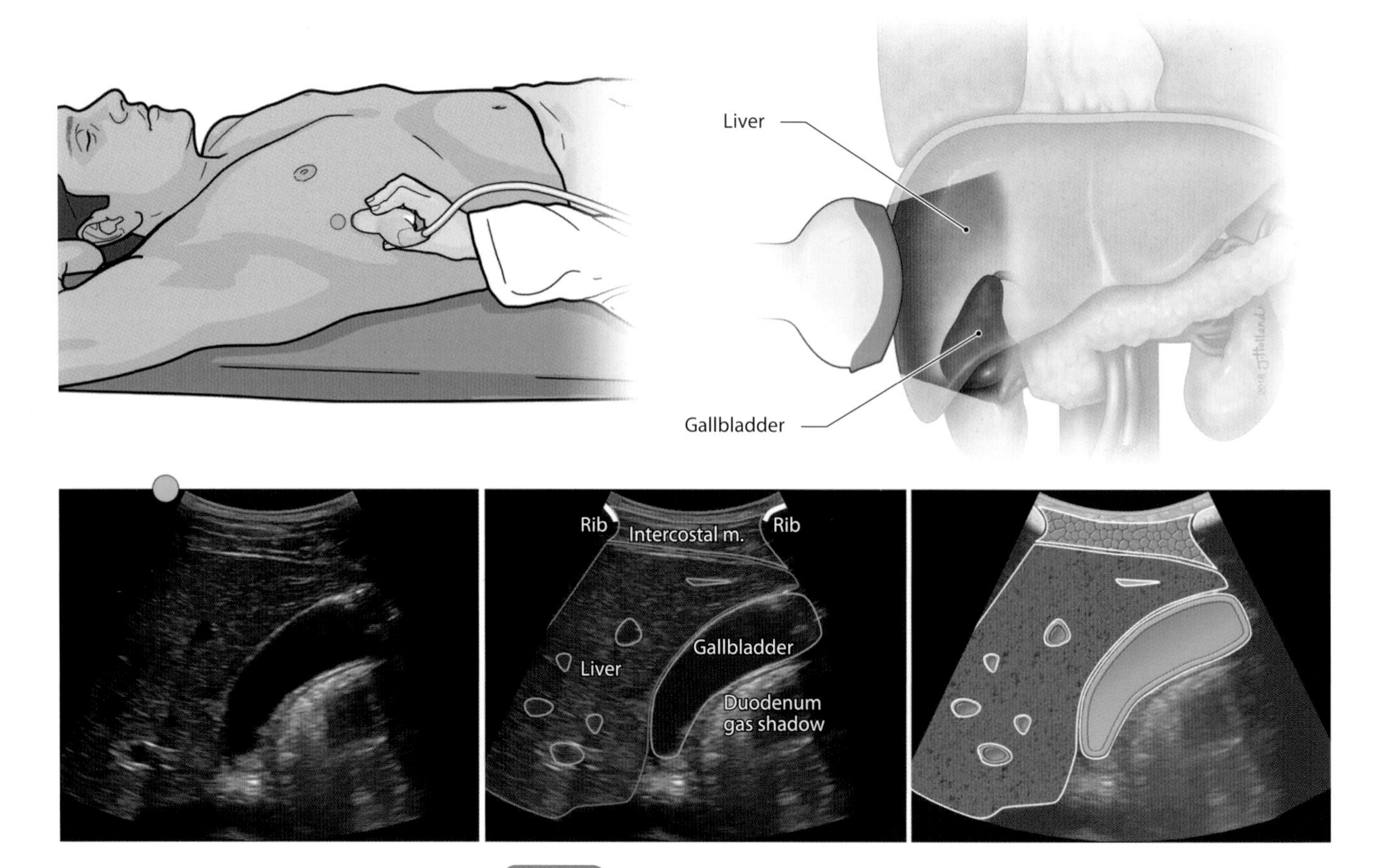

그림 8.11 담낭의 늑간(간 창) 종단면 영상

비장과 신장(Spleen and Kidneys)

해부학의 검토(Review of the Anatomy)

비장(Spleen)

비장은 9번째에서 11번째 갈비뼈에 즉 왼쪽 갈비 아래부위 지역의 횡격막 아래에 위치한 혈관 림프 기관이다. 비장은 비신장 및 비위장 인대에 의해 지지되며 비장문을 제외하고 복막으로 덮여 있다. 비장은 왼쪽 신장의 상부 극(거의 접촉)과 췌장의 꼬리보다 위쪽에 위치한다. 보다 구체적으로, 비신장 인대는 비장 혈관 및 췌장의 꼬리를 함유한다.

비장동맥은 비장에 혈액을 공급하여 비장정맥으로 비운다. 백색과 적색 속질의 두 영역으로 나뉜다. 흰 속질는 중앙 동맥 주변의 림프 조직으로 구성되어 있으며 향균 작용 부위이다. 붉은 속질은 정맥 굴모양 혈관와 비장 끈으로 구성되어 있으며 여과 부위이다. 혈액이 비장을 통해 여과됨에 따라 마모되고 손상된 적혈구 및 혈소판은 대식세포에 의해 제거된다. 비장의 다른 기능으로는 붉은 속질에서 혈액과 혈소판을 저장하는 것, 면역 반응, 흰 속질에서 성숙한 림프구, 대식세포 및 항체가 생성된다. 비장은 또한 초기 생애의 조혈 부위이다.

신장(Kidneys)

신장은 T12에서 L3 척추 수준을 따라 위치한 양측 후복강 기관이다. 오른쪽 신장은 간의 크기가 커서 반대쪽 왼쪽 신장과 비교할 때 낮게 있으며, 12번째 갈비뼈 수준에서 찾을 수 있다. 왼쪽 신장은 보통 11번째과 12번째 갈비뼈 수준에서 발견된다. 신장의 외부층에는 두꺼운 섬유질 캡슐이 포함되어 있으며, 이는 신장주위 근막 및 콩팥 주위 지방과 함께 신장 근막으로 둘러싸여 있다. 요관과 함께 신장을 공급하는 신경과 혈관은 신장문에서 내측의 중앙에서 신장으로 들어간다.

신장은 네프론(nephrons)을 포함하는 피질과 수질로 해부학적으로 나눌 수 있다. 외피는 신장 소체를 포함하며 사구체와 사구체 캡슐(Bowman's Capsule)과 근위 및 원위 말초 세뇨관의 위치이다. 신장의 안쪽 부분은 수질이며 헨리와 수집 세관. 각 신장에는 여러 개의 네프론이 있으며, 신장 소체, 근위 복잡한 세뇨관, Henle의 고리 및 원위의 복잡한 세뇨관으로 더 나눌 수 있다.

각 신장은 **신장동맥**에 의해 공급되는데, 여기에는 여러 분지 해부학적 변형이 있는 분절 분지가 들어 있으며 신장정맥에 의해 배출된다. 소변은 수집관에서 신장을 빠져 나가서 소 및 대신배로 들어간다. 대신배는 요관으로 나가는 신장 골반으로 비운다.

요관(Ureters)

요관은 신장을 방광에 연결시키는 후복막 근육 기관이다. 요추의 엉덩허리근과 요추의 횡돌기를 따라 온장골 동맥의 분지 앞쪽으로 지나가는 요관행로이다. 요관에는 요관신우 및 요관방광 접합부를 포함하여 **신결석**의 패쇄 가능성이 높은 특정 위치가 있다. 복부 대동맥, 신장, 온장골, 내장골 및 생식샘 동맥의 분지에 의해 공급된다. 요관에 대한 교감신경 지배는 요추내장신경에 의해 제공되고, 반면 부교감신경 지배는 골반 신경에 의해 제공된다.

부신(Adrenal Gland)

부신은 신장의 상중 극에 위치한다. 그것은 후복막 기관이며 피막과 신장 근막에 의해 싸여진다. 부신은 피라미드 모양인 오른쪽 부신과 반월 모양인 왼쪽 부신으로 비대칭이다. 하횡격막 동맥, 중간부신 동맥(대동맥의 직접 분지) 및 하부신동맥(신장 동맥의 분지)의 분지가 부신에 산소화된 혈액을 공급한다. 오른쪽의 부신정맥은 부신샘에서 직접 배출하는 반면, 왼쪽의 부신정맥 배수는 신장정맥으로 한다. 정맥 배수 모두다 하대정맥으로 비워진다.

부신은 해부학적으로 **피질**과 **수질**로 나눌 수 있다. 피질은 3개의 분리된 층을 가지고 있으며, 가장 표면적인 층은 사구층(zona glomerulosa), 그들 중간층은 다발층(zona fasciculata), 그리고 가장 깊은 층은 망상층(zona reticularis)이다. 부신 피질의 각 층은 신체 내 항상성을 유지하는데 필수적인 스테로이드 호르몬을 생성한다. 사구층은 알도스테론을 생성하는 세포로 구성된다. 다발층 세포는 코티솔과 코르티코스테론을 합성한다. 망상층은 안드로겐, 즉 데하이드로에피안드로스테론 및 안드로스테네디온을 분비한다. 부신 수질에는 신경능선 기원이 있다. 수질의 세포들은 신경 내분비 세포라고 하며, 교감 섬유자극에 반응하여 에피네프린 및 노르에피네프린의 방출에 중요한 역할을 한다.

수기(Technique)

비장
왼쪽 신장
종단면(늑간사위)
그림 8.12

환자가 앙와위 위치에 있거나 오른쪽 옆 누운자세 위치로 굴려진 상태에서 늑간 공간과 정렬된 뒷겨드랑이 선(시작점으로)의 머리를 향한 표시로 탐촉자를 놓는다. 옆으로 누운자세는 외상을 위한 초음파 검사(FAST)를 사용한 집중 평가와 같은 일부 응용 분야에는 적합하지 않으므로 옆으로 누운자세가 액체를 오른쪽으로 이동시킬 수 있다. 호흡으로 움직일 때 탐촉자를 부채모양/기울기/밀기를 비장의 거친 에코 결을 찾아야 한다. 비장과 고에코 횡격막이 잘 보이도록 탐촉자를 조정한다. 그런 다음 왼쪽 신장이 비장에 인접해 보일 수 있을 때까지(비신장 오목의 잠재적인 공간으로 분리) 빔을 보다 후방으로(탐촉자를 가능한 후방으로 밀기) 기울인다. 왼쪽흉부, 횡격막, 비장 및 왼쪽 신장을 최대한 잘 볼 수 있도록 위치/기울기를 조정한다. 종종 대장 가스에 의해 신장의 하대가 가려진다. 왼쪽 흉막공간에서 비장 에코 결이 나타나는 거울상 인공물을 관찰한다(흉부 또는 왼쪽 흉막 삼출액에 의해 사라짐). 대장가스로 차단이 상당한 경우 오른쪽 옆 누운자세로 환자를 둔다.

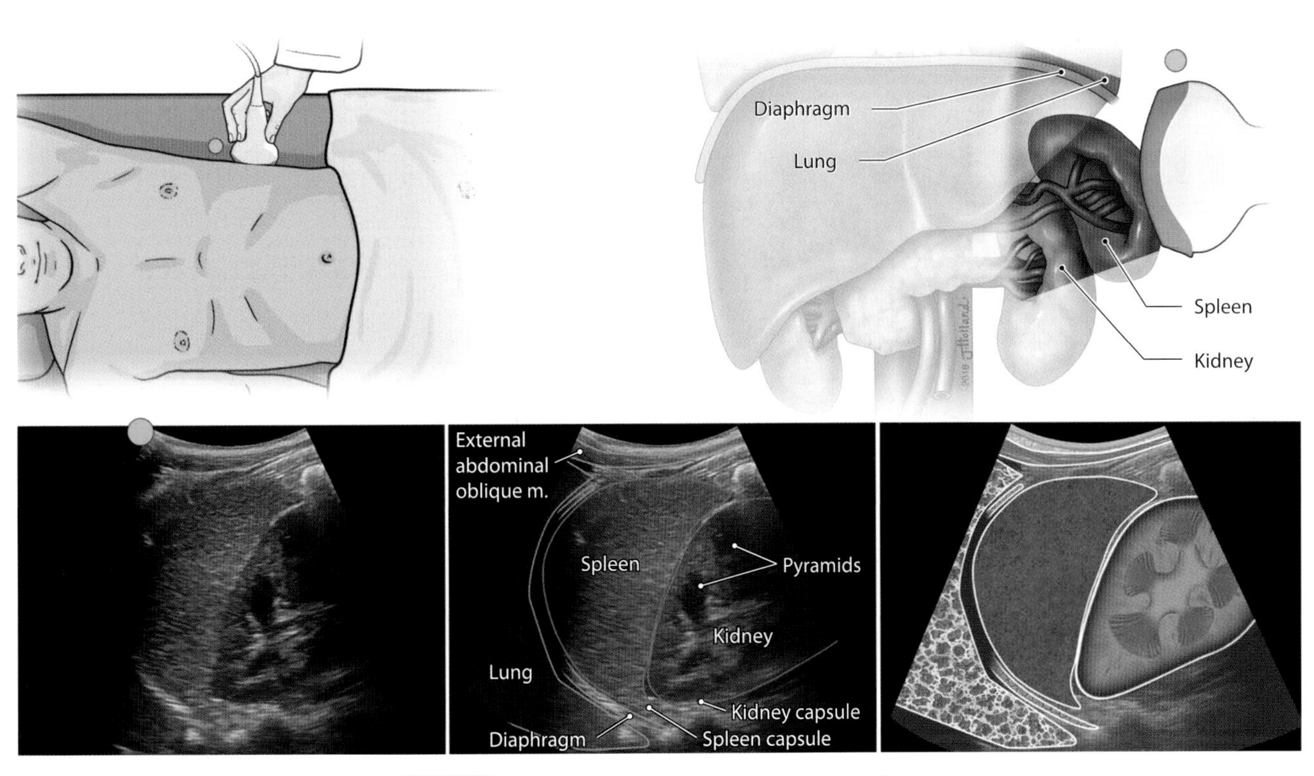

그림 8.12 좌 흉곽, 비장 및 좌 신장의 종단면(늑간사위) 영상

왼쪽 신장
종단면(늑간사위)
그림 8.13

그림 8.12와 같이 환자와 탐촉자를 배치한다. 탐촉자를 가능한 먼 뒤쪽(이미 검사 테이블 표면 근처에 있음)으로 밀고 기울기/각도/위치를 가능한 한 왼쪽 신장의 영상으로 조정한다. 탐침을 뒷 겨드랑이 선 뒤에 배치하고 피질과 기둥, 신장 피라미드, 고에코 지방과 신궁의 결합 조직을 식별하기 위해 후부에서 좌 대장 굴곡부(가스 영상)까지 신장을 영상화하기 위해 환자를 오른쪽 옆으로 누운자세 위치로 부드럽게 굴릴수도 있다.

비장
종단면(늑간사위)
그림 8.14

그림 8.12와 같이 환자와 탐촉자를 배치한다. 비장을 장축으로 영상을 얻기 위해 탐촉자를 더 앞쪽으로 밀고 빔을 약간 앞쪽으로 향하게 한다. 비장의 고에코 나뭇결 모양의 에코결, 위 표면에 따라 고에코 횡격막 및 비장과 횡격막의 호흡 운동 관찰한다.

오른쪽 신장
종단면(늑간사위)
그림 8.15

환자가 앙와위로 위치에 있을 때, 탐침자를 중간겨드랑이선 대략 흉골검상 접합부의 수준에 놓고 늑골영상을 최소화하기 위해 늑간 공간과 정렬한다. 목표는 간, 간신장 오목부 및 오른쪽 신장을 보기 위해 약간 뒤쪽(척추쪽으

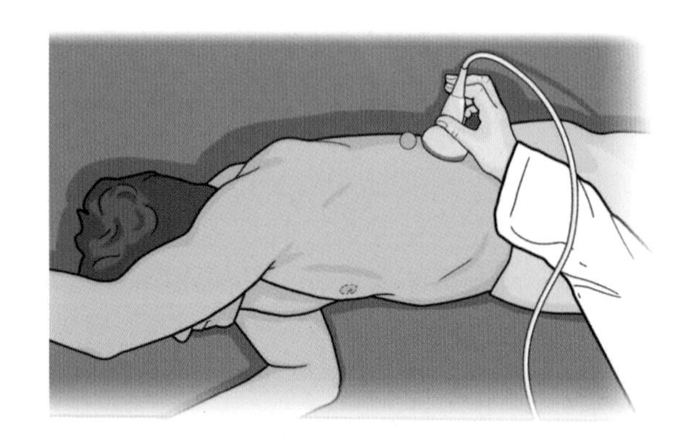

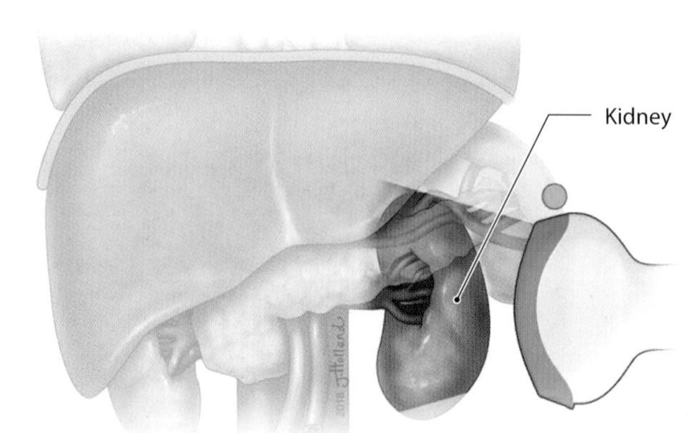

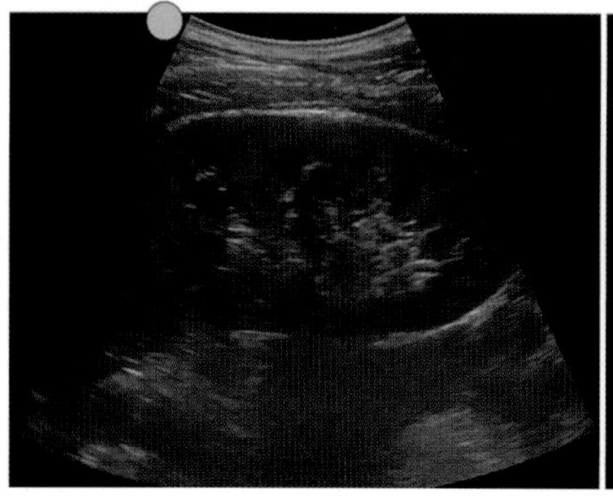

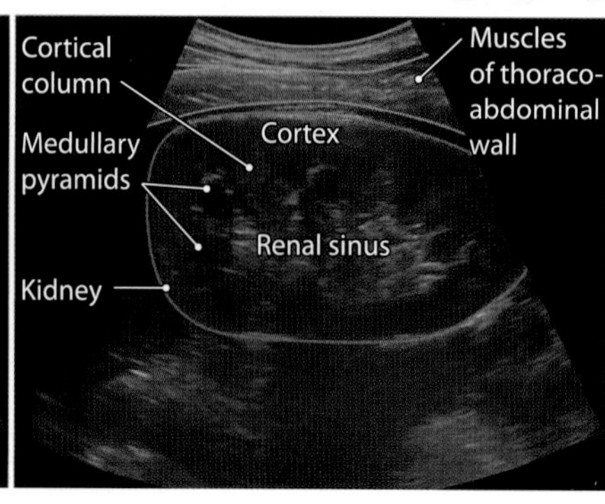

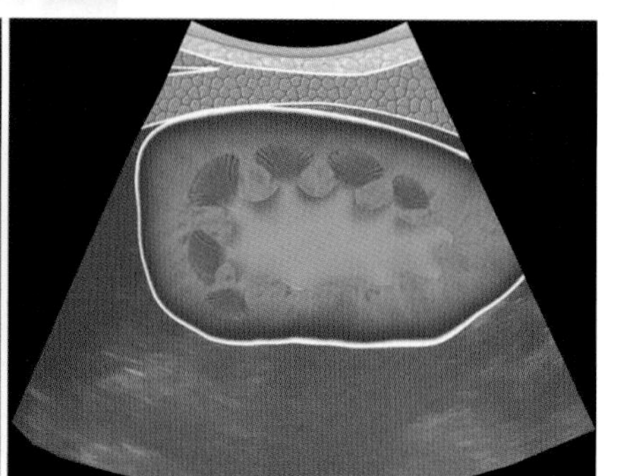

그림 8.13 좌신장의 종단면(늑간사위) 영상

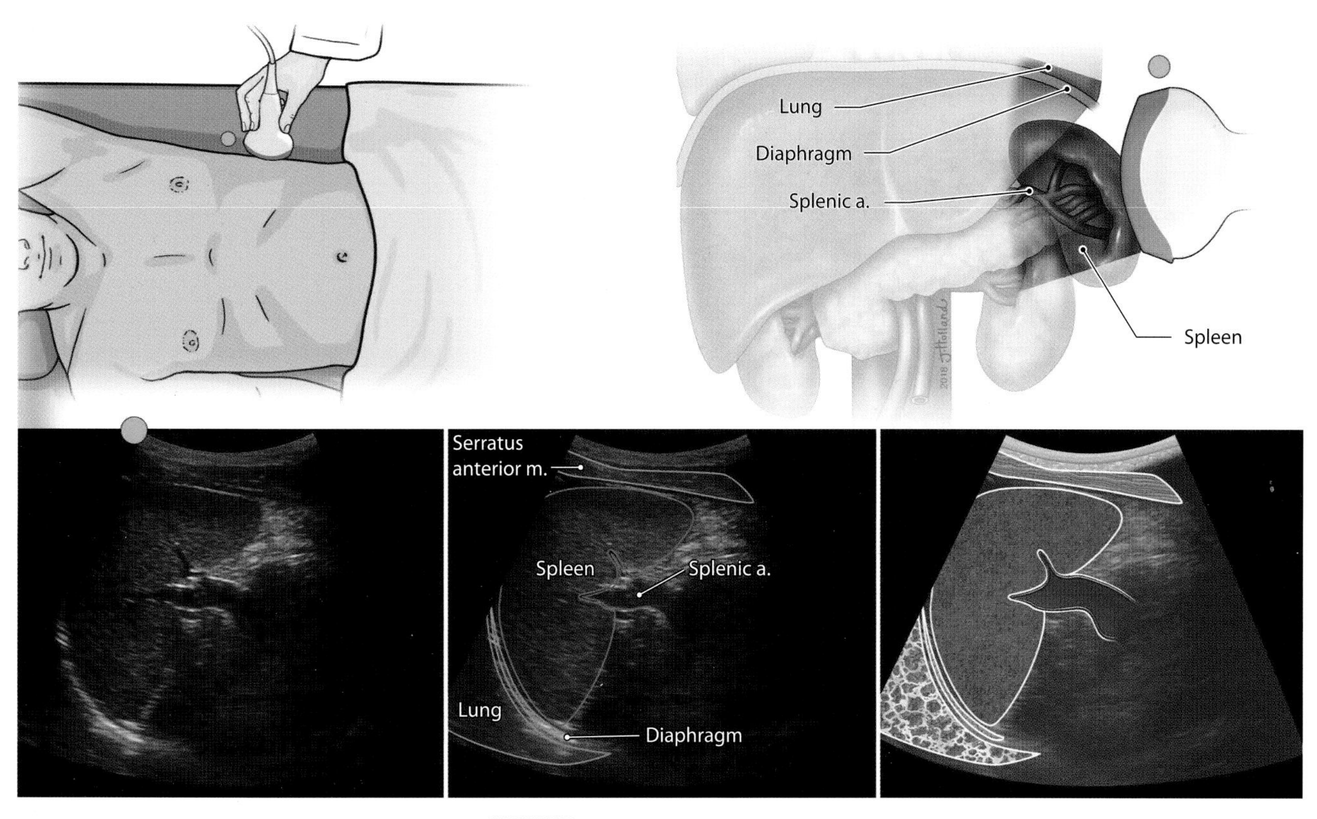

그림 8.14 비장의 종단면(늑간사위) 영상

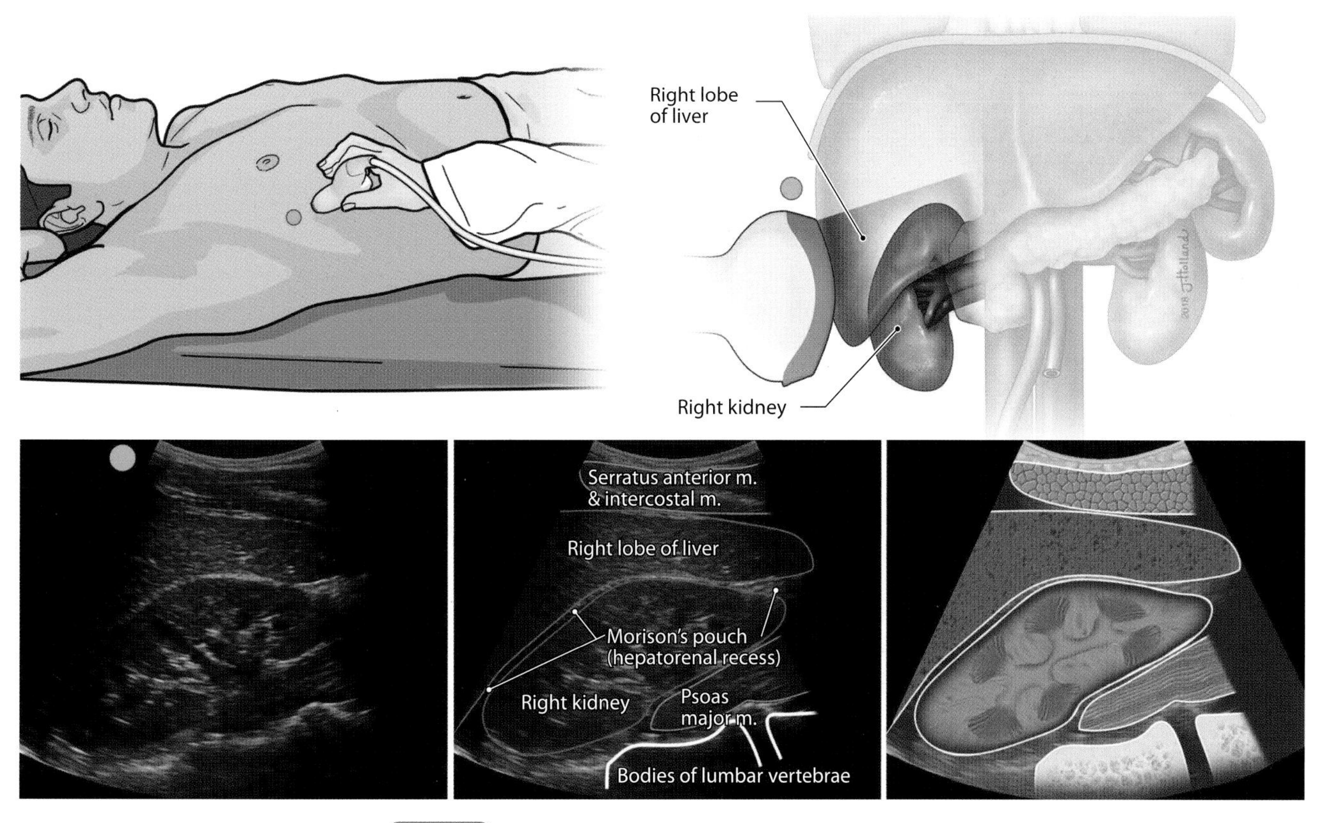

그림 8.15 오른쪽 신장과 오른쪽 간엽의 종단면(늑간사위) 영상

로)으로, 오른쪽 신장의 상단극에서 하단극까지 오른쪽 신장이 보일 때까지 탐촉자를 아래로 (그리고 늑간 공간과 다시 정렬) 밀어낸다(가스 영상은 오른쪽 간엽 하단 가장자리를 넘어서 신장 하단극의 영상화를 방해할 수 있다). 모리스오목(Moroson's pouch), 신장 피막, 요근 및 척추를 식별한다. 간을 초음파 입사창으로 사용하여 장내 가스를 피하기 위해 신장을 식별하는 데 늑간하 접근이 사용된다.

임상 응용

비장비대는 비장정맥의 문맥 고혈압 또는 혈전증으로 인한 정맥 울혈의 결과이다. 전형적으로 혈소판 감소증과 초기 멍이 생긴 결과로 혈액의 격리로 진행된다. 증상으로는 체중 감량, 야간 땀, 열, 설사 및 뼈 통증이 있다.

비장파열은 좌 흉골의 골절 또는 왼쪽 갈비뼈 아래에 심한 외상으로 인해 가장 흔히 발생하며 심각한 출혈이 발생한다. 파열된 비장을 외과적으로 치료하는 것은 어렵고, 큰출혈로 인한 사망을 예방하기 위해 비장절제술이 시행된다. 비장의 기능은 다른 망상 내피기관에 의해 대치되므로 제거될 수 있다.

림프 조직의 암을 **림프종**이라고 한다. **호지킨 병**은 악성 림프종의 한 유형이며 임상 특징으로는 림프절, 비장 및 기타 림프조직이 통증없이 점진적으로 비대고. 식은 땀, 열, 체중 감량, 요로 결석증은 신장결석이 요로의 어느 부분에도 존재할 수있는 상태이다.

신장결석(신결석 또는 신장결석)의 약 70–80%는 높은 수준의 칼슘으로 형성되어, 결과적으로 신장 급통증으로 인해 신결석증이 의심되는 환자는 초음파에서 쉽게 감지할 수 있다. 신장 결석의 크기와 모양에 따라 신장신우나 요관을 통해 아래로 이동할 때 심한 급통증이 발생할 수 있다. 또한 결석에 의해 수신증 또는 요관의 막힘은 외과적 응급상황이 될 수 있다. 신장 결석의 다른 유형은 사슴 뿔모양 결석 또는 산호모양 결석이다. 이 돌들은 신장 신우와 신배의 모든 부분을 채운다. 그들의 구성은 결성의 지주 또는 탄산 칼슘 인회석으로 알려진 마그네슘 암모늄 인산으로 구성된다. 그들은 재발하는 감염으로 인해 여성에서 가장 일반적으로 형성된다. 임상 증상에는 열, 통증, 혈뇨 및 농양 형성이 포함된다.

췌장 혹은 이자(Pancreas)

해부학의 검토(Review of the Anatomy)

췌장은 왼쪽 갈비뼈 아래부위 및 상복부 지역의 작은 복막주머니 바닥에 위치하고 위의 바닥 일부를 형성한다. 그것은 비신장 인대에 위치한 꼬리의 일부분을 제외하고 후복막 공간에 위치한다. 췌장의 머리는 십이지장의 C–자형 굴곡면에 있다. 췌장의 갈고리돌기는 머리의 아랫부분이며 상장간막 혈관의 뒷쪽에 있다. 지방, 단백질 및 탄수화물 소화에 관여하는 소화 효소와 포도당 대사에 관여하는 인슐린과 글루카곤을 분비하기 때문에 내분비선(islet of Langerhans)을 생성하는 외분비샘이다.

췌장의 혈액 공급은 비장 동맥의 분지와 하 또는 상 췌장십이지장 동맥에서 비롯된다. 췌장은 2개의 관, 주 췌장관 및 보조 췌장관으로 구성된다.

주요 췌장관(Wirsung관)은 꼬리에서 시작하여 췌장을 따라 오른쪽으로 진행하며 효소가 들어있는 췌장 주스를 배출한다. 담관과 주 췌관은 큰 팽대부에서 십이지장의 두번째 부분으로 들어갈 때 간–췌장 팽대부(Vater의 팽대부)를 형성해 결합한다. 보조 췌관(Santorini's duct)은 췌장 머리의 하부에서 시작하여 본체와 머리의 일부를 배출한다. 그것은 결국 큰 팽대부 보다 위쪽 십이지장 작은 팽대부에서 배출한다.

수기(Technique)

췌장
복부 대동맥
종단면(방시상)
그림 8.16

환자가 앙와위 위치에 있을 때 탐촉자를 중간선 바로 왼쪽에 있는 신체의 세로 축에 배치한다. 장 가스를 이동시키기 위해 탐침면에 압력을 가하는 동안 상복부 영역에서 위에서 시작해 아래로 미끄러짐이 필요하다. 간 왼쪽 엽과 그 가장자리와 윤곽을 식별하려고 환자에게 심호흡을 하도록 요청한다(환자에게 2~3잔의 물을 마시도록 요청하면 위 가스를 대체하여 영상을 개선할 수 있음). 탐촉자를 기울여 복부 대동맥(abdominal aorta) 맥동을 식별하고 대동맥이 대략 수평이 될 때까지(요추굴곡보다 아래로 가파르게 굽히는 것보다) 빔 각도를 조정한다. 대동맥의 복강동맥 및 상장간막 동맥분지를 확인한다. 상장간막 동맥의 근위 부분 앞쪽에 췌장 본체 뒷 부분에 비장정맥이 위치한다. 췌장 에코결은 가변적이지만 일반적으로 고에코 반점이 있는 약간 저에코 배경을 가진 간

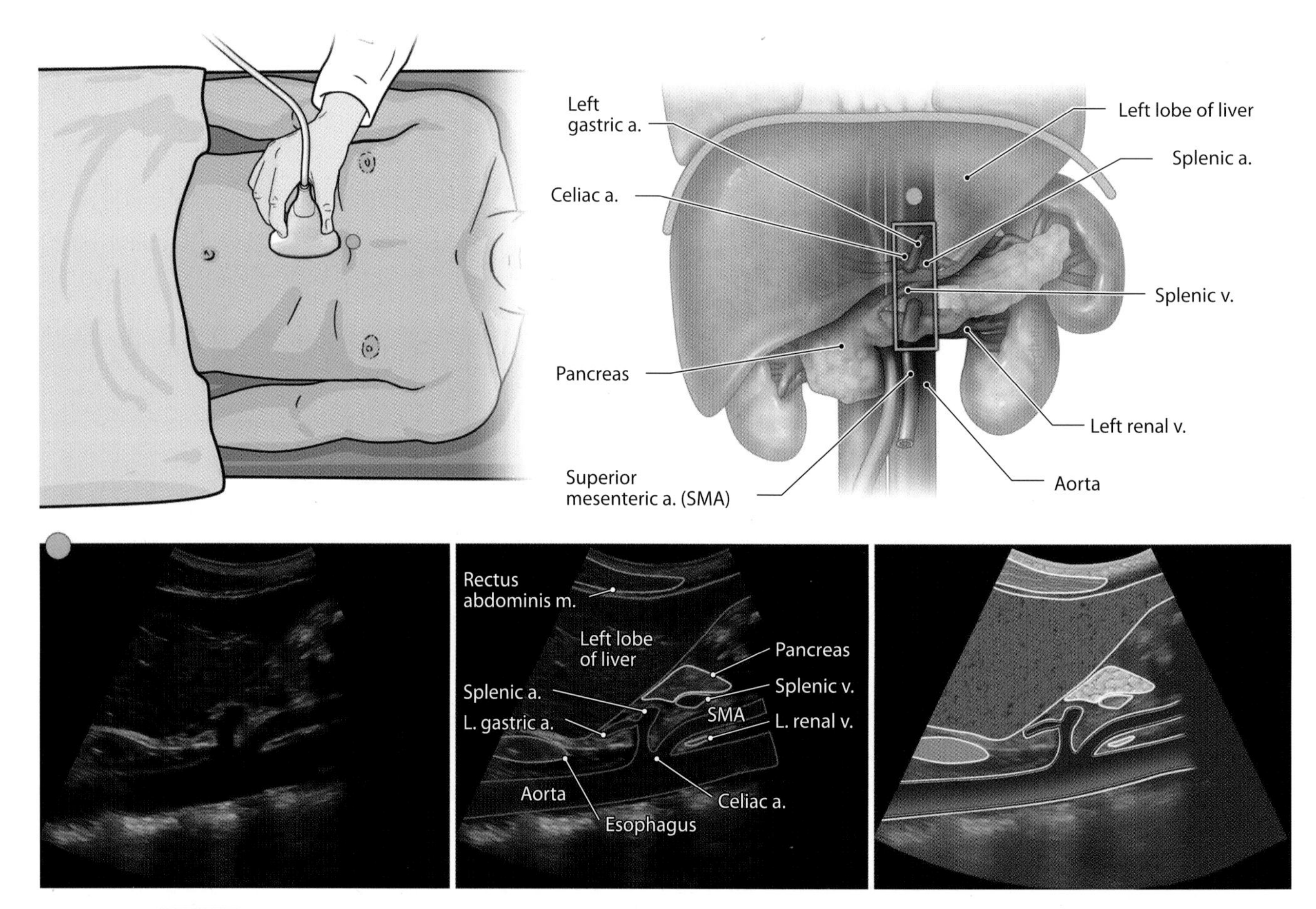

그림 8.16 좌간엽, 비장정맥 및 복강 대동맥과 복강 및 상장간막 분지와 함께 관계를 보는 췌장의 몸체의 종단면(방시상) 영상

과 유사한다. 좌측 신장정맥은 상장간막 동맥과 복부 대동맥의 전방 표면사이의 공간에서 볼 수 있다(생리학적으로 압박).

췌장의 머리
갈고리 돌기
췌장의 목
췌장의 몸통
횡단면
그림 8.17

환자가 앙와위 위치에 있을 때 탐촉자를 중간 선을 가로질러 가로로 놓는다. 상복부 부위에서 위에서 시작하고 창자의 가스를 이동시키기 위해 탐촉자 면에 압력을 가해 미끄럼 운동을 할 수도 있다. 환자에게 심호흡을 하도록 요청한다(환자에게 2~3잔의 물을 마시도록 요청하면 위장 가스를 대체하여 영상을 개선할 수 있음).

중간 선을 가로지르는 가로방향 위치에 탐촉자를 둔 상태에서, 간엽 왼쪽 엽 뒤의 췌장의 에코 결, 더 중요한 것은 상장간막 및 비장정맥과 같은 복부 혈관과 관련하여 각도/기울기를 조정한다. 뒷면에 장간막 정맥과 비장 정맥인 복부 혈관과 관계가 더 중요한다. 장간막의 뿌리에 지방과 결합 조직으로 둘러싸인 고에코 고리가 있는 장간막 정맥의 왼쪽에 있는 장간막 동맥을 찾는다. 상장간막 정맥의 오른쪽에서 췌장 머리에서 상장간막 정맥 뒤로 뻗어가는 갈고리 돌기

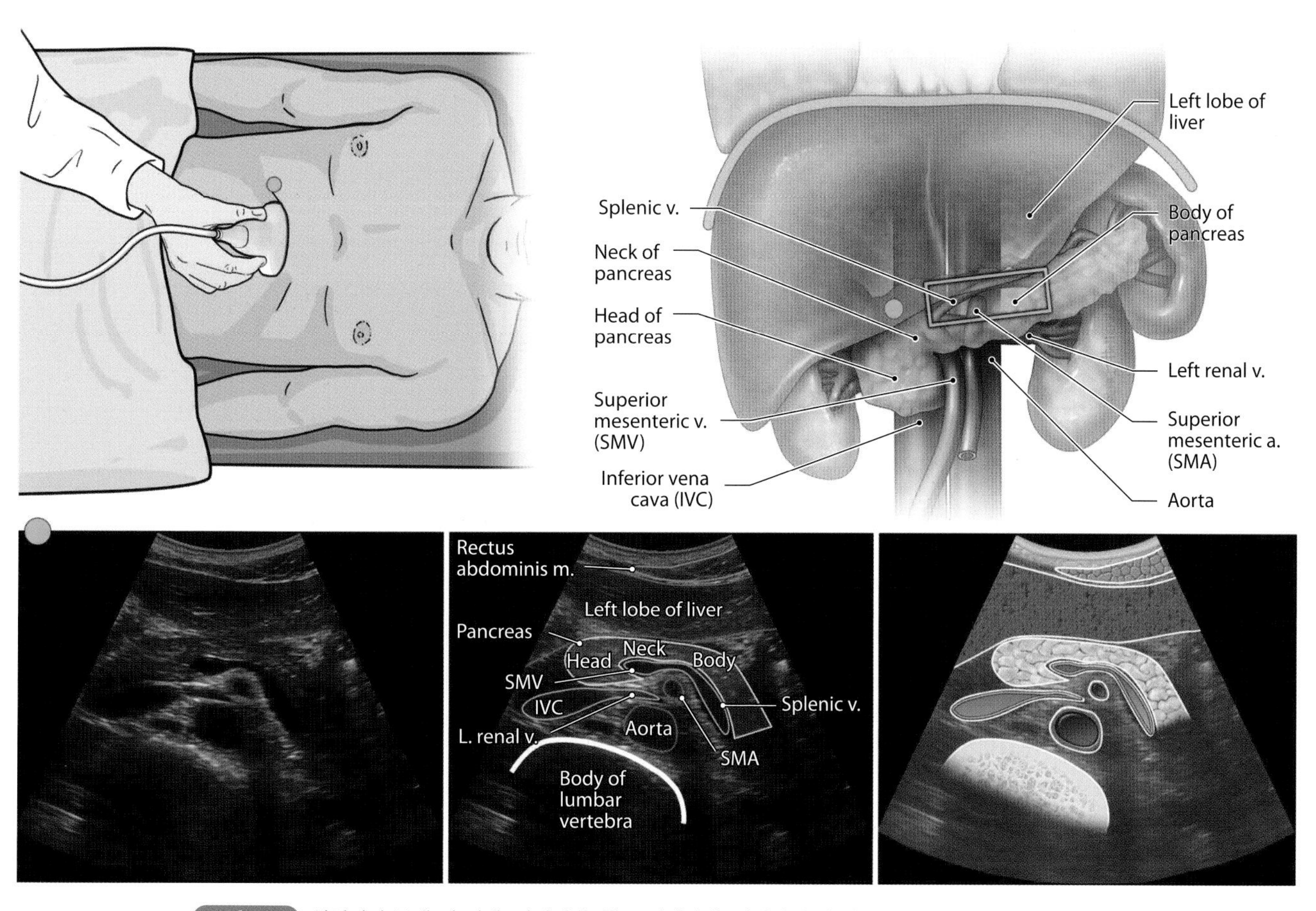

그림 8.17 상장간막 동맥 및 정맥, 비장정맥, 왼쪽 신장정맥, 하대정맥 및 대동맥과 함께 췌장의 횡단면 영상

를 찾고, 척추 뼈의 왼쪽을 따라 맥동하는 대동맥, 대동맥과 상장간막 동맥 사이의 공간에 있는 왼쪽 신장정맥(공간에서 생리적으로 압박되어 넘어 퍼짐), 척추체 오른쪽의 하대정맥에 추적함. 췌장의 목은 상장간막 혈관 앞쪽에 위치하고 몸체는 상장간막 혈관을 넘어 후방에서 보이지 않게 연장된다.

임상 응용

췌장염(Pancreatitis)은 췌장의 염증을 말하며 담석 또는 알코올 소모로 인해 발생할 수 있다. 그 증상에는 뒤쪽으로 방사되는 심각하고 지속적인 상복부 통증이 포함된다.

췌장암(Pancreatic cancer)은 심한 요통으로 나타날 수 있으며 주변 장기로 침범할 수 있다. 보통 늦게 증상이 나타나므로 치료하기가 어렵다. 외과 절제인 췌장십이지장절제술(휘플 시술, Whipple's procedure)이라고 하고 어떤 경우 절제가 가능한다. 머리의 암은 담관을 압박하여 폐쇄성 황달을 유발할 수 있다. 목과 몸체의 암은 췌장의 근위부에 있어 문맥 정맥 또는 하대 정맥의 막힘을 유발할 수 있다.

복부혈관(Abdominal Vessels)

해부학의 검토(Review of the Anatomy)

복강 및 장간막 동맥(Celiac and Mesenteric Arteries)

복강동맥(celiac trunk)은 복부 대동맥에서 분지하고, 횡격막의 대동맥 틈 바로 아래 대동맥의 전방면에 있다. 복강동맥 줄기는 왼쪽 위, 비장 및 온간 동맥 세가지로 분지한다.

복강동맥 줄기에서 가장 작은 분지가 왼쪽 위동맥이다. 왼쪽 위 동맥은 위 분문을 향해 위쪽으로 이동하며 식도 및 간 동맥의 분지와 식도와 간에서 문합된다. 왼쪽 위 동맥은 또한 위의 소만곡을 따라 움직여 오른쪽 위 동맥과 연결된다.

비장동맥(splenic artery)은 비신장 인대에 들어가기 전에 췌장의 상부표면을 통해 진행되는 크고 구불 구불한 혈관이다. 이 동맥은 복강동맥 줄기의 가장 큰 분지이며 보통 짧은 위동맥, 좌 위 대망막(위 망막) 동맥 및 췌장 분지를 포함한 수 많은 말단 분지가 있다.

짧은 위 동맥은 비위장 인대를 통해 코오스를 따라 위의 기저를 공급한다. 좌 위 대망막 동맥은 역시 비장위 인대를 통과하여 대망막에 도착해 위와 대망막에 공급하며 위의 대만곡 옆 코스에 도달한다. 비장 동맥에서 분기하는 췌장 혈관 중 하나에는 등쪽 췌장동맥이 포함된다.

복강동맥 줄기에서 발생하는 온간동맥은 췌장의 상위 경계를 따라 간을 향해 이동한다. 온간동맥은 고유 간동맥, 위십이지장 동맥, 때로는 오른쪽 위동맥으로 분지된다. 고유 간동맥은 작은 망막의 자유로운 경계에 따라 위치한다. 고유 간동맥은 왼쪽과 오른쪽 간동맥으로 나뉜다. 오른쪽 간 동맥은 이어서 calot의 담낭간 삼각형에서 낭성 동맥으로 분지한다. Calot의 삼각형의 경계는 낭성 담관, 온 간담관 및 간 아래면 경계이다. 오른쪽 위 동맥은 온 간 동맥에서 발생할 수 있지만 때로는 동맥이 고유 간동맥에서 나올 수도 있다. 오른쪽 위 동맥은 위의 유문부로 향해 그리고 위 소만곡을 따라 움직이고 왼쪽 위 동맥에 문합한다. 위십이지장 동맥은 십이지장의 첫 부분보다 뒤쪽으로 이동한다. 위십이지장 동맥은 위쪽 상십이지장 동맥, 아래쪽 여러 후십이지장 동맥을 포함하여 여러 분지를 분지하는 것으로 알려져 있다. 특히, 위십이지장 동맥은 우 위대망막 동맥과 상 췌장십이지장 동맥으로 나뉜다.

우 위대망막 동맥는 위의 대만곡을 따라 움직인다. 그것은 위와 위 대망막에 혈액 공급을 제공한다. 췌장 머리와 십이지장 사이의 상 췌장십이지장 동맥은 전상 췌장십이지장 동맥과 후상 췌장십이지장 동맥으로 나뉜다.

상장간막 동맥(Superior Mesenteric Artery)

상장간막 동맥은 췌장의 목뒤 복부 대동맥에서 발생한다. 그것은 췌장의 갈구리 돌기와 십이지장의 세 번째 부분의 뒤로 내려가고 횡결장 뒤에 있는 장간막의 뿌리로 들어가 오른쪽 장골 공간으로 내려간다. 상장간막 동맥은 5개의 말단 분지, 즉 하부 췌장십이지장 동맥, 중결장동맥, 우 결장동맥, 장골결장 동맥 및 내장 동맥을 분지한다. 하 췌장십이지장 동맥은 오른쪽으로 진행되며 전하 췌장십이지장 동맥과 후하 췌장십이지장 동맥의 두 분지로 나뉜다. 하 췌장십이지장 동맥(전방 및 후방)은 그 후 상 췌장십이지장 동맥의 각 분지와 함께 문합한다.

중결장 동맥은 오른쪽과 왼쪽 두분지로 분지한다. 오른쪽 분지는 오른쪽 결장 동맥과 함께 문합하며, 왼쪽 결장동맥의 상행분지와 문합한다. 이러한 동맥과 연결이 되어 모소리동맥이 대장벽을 따라 흐른다.

오른쪽 결장동맥은 상장간막 동맥에서 생기고, 복막 바로 뒤 오른쪽으로 지나간다. 오른쪽 결장동맥은 종종 장골결장 동맥에서 발생할 수 있다. 오른쪽 결장동맥은 상행분지 및 상행분지로 끝나며 상행결장을 따라 진행된다.

장공결장 동맥은 오른쪽 장골 공간을 향해 복막 뒤에서 아래로 이동한다. 그런 다음 상행결장동맥, 전 및 후 막창자동맥, 맹장 동맥 및 회장 분지로 나뉜다. 상행결장동맥은 오른쪽 결장 동맥과 문합을 형성한다. 상장간막 동맥의 분지(보통 12–15개)가 공장과 회장을 공급한다. 장내 동맥 분지 및 문합은 장간막에서 연속해 아케이드를 형성한다.

하장간막 동맥(Inferior Mesenteric Artery)

하장간막 동맥은 대동맥의 전방 표면에서 상장간막 동맥보다 아래에서 분지하고 복막 뒤의 왼쪽으로 가는 코스이다. 하장간막 동맥의 말단 분지는 하행 결장, 구불 결장 및 직장의 상부를 공급한다. 하장간막 동맥은 왼쪽 결장동맥, 구불 결장동맥 및 상직장 동맥으로 세분지화 된다. 왼쪽 결장동맥은 하행결장을 향해 왼쪽으로 진행되며 일반적으로 상행분지와 하행분지로 나뉜다. 구불 결장동맥(숫자상 2–3)은 장간막에서 구불 결장쪽으로 상행분지와 하행분지로 나뉜다. 상직장 동맥은 골반으로 내려가 2개의 분지로 끝난다. 직장의 측면을 따라 상직장 동맥 코스의 분지가 중 및 하직장 동맥과 연결된다.

정맥(Veins)

문맥(Portal Vein)

문맥은 비장정맥과 췌장 목 뒤에서 장간막 정맥에 의해 형성된다. 문맥은 약 8 cm(3.2in) 길이이며 장, 비장, 췌장 및 담낭의 복부에서 오는 정맥혈을 수집한다.

하장간막 정맥(Inferior Mesenteric Vein)

하장간막 정맥은 문맥으로 직접 배출되지 않는다. 하장간막 정맥은 비장 또는 상장간막 정맥 또는 이 두 정맥의 교차점에서 합쳐질 수 있다. 하장간막은 또한 왼쪽 위(또는 관상) 정맥으로부터 정맥 배수를 받는다. 이 정맥은 담관과 작은 망사막의 자유로운 경계 안에 있는 간 동맥 뒤에서 상행 코스하며, 탈산소화된 혈액과 소화에서 추출된 영양분을 운반한다. 간 동맥보다 3배 많은 혈액을 운반하며 하대 정맥보다 혈압이 높다.

상장간막 정맥(Superior Mesenteric Vein)

상장간막 정맥코스는 상장간막 동맥의 오른쪽 측면을 따라간다. 상장간막 정맥의 분지 중 일부는 상장간막 동맥의 지류를 따라간다. 상장간막 정맥의 뿌리는 대개 십이지장의 세 번째 부분과 소췌장의 갈구리 돌기를 가로 지른다. 상장간막 정맥의 종결은 췌장의 목 뒤에 있다. 이 지점에서 비장정맥은 상장간막 정맥과 합쳐져 문맥을 형성한다.

비장정맥(Splenic Vein)

비장정맥(이전에는 선형정맥으로 알려짐)은 비장의 정맥 굴모양 혈관의 병합에서 비롯된다. 비장정맥은 또한 짧은 위, 좌 위대망막, 및 췌장 정맥으로부터 정맥 배수를 받는다.

하장간막 정맥(Inferior Mesenteric Vein)

하장간막 정맥은 상직장 및 구불결장 정맥의 결합에서 시작된다. 하장간막 정맥은 왼쪽 결장정맥에서 정맥 배수를 받는다. 종종 하장간막 정맥이 비장정맥으로 배출된다. 그러나, 하부 장간막 정맥은 상위 장간막 정맥으로 또는 상부 장간막 정맥 및 비장정맥의 병합지점으로 직접 배출될 수 있다.

좌위(관상)정맥(Left Gastric(Coronary) Vein)

좌위(관상)정맥은 일반적으로 위장의 소만곡의 상위 부분에서 짧은 거리에 걸쳐 있으며, 여기에서 두 작은 그물막 사이에 깃들이다. 왼쪽 위 정맥은 위와 식도의 교차점을 향해 계속 이동한다. 이 지점에서 왼쪽 위 정맥은 식도의 정맥 지류에 합류할 수 있으며 결국 기정맥으로 비워져, 왼쪽 위정맥이 전신 정맥 분포를 형성한다. 또한, 왼쪽 위 정맥은 문맥으로 직접 배출될 뿐만 아니라 오른쪽 위 정맥의 문합을 통해 왼쪽 위 정맥의 문맥정맥 부분을 형성한다.

배꼽주위 정맥(Paraumbilical Veins)

배꼽주위 정맥은 낫인대에 내포되어 있다. 이 정맥은 문맥의 왼쪽 분지는 작은 배꼽 주위 피하정맥과 연결된다. 배꼽주위 피하정맥은 상복부, 하복부, 흉강상복부 및 표피 상복부의 정맥이다. 배꼽주위 정맥은 거의 항상 닫히지만, 문맥 고혈압으로 열리며 확장될 수 있다.

간 정맥(Hepatic Veins)

간 정맥(왼쪽, 오른쪽 및 중간)은 간의 분절간의 평면에 위치한 판막이 없는 정맥이다. 이 정맥은 하대정맥으로 배출된다. 그러나 흔히 왼쪽 및 중간 간 정맥은 종종 하 대정맥에 합류하기 전에 합쳐진다.

수기(Technique)

대동맥
복강동맥
상장간막 동맥
종단면(방시상)
그림 8.18

환자가 앙와위 위치에 있을 때 탐촉자를 중간 선 바로 왼쪽에 있는 신체의 세로 축에 배치한다. 장내 가스를 이동시키기 위해 탐침면에 압력을 가하여 상복부 영역에서 위에서 시작하고 아래로 밀을 수도 있다. 환자에게 심호흡을 하도록 요청한다(환자에게 2~3잔의 물을 마시도록 요청하면 위장 가스를 대체하여 영상을 개선할 수 있음). 간 왼쪽 엽과 그 가장자리와 윤곽을 확인한다.

탐침면을 기울여 복부 대동맥의 맥동을 식별하고 대동맥(aorta)이 대략 수평이 될 때까지(요추굴곡보다 아래로 가파르게 굽히는 것보다) 빔 각도를 조정한다. 대동맥의 복강 및 상장간막 분지를 확인한다. 상장간막 동맥(mesenteric artery)의 근위부분의 앞쪽에서 췌장의 몸 뒤의 비장정맥. 췌장 음향 결은 가변적이지만 일반적으로 간과 유사하며, 고 음향 반점을 갖는 약간 저에코이다. 좌측 신장정맥은 상장간막 동맥과 복부 대동맥의 전방 표면사이의 공간에서 볼 수 있다(생리학적으로 압축).

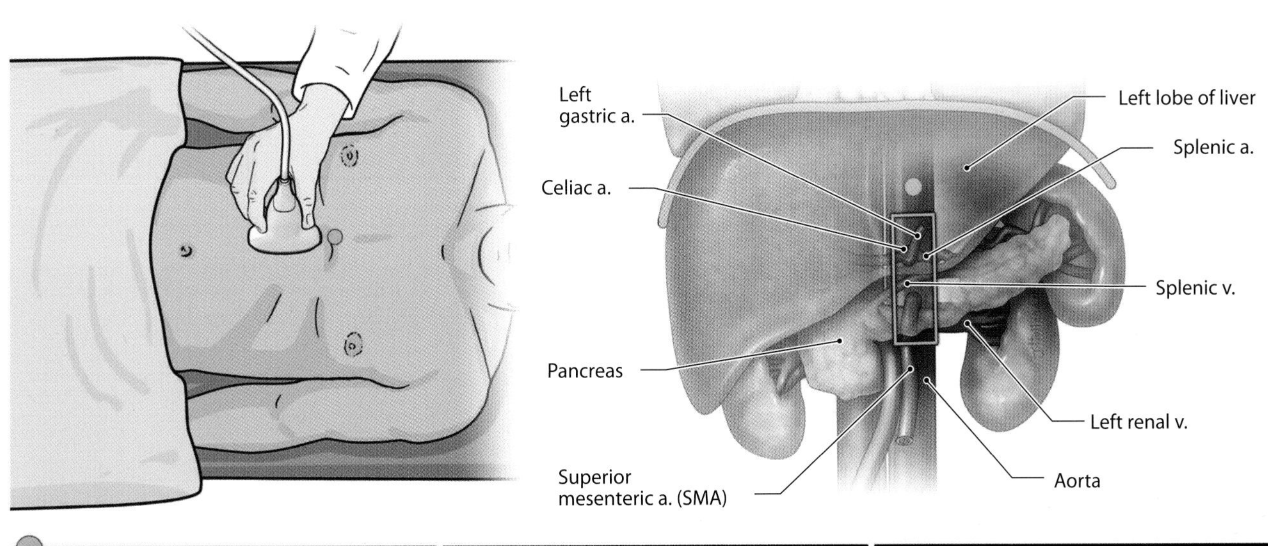

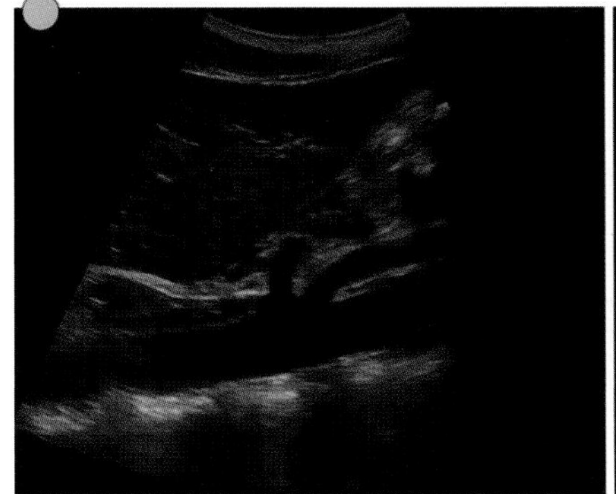

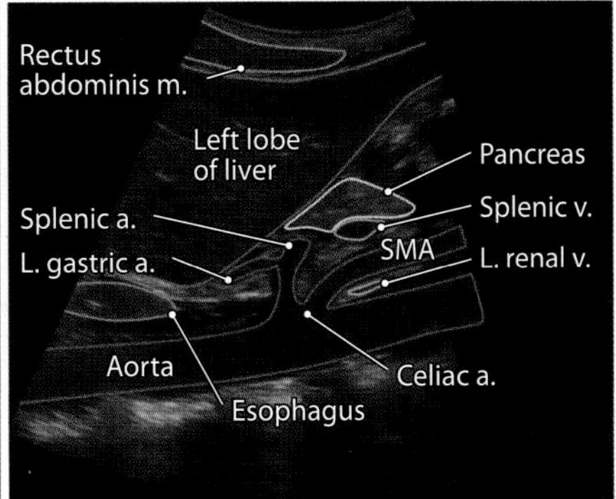

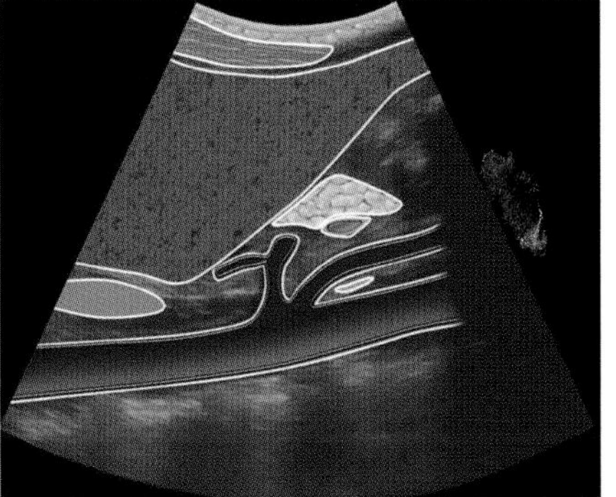

그림 8.18 복강 및 상장간막 분지따라 가는 복부 대동맥의 종단면(방시상) 영상

복강동맥
비장동맥
온간장 분지
횡단면
그림 8.19

환자가 앙와위 위치에 있는 상태에서 표시가 오른쪽을 향하도록 탐촉자를 가로로 놓는다. 간의 왼쪽 엽과 요추의 몸체을 확인한다. 척추체를 따라 대동맥과 하대 정맥을 확인한다. 복강동맥, 비장동맥 및 온간동맥 분지의 "갈매기 날개" 모양을 보면서 탐촉자와 기울기/부채를 민다. 비장동맥은 췌장의 몸을 따라 따르는 것이 유용한다. 문맥은 하대정맥 바로 전방에서 보인다.

상장간막 동맥
상장간막 정맥
대동맥
하대정맥
횡단면
그림 8.20

그림 8.19부터 계속해서 기울기/팬을 돌리고 대동맥의 다음 복부 분지인 상장간막 동맥을 보면서 약간 아래로 미끄러진다. 대동맥의 복강동맥과 상장간막 분지는 서로 매우 가깝게 발생하며, 탐침의 약간의 움직임(미끄럼/기울기)만 앞뒤로 움직인다. 상장간막 동맥을 식별한 후, 상장간막 동맥이 상장간 정맥의 왼쪽에 있는(장간막의 뿌리에서 지방/결합 조직의) 고에코 고리에 의해 명확하게 보일 수있을 때까지 탐촉자 위치를 조정한다. 위/아래로 기울여 미끄러져 비장정

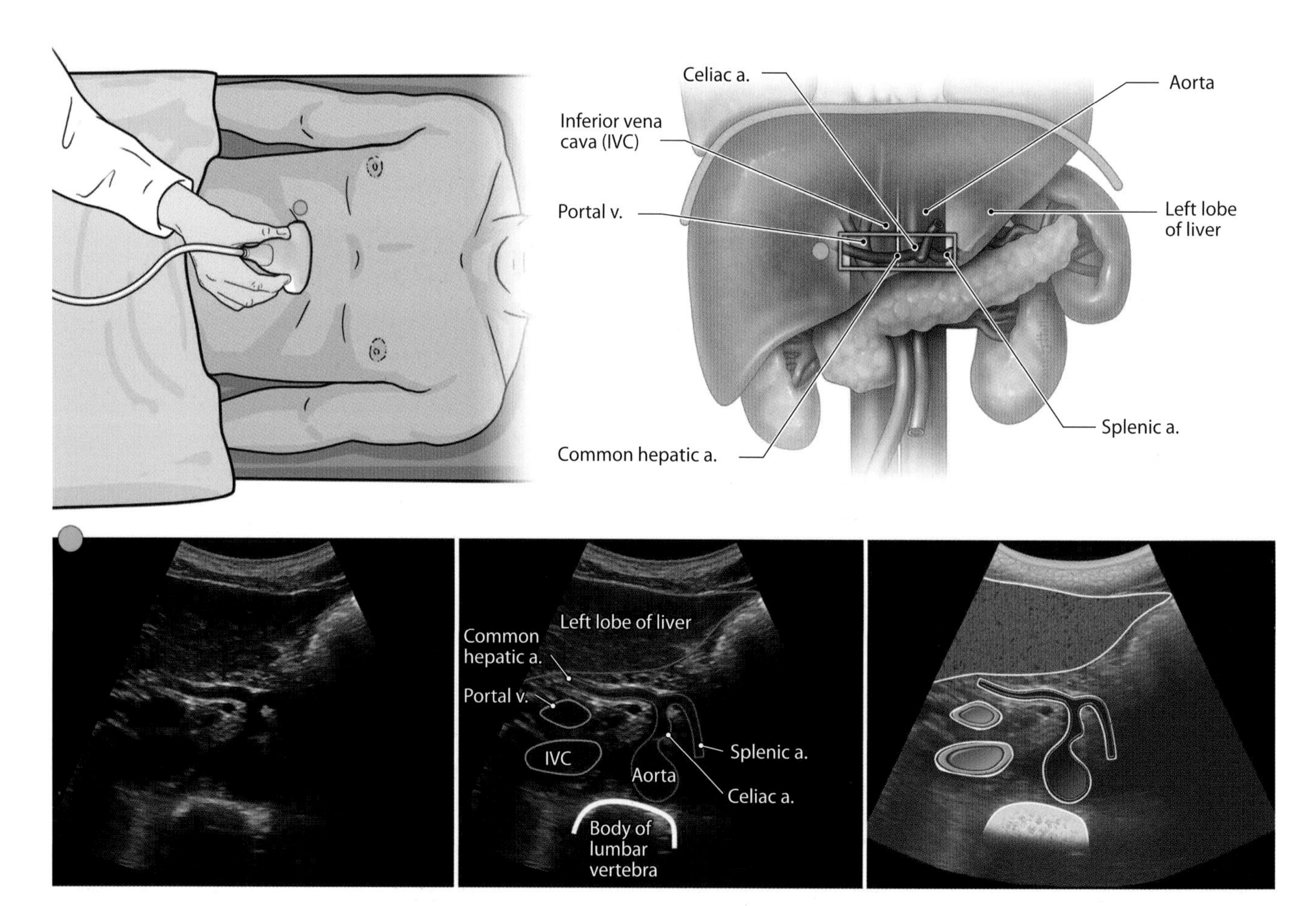

그림 8.19 비장 및 온간 분지와 함께 복강동맥의 횡단면 영상

맥이 왼쪽에서 상장간막 정맥에 합류하여 췌장의 목 뒤에 문맥을 형성을 본다(위치보다 위에 비장정맥이 상장간막 정맥에 합류하는 곳은 문맥이다). 에코 결을 찾고 상장간막 정맥에 인접한 췌장 머리와 갈고리 돌기를 확인한다. 오른쪽 신장동맥과 상장간막 정맥과 대동맥 사이의 공간을 가로 지르는(생리적으로 압박된) 좌신장정맥을 식별하기 위해 탐촉자의 위치를 조심스럽게 조정하여 하대정맥에 합류하는 것을 본다. 이 영상에서 낫인대는 왼쪽 간엽과 사분면 엽 사이의 경계에서 명확하게 보인다. 횡격막의 오른쪽 다리는 영상에서 척추 몸체를 따라 하대정맥과 대동맥 사이에서도 잘 보인다.

상장간막 혈관
비장정맥
대동맥
하대정맥
횡단면
그림 8.21

탐촉자를 그림 8.20과 같은 위치에 놓고 탐촉자 위치를 조정하여 비장정맥이 상장간막 정맥에 연결되는지 확인한다. 가능한 많은 비장정맥을 유지한다. 췌장의 몸통을 왼쪽과 뒤쪽으로 따라가고 오른쪽 장간막 혈관, 대동맥, 하대정맥 및 왼쪽신장 정맥과의 관계를 확인한다.

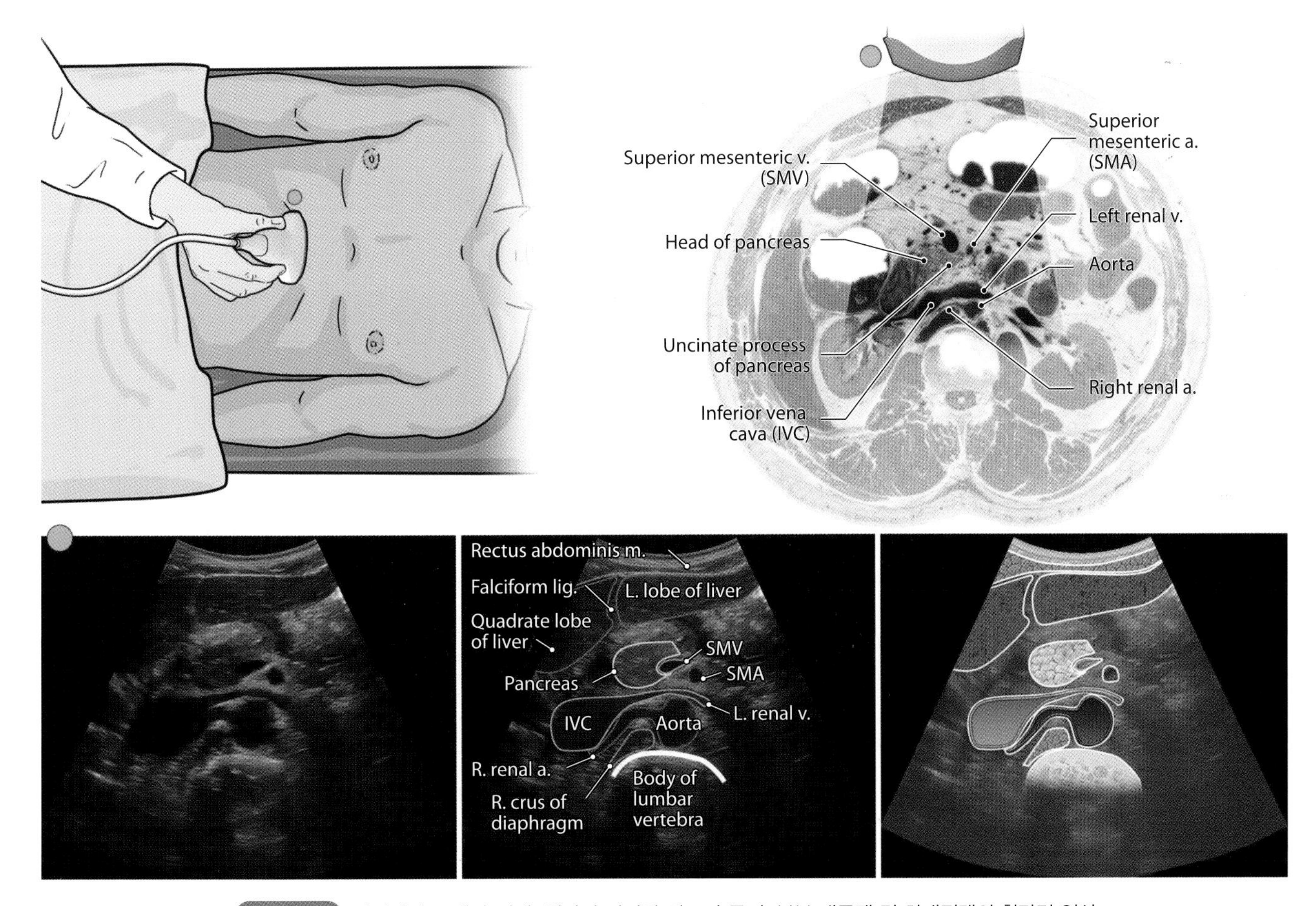

그림 8.20 상장간막 동맥과 정맥, 췌장의 머리와 갈고리 돌기, 복부 대동맥 및 하대정맥의 횡단면 영상

복부 대동맥 하대정맥
횡단면
그림 8.22

그림 8.21의 상장간막 동맥에서 시작해 대동맥과 하대정맥을 제대 위의 수 센티미터 위의 위치로 유지하면서 탐촉자를 아래로 민다. 복부 대동맥의 분지점은 대략 제대 수준에서 발생한다. 대동맥과 하대정맥은 척추의 요추 곡률에 따라 점진적으로 더 표면적 아래로 진행된다. 소장과 가스 영상도 있지만 혈관과 요추가 더 표면적으로 가까워짐에 따라 탐촉자 압력을 적용하여 장내 가스를 부드럽게 밀어내는 것이 상당히 쉬워진다.

복부 대동맥 분지
횡단면
그림 8.23

그림 8.22에서 계속 아래로 밀어 대동맥을 따라 제대 수준에 도달한다(제대 층에 젤을 채울 필요가 있음, 탐촉자가 제대 위에 있을 때 공기 영상 및 영상 품질 저하를 제거하기 위해). 이 위치에서 대동맥은 일반적으로 오른쪽 및 왼쪽 온장골 동맥으로 나뉜다. 오른쪽 및 왼쪽 온장골 동맥을 원점에서 식별한 후,

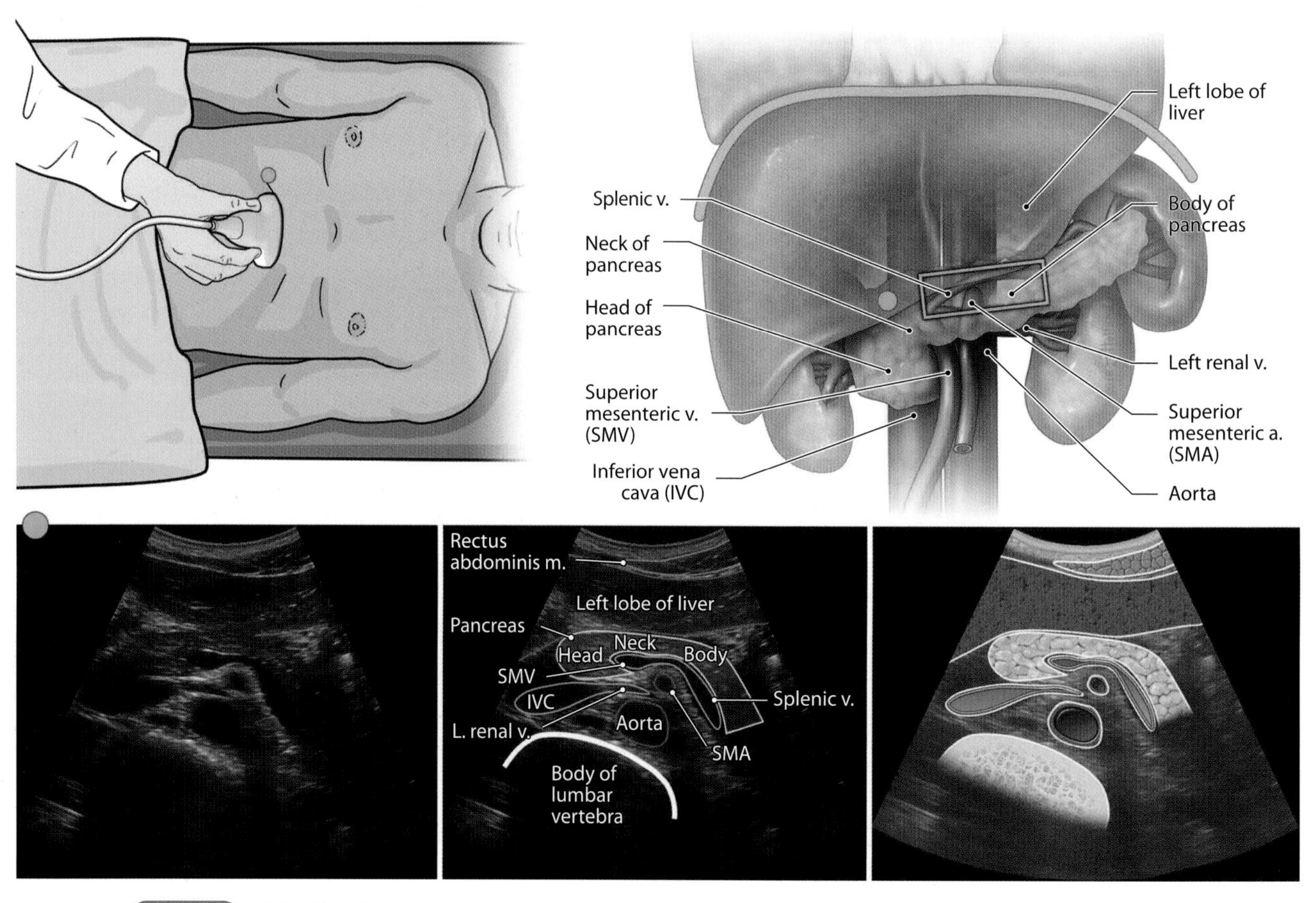

그림 8.21 상장간막 동맥과 정맥, 머리, 갈고리 돌기, 췌장의 목과 몸통, 비장정맥, 복부 대동맥 및 하대정맥의 횡단면 영상

탐촉자를 몇 센티미터 아래로 밀고 왼쪽 장골정맥이 장골 뒤에서 수평으로 교차하는 것을 관찰하여 하대정맥의 합류점에서 더 수직인 오른쪽 온장골 정맥에 합류한다.

하대정맥
종단면(늑골하)
그림 8.24

환자가 앙와위 위치에 있는 상태에서 흉부를 향한 오른쪽 늑골 마진 아래에서 정중선 바로 오른쪽에 몸의 세로 축에 탐촉자를 놓는다(환자의 심호흡이 도움이 될 수 있음). 간 얼룩덜룩한 결과 정맥을 식별한다. 하대정맥의 흡기 시 수축되고 리듬같은 전달 맥동에 주목한다. 문맥은 고유 간동맥과 함께 하대정맥 앞쪽에서 보인다.

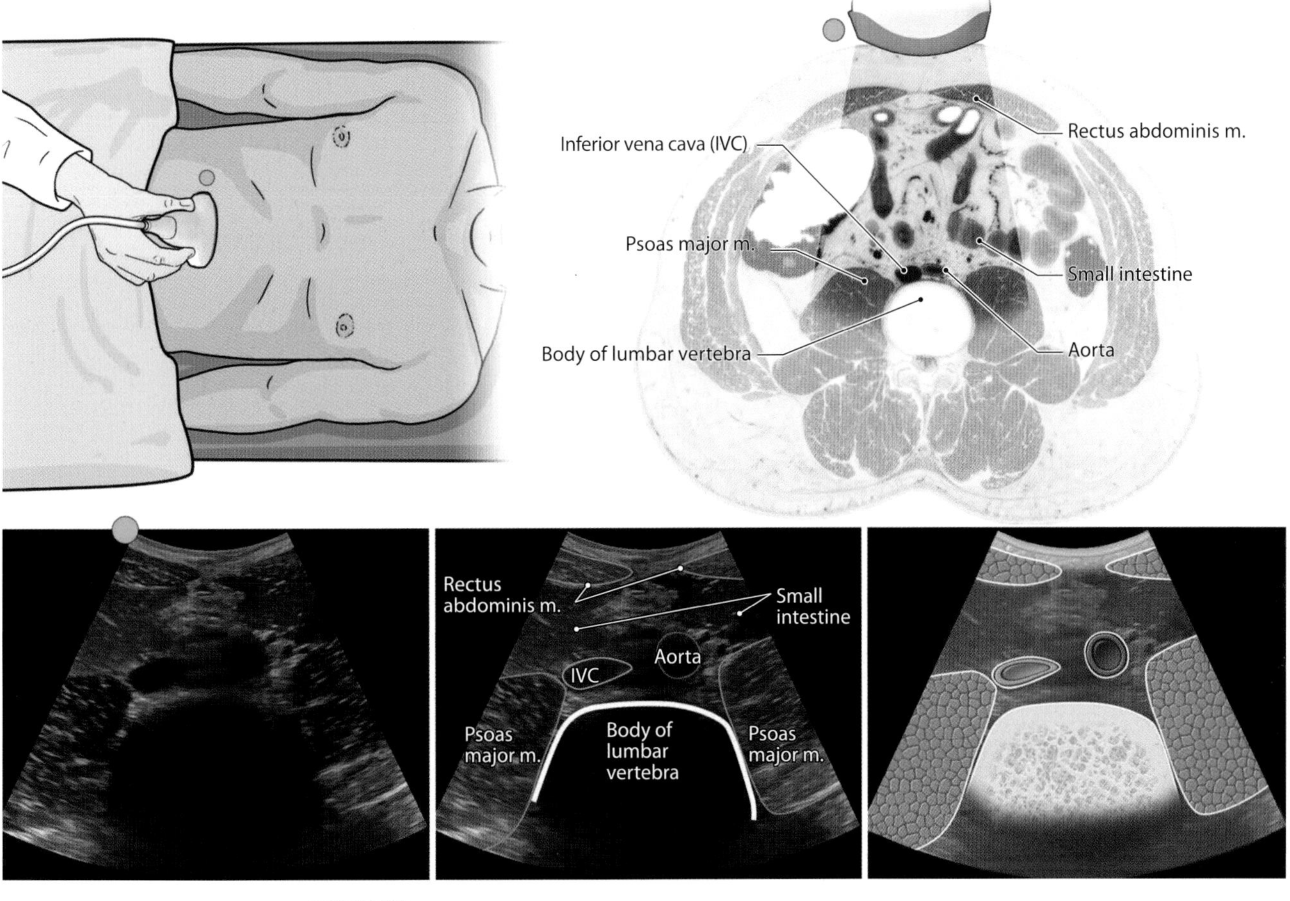

그림 8.22 요추 몸체 및 큰허리근에 관련된 대동맥 및 하대정맥의 횡단면 영상

임상 응용

복부 대동맥 동맥류: 복부 대동맥 동맥류는 복부 대동맥의 근위 정상 분절(> 3 cm)의 50% 이상 큰 경우 복부 대동맥의 확장으로 정의된다. 남성이 더 일반적으로 잘 걸리며, 65세 이상 인구의 약 10%에 해당한다. 불행히도, 대부분의 복부 대동맥류는 무증상이며 정기 검사 중에 우연히 진단된다. 그러나 복부 대동맥류의 가장 흔한 합병증은 파열이며, 이는 심한 복부 통증 또는 요통으로 사망률이 높은 저혈량 쇼크를 유발한다. 동맥류로 이어지는 가장 흔한 원인은 죽상 동맥경화증, 염증, 만성 대동맥 박리, 다양한 유형의 혈관염 및 마판(Marfan) 및 엘러-댄 로스(Ehler-Danlos) 증후군이다.

비장동맥 동맥류: 비장동맥 동맥류는 내장의 가장 흔한 동맥류이다. 비장 동맥의 이러한 국소 확장은 주머니 모양 또는 진짜 동맥류일 수도 있다. 이 동맥류는 여성에서 더 흔한다. 그러나 파열은 남성에서 더 흔한다. 그들의 발견은 일반적으로 부수적이지만, 죽상 경화증, 다른 유형의 혈관염, 섬유근 이형성증, 문맥 고혈압 및 간경변과 가장 관련이 있다. 비장 동맥류의 가장 흔한 합병증은 파열(사례의 5%)이며, 이는 좌상 사분면 통증을 나타낸다. 파열 후 초기 혈액이 복강 작은낭에 고여 의사혈액역학적 안정화를 제공하고 혈액이 복강으로 흐를 때 갑작스런 혈액 감소성 쇼크을 제공하면 이중 파열 징후가 있다.

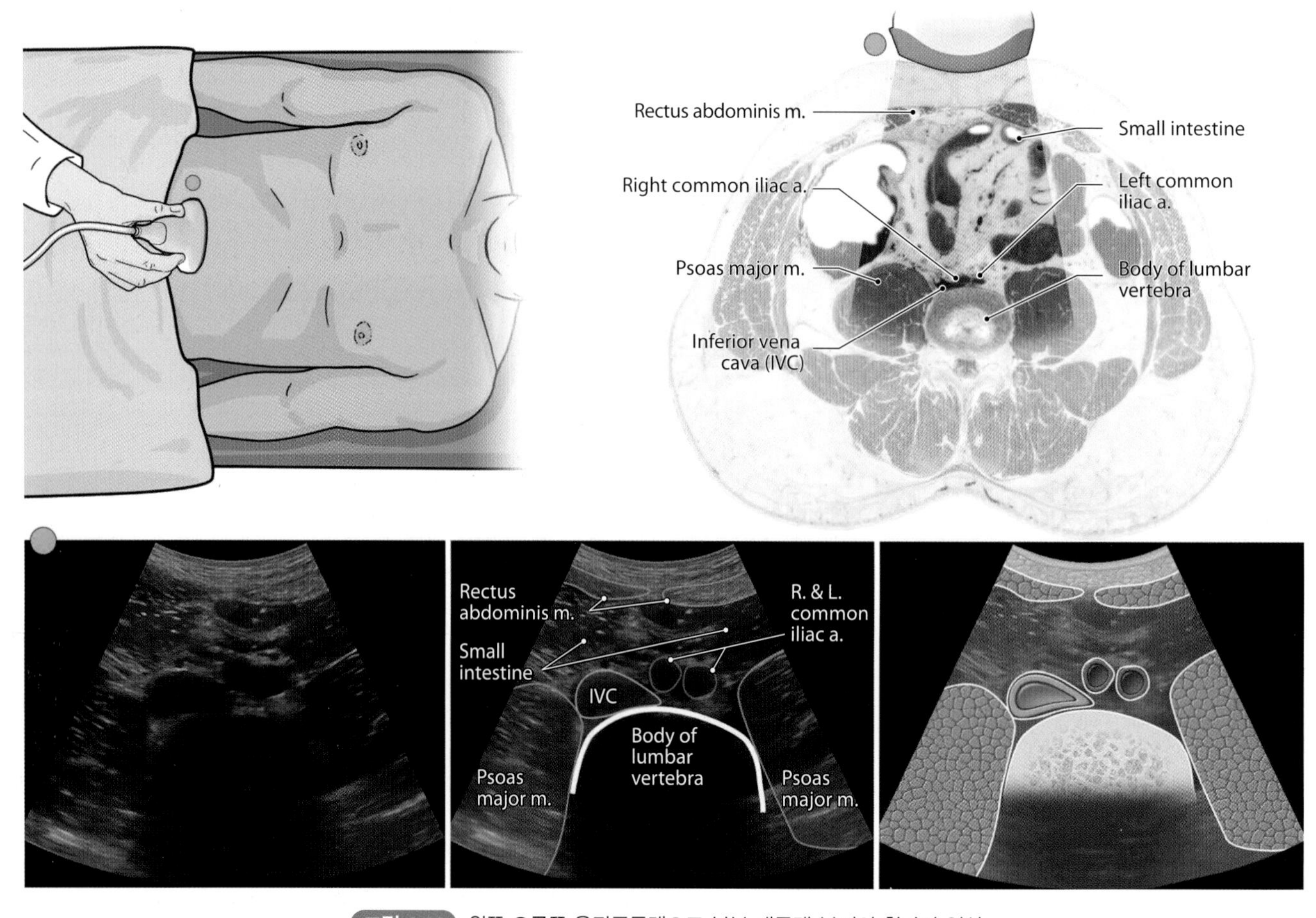

그림 8.23 왼쪽 오른쪽 온장골동맥으로 복부 대동맥 분지의 횡단면 영상

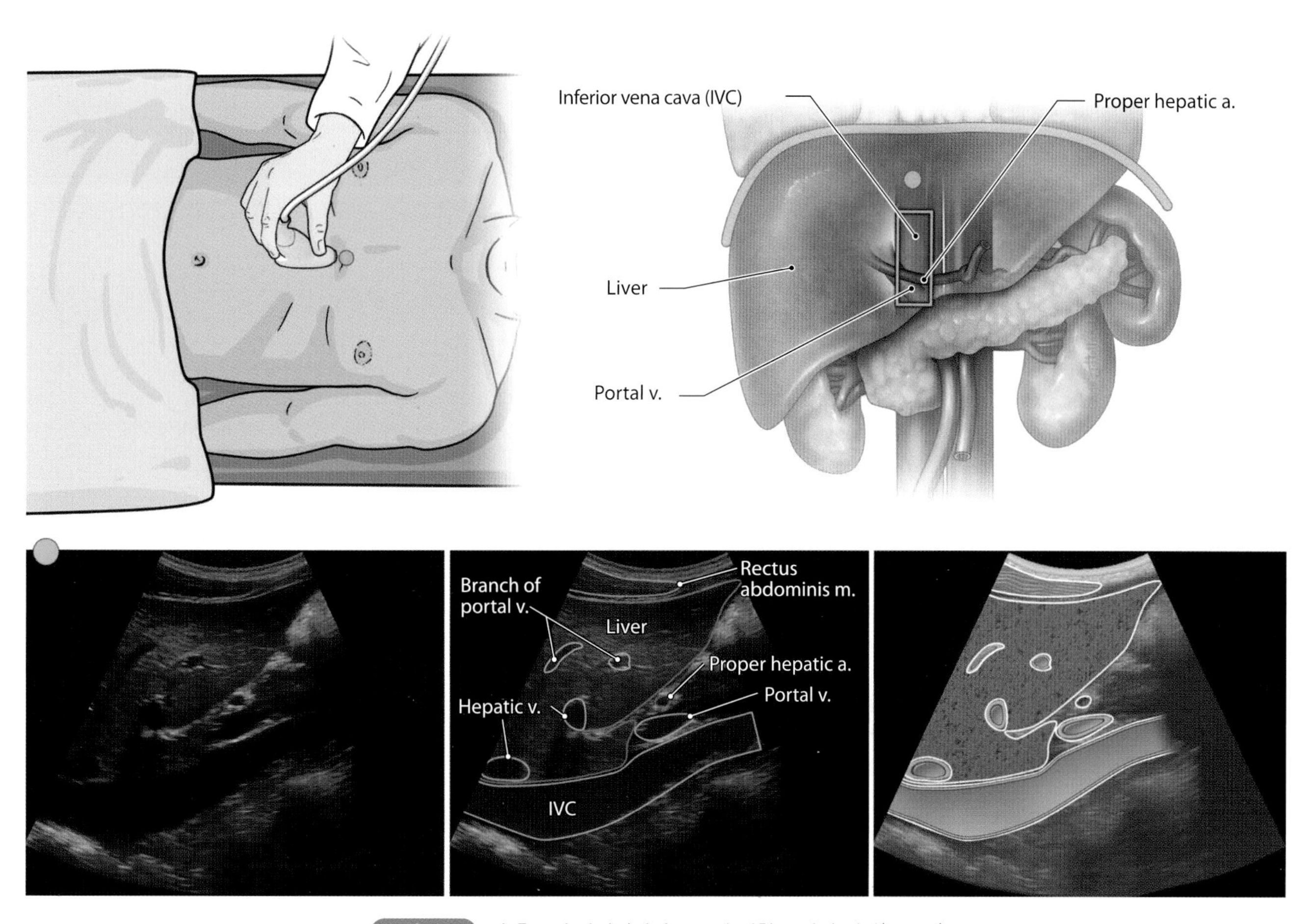

그림 8.24 간 후부의 하대정맥의 코스에 대한 종단면 영상(늑골하)

Chapter

9

경부(Neck), 얼굴(Face), 눈(Eye)

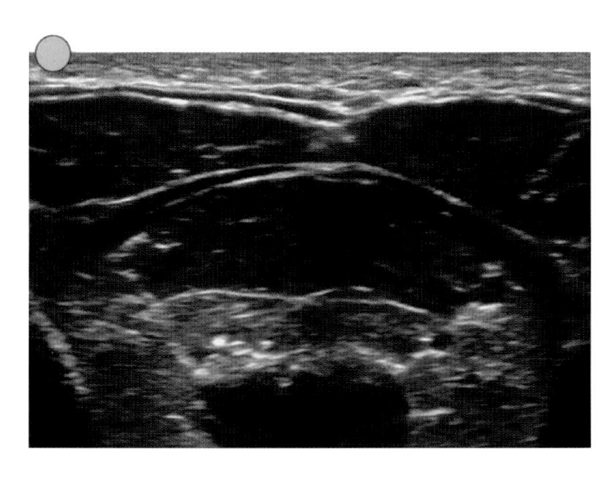

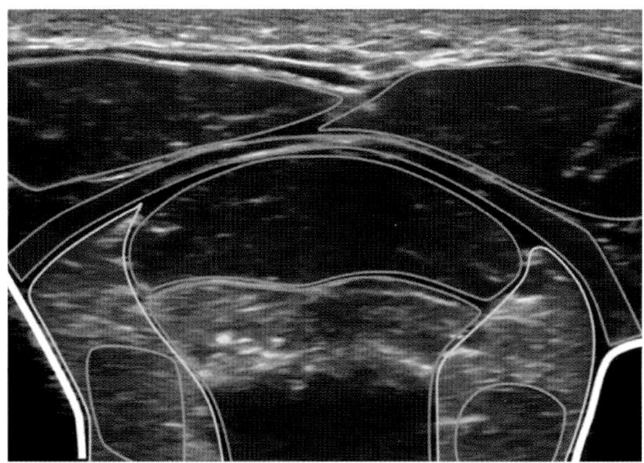

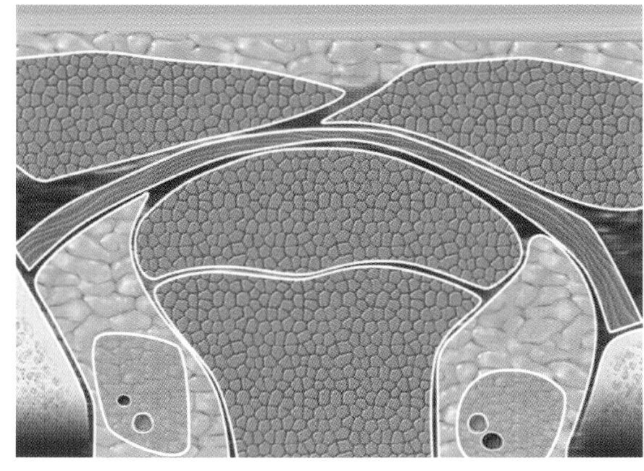

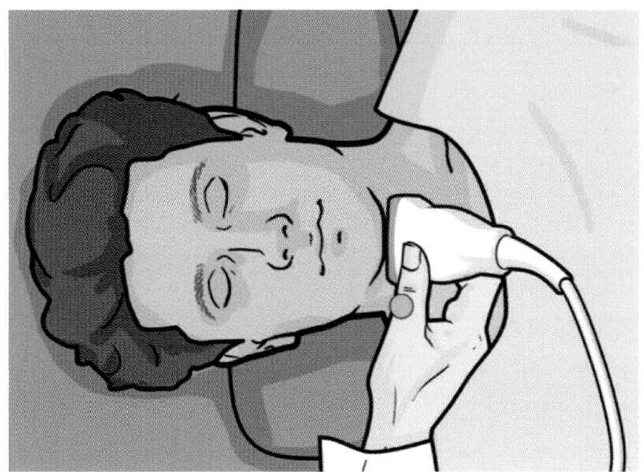

경부(Neck)

해부학의 검토(Review of the Anatomy)

경부는 두부와 흉부, 상지가 교차하는 지역으로, 치밀한 영역이다. 기하학적으로 경부의 해부를 공부하는데 도움이 되도록 여러개의 삼각형이 나누어져 분류할 수 있다. 비록 이 삼각형들이 임상적으로 모두 사용되는 것은 아니지만, 일부는 기술적 묘사에 유용하다. 우리는 전경삼각근과 후경삼각근의 해부를 바탕으로 경부의 주요 구조들을 나누어서 설명할 것이다. 경부의 목덜미(nuchal) 부분이나 경부의 후면은 이 장에서는 설명하지 않는다.

근막(Fasciae)

경부의 근막는 두 겹으로 단순화할 수 있다.

1. 표재 경부근막: 이 층은 피하조직에 위치한다.
2. 심부 경부근막: 이 근막은 목의 더 깊은 부분으로 세분화 된다. 각각의 층은 경동맥, 경정맥과, 미주신경을 둘러싸는 목혈관 신경집(carotid sheath)으로 알려진 근막의 기둥(column)에 기여를 한다.

표재성 인베스팅 근막(superficial investing)은 흉쇄유돌근(목빗근)과 승모근(등세모근)을 고정시키기 위해 갈라지는 목의 외부 둘레를 둘러싸고 있다. 척추앞 근막(prevertebral faciae)은 경추와 장근과 사각근과 같은 부착된 근육을 덮고 있다. 기관앞 층(pretracheal layer)과 협인두층(볼인두층, buccopharygeal layer)은 후두/기관, 갑상선, 인두/식도를 둘러싸고 있다. 주로 설명의 편의를 위해 목은 다양한 삼각형으로 나뉜다. 우리는 더 큰 분할 즉, 후삼각근과 전삼각근 그리고 그 내용에 초점을 맞출 것이다.

후경부삼각근(Posterior Cervical Triangle)

후경부 삼각근은 안으로는 흉쇄유돌근(목빗근) 의 후연(posterior edge)에 뒤쪽으로는 상부 승모근의 전연(anterior)에, 아래쪽으로는 쇄골의 중간 3분의 1에 의해 경계를 이루고 있다.

이 기하학적 부분의 지붕은 심부경부근막의 인베스팅 층(investing layer)과 일부분의 활경근(넓은 목근, platysma)이며, 이 근막은 하악골에서 부터 나와서 대흉근과 삼각근을 덮는 근막까지 주행한다. 척추앞 근막에 둘러싸인 이 삼각근(triangle)의 근육 바닥층은 앞에서 뒤로 가는 순서로 해서 사각근, 견갑거근, 두 판상근, 두 반극근 일부분으로 구성되어 있다. 견갑설골근의 하복도 역시 표재적으로 앞에서 전술한 견갑골에서 설골까지 근육 사이에 있는 근육들을 가로지르며, 견갑설골근의 하복에 의해서, 후경부 삼각근은 상후두삼각근과 하부 쇄골하삼각근으로 나누어진다. 추가적으로, 전거근의 작은 상부 부분도 여기에서 발견된다. 마지막으로 척수부신경, 후부 임파선 사슬과 상완신경총의 출현이 이 삼각근에서 발견된다.

근육(Muscles)

아래의 근육들은 후 삼각근에 위치한다.

- **승모근(trapezius)**: 이 근육은 외후두융기 근처, 중앙으로부터 기시하여 아래로 극돌기들과 주위 인대들을 따라서 제12 번 흉추에 정지한다. 이 근육들은 그때, 측면으로 견갑골과 외측 쇄골에 부착한다. 이 상부 섬유조직은 견갑골을 들어 올린다.
- **흉쇄유돌근(sternocleidomastoideus)**: 이 근육은 흉골병과 쇄골의 내측면에 발생한다. 이 근육은 그때 두부쪽으로 올라가서 측두골의 유양돌기에 부착한다.
- **사각근들(sclenus)**: 이 근육은 경추에서 기시하여서 하강하여 제1, 제2 갈비뼈에 정지한다. 기능적으로는 이 삼각근들(전, 중, 후)은 강제 흡기시에 제1, 제2 갈비뼈들을 위로 올린다.
- **견갑거근(musculus levator scapula)**: 이 근육은 내측으로 상부 경추 제1~제4 번까지 횡돌기에 기시하여, 외측으로는 견갑골의 상각(superior angle of scapulae)에 정지한다. 이 근육은 견갑골을 위로 올리거나, 움츠리게 한다.
- **두판상근(splenius caoitis)**: 이 근육은 경추와 상부 흉추의 극돌기와 인근 인대들로부터 기시하여 상부로 주행하여 유양돌기와 후두골의 상항선(윗목덜미선, superior nuchal line)에 정지한다. 양쪽 근육의 수축으로 경부의 신전이 일어난다.
- **두반극근(semispinalis capitis)**: 이 근육은 위로는 후두골의 상항선과 하항선 사이에서 부착하고, 아래로는 하부 경추(C5~C7)와 상부 흉추(T1~T6)의 횡돌기와 관절돌기(articular process)와 인접한 인대들에 부착한다.
- **전거근(Serratus anterior)**: 이 근육은 전형적으로 상부 여덟 개의 갈비뼈(1st~8th rib)에서 기시하여 견갑골의 내측면에 정지한다.

혈관(Vessels)

후삼각근의 주요 혈관은 쇄골하동맥과 정맥이다. 제1의 갈비뼈 위를 가로지르는 쇄골하동맥은 전사각근과 중사각근의 사이에 있다. 하지만, 쇄골하정맥은 전사각근의 바로 앞으로 주행한다.

임파절(Lymphatics)

림프절를 포함한 임파절은 후경부 삼각근을 통해서 흩어져 있으며, 표재적으로 위치하는 부신경을 포함한다. 후경부 삼각근의 기저부(예: 쇄골의 중간 3분의 1)에는 내경정맥과 함께 이동하는 하부 심부 경부림프절은 Virchow의 쇄골상 림프절(Supraclavicular node)이라 하며, 이 림프절이 커진다면, 내장의 악성 종양의 신호가 될 수 있다.

신경(Nerves)

피지신경(Cutaneous Nerves)

경부신경얼기(C1~C4)로 유래된 4개의 피지 신경들은 흉쇄유돌근의 상부 3분의 1과 하부 3분의 2의 접합부에서 발견된 소위 신경점(nerve point)에서 흉쇄유돌근의 후면에서 출현한다.

- **소후두신경(작은 뒤통수신경, lessor occipital nerve)**: C2와 C3에서 유래된 이 가지는 흉쇄유돌근의 후면을 따라 올라가서 귀바퀴와 후두골의 피부쪽에 도달한다.
- **대이개신경(큰 바퀴신경, greater auricular nerve)**: C2와 C3에서 유래된 이 신경은 표재적으로 흉쇄유돌근으로 올라가 귀와 이하선을 덮고 있는 피부로 도달한다.
- **경횡신경(가로목신경, transverse cervical nerve)**: C2와 C3에서 유래된 이 신경은 앞쪽으로 주행해서, 표재적으로 경부의 정중선을 향하고 있는 흉쇄유돌근에 이른다.
- **쇄골상신경(빗장위신경, supraclavicular nerve)**: C3와 C4에서 파생된 이 가지는 아래쪽으로 이동하며, 쇄골의 내측과 중간 및 측면을 가로지르는 3개의 가지로서 종지되어, 그 지역의 피부를 관리한다.

부신경(Accessory Nerve)

후경부 삼각근의 중요한 하나의 표재정 신경은 제11 뇌신경, 즉, 부신경이며, 신체의 2개의 근육, 즉 흉쇄유돌근과 승모근에만 분포한다. 흉쇄유돌근의 심부에 신경이 분포된 후에 부신경은 대략 이 근육의 상부 3분의 1지점과 하부 3분의 2지점의 접합부에서 나와서, 견갑거근에서 바로 표재적으로 위치한 승모근으로 하강한다.

상완신경총(Brachial Plexus)

C5와 T1의 앞가지(ventral rami)에 의해 형성된 상완신경총의 근위부[가지(ramus)와 줄기(trunk)]는 후경부삼각근에서 발견되며, 전사각근과 중사각근에 맞닿아 있다. 이 두 근육 사이에서 상완신경총의 근위부는 쇄골하동맥의 바로 뒤에 위치한다.

횡격막신경(가로막신경) (Phrenic Nerve)

경부에서 횡격막 신경(C3, C4와 C5)은 횡격막을 관리하며, 전 사각근의 표재부의 표면을 거의 수직적으로 내려와서, 쇄골하동맥과 정맥사이에서 주행한다. 이 신경의 손상(injury)은 호흡의 장애를 일으킬 수가 있다. 이 신경의 자극은 동측 횡격막의 경련이 나타난다(예: 딸꾹질).

3번 경신경과 4번 경신경(C3 and C4)

C3와 C4의 가지들(branches)은 역시 후삼각근육부를 주행한 후에 승모근에 정지하거나, 부신경과 소통을 한다. 이 신경들은 승모근에 운동신경의 작용을 할 수 있다. 이 가지들(branches)의 정확한 본질은 논쟁 중에 있다.

견갑배신경(Dorsal Scapular Nerve)

상완신경총에 대한 C5의 근위지는 중 사각근에서 빠져 나와서, 능형근들과 때로는 견갑거근의 뒤쪽으로 주행한다.

장흉신경(Long Thoracic Nerve)

상완신경총에 기여하는 상부 세개의 가지들로 발생하는 일부 또는 전체 장흉신경은 중사각근에서 빠져나와서, 전후쪽으로 주행하여 전거근에 종지한다.

전경부 삼각근(Anterior Cervical Triangle)

이 전경부 삼각근에는, 두부에 혈류를 공급하는 주요 혈관뿐만 아니라, 많은 뇌 신경들과 후두와 갑상선 같은 내장 기관이 포함된다. 전경부 삼각근에는 다음과 같은 구조물을 포함된다.

- **설골(목뿔뼈, Hyoid)**: 하나의 몸통(body)과 대각[큰 뿔, greater horn(cornua)]과 소각(작은 뿔, lesser horn)으로 구성된 U자 형태의 뼈는 주위의 뼈들과는 붙어있지 않지만, 세번째 경추(C3)의 영역(level)에서 근육들과 인대에 의해서 지지되어 진다. 대각(greater horn)과 소각(lesser horns)에는 근육들과 인대들이 부착하게 한다.
- **갑상연골(Thyroid cartilage)**: 갑상연골은 후두의 9개의 연골 중의 하나이며, 이 연골 중에

가장 크다. 이 연골은 제4 경추(C4)와 제5 경추(C5)의 전방에 위치한다. 갑상연골 위쪽으로 갑상설골막(thyrohyoid membrane, 방패목뿔막)을 통해 설골에 연결되고, 아래쪽은 윤상 갑상막(cricothyroid membrane, 반지방패막)에 의해서 연결된다.

- **윤상연골(Cricoid cartilage)**: 후두의 반지 모양의 연골은 여섯 번째 경추(C6)의 전방에 위치하며, 후두부터 기관까지와 인두부터 식도까지의 전환을 표시한다.

근육들(Muscles)

전경부 삼각근은 흉쇄유돌근의 전방면과 하악골과 정중선의 아래쪽 경계에 접해 있다. 편리를 위해서, 전경부 삼각근의 근육들은 일반적으로, 설근보다 위에 있는 근육들과 설근의 아래쪽에 있는 근육들로 나눌 수가 있다. 설골하근들(목뿔아래근, infrahyoid muscle)은 측면에서부터 내면까지 순서로, 견갑설골근(어깨목뿔근, omohyoid), 흉골설골근(복장목뿔근, sternohyoid), 흉골갑상근(복장방패근, sternothyroid), 갑상설골근(방패목뿔근, thyrohyoid)과 윤상갑상근(cricothyroid)을 포함하고 있다. 이 근육들은 하상쪽(inferosuperiorly)으로 근육들의 연관성에 따라 이름이 불리게 된다. 그리고, 일반적으로 설근과 갑상연골의 움직임을 도우며, 갑상연골은 후두(음성 상자)의 아홉 개의 연골 중의 하나이다. 이 근육은 또한 하악을 끌어내리는 데 도움이 될 수도 있다. 윤상갑상근은 목소리의 높이(pitch)를 조절하는 후두의 근육이다. 매우 가는 활경근(넓은목근, platysma)은 하악에서 부터 흉근과 삼각근의 근막까지 내려오는 근육들을 덮고 있다.

설골상근들(목뿔위근육, suprahyoid muscles)은 이복근(digastric muscle)의 전, 후복근(anterior and posterior bellies), 하악설골근(mylohyoid), 이설골근(geniohyoid), 경돌설골근(stylohyoid), 설골설근(hyoglossus)을 포함한다. 이 근육들의 각각은 이름에서 알 수 있듯이, 설골과 연관성이 있다. 비복근은 측두골에서 기시하여(전복근), 하악에 정지한다(후복근). 중간 인대(intermediate tendon)는 2개의 복근을 연결하고, 근막을 두껍게 함으로써 설근에 연결된다.

하악설골근(턱목뿔근)과 이설골근(턱끝목뿔근)은 하악골의 내적 측면에서 기시하며, 경돌설골근(붓목뿔근)은 측두골의 경상돌기에 기시한다. 설골설근(목뿔혀근, hyoglossus)은 설근의 측부에서 기시하며, 혀에 정지한다. 이 근육은 구강내에서 혀를 끌어내린다. 총괄하여, 이 근육들은 설골을 올리는데 도움을 주며, 후두에 간접적으로 부착된다. 하악설골근은 구강의 바닥의 중요한 요소로서 작용한다. 이 근육들의 심층부는 척추의 전반부에 위치하며, 척추 앞근육(prevertebral muscle)이라고 불린다. 이 근육들은 사각근, 경장근(longus cervis), 두장근(longus capitis)을 포함한다. 이 근육들은 함께 경추와 머리목접합부(craniocervical junction)를 굴곡하는데 도움을 준다.

신경(Nerve)

얼굴 신경의 경추가지(Cervical Branch of Facial Nerve)

제7 번 뇌신경의 작은 가지는 활경근(넓은목근, platysma)을 관리한다.

경신경총(목신경얼기) (Cervical Plexus)

경부신경총은 처음 4개의 경추신경(C1, C2, C3, C4)의 앞가지로 구성되며, 표재성 가지들, 경신경고리(목신경고리, ansa cervicalis), 횡경신경(phrenic nerve), C2에서 C4까지로, 부신경으로 가는 가지, 그리고 척수 앞근육들에 직행하는 근가지들을 포함한다.

경신경고리(목신경고리) (Ansa Cervicalis)

C1에서 C3까지 신경섬유들은 결합하여 경신경고리로 알려진 루프를 형성한다. 이 경신경고리는 정상적으로는 내경정맥 바로 앞으로 주행한다. C1과 C2의 신경섬유에 의해서 형성된 상근(위신경뿌리, superior root)은 설하신경(혀밑신경, hypoglossal nerve)과 같이 주행하며, 하근(아래신경뿌리, inferior root)은 C2, C3에서 유래된다. 이 운동신경은 설골하근(infragyoid)을 지배한다. C1의 분지는 설하신경을 따라 이동하면서 갑상설골근(방패목뿔근, thyrohyoid)과 이설골근(턱끝목뿔근, geniohyoid)에 분포한다.

C2와 C3

C2와 C3의 가지들은 C3와 C4 신경섬유가 승모근에 종지하는 것처럼, 역시 흉쇄유돌근에 분지하며, 불분명한 기능을 가진다.

사각근과 척추 앞 근육에 이르는 경추신경 분지들
(Cervical Branches to the Scalene and Prevertebral Muscles)

사각근과 척추 앞근육에 이르는 경추신경 분지들(cervical branches to the scalene and pre-vertebral muscles) 경추신경의 앞 가지들에서 나온 근분지들(proximal branches)은 경장근(longus cervicis), 두장근(longus capitis), 전두직근(앞머리 곧은근, rectus capitis anterior)과 외측두직근(가쪽머리 곧은근, rectus capitis lateralis) 뿐만 아니라 전, 중, 후사각근(앞, 중간, 뒤 목갈비근, scalene)에 분포한다.

하악설골근(턱목뿔근)(Mylohyoid)으로 가는 신경(Nerve to Mylohyoid)

제 5뇌신경(trigeminal nerve)의 세번 째의 분지(V3) 혹은 하악신경(mandibular nerve)은 하악설골근과 비복근의 전복근에 분포한다. 그래서 하악설골근으로 가는 신경이라고 알려져 있다.

미주신경(Vagus Nerve)

경부에서, 미주신경은 몇 가지의 가지들을 갖고 있다. 이 신경은 인두의 모든 근육들과 연구개(물렁입천장, soft palate)를 재배하는 인두신경과 내지와 외지로 갈라지는 상후두신경을 포함한다. 내지는 성대보다 위쪽에 있는 후두의 점막에 대한 감각신경이다. 외지는 주로 윤상갑상근을 주로 지배한다. 후두반회신경(recurrent laryngeal nerves)은 기관과 식도 사이의 구(groove)에서 대칭적으로 올라가지만, 아래쪽에서는 좌, 우쪽 사이에는 다른 경로를 통해 진행한다. 좌측에서는 반회신경은 대동맥궁을 돌아서, 우측은 쇄골하동맥에 더 근접한 위치에서 돌아서 상행한다. 미주신경의 다른 분지들은 흉부로 향하는 2개의 심장신경이 있다.

설하신경(혀밑신경) (Hypoglossal Nerve)

이름에서도 알 수 있듯이, 설하신경, 즉 제12 뇌신경은 혀의 근육들을 지배한다. 특히, 이 신경은 혀의 내재근들과, 경돌설골근(styloglossus), 설골설근(hyoglossus)과 이설골근(genioglossus)을 포함한 3개의 외재근을 지배한다. 주로, 이 근육들은 각각 혀를 당기며(retract), 하강시키며(depress), 내미는 역할(protrude)을 한다.

설인신경(혀인두신경) (Glossopharyngeal Nerve)

발생학적으로, 설인신경, 즉, 제9 뇌신경은 제3 인두궁(pharyngeal arch)의 뇌신경이다. 경부에서는, 이 신경은 경돌인두근(붓인두근, stylopharyngeus)에 신경을 분지하고, 혀의 후방 1/3 미각을 전하는 지각성 신경을 제공하며, 대부분의 인두점막을 지배한다. 인후염의 전형적인 통증은 설인신경을 통해서 매개된다. 추가적인 분지는 경동맥동에 주행하며, 혈압의 변화를 뇌간에 전달한다. 경동맥동 마사지(carotid sinus massage)는 이 신경분지를 자극해서, 그 결과로 심박수와 혈압이 내려간다.

교감신경간(Sympathetic Trunk)

일반적으로, 신체의 각 척추신경은 연관된 교감신경절이 있다. 경부에서 이 신경절은 결합하여 상, 중간, 그리고, 성상신경절을 형성한다. 상신경절은 내경동맥(속목동맥, internal carotid artery) 바로 뒤에 위치하며, 경부에서 인접한 척수신경들을 연결하는 작은 분지들인 4개의 회색교통지(gray rami communicants)를 통해 상부 4개의 척수신경과 연결된다. 그리고 전후 섬유(postganglionic fibers)로 이루어진다. 두개골에 관하여서는, 상경추신경절(superior cervical ganglion)은 두개골 안으로 내경동맥(속목동맥, internal carotid artery)과 함께 이동하는 내경신경(internal carotid nerve)으로 알려진 확장된 신경분지(extension)를 가지고 있다. 외경분지(external carotid branch)는 상경신경절(superior cervical ganglion)에서 외경동맥(바깥목동맥,

external carotid artery)의 분지들을 따라 이동한다.

중경추신경절과 성상신경절은 각각, 제5, 제6, 제7, 제8 경추신경들과 연결된다. 중경추신경절은 제6 경추에서 윤상연골 근처에 위치에 있다. 성상신경절은 하경추신경절과 제1 흉추신경절의 융합을 통해 형성되며, 추골동맥(vertebral artery)에 바로 내측에, 제1 늑골의 경부에 위치한다. 각 경추교감신경절(cervical sympathetic ganglion)은 심장분지(절후신경성)를 발생시켜서, 내장의 신경전달(innervation)을 위해 흉부로 이동한다.

부신경(Accessory Nerve)

부신경이 두개저(skull base)에서 나와서, 이 신경은 비복근과 경설골근의 후면에서 제2의 경추의 횡돌기의 전면을 비스듬이 가로질러 내려와서, 흉쇄유돌근의 상부의 심부로 들어간다.

혈관(Vessels)

총경맥동맥(온목동맥) (Common Carotid Artery)

좌총경동맥과 우총경동맥은 각각 대동맥과 완두동맥(팔머리동맥, brachiocephalic trunk)에서 유래된다. 이 혈관들이 경부의 전경삼각근에 올라갈 때, 이 동맥은 경동맥초(목혈관신경집, carotid sheath) 안에서, 좌측에 위치한 내경정맥과 후방에 위치한 미주신경에 둘러싸여 있다. 이 총경동맥은 제4 경신경(C4)의 높이나 갑상연골의 위 가장자리(superior edge)에서 일반적으로 두 갈래로 나누어져서, 측면에는 내경동맥이, 내측에는 외경동맥이 위치한다. 내경동맥의 근위부에는 확장된 부분이 보이는데, 이 부분을 경동맥동(목동맥동, carotid sinus) 이라고 한다. 압력 수용체(pressure receptor)들이 이 구조에서 발견된다. 경동맥이 분비되는 가까운 지점에 화학수용체(chemoreceptor)인 경동맥체(목동맥체, carotid body)가 있다.

내경동맥은 주행해서 두개골 안으로 들어간다. 그래서 경부에 있는 구조물을 관리하지 않는다. 외경동맥은 다수의 분지를 내어서 두부와 경부의 외부를 관리한다. 다른 동맥은 아래와 같이 포함된다.

- 상갑상샘동맥(superior thyroid artery): 외경동맥의 첫 번째 분지는 상갑상샘동맥이다. 이 동맥은 갑상설골막(방패목뿔막, thyrohyoid membrane)을 통해서 후두에 들어오는 첫 번째의 분지인, 상후두분지(superior laryngeal branch)를 낸 후에 갑상선의 상극(superior pole)으로 내려간다.
- 설동맥(linguial artery): 설동맥은 이름에서 알 수 있듯이. 혀를 공급하도록 되어있다. 이 동맥은 심부로 주행을 해서 설골설근(hyogiossus muscle)에 도달한다.
- 안면동맥(facial artery): 안면동맥은 외경동맥에서 악하샘(턱밑샘, submandibular gland)을

통하거나, 옆으로, 맥박이 느껴지는 교근(masseter)에 바로 앞에 있는 하악골 위로 뻗어 있으며 안각동맥(눈구석동맥, angular artery)이 안와(orbit)의 내안각(안쪽 눈구석, medial canthus)을 향하여 주행할 때 종지된다.

- 상행인두동맥(오름인두동맥, ascending pharyngeal artery): 이 혈관은 발생한 후 인두를 향해 위쪽으로 주행한다.
- 후두동맥(뒤통수동맥, occipital artery): 이 혈관은 외경동맥의 후방쪽에서 발생하여, 후두부(posterior head) 위에 있는 두피(scalp)까지 주행한다.
- 후이개동맥(뒤귓바퀴동맥, posterior auricular artery): 이 동맥은 역시 후외경동맥에서 기시하여 후두피(posterior scalp)로 주행한다.
- 상악동맥(위턱동맥, maxillary artery): 이 동맥은 외경동맥의 2개의 종말지중 하나이며, 심부로 하악골의 경부까지 주행하여 측두하와(관자아래우묵, infratemporal fossa) 안으로 이동한다. 측두하와에서 이 동맥은 예를들면, 뇌척수분지(meningeal branches), 저작근분지(branches to muscles of mastication)를 지배하는 다수의 분지들과 상악동(위턱굴, maxillary sinus), 비강(콧속, nasal cavity) 그리고 연구개와 경구개에 혈관들을 제공한다.
- 천측두동맥(견얕은관자동맥, superficial temporal artery): 이 동맥과 상악동맥은 외경동맥의 2개의 종말지들이다. 천측두동맥은 두부쪽으로 이하선(귀밑샘, parotid gland) 사이로 주행하여, 외이도(바깥귀길, external auditory meatus)의 전방에 위치하는데, 그 지점에서는 맥박이 잘 촉진이 된다. 그리고, 이 동맥은 전외측 두피(anterolateral scalp)를 지배한다. 이 혈관은 혈류의 방향을 따라서 얼굴에도 분지를 제공한다.

내경정맥(속목정맥) (Internal Jugular Vein)

내경정맥은 두개골의 주된 정맥 출구이며, 앞에서 설명한 바와 같이, 경동맥초(목혈관신경집, carotid sheath) 안에서 전경삼각근(앞목삼각, anterior triangle of neck)으로 주행한다. 이 혈관은 쇄골하정맥과 결합하여 완두정맥(어깨정맥, brachiocephalic vein)을 형성한다. 경부에서, 주요분지는 인두의 분지(pharyngeal branches), 안면정맥(얼굴정맥, facial vein), 설정맥(혀정맥, lingual vein)을 받는 총안면정맥(common facial vein) 그리고 갑상선을 배수하는 상갑상정맥(위갑상정맥, superior thyroid vein), 중갑상정맥을 포함한다. 내경정맥은 중심정맥 접근을 위한 캐뉼러를 삽입할 수 있다. 이것을 위한 표재성 주요 지형지물(landmark)은 흉쇄유돌근(목빗근)의 흉골두(복장뼈머리, seternal head)와 쇄골두(빗장뼈머리, clavicular head) 사이의 간격에 위치한다.

앞목정맥(전경정맥) (Anterior Jugular Vein)

이 혈관은, 존재한다면, 턱보다 바로 아래쪽에서 시작하는 정중선의 양쪽으로 주행하며, 일반적으로는 외경정맥으로 드레인된다.

쇄골하동맥(Subclavian Artery)

앞에서도 언급한 것처럼, 이 혈관은 흉부에서 흉곽의 상구(superior thoracic aperture), 즉 경부의 뿌리(root of the neck)를 통해 주행하며, 제1 늑골과 쇄골사이를 주행한다. 제1 늑골 위에 있는 동안, 쇄골하동맥은 상사각근과 중사각근 사이에서 유지하고 있다. 그러므로, 3개의 부분이 묘사될 수 있다. 첫 번째부분은 전사각근의 내측에 있으며, 추골동맥(척추동맥, vertebral artery), 내흉동맥(속 가슴동맥, internal thoracic artery)과 갑상목 동맥줄기(thyrocervical trunk)에서 발생하게 된다. 두 번째부분과 가장 위쪽부분(most superior part)이 전사각근에 후방에 있으며, 목갈비동맥(늑경추동맥, costcervical trunk)에서 생기게 된다. 이 혈관의 세 번째부분은 이 동맥은 경횡동맥(transverse cervical artery)에서는 발생하지 않는다면, 배측견갑동맥(등쪽어깨동맥, dorsal scapular artery)에서 발생할 수가 있다.

추골동맥(Vertebral Artery)

쇄골하동맥의 첫 번째 분지는 추골동맥이다. 이 혈관은 대략 뇌에 3분의 1의 부분에 혈류를 공급할 뿐만 아니라, 뇌척수와 주위 근육들에도 혈류를 공급하기에 중요하다. 이 혈관은 기시하여 대개 제6 경추의 횡돌기공(transverse foramen of C6)으로 들어가서, 남은 경추들의 횡돌기공을 주행한 후에 두개골 안으로 들어간다.

갑상목동맥줄기(Thyrocervical Trunk)

이 혈관은 대개 쇄골하동맥의 두 번째 분지로, 일반적으로 3개의 분지를 제공한다.

- 하갑상동맥(아래갑상동맥, inferior thyroid artery): 이 동맥은 대개 갑상목동맥의 첫 번째 분지로 내측으로 주행하여 갑상선의 하단(inferior pole)과 부갑상선을 지배한다. 아래 갑상동맥의 종말지(terminal branches)는 되돌이 후두신경(후두반회신경, recurrent)과 매우 근접하게 접촉한다. 상행경동맥(오름목동맥, ascending cervical artery)도 역시 하갑상동맥에서 연장되어 나온 것으로, 횡격막(가로막) 신경과 평형하게 주행하면서, 근지, 척추지(vertrbral branches)와 척수지(spinal branches)를 제공한다.
- 경횡동맥(가로목동맥, transverse cervical artery): 이 혈관은 후경부삼각근을 통해서 주행한 후 승모근과 능형근으로 이어진다.

- 견갑상동맥(어깨위동맥, suprascapular artery): 이 혈관은 역시 경횡동맥보다는 쇄골에 더 가깝게 후경부삼각근을 횡단하고, 극상근(가시위근, supraspinatus)과 극하근(가시아래근, infraspinatus)에 종지한다.

내흉동맥(속가슴동맥) (Internal Thoracic Artery)

이 혈관은 대개 갑상목동맥줄기의 기원과 바로 반대편에서 발생하며, 흉곽(thorax)으로 내려가서 전늑간동맥(앞갈비사이동맥, anterior intercostal artery)을 공급하고, 보다 작은 가지들은 예를들면, 흉선, 흉골(복장뼈, sternum)에 도달한다. 이 동맥의 지속적인 설명은 흉부에 관한 섹션에서 논의될 것이다.

늑경추동맥(목갈비동맥) (Costocervical Artery)

이 혈관은 쇄골하동맥의 두 번째 부분의 분지로서, 두 갈래로 나누어진다.

- 첫 번째 2개의 후늑간강(뒤쪽갈비사이공간, posterior intercostals spaces)을 공급하는 최상늑간동맥(맨위갈비사이동맥, highest intercostal nerve)으로 알려진 하강지(descending branches).
- 심배근(deep back muscles) 중경반극근(목반가시근, semispinalis cervicis)을 따라 올라가서 후두동맥의 분지와 문합을 형성하는 심경동맥(깊은 목동맥, deep cervical artery)으로 알려진 상행지(ascending branches).

배측견갑동맥(등쪽어깨동맥) (Dorsal scapular Artery)

경횡동맥이 심지(deep branch)를 발생하지 않을 때, 그때 배측견갑신경이 대부분 나타나며, 쇄골 하동맥의 세 번째 부분에서 발생된다. 이 혈관은 후방으로 주행하여, 주로 능형근을 공급한다.

림프관: 흉관(가슴관) (Thoracic Duct)

흉관은 신체에 있어서 일차 림프채널(primary lyphatic channel)이며, 흉부의 우측 상부, 우상지, 그리고, 두부의 오른쪽을 제외한 전신에 드레인한다. 이 혈관은 복부에서 시작하여, 주로 흉부로 진행한다. 이 림프관의 종지는 좌쇄골하정맥과 좌내경정맥의 접합부(정맥각, venous angle) 안으로 들어간다: 그러므로, 이 구조물의 일부는 좌측에서 발견된다. 경부에서는, 대략 제7경추에서, 흉관은 경동맥과 추골동맥(verteral artery) 사이에서 바깥쪽으로 곡선을 그린 후에, 흉관은 정맥각(venous angle) 안으로 비운다(emptying).

중요 림프관과 림프 노드는 내경정맥을 따라서 집중적으로 발견되며, 심부경부체인(deep

cervical chain)이라고 한다. 이들 체인 중에 더 큰것 중의 하나가 총안면정맥(온얼굴정맥, common facial vein)이 내경정맥으로 드레인될 때, 생성되는 각도(angle)에서 위치하며, 경정맥이복근림프절(목정맥두 힘살림프절, jugulodigastric lymph node)로서, 알려져 있다. 이 노드는 총 안면정맥을 확인하기 위한 수술적 랜드마크로서, 정맥 카테터를 내경정맥에 배치하기 위해 접근할 수 있게 한다. 경부의 표재성 노도(superficial node)는 이하 림프절(턱끝밑림프절, submental lymph node), 악하림프절(턱밑림프절, submandibular lymph node), 전경림프절(anterior jugular lymph node)과 외경림프절(external jugular lymph node)을 포함한다.

수기(Technique)

갑상선 측엽
총경동맥
내경정맥
횡단면
그림 9.1

환자를 앙와위(supine position)에서 작은 베개(small bolster) 위에 목을 신전시킨 후에 두부는 피검자의 반대측으로 향하도록 한다. 탐촉자(probe)를 횡측으로 하여, 경부의 하부에 배치한다. 정중선(midline) 즉, 기관, 갑상선 측엽을 찾아간다. 그후, 박동(pulsating)하는 총경동맥이 흉쇄유돌근과 설골하근(목뿔아래근, infrahyoid muscle)의 심부에서, 갑상선의 측면과 접촉해서 인식될 때까지, 탐촉자를 측면으로 미끄러지듯이 움직인다(예를 들면, 견갑설골은 흉쇄유돌근과 총경동맥/내경정맥 사이를 미끄려지듯이 움직인다). 타원형의 내경정맥(탐촉자의 압력으로 변형되거나 사라진다)은 전형적으로 경동맥의 바로 좌측에 있다. 내경정맥의 크기는 변화된다. [호흡운동과 맥박뛰기(pulsates with respistory movement); 발살바(valsalva)를 할 때, 뚜렷한 확장과

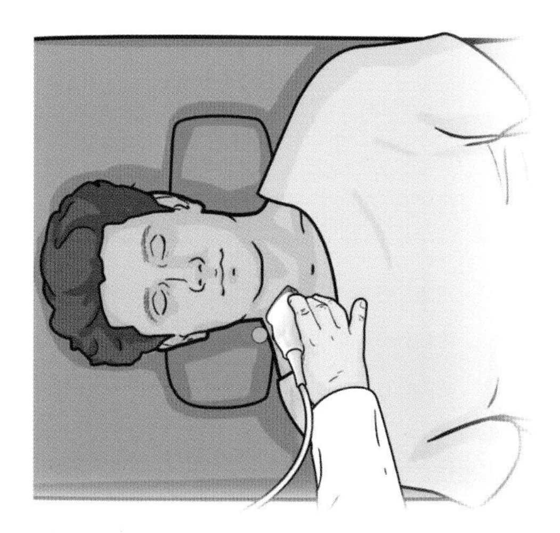

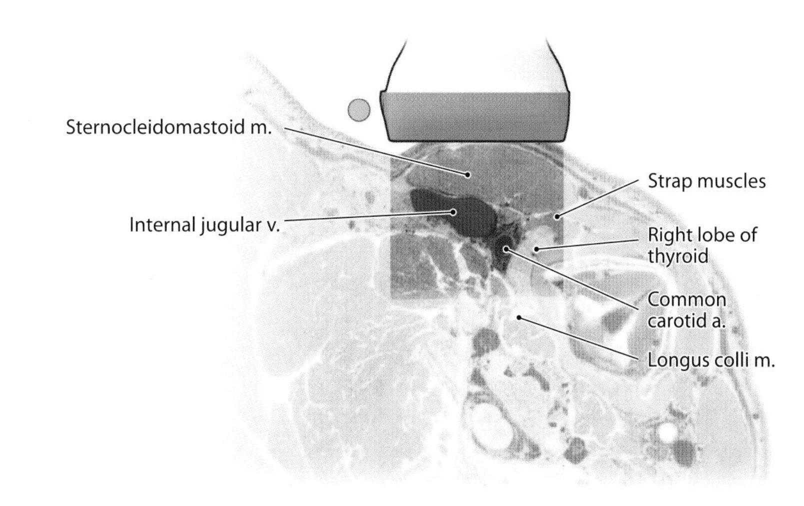

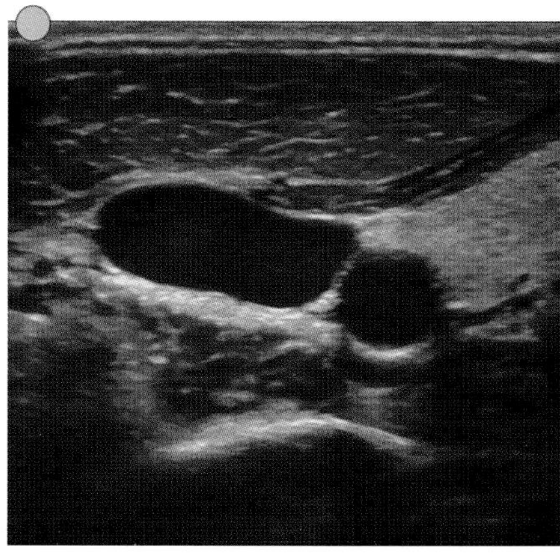

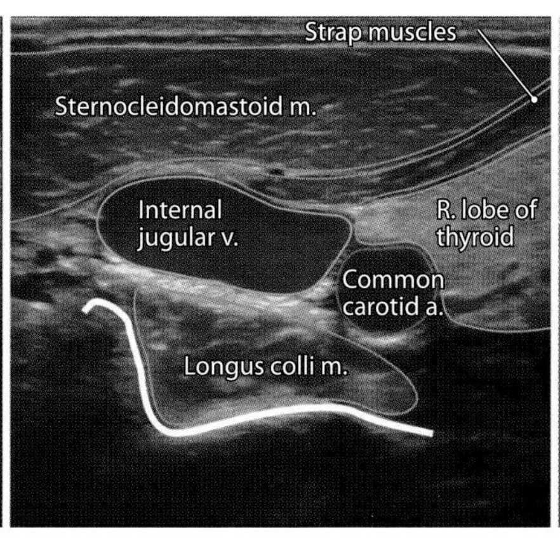

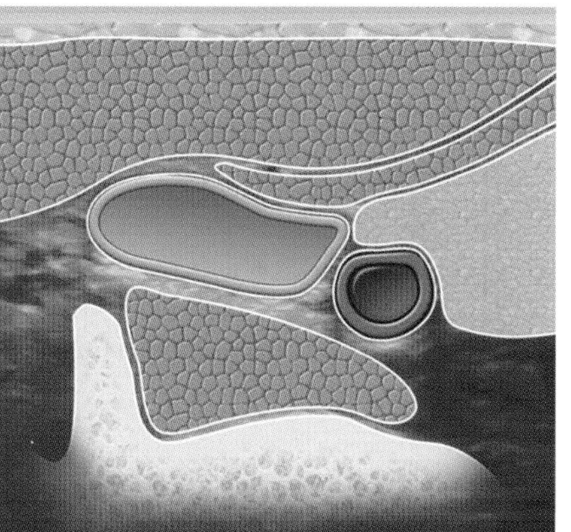

그림 9.1 갑상선의 측엽, 총경동맥과 내경정맥의 횡축면 영상

발살바를 풀 때 찌부러짐(collapse)과 밸브는 관찰될 수도 있다]. 총경동맥의 후면과 내경정맥사이의 구에서 미주신경을 찾기 위해서 탐촉자를 기울이거나 펼친다(tilt/fan). 총경동맥과 내경정맥(경장근, 긴목근, longus colii)의 후방에 있는, 경추 횡돌기의 반사(reflection)와 소리 그림자(후방음영, acoustic shadow)를 주목한다. 횡돌기의 측면범위(laternal extent)에서의 전외측의 돌출(anterolateral projection)은 횡돌기의 앞결절(anterior tubercle)이다.

총경동맥
경동맥동
내경정맥
종단면
그림 9.2

환자를 앙와위에서 경부를 신전시킨 후에 피검사자와 반대 측으로 목을 돌린다. 이전 영상(previous image)에서 시작하면서 탐촉자를 총경동맥 위에 중앙에 두고, 조심스럽게 시계방향으로 90도 회전시키면서 장축 영상으로 총경동맥을 세심히 관찰한다. 경동맥동에서 팽창 부위를 확인할 때까지, 영상에서 총경동맥을 유지하면서, 탐촉자를 위쪽으로 밀어본다. 경동맥동의 전체가 보일 때까지 위쪽으로 짧은 거리만큼 계속해서 밀어준다. [탐촉자의 상부, 마커, 끝단은 하부에서 상부까지, 총경동맥, 경동맥동과 내경동맥을 인지할 때까지, 총경동맥 위에 탐촉자의 하부힐(inferior heel)을 고정시키면서, 약간 후방으로 회전시킬 필요가 있다].

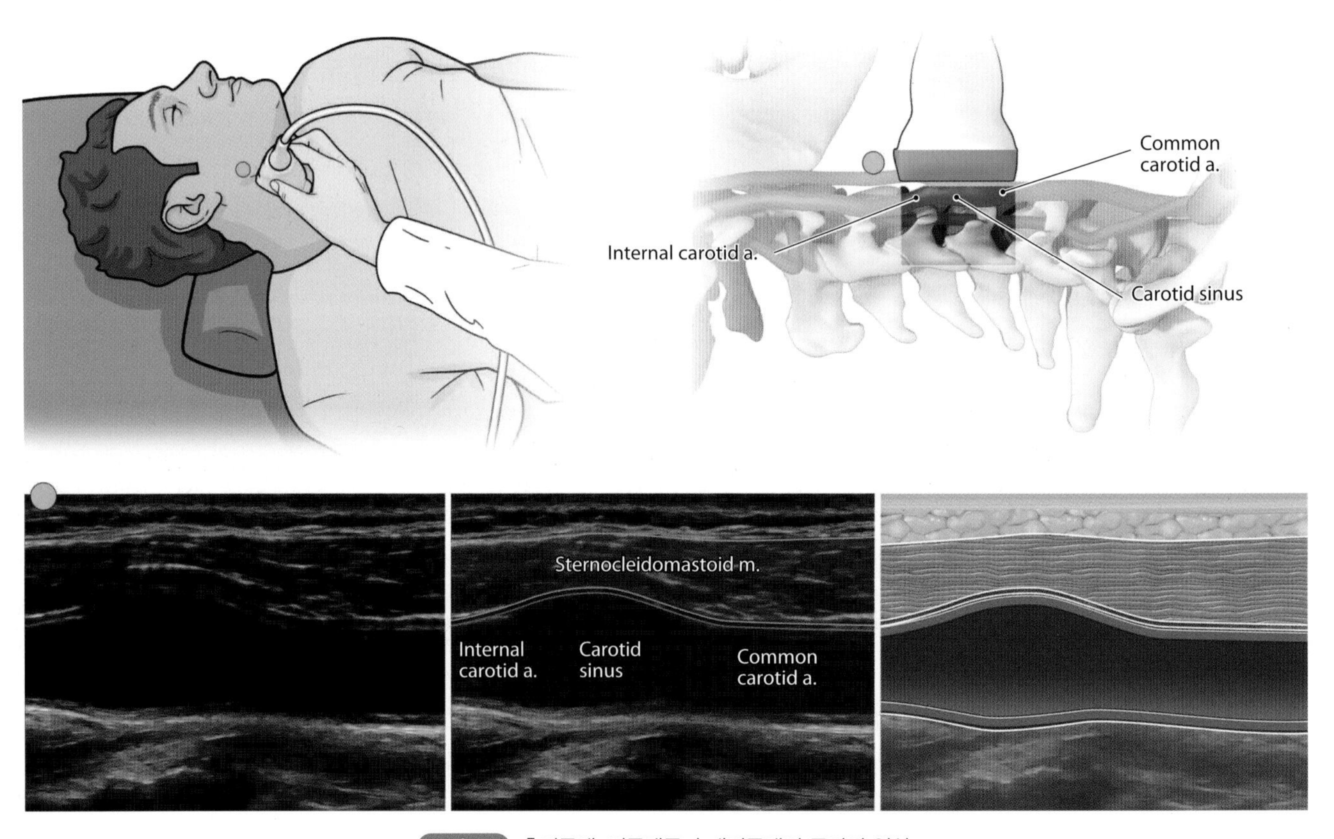

그림 9.2 총경동맥, 경동맥동과 내경동맥의 종단면 영상

내경동맥
외경동맥
횡단면
그림 9.3

환자를 앙와위에서 경부를 신전시킨 후에 피검사자와 반대측으로 목을 돌린다. 탐촉자를 경동맥동 위에서 중심에 위치시킨 후, 서서히 시계 반대방향으로 대략 90도 회전한다. 그때, 경동맥분기(목동맥갈림, carotid bifurcation)를 지나서, 내경동맥과 외경동맥이 인지될 때까지, 탐촉자의 위쪽으로 미끄러지듯이 움직인다(slide). (일부 환자에 있어서 하악각의 접촉때문에 탐촉자의 움직임이 제한될 수도 있다. 인내심, 탐촉자의 조심스러운 움직임과 환자 두부의 회전등으로 횡축영상에서 내경동맥과 외경동맥을 대개 시각화할 수 있다).

내경동맥은 외경동맥 보다는 크고, 외경동맥에 후외측에 위치한다. 경부에서의 외경동맥의 분지는 정성들여서 관찰하면 볼 수 있고 상갑상동맥(superior thyroid artery)의 혈류역학을 기초로 하여 역시 구분할 수가 있다. 내경정맥은 경부의 하부에 위치한다(외경동맥의 측면에, 그 다음에 내경동맥의 측면에 있다). 그러나 이 영상에서는 내경정맥은 탐촉자의 압력때문에 내경동맥과 외경동맥사이에 미끄러져 있다. 내경정맥은 탐촉자의 압력으로, 납작해지거나, 변형되거나, 사라지지만, 동맥은 그렇지 않다. 전결절(앞결절, anterior tubercle)과 후결절이 있는 횡돌기(가로돌기, transverse process)와 미주신경에서 고에코하고, 벌집 모양을 주목한다.

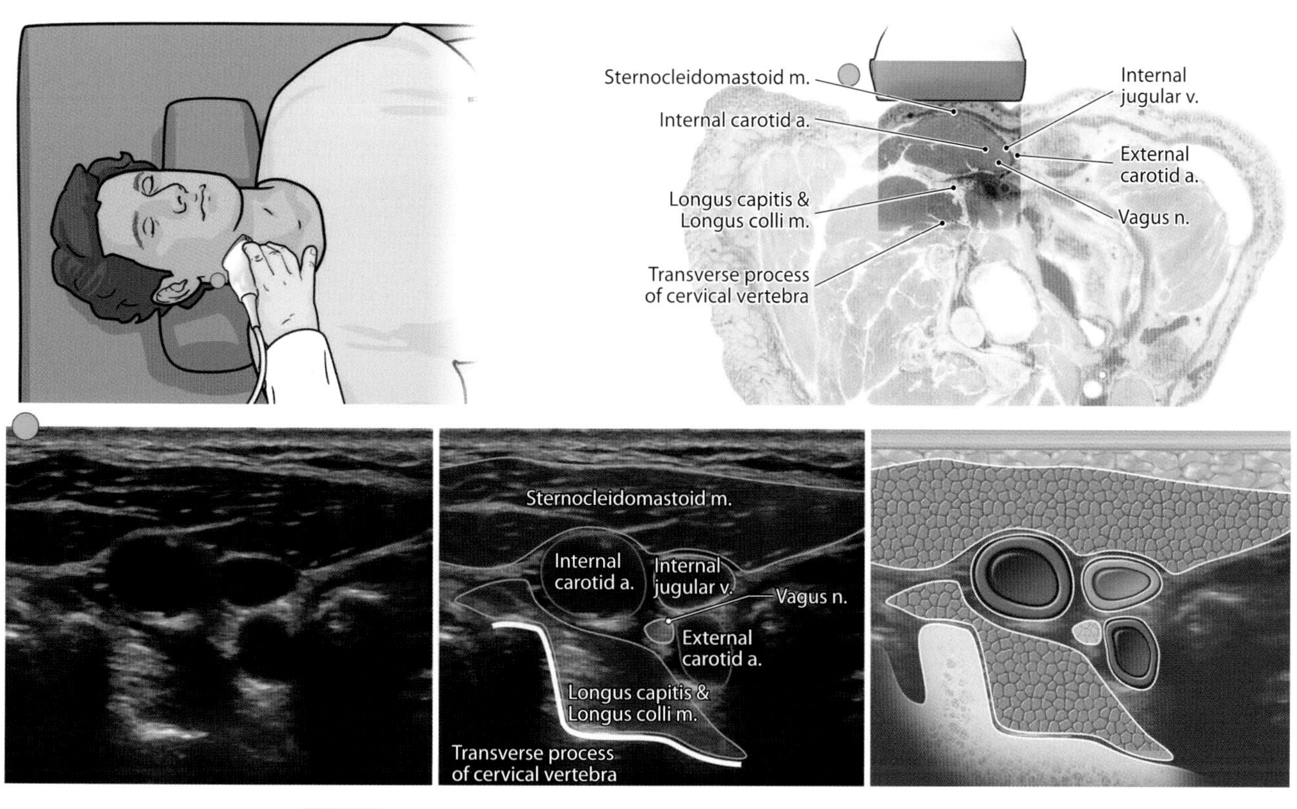

그림 9.3 총경동맥의 분기점, 바로 위에 있는 내경동맥과 외경동맥의 횡축면 영상

총경동맥
경동맥동
내경동맥
외경동맥
종단면
그림 9.4

앞의 횡축영상에서, 탐촉자가 종축(longitudinal axis)으로 회전할 때, 초음파빔(US beam)은 내경맥과 외경맥을 통과하기 위해 따라야 하는 경로를 결정한다. (앞의 영상을 보고, 흉쇄유돌근, 내경동맥, 그리고 외경동맥이 통과하는 피부 표면에 가상선을 그린다). 이 경우에는 두 혈관을 영상화하는데 필요한 각도는 후외측에서 전내측까지 매우 가파르다. 탐촉자의 종축으로 회전하고, 빔(beam)은 가상 선을 따라 겨냥해야 한다. 영상만으로, 총경동맥, 경동맥동, 내경동맥과 외경동맥이 보일 때까지 탐촉자의 위치를 기울거나 부채꼴 모양으로 펼치거나, 조정해야 한다(tilt/fan,adjust). 빔은 후외측에서 전내측으로 이동하기 때문에 탐촉자의 표면(face)은 내경동맥에 가장 가깝다는 것을 유념해야 한다. 그 결과로서, 내경동맥은 영상의 중간에 가깝게 나타나고, 탐촉자의 표면(face)에서 더 멀리 떨어진 외경동맥은 영상에서는 더 깊은 부위에서 나타낸다[이 거울 영상방향(mirror image orientation)은 초기에는 혼동될 수 있다]. 유사한 영상(사실 거울영상)은 잠재적으로 전내측에서 후외측까지만, 동일한 라인(line)을 따라 초음파 빔을 조준하여 얻을 수 있지

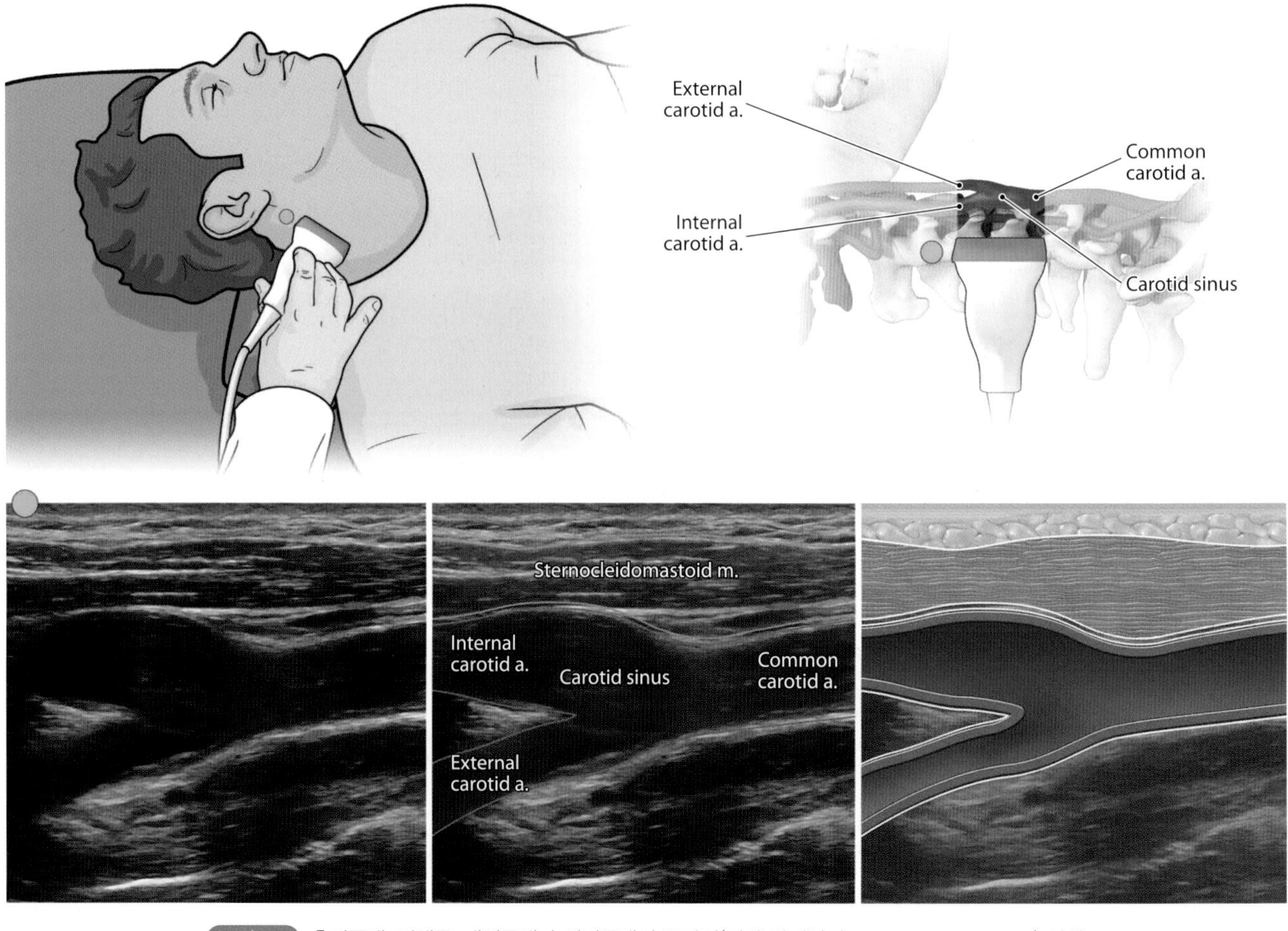

그림 9.4 총경동맥, 경색동, 내경동맥과 외경동맥의 종단면(경사 방시상면, parasagittal oblique) 영상

만, 경부의 윤곽과 흉쇄유돌근의 앞쪽 모서리(anterior edge)는 영상으로 보기에는 어렵다. 둘 중의 하나의 영상은 예상대로 각각의 환자에서 외경동맥과 내경동맥의 상대적인 위치에 기초로 하여 보다 쉽게 얻을 수 있다.

추골동맥
종단면
그림 9.5

환자를 앙와위에서 경부를 신전시킨 후, 검사할 쪽으로 머리를 돌리고, 총경동맥의 종축영상에서 시작한다(그림 9.2). 동일한 탐촉자의 기울기와 방향을 유지한다. 천천히 탐촉자의 표면(probe face)을 경부를 따라서, 후방으로 미끄러지면서 경추의 횡돌기의 반사(reflection)와 소리 그림자(acoustic shadows)가 나타나는지를 조심스럽게 관찰한다. 무에코의 추골동맥(anechoic vertebral artery)이 두 개의 횡돌기(transverse process) 사이("다리 아래의 강")에서 보일 수 있게 될 때까지, 조심스럽게, 탐촉자의 기울기, 각도와 위치를 조정한다. 추골동맥의 한 부분이 시야에서 보이도록 하면서, 이 동맥이 제6 경추신경의 횡돌기공(가로구멍, transverse foremen)을 향하여 들어가는 것을 보일 때까지, 조심스럽게 탐촉자를 미끄러지듯이 이동한다. 대부분 환자에게, 추골동맥은 쇄골하동맥으로 부터 유래한 곳으로부터 보다 멀리 아래쪽으로 쉽게 따라갈 수 있다. 추골정맥은 인접한 횡돌기공 사이의 공간에 있는 동맥의 앞쪽에서 관찰될 수 있다(횡돌기의 소리 그림자가 횡돌기공 안에 있는 척추

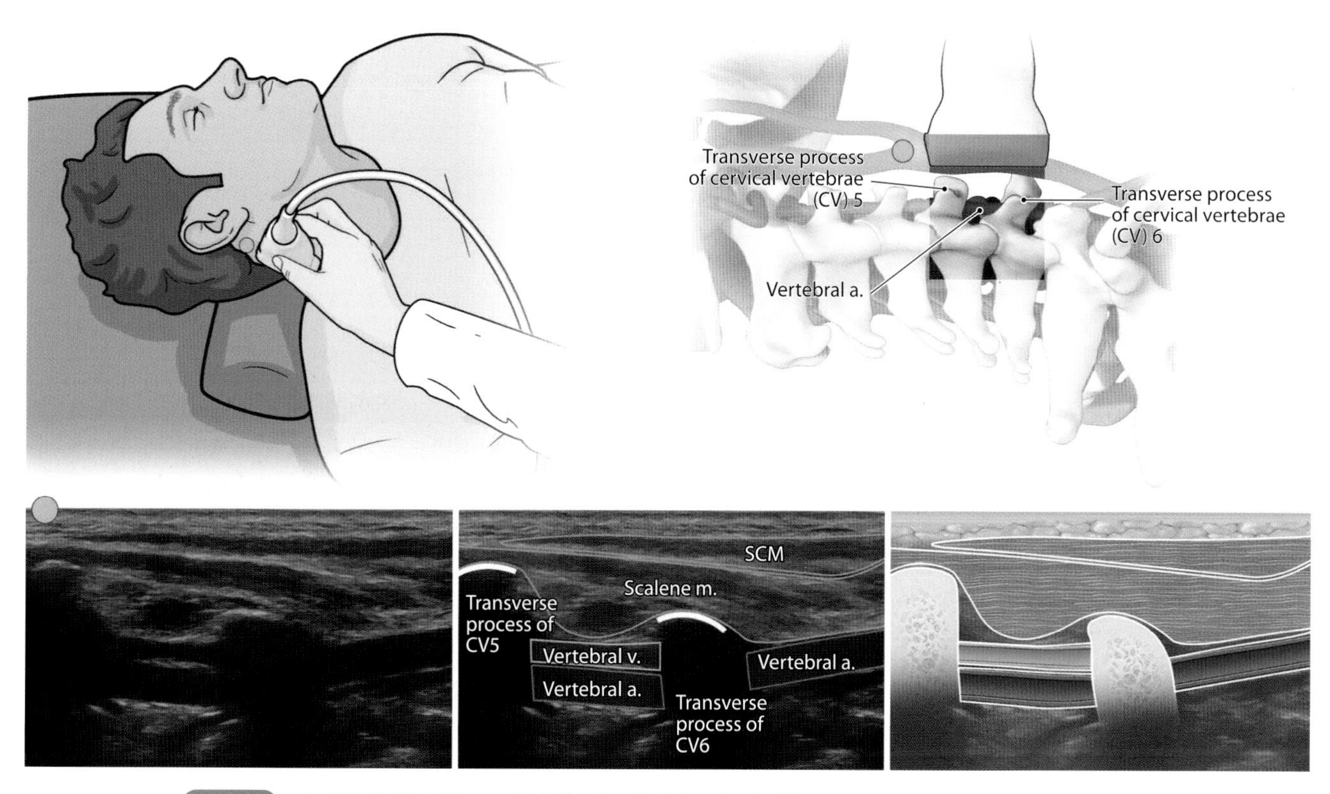

그림 9.5 제6 경추의 횡돌기공으로 들어가는 추골동맥과 그때 제5 횡돌기공과 제6 횡돌기공 사이의 종단면 영상

혈관들의 초음파 영상을 얻은 것을 방해한다).

심경부 림프절
횡단면
그림 9.6

환자를 앙와위에서 작은 베개(small bolster) 위에 목을 신전시킨다. 시야에 있는 총경동맥과 내경정맥에 탐촉자를 횡축으로 배치한다(그림 9.1를 보라). 시야에 있는 총경동맥과 내경정맥을 유지하면서, 천천히 탐촉자를 위쪽으로 미끄러지듯이 이동한다. 중심[구심점 림프혈관을 따라서 문(hilum) 안으로 들어가는(tracking) 지방]에는 직선의 고에코의 밴드와 줄무늬가 있는 작고, 타원형의 저에코의 림프절의 형태를 관찰을 한다.

심경부 림프절은 내경정맥의 전측(내측), 후측(외측)과 표재성 표면을 따라서 사이사이에서 보여진다. 초음파 영상은 내경정맥의 내측면에서 보이는, 중심에 고에코의 줄무늬와 띠(band)가 있는 림프절[구심점 림프혈관을 따라서 문(hilum)으로 들어오는(tracking)지방]의 전형적인 저에코의 형태를 보여준다.

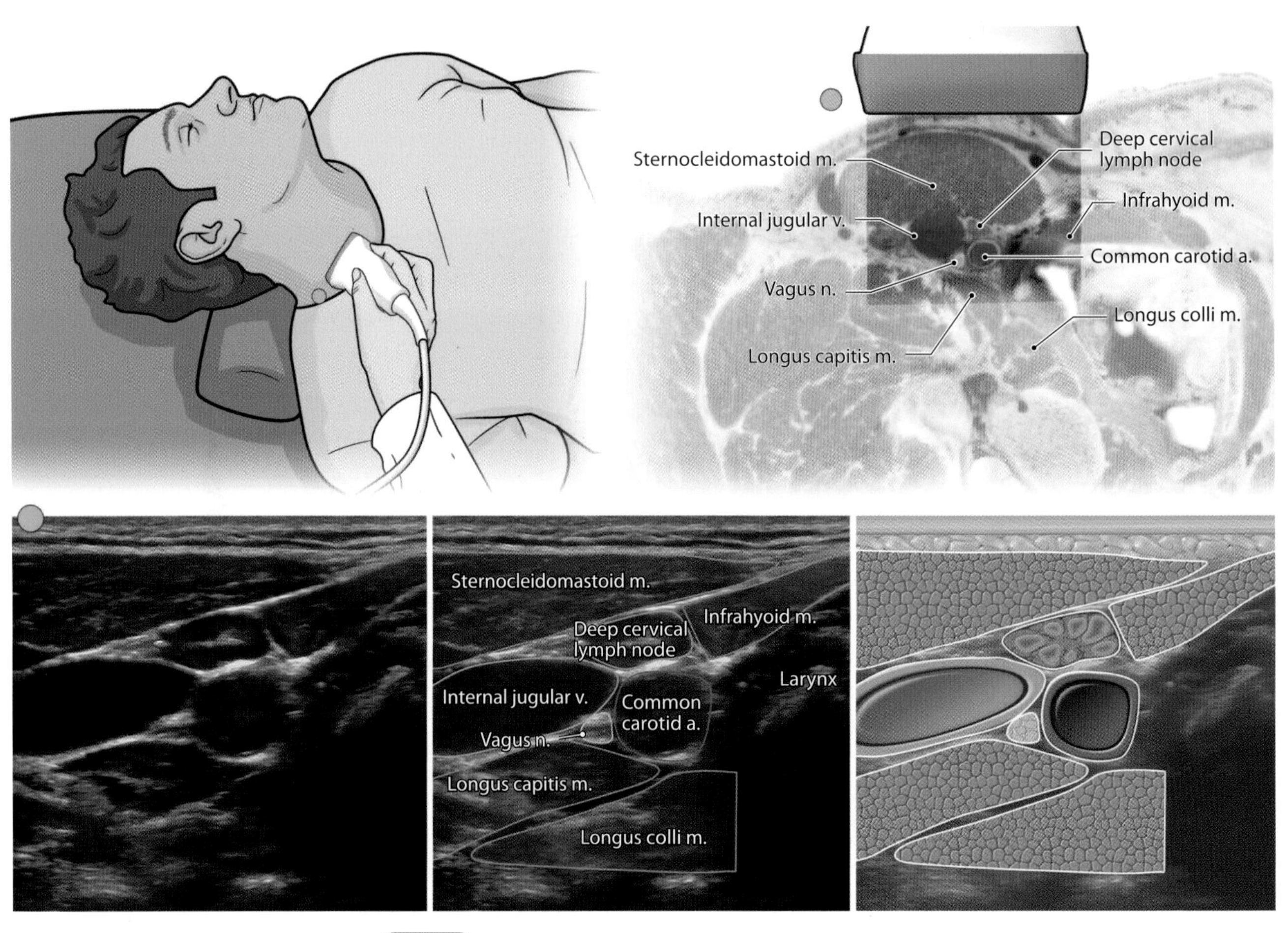

그림 9.6 심경부림프절, 내경정맥과 총경동맥의 횡단면 영상

임상 응용

저혈량성 쇼크가 있거나 매우 아픈 환자들에게 기도 호흡이 확보된 이후에 혈관 주입(vascular access)을 하는 것은 우선 순위의 하나이다. 말초 정맥의 주입이 불가능한 경우에는 중심 정맥주입(central venous acess)을 수행하여, 수액의 회복(fluid resuscitation), 혈류역학의 측정, 약물의 투입과 영양공급을 할 수 있다.

중심 정맥 카테터 삽입에 있어서 가장 많은 주입 지점은 내경정맥이다. 대퇴정맥 같은 다른 정맥들도 사용할 수 있다. 초음파를 사용해서, 흉쇄유돌근의 쇄골두(clavicular head)의 측면에서 내경정맥을 볼 수 있게 하는 쇄골상 접근법(빗장의 접근법, supraclavicular approach)을 통해서 내경정맥을 인지할 수 있다. 정맥은 역시 흉쇄유돌근의 2개의 두(head) 사이에서 볼 수가 있다. 경동맥은 경동맥협착증, 죽상 경화판(atherosclerotic plaque)을 발견하기 위해서, 컬러 도플러 초음파를 사용해서 평가될 수 있다. 경동맥 초음파는 경동맥의 표면 세부사항(surface details) 뿐만 아니라, 위치와 내부 특성을 정확하게 묘사할 수 있다. 특히, 내막-중막두께(intima–media thickness, IMT)는 경동맥의 동맥경화증의 정도에 대한 측정할 수 있는 지수이며, 뇌졸중에 대한 위험인자의 증가와 연관성이 있다. 마찬가지로, 컬러 도플러는 경동맥의 혈류를 시각화하고, 협착 부위를 식별할 수가 있다. 특히, 추골동맥을 검사할 때, 혈류의 방향은 쇄골하동맥의 근위부 협착의 진단에 있어서 매우 중요한 양상이다. 추골동맥의 혈류가 쇄골하동맥 도혈증후군(subclavian steal syndrome) 경우에는 쇄골하동맥의 근위부 협착때문에, 역행할 수가 있다.

경부의 내장기관(Viscera of the Neck)

해부학의 검토(Review of the Anatomy)

경부의 내장기관은 악하선(턱밑샘, submandibular gland), 후두, 기관, 인두, 식도, 갑상선과 부갑상선을 포함한다.

악하 선(Submandibular gland)

두 번째로 큰 침샘은 이복근(두 힘살근, digastric)의 후복근, 경돌설골근(붓목뿔근, stylohyoid)에 겹쳐져서 발견된다. 더 작고, 더 깊은 부분은 하악설골근(턱목뿔근, myohyoid m.)의 상 표면(superior surface)에서 발견된다. 때때로 이 선(gland)은 선돌기(glandular process)를 통해서 이하선 혹은 설하선(혀밑샘, sublingual gland)과 연결된다. 악하 선의 관(Wharton' duct)은 설하선의 내측면을 향해 하악설골근(턱목뿔근, myohyoid m.)의 위치에서 깊은 면 또는 선 관(glandular hilum)에서 주행한다. 안면동맥은 안면으로 향해 가면서, 이 분비선의 표재성 부분에 구(groove)를 형성하거나 가로질러 주행한다. 설동맥(혀동맥, lingual artery)과 정맥은 내측면으로 주행한다. 자율신경계로 볼 때(autonomically), 악하선은 안면신경, 즉 뇌신경 7번의 분지를 통해 신경지배(innervation)를 받는다.

설하선(혀밑샘) (Sublingual gland)

설하선은 이설골근(턱끝목뿔근, geniohyoid m.), 혀의 내재근, 설골설근(목뿔혀근, hyoglossal m.) (내측으로)과 하악설골근(턱목뿔근, myohyoid m.) 사이에 있는 구강 점막(설하주름 〈sub-lingual fold〉의 기저 부〈base〉에서 열리는 작은 관〈small duct〉)으로 덮혀있는 구저부(입바닥, floor of mouth)에서 발견된다. 내측면은 악하관(submandibular duct)의 종지부를 감싸고 있다. 설하선은 악하신경절(submandibular ganglion)에서 신경절후 부교감 신경섬유(postgan-glion-ic parasympathetic fibers)를 받는다.

후두와 기관(Larynx/Trachea)

후두는 9개의 연골, 즉 3쌍과 짝이 없는 3개의 연골로 구성되어 있다. 다소 크기가 크고 짝이 없는 연골은 갑상연골, 윤상연골과 후두개(후두덮개, epiglottis)이다.

다소 크기가 작고, 짝이 있는 연골은 피열연골(arytenoids), 소각연골(잔뿔연골, corni-cu-late)과 설상연골(쐐기 연골,cuneiform)이다. 연구개는 후두의 입구를 보호하고, 나머지 연골들은 지지대(support)를 제공하며, 피열연골과 관련이 있을 때, 회전하여 성대의 긴장과 이완을 일으킨다. 후두반회신경(되돌이 후두신경, recurrent laryngeal nerve)은 윤상갑상근(반지방패근, cricothyroid m.)을 제외한 후두의 모든 근육을 신경지배한다.

윤상갑상근은 상후두신경의 외후두분지(external laryngeal branch)의 신경지배를 받는다. 후두는 제6 경추신경에서 종지되면서, 기관(trachea)으로 된다. 기관은 정중선에서 아래로 계속 이어져서 경부에서는 식도의 바로 앞쪽에 위치한다.

인두/식도(Pharynx/Esophagus)

얇은 골격근 반 실린더인 인두는 두개골 기저부에서 시작하여 여섯 번째 경추로 내려가 식도가 좁아진다. 인두는 우리가 숨쉬는 공기와 우리가 먹는 음식에 공통적이다. 그것은 내부 점막, 인두 근막, 인두 수축으로 알려진 반원형 섬유와 stylopharyngeus와 같은 세로 근육으로 나뉘는 골격근으로 구성된다. 인두협 인두 근막에 의해 후측으로 코팅되어 있다. 이 근막은 척추 전 근막과 후방으로 밀접하게 접촉한다. 이 2개의 근막 사이의 근막 평면은 상종격동까지 아래로 연장된다. 따라서 인두후벽을 관통하는 감염은 종격동으로 확장되어 종격동염이나 심내막염을 유발할 수 있다.

인두는 비강, 구강 및 후두에 공통적으로 존재하며 음식을 모아 식도로 향하게 하는데, 인두는 미주신경을 통해 1차 운동을 입력하는 인두신경총에 의해 신경을 전달한다. 중인두 수축근의 뒤쪽 측면에서 주로 발견되는 이 신경총에 대한 감각 및 교감입력은 각각 설인두와 자궁경부 교감신경을 통해 이루어지며, 인두는 통과함에 따라 코, oro 및 후두(yhpo)인두로 구분된다. 이 지역의 뒤쪽, 비인두에서 발견되는 중요한 구조에는 인두 편도선과 이관의 내측 개구부가 포함된다. 구인두에는 설측과 구개 편도선이 있고 후두 인두에는 이물질(예: 알약)이 갇히게 되는 일반적인 부위인 이상형 오목한 부분이 있다.

갑상선(Thyroid Gland)

자체 섬유질 캡슐에 포함된 갑상선은 두 번째에서 네 번째 기관 고리를 덮는 협부에 의해 중간선을 가로 질러 결합된 왼쪽 및 오른쪽 측면 엽으로 구성된다. 갑상선은 티록신과 티로 칼시토닌을 분비하여 신체의 신진대사 속도를 조절한다. 그것은 흉골 갑상선 근육에 의해 상측으로 덮여 있으며 두부 확장이 있을 수 있다. 일반적으로 왼쪽 측면 엽에서 나온 피라미드형 엽이라고 한다. 갑상선관의 잔재는 또한 그러한 피라미드 엽에서 설골을 통해 우월하게 그리고 심지어 혀의 구멍 맹장까지 확장되는 것으로 발견될 수 있다. 이 덕트를 따라 낭종이 발생할 수 있으며 외과적 제거가 필요하다. 그것의 동맥 공급은 상부 및 하부 갑상선 동맥 및 그 배액은 상부, 중간 및 하부 갑상선 정맥에서 이루어진다.

부갑상선(Parathyroid Glands)

일반적으로 갑상선의 뒤쪽에 위치하는 부갑상선은 2개의 상선과 2개의 하선으로 나뉜다. 이 구조는 혈청 칼슘 수준을 유지하며 각각 네 번째 및 세 번째 인두 아치에서 파생된다. 열등한 부갑상선은 때때로 흉부에서 발견될 수 있다.

수기(Technique)

악하선(턱밑샘)
종단면
(사위 방시상)
그림 9.7

환자를 앙와위에서 작은 베개(small bolster) 위에서 경부를 신전시킨 자세를 취한다. 탐촉자를 하악각(턱뼈각, mandibular angle) 근처에서 하악골 체부(턱뼈 몸통, body of mandible)의 하부연(inferior margin)에 대략 평행하게 조정한다. 결이 곱고(finegrained), 고에코의 악하선이 인지될 때까지, 탐촉자의 위치를 조정한다. 하악설골근(턱목뿔근, myohyoid m.)의 후자유변(posterior free edge)에 연관된 악하선의 위치를 파악하기 위해서, 탐촉자를 내면과 외측면, 전면과 후면으로 미끄러지듯이 이동한다. 하악선의 가장 큰 덩어리는 하악설골근에 표재성쪽(아래쪽)에 위치하지만, 악하관을 전달하는 악하선의 작은 부분은 하악설골근의 후자유변(posterior free edge)의 위로 올라가서 구강으로 들어간다. 보여진 초음파 영상에서, 악하선은 활발하게 분비하고 있었

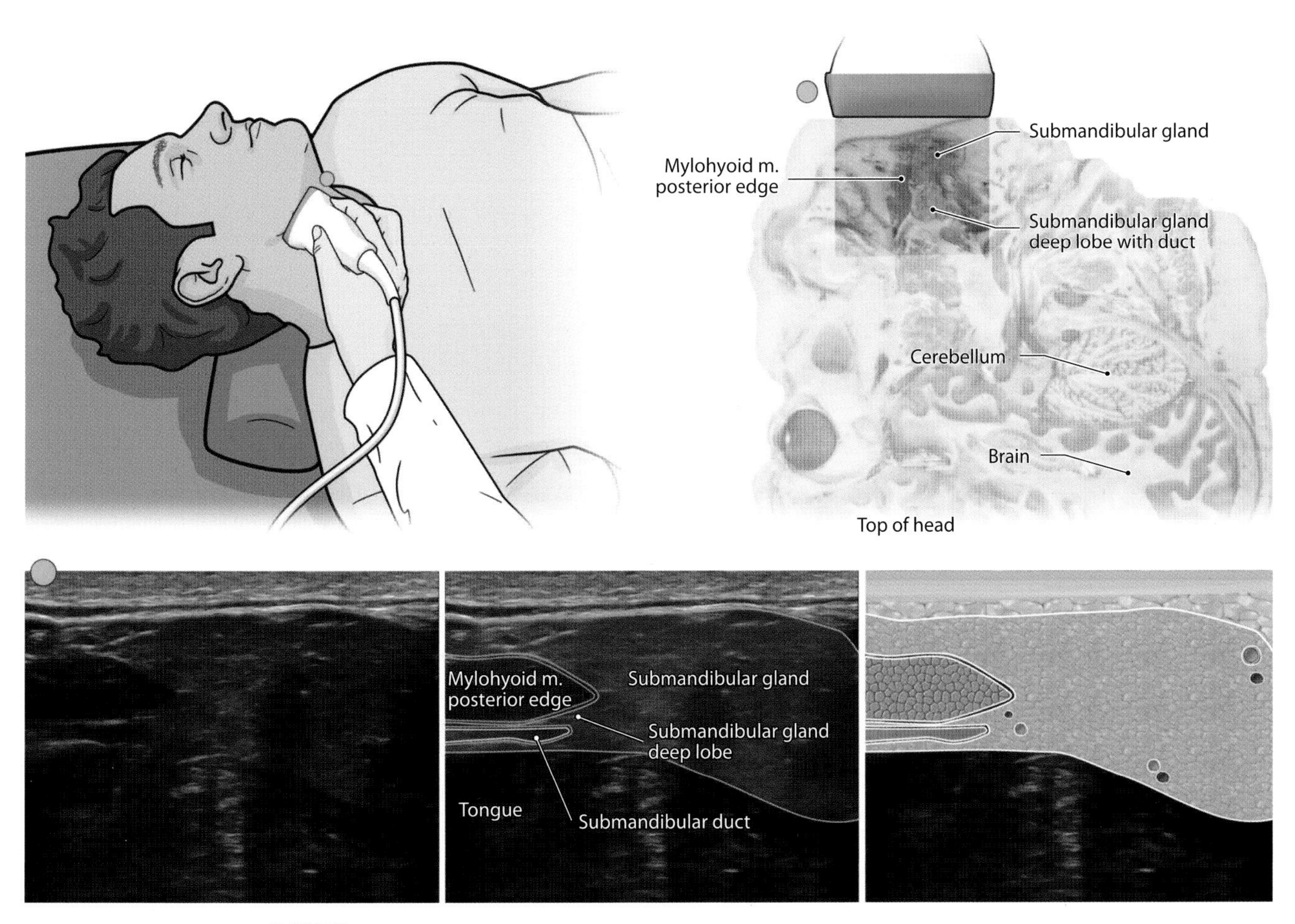

그림 9.7 하악설골근의 후자유변과 관련하여 악하선과 악하관의 종단면(경사 방시상면) 영상

고, 관 안에 있는 무에코의 액체(fluid)는 소량의 선조직(glandular tissue)으로 둘러싸인 하악설골근의 상연(superior edge)에서 분명히 보인다.

악하선(턱밑샘)
종단면(사위 관상)
그림 9.8

환자를 앙와위에서 작은 베개(small bolster) 위에 경부를 신전시킨 자세를 취한다. 탐촉자를 하악골의 체부(body of mandible)의 하연(아래쪽 가장자리, inferior edge)에 수직으로 향하게 한 후에 마커쪽(mark side)이 하악골의 하연에 있게 한다. 탐촉자의 나머지 부분은 경부의 피부를 향하게 하고, 빔(beam)은 구강을 향해 위쪽으로 조준한다. 악하선의 결이 곱고(finegrained), 고에코(hyperechoic)한 모양과 하악골의 체부(body of mandible)의 반사와 소리 그림자(acoustic shadow)를 식별한다. 탐촉자를 하악골의 가장자리(edge)를 따라 탐촉자를 앞쪽과 뒤쪽으로 미끄러지듯이 이동하면서, 악하선의 심부표면(deep surface)에 있는 악설골근(턱목뿔근, myohyoid m.)의 얇은 시트(thin

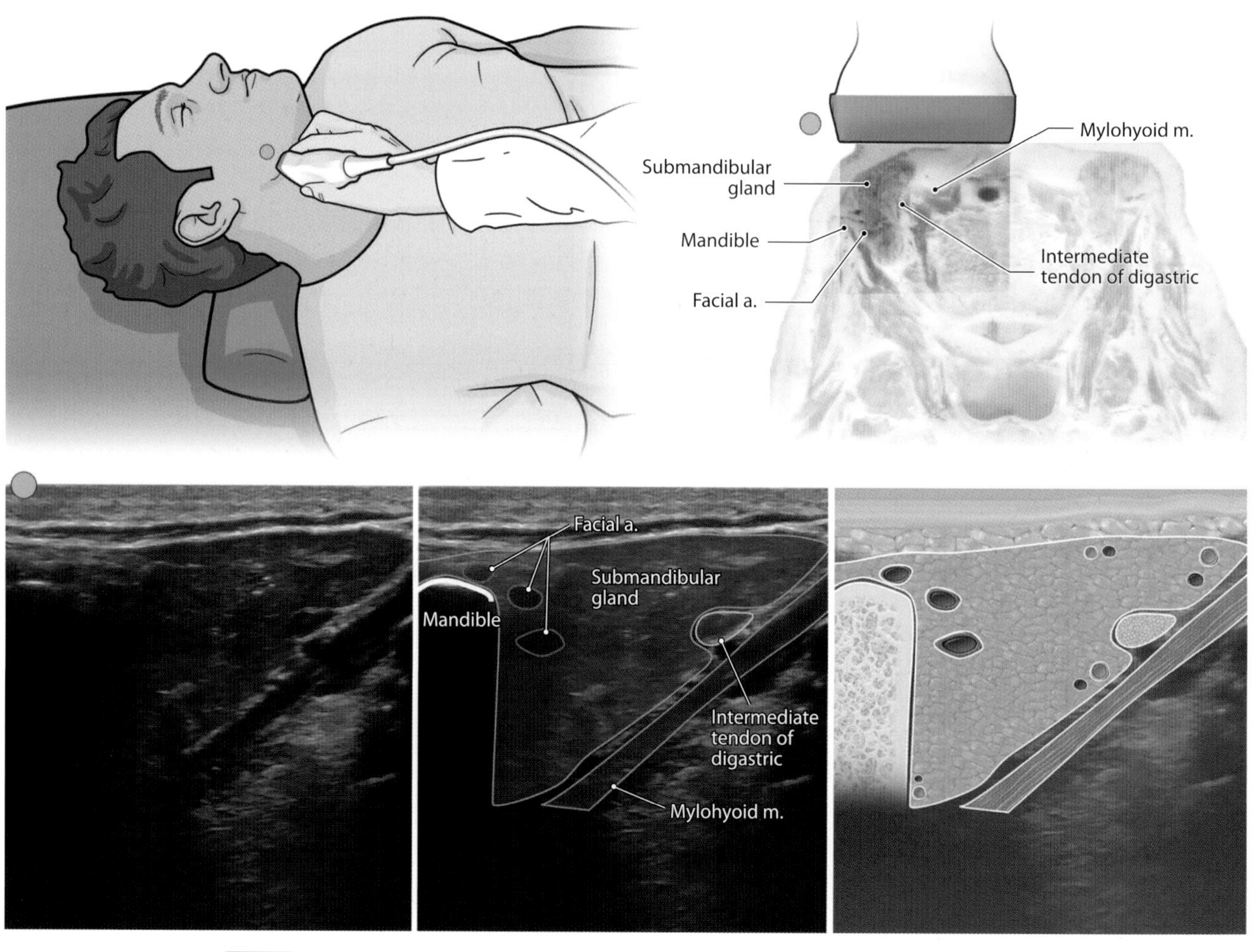

그림 9.8 하악선, 하악골, 하악설골근, 이복근의 중간 힘줄과 안동맥의 종단면(경사 방시상면) 영상

sheet)와 악설골근과 악하선의 심부 표면사이에 있는 이복근(두힘살근, digastric m.)의 저에코한 타원형인 중간힘줄(intermediate tendon)을 식별한다. 악하선의 심부나 악하선의 실체(substance) 내에서, 일반적으로 악하선의 후부 근처에 있는 안면동맥의 맥박을 찾아본다.

설하선(혀밑샘)
종단면(관상)
그림 9.9

환자를 앙와위에서 작은 베개 위에 경부를 신전시킨 자세를 취한다. 탐촉자를 횡방향으로 하고(마크는 오른쪽), 하악골의 턱 구역(mental region) 하면(inferior surface)에서 바로 후방에 있는 경부의 피부에 탐촉자를 대고, 빔을 위쪽으로 구저부(입바닥, floor of mouth)에 조준한다. 천부(하위)에서 심부(상위)까지, 이복근의 좌우전복근(anterior bellies of digastric)을 식별한다. [하악골 몸통(body)의 하단(inferior margin)의 복사와 소리 그림자(acoustic shadow)는 양쪽에서 영상 테두리(image edges)의 범위를 바로 넘어선다]. 그리고 악설골근(myohyoid m.)의 얇은 시트(thin sheet), 이설골근(턱끝뿔근, geniohyoid m.), 이설근(턱끝혀근, genioglossus m.)과 이설골근/이설근에 바로 측면에 있는 지방 공간을 차지하는 좌, 우설하선(subligual glands)을 식별한다. 주위 지방조직과 결합조직(connective tissue)에 대해 조금 저에코하게 보이는 타원형의 설하선(ovoid glands)을 찾기 위해서는 탐촉자를 기울이거나, 부채꼴 모양으로 펼쳐야 한다(Tilt/Fan).

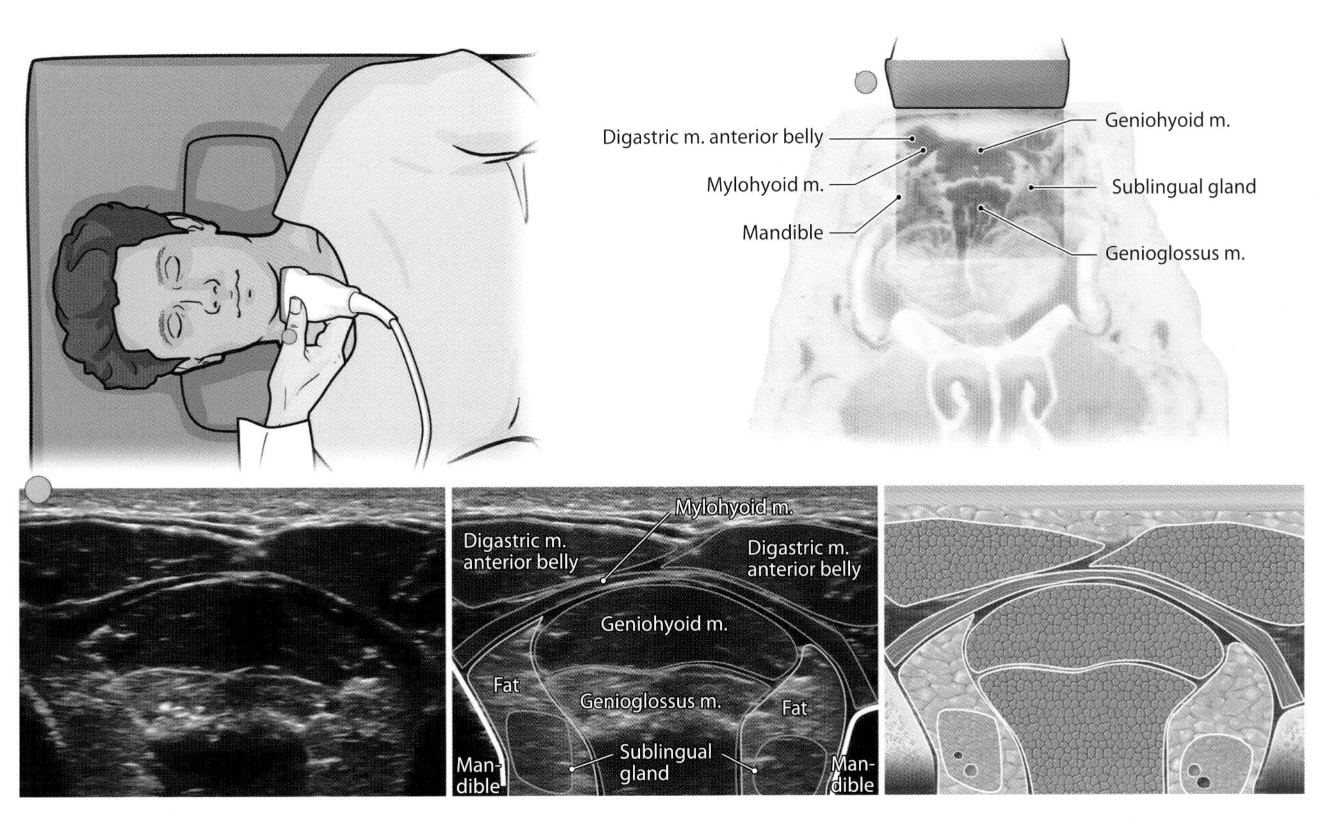

그림 9.9 설하선과 이복근의 전복근, 하악설골근, 이설골근과 이설근의 종단면(관상) 영상

갑상선 기관
횡단면
그림 9.10

환자를 앙와위에서 작은 베개 위에 경부를 신전시킨 자세를 취한다. 흉골 절흔(sternal notch) 위로 몇 센티미터 떨어진 경부의 피부 위로 탐촉자를 횡축으로 놓는다. 갑상선의 측엽(lateral lobe) [다발성의 가는(thin) 무에코한 혈관들과 고에코하고, 거친(grainy) 형태]과 얇은 협부(thin isthmus) (기관의 전방에 위치)가 식별할 수 있을 때까지 탐촉자의 위치를 조정한다]. 초음파 빔이 갑상선 점막의 수용액(aqueous)을 떠나, 기관의 공기 기둥(tracheal air column) (공기 점막계면, air mucosa interface)으로 들어가서, 다발성의 가는 고에코한 밴드(band)가 보이는(반향허상), 앞쪽에 기관은 저에코하고 밝은 반사(bright reflection)로 보인다. 얇은 설골하근(목뿔아래근, infrahyoid m.) (띠근육, strap m.)들은 갑상선 협부(isthmus)와 측엽(laterai lobe)의 표면적 표면(superficial surface)에서 관찰된다. 흉쇄유돌근의 내연(medial edge)은 영상의 양쪽에서(단, 이 영상에서는 우측 흉쇄유돌근에서만 보인다.)의 설골하근에 표재성으로 보인다. 식도는 좌측 갑상선 엽(lobe)의 후내측 방향에서 기도의 바로 좌측(흔한 위치) 영상에서 분명하게 관찰된다. 식도는 전형적으로 동심원적인 저에코와 고에코의 반지 모양으로 과녁형태(bulls−eye)를 취한다. 환자에게 고에코한 공기 인공산물(air artifact)을 삼키게해서 고에코한 공기 인공산물(air−artifact)의 섬광(flash)을 보게 된다.

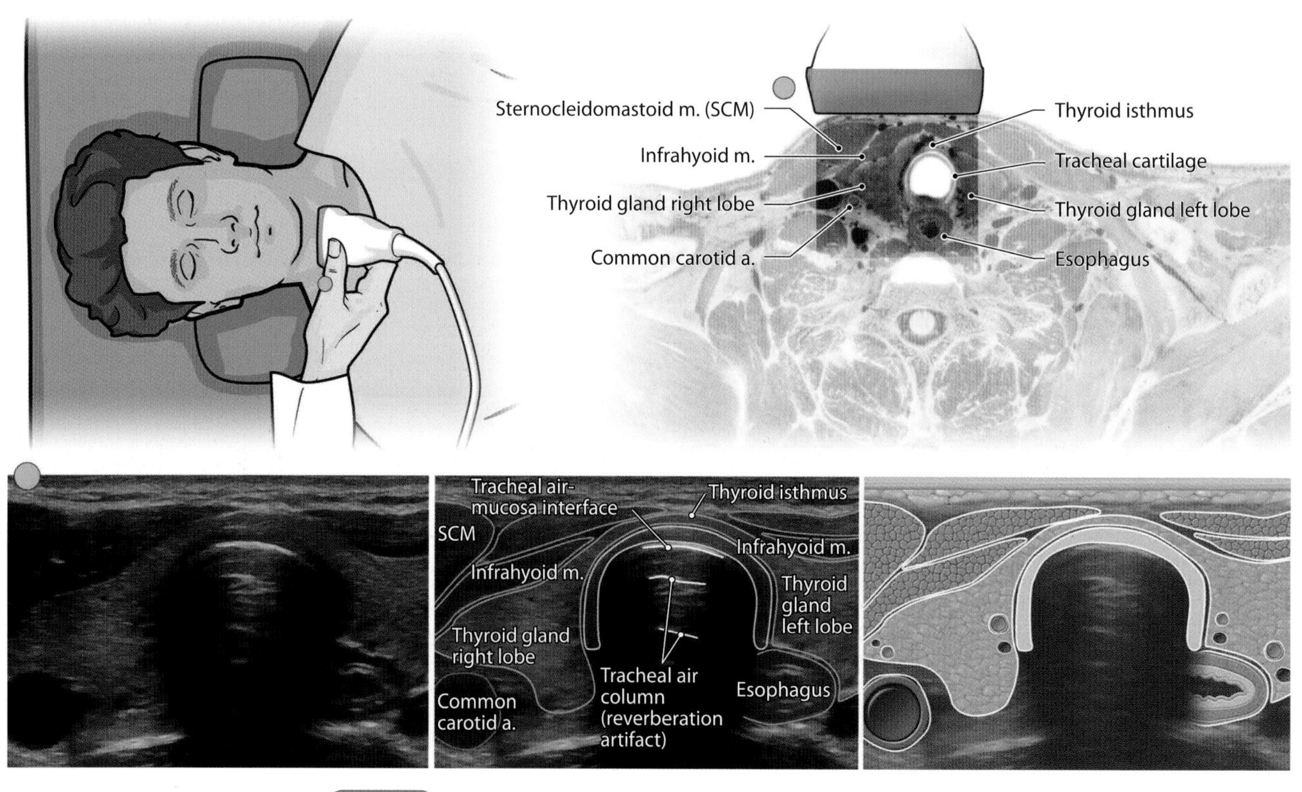

그림 9.10 갑상선 엽들, 갑상선 협부, 기관, 식도와 띠근육의 횡단면 영상

갑상선 측엽
총경동맥
내경정맥
그림 9.11

환자를 앙와위에서 작은 베개 위에 경부를 신전시킨 자세를 취한다. 탐촉자를 (바로 앞의 갑상선의 정중선에서) 몇 개의 구조물을 인식할 때까지, 측면으로 미끄러지듯이 이동한다: 즉, 흉쇄유돌근의 내측에서 외측까지, 심부까지(그리고 이 위치에서는 흉쇄유돌근은 견갑설골근과 흉골설골근에 대해 심부에 있다): 갑상선의 측엽; 총경동맥: 내경정맥: 그리고 전사각근(내측에서 외측까지, 상완신경총을 찾기 위한 사각근 사이간격(scalene interval) 같이, 방향을 찾는데 유용한 랜드마크), 견갑설골근[하복(inferior belly)]은 흉쇄유돌근의 심면(deep surface)과 내경정맥 사이에서 인식될 수 있다.

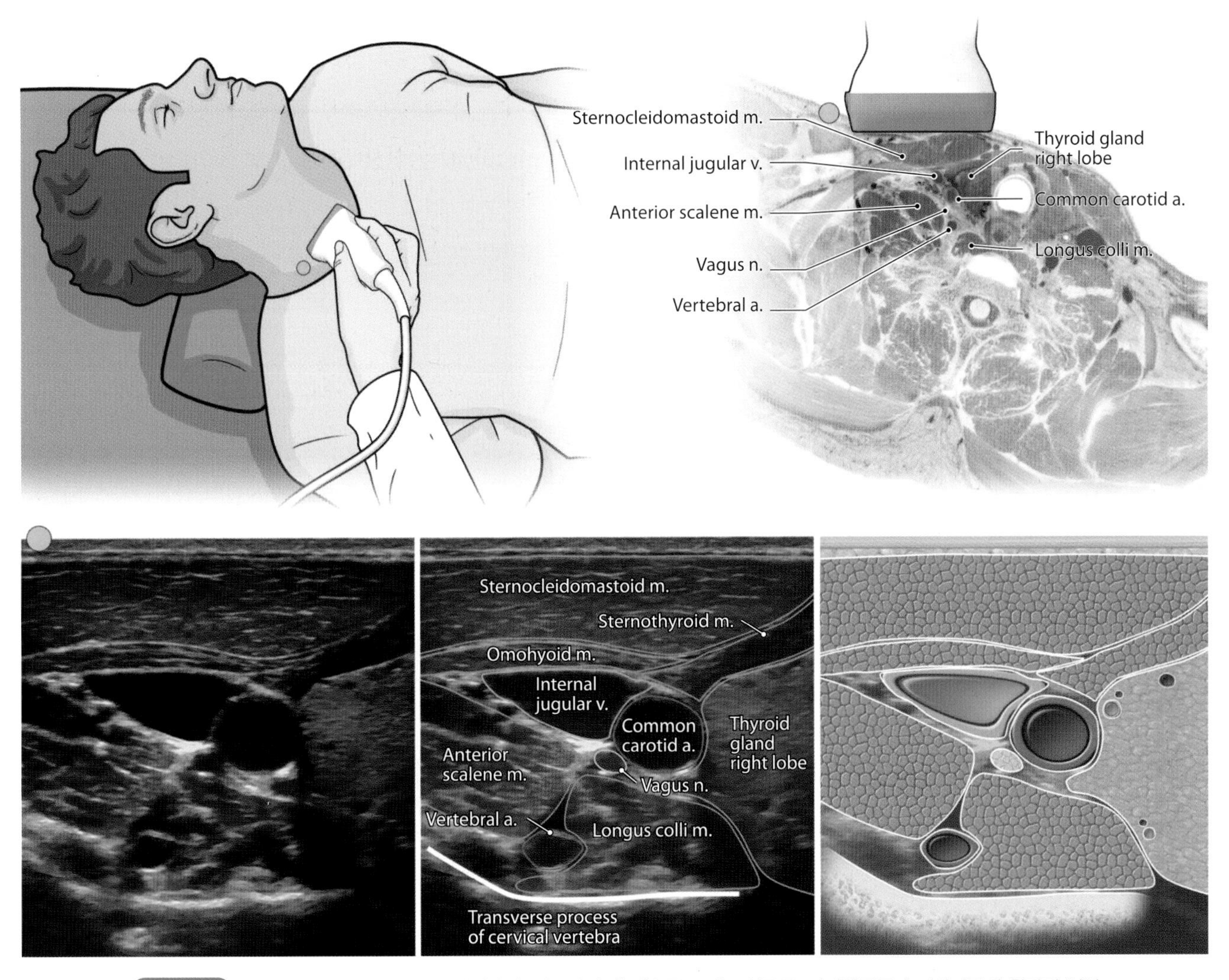

그림 9.11 우측 갑상선 엽, 총경동맥, 내경정맥, 미주신경, 흉쇄유돌근, 흉골설골근, 견갑설골근과 전사각근의 횡단면 영상

임상 응용

타석(Salivary stones)은 가장 종종 악하선에 위치하며(60~90%의 경우들), 다발성이며, 타석증(**침돌증, sialolithiasis**)을 야기한다. 타석증은 부분적이나 완전히 침샘관(salivary duct)을 차단한다. 타석은 악하관(Wharton's duct)의 원위부에서 존재할 때, 구저부(입바닥, floor of mouth)에서 만져질 수가 있다.

자가면역질환(autoimmune disease)인 **쇠그렌증후군(sjögren syndrome)**은 40세 이상의 여성에게 침범(affect)하며, 강도가 센 림프세포(intense lymphocytic)와 플라스마 세포 침투(Plasma cell infiltration)와 침샘과 눈물샘(누선, lacrimal gland)의 파괴가 특징이며, 그 결과로 구강 건조와 안구 건조가 나타난다. 침샘(타악선, salivary gland)에서 발생하는 가장 흔한 악성 종양은 점액 표피모양 암종(mucoepidermoid carcinoma)과 선남암종(adenoid cystic carcinoma)이다.

갑상선 결절(thyroid nodules)은 미국의 조사에서 가장 흔하게 발견된다(50% 까지). 이 결절의 대략 60~70%는 자연적으로 양성이며, 양성 여포성 결절(benign follicular nodules)이나 갑상선염이다. 악성 종양은 모든 갑상선 결절의 5~7%에서 발생한다. [유두상(젖꼭지의, papillary), 여포성 악성(follicular anaplastic)과 수질암(medullary carcinoma); 그러나, 갑상선의 수명 위험성(lifetime risk)는 미국에서는 1% 미만이다].

얼굴(Face)

해부학의 검토(Review of the Anatomy)

일반적으로, 얼굴은 위로는 전두골까지, 뒤쪽으로는 귓바퀴를 제외한 아래쪽으로는 하악골의 하단면(lower edge)까지의 앞머리의 부위다. 여기에는 복수의 감각기관(눈, 코, 구강)이 위치할 뿐만 아니라 인간이 독특한 감정을 전달할 수 있는 근육도 위치한다(표정 근육). 일부 분비샘(귀밑샘, 눈물샘)과 저작근도 얼굴에서 발견된다.

근막/결합 조직(Fasciae/Connective Tissue)

얼굴은 얼굴의 피하지방이 근육들을 감싸고 있는 인베스팅 근막(investing Fascia)에 의해 원(源) 근육들(underlying muscles)이 완전히 분리된다는 점에서 신체의 나머지 부분과 다르다. 이 표재근 건막계통(얼굴 널힘줄 계통, superficial musculoaponeurotic system)은 얼굴 근육과 이마, 이하선, 광대뼈, 안와하, 코입술주름, 아랫입술 지역, 혹은 소위 안면인대의 진피를 연결하는 연속적이고, 조직적인, 섬유성 네트워크이다. 추가적으로, 정의가 내려진 얼굴의 근막/결합 조직층은 다음과 같다.

- **모상건막(머리덮개널힘줄, galea aponeurotica)**: 납작한 두피의 힘줄은 전두근(이마 힘살)과 후두근(뒤통수 힘살)을 연결하고, 관골궁(광대활, zygpmatic arch) 위에 있는 측두근에 정지한다.
- **심경부근막(깊은 목근막, deep cervical fascia)**: 두측으로 진행하여 이하선과 교근을 덮는다.
  - 이하선근막(귀밑샘근막, parotid fascia): 심부층과 천부층으로 나누어진 후 이하선을 피막으로 에워싼다. 심부층은 하악각에 정지하는 경돌하악인대(붓아래턱인대, stylomandibular ligament)로 알려진 비후(thickening)를 형성한다. 이 인대는 이하선과 이 악선을 구분한다. 이하선근막은 두측으로 뻗어서 관골궁에 도달한다.
  - 교근근막(깨물근막, masseteric fascia): 측두근 근막의 더 깊은 층으로 지속한다. 그리고 광골궁의 측면에 부착되는 것은 더 깊은 심부층(deeper lamina)이다.

근육(Muscles)

비록 몇몇 동물들은 피부 위로 움직이는 근육을 가지고 있지만, 사람은 얼굴 피부 아래에 그와 같은 근육이 집중적으로 있다는 점에서 독특하다. 그 근육들은 표정/감정을 전달하고 구멍(눈, 코, 구강)을 닫거나 열 때 사용되며, 모두 안면신경에 의해 신경이 분포된다. 표정 근육중에 더 큰 근육의 일부는 표 9.1에 있다. 표에 있는 마지막 두 근육(측두근과 저작근)은 표정 근육이 아니라, 얼굴의 표재부에 있는 저작근이다. 그러므로 그 근육들은 안면신경으로부터 신경이 분포되는 것이 아니라, 모든 저작근에 신경을 분포하는 삼차신경의 가지인 하악신경으로부터 신경이 분포된다.

표 9.11 큰얼굴 표정근(Large Muscles of Facial Expression)

근육	기시	정지	작용
전두근	두개표근 (epicranial aponeurosis)	눈썹과 코뿌리의 피부	이마피부를 가로로 주름을 잡는다. (예: 눈썹을 치켜올리다.)
추미근 (눈썹주름근)	미궁의 내측	미모(눈썹)의 피부	미궁(눈썹활) 사이의 피부를 수직으로 주름을 잡는다.
안륜근 (눈둘레근)	안와 가장자리	안와 가장 자리위의 피부, 안검판	양쪽부분(안와/안검)은 눈꺼풀을 덮는다.
비근근 (눈살근)	비골 및 인접한 연골의 근막	미궁사이의 피부	가로로 코뿌리점(nasion) 위의 피부를 주름을 잡는다.
비근 (코근)	상악골	비익(ala of nose)	횡부는 콧방울(ala)을 수축시키고, 익부는 콧방울을 확장시킨다.
비중격하체근 (코중격 내림근)	상악골의 절치와 (incisive fossa)	콧방울 및 중격	콧구멍을 넓힌다.
상순비익거근 (윗입술 콧방울 올림근)	상악골의 전두돌기	콧방울의 피부와 상순	콧방울과 상순의 거상
상순거근 (윗입술 올림근)	상악골	상순의 피부	상순의 거상
소관골근 (작은 광대근)	관골	상순	상순의 거상
대관골근 (대광대근)	관골	구각	상순의 거상
구륜근 (입둘레근)	상악골	입술의 피부	구순의 폐쇄
구각거근 (입꼬리 올림근)	상악골	구각	구각의 거상

근육	기시	정지	작용
소근 (입꼬리 당김근)	교근을 덮는 근막	구각	구각을 외측으로 당긴다.
구각하제근 (입꼬리 내림근)	하악골의 사선 (oblique line of mandible)	구각	구각을 당긴다.
하순하제근 (아래입술 내림근)	하악골의 사선	하순의 피부	하순을 하방으로 당긴다.
이근(턱근)	하악골의 절치와	턱의 피부	하순의 거상과 돌출
협근(볼근)	상악골, 하악골, 익돌하악봉선 (날개아래턱솔기)	구각	볼위의 피부를 팽팽하게 하고, 어금니의 교합면사이에서 음식물을 유지하게 한다.
측두근(관자근)	측두와의 뼈와 근막	하악골의 근돌기와 말단으로(distally) 전하악지(anterior ramus)를 따라서 구치후 삼각(retromolar triangle)까지	하악골을 닫거나 올림 (retract/elevate)
교근(깨물근)	관골과 관골궁	하악각	하악골의 거상

혈관(Vessel)

얼굴의 주요 동맥혈관은 외경동맥에서 파생된다. 내경동맥의 작은 가지들은 외측 안와(outer orbit) 주위의 얼굴에서 발견된다. 일반적으로, 같은 이름의 정맥이 외경동맥의 가지와 함께 움직인다. 동맥의 분지는 다음과 같다.

- **안면동맥(얼굴동맥, facial artery)**: 안면동맥은 외경동맥에서 뻗어서 이하선을 통하거나 옆으로 나와서, 맥박이 느껴지는 교근(masseter m.)의 바로 앞에 있는 하악골을 위로 주행하고, 안와의 내안각(안쪽 눈구석, medial canthus)을 향해 주행하는 안각동맥(눈구석 동맥, angular artery)으로서 종지한다. 하악골을 지난 다음에는, 안면동맥은 몇 개의 분지를 제공한다.
  - 하순동맥(아랫입술동맥, inferior labial artery): 아랫입술을 지배한다.
  - 상순동맥(윗입술동맥, superior labial artery): 윗입술과 코중격을 지배한다.
  - 외측비동맥(가쪽코동맥, lateral nasal artery): 콧방울과 콧등(dorsum of nose)을 지배한다.
  - 안각동맥(angular artery): 안륜근(눈둘레근, orbicularis oculi)과 누낭(눈물주머니)을 지배한다.
- **표재관자동맥(얕은관자동맥, superficial temporal artery)**: 외경동맥의 두 개의 말단가지 중 하나. 이하선(귀밑샘)과 앞쪽 귀에 작은 분지를 제공하고, 종말지로, 전두분지과 두정분지로 두피로 주행한다. 이 종지(termination)가 끝나기 전에 나오는 더 큰 가지는 다음과 같다.

- 횡안면동맥(가로얼굴동맥, transverse facial artery): 표재적으로 교근에 주행하며, 위쪽으로는 관골궁(zygomatic aech)을 주행한다. 이하선과 교근을 지배한다.
- 관골안와동맥(광대눈확동맥, zygomaticoorbital artery): 안와외각(lateral angle of orbit)까지 주행하고 안윤근을 지배한다.

- **안와상동맥(눈확위동맥, supraorbital artery)**: 안동맥의 한 분지. 얼굴에서 안와상동맥은 그 지역 근육(regional muscle)을 지배하고, 안각동맥(눈구석동맥)과 표재관자동맥(얕은관자동맥)의 전두지와 문합한다.
- **활차상동맥(도르래 위동맥, supratrchlear artery)**: 안동맥의 종말지. 내측 안와부의 피부를 지배한다.
- **비배동맥(콧등동맥, dorsal nasal artery)**: 안동맥의 종말지. 누낭(눈물주머니)과 비배(콧등)을 지배한다.
- **누선동맥(눈물샘동맥, lacrimal artery)**: 안동맥의 분지, 얼굴에서 누선(눈물샘)과 상검(윗 눈껍풀)을 지배한다.
  - 관골안면골동맥(광대얼굴동맥, zygomaticofacial artery): 뺨 위의 피부를 지배하는 누선동맥의 분지
  - 관골측두골동맥(광대관자동맥, zygomaticotemporal artery): 측두와(관자오목, temporal fossa) (머리에서 앞쪽의 옆 이마) 위의 피부를 재배하는 관골측두골 동맥의 분지
- **안와하동맥(눈확아래동맥, infraorbital artery)**: 얼굴에서 안와하부, 외측비부(가쪽코, lateral nasal)와 상순부(위쪽 입술, superior labial)의 피부와 관련된 근육을 재배하는 상악동맥의 분지
- **협동맥(볼동맥, buccal artery)**: 협근(뽈근육, buccinator)과 빰의 피부와 점막을 재배하는 상악동맥의 분지
- **이동맥(턱끝동맥, mental artery)**: 상악동맥의 분지인 하치조동맥(아래이틀동맥, inferior alveolar artery)의 분지. 이공(턱끝구멍, mental foramen)에서 나와서 주변 피부와 연부 조직을 지배한다.
- **림프혈관과 림프절(Lymphatic vessels/nodes)**: 일반적으로 결막, 안검, 가운데 이마, 외측 협부(옆쪽 빰)에서 림프배출(lymphatic drainage)은 전이개(앞쪽 귓바퀴, anterior auricular)와 천부와 심부이하선(귀밑샘, parotid) 림프절로 전달되고(pass to), 바깥 코, 빰, 상순, 하순의 외측부는 직접 이하 림프절(아래턱밑 림프절, submandibular lymph node)로 배출(drain)된다. 중앙 하순(가운데 아랫입술)과 턱은 이하 림프절(턱끝밑 림프절, submental lymph node)로 배출된다.

- **안면정맥(얼굴정맥, facial vein)**
  - 심부안면정맥(깊은 얼굴정맥, deep facial branch): 이분지는 심부로 주행한 후 익돌기정맥총(날개근정맥얼기, pterygoid venous plexus)과 연결되고, 그 후 두개내 접속부(intra-cranial connections)에 있다.
  - 하악후정맥(아래턱뒤정맥, retromandibular vein): 이 혈관은 상악정맥과 상측두정맥에 의해 하악골의 하악지(턱뼈가지)의 후연에 있는 이하선 안에서 형성된다. 아래로 내려가면서, 전분지(anterior division)와 후분지(posterio dision)로 나누어진다. 안면정맥이 기여하는 것처럼, 전분지도 총안면정맥에 기여하며, 그 이후에 내경정맥으로 들어간다. 후분지는 후이개정맥과 결합하여, 외경정맥을 형성한다.

신경(Nerve)

피부신경(Cutaneous Nerve)

얼굴의 피부신경들은 주로 삼차신경과 삼차신경의 세 개의 분지인, 안신경, 상악신경, 하악신경에서 유래된다. 이 분지(division)를 축약해서 각각 V1, V2, V3로 불린다. 하악각 위의 작은 부분은 경신경총(목신경얼기, cervical plexus)의 지배를 받는다.

- **안신경(V1) (눈신경, ophthalamic nerve)**
  - 안와상신경(눈확위신경, supraorbital nerve): 이 분지는 윗 눈꺼풀에 가지를 공급하고, 그후 이마의 피부에 분포하며, 후방쪽에 있는 두개골의 정점에 분포한다.
  - 활차상신경(도르래 위신경, supratrochlear nerve): 이 신경은 윗 눈꺼풀과 이마 중심 주변에 있는 피부에 분지를 공급한다.
  - 활차하신경(도르래 아래신경, infratrochlrar nerve): 눈꺼풀과 외측 비부(가쪽코)에 피부를 지배한다.
  - 누낭신경(눈물샘신경, lacrimal nerve): 누낭을 지배한 후, 그것은 안검(윗 눈꺼풀)으로 분포된다.
  - 외비신경(바깥 코신경, external nasa nerve): 코의 하단 절반 위로 피부를 공급하는 전사골신경(앞쪽 벌집신경, anterior ethmoidal nerve)의 확장(extension)이다.
- **상악신경(V2)**
  - 안와하신경(눈확아래신경, infraorbtal nerve): 밑 눈꺼풀, 윗 입술, 외비(가쪽코)를 지배한다.

- 관골안면신경(광대얼굴신경, zygomatticofacial nerve): 볼의 돌출 부위의 피부를 지배한다.
- 관골측두신경(광대관자신경, zygomaticotemporal nerve): 측두부(관자부위, temporal region)의 전면(앞쪽, anterior aspect)을 지배한다(즉, 이마의 측면 부위).

- **악하신경(V3) (턱뼈신경, mandibular nerve)**
  - 이신경(턱끝신경, mental nerve): 턱과 아랫 입술위의 피부를 지배한다.
  - 협신경(볼신경, buccal nerve): 협근(볼근, buccinator m,) 위에 있는 피부뿐만 아니라 협측 치은(볼쪽잇몸, buccal gingiva)과 인접한 점막에도 지배한다.
  - 이개측두신경(귀바퀴관자신경, auriculotemporal nerve): 측두부의 피부를 지배하고, 이개측두신경(귀바퀴관자신경)을 떠나서, 이하선으로 주행하는 이신경절(otic ganglion)에서 분지되는 신경절이후 부교감 '히치하이킹(hitchhiking)' 섬유를 역시 운반한다. 신경섬유는 전이개(앞귀바퀴)와 측두하악관절(temporomandibular joint)로 이동하는 것으로 역시 밝혀졌다.
- **대이개신경(큰귀바퀴신경, greater auricular nerve)**: 경신경총(목신경얼기)에 있는 C2와 C3의 신경섬유로 부터 비롯되었고, 주로 이하선(귀밑샘)과 귓불의 피부에 분포한다. 또한, 일부 섬유는 하악각 위에 있는 피부를 지배한다.

운동 신경(Motor Nerve)

고전적으로, 삼차신경이 얼굴에서 표재적으로 발견되는 측두근과 교근에 신경을 분포하지만, 얼굴의 두 근육을 제외한 모든 근육은 안면신경을 통해 신경분포를 받는다.

- **얼굴 신경(Facial nerve:)** 두개저(skull base)에서부터 안면신경이 경유돌공(붓꼭지 구멍, stylomastoid foramen)을 나와서, 얼굴 내측으로 주행한다. 이 신경은 이하선(턱밑샘)을 통해 주행하고, **상측두안면신경(upper temporofacial division)**과 **하측두안면신경(lower temporofacial division)**으로 분지한다. 다섯 개의 분지(branch)는 이 두 개의 분할(division)에서 나오며, 얼굴 표정근을 지배한다. 이 분지들은 **거위발(pes anserine)**이라고 불리는 얼굴 표정근에 접근할 때 융합한다.
  - 측두지(관자지, temporal branch): 전두근(이마근, frontalis), 안륜근(눈둘레근, orbicularis oculi), 추미근(눈썹주름근, corrugaor supercilii)에 신경을 분포한다.
  - 관골지(광대활지, zygomatic): 안륜근(눈둘레근)과 대관골근(큰광대근, zygomaticus major muscle)에 신경을 분포한다.
  - 협지(볼지, buccal branch): 비근근(눈살근, procerus), 상순비익거근(윗입술 콧방울 올림

근, levator labii superioris alaeque nasi muscle) 상순거근(윗입술 올림근, lavator labii superioris), 구각거근(입꼬리 올림근, levator labii superiors), 소관골근(zygomaticus minor), 대관골근, 협근(볼근), 소근(입꼬리 당김근, risorius) 구각거근(입꼬리 올림근, levator anguli oris), 구륜근(입둘레근,orbicularis oris) 비근(코근, nasalis), 구각하제근(입꼬리 내림근, depressor anguli oris)에 신경을 분포한다.

- 하악연지(가장자리 아래턱가지, marginal mandibular branch): 하악골(아래턱) 위에 있는 안면혈관을 표재적으로 가로지른후에. 구제하제근(입꼬리 내림근), 하순하제근(아랫입술내림근, depressor labii inferioris), 이근(턱끝근, mentalis), 구륜근(입둘레근, orbicularis oris)에 신경을 분포한다.
- 경부지(목분지, cervical branch): 활경근(넓은목근, platysma)에 신경을 분포한다.

- **삼차신경: 하악신경(V3)**
    - 교근신경(깨물근신경, masseteric nerve): 교근(깨물근)과 악관절(턱관절, temporomandibular joint)을 지배한다.
    - 심측두신경(깊은 관자신경, deep temporal nerve): 두 개에서 세 개 정도가 가로놓인 측두근(overlying temporalis muscle)을 지배한다.
- **교감신경(Sympatics)**
    - 외경동맥신경총(바깥목동맥신경얼기, external carotid plexus): 목 안에 있는 교감신경 줄기의 상경부신경절(위쪽목신경절, superior cervical ganglion)에서 유래한 신경절 이후 교감신경섬유는 얼굴을 향하는 외경동맥의 분지를 따라 주행한다(예컨대, 안면동맥과 천측두동맥). 이 섬유는 사실상 혈관수축적성, 분비성과 입모성(털세움운동, pilo motor)이다.

내장(Viscera)

얼굴의 내장은 이하선(귀밑샘), 누선(눈물샘), 안구의 바깥면(external aspect), 구강개방(opening to the oral cavity)을 포함한다.

- **이하선(귀밑샘)**: 침샘에서 가장 크며, 귀 앞쪽에 있으며, 관골궁 아래에 위치하며. 아래로 내려가서 하악후와(아래턱 뒤의 구멍, retromandibular fossa)에서 하악골(아래턱)의 위치보다 낮게 있다. 그것은 밀도가 높은(dense) 섬유피막인 이하선근막(parotid sheath)으로서, 눈에 띄게 된다(is invested with). 이하선을 통해 지나가는 안면신경의 경로는 인위적으로 천부와 심부로 나누어진다. 이 이하선은 이신경절(otic ganglion)에서 영접하는(synapse) 설인신경

(제9 뇌신경)에서 유래된 신경절이후 신경섬유(postganglionic fibers)로 부터 신경분포를 받는다. 그리고 그 이후에 삼차신경의 하악분지(V3)인 이개측두신경(귓바퀴 관자신경)과 함께 주행한다. 이하선은 관골궁(zygomatic arch)의 아래쪽으로 주행을 하고, 그리고 그 후 뺨과 상악 제2 대구치사이에서, 구강전정(vestibule of mouth)으로 비우는(empty) 이하관(스테노관, Stensen' Duct)을 포함한다. 부이하선(socia parotidis)을 내측으로 이하관을 따라서 확장되는 것처럼 보일 수도 있는데, 협근을 뚫고 나온 후에 상악 제2 대구치에 있는 구강으로 들어간다. 국소적으로 볼지방체(buccal fat pad)가 보이며, 교근을 협근으로부터 분리된다. 이 지방체의 손실이나 결여로, 뺨 피부에 보조개(dimpling)가 생겨난다.

- **누선(lacrimal gland)**: 이 샘은 안와의 상외측에 위치한 신체의 눈물을 분비하는 샘이다. 이 샘의 표제부는 얼굴의 관점에서 볼 수 있다. 누선의 천부와 심부는 상안검거근의 인대로 나누어진다. 누선의 신경분포도 안면신경에서 유래된다. 신경절 이후 섬유는 익돌구개 신경절에서 나와서 삼차신경의 안신경과 상악신경의 분지와 같이 주행한 후에 누선에 종지한다.
- **눈**: 안구의 외부는 얼굴 위에 각막(맑은막), 공막(흰자위 막)과 위에 덮인(overlying) 안구 결막으로 관찰된다.
- **입술**: 이러한 구강의 연장은 주로 피부, 근육, 점막과 이 구조물 사이에 끼어 있는(imposed) 혈관과 신경, 작은 침샘으로 이루어진다. **홍순(vermillion border)**은 입술의 빨개진 혈관 가장자리와 인접한 피부를 나누는 경계이다.

수기(Technique)

이하선 타액선 횡단면
그림 9.12

환자를 앙와위에서 작은 베개 위에 경부를 신전시킨 자세를 취한다. 환자의 머리를 피검사자와 반대측으로 돌린다. 귓불 아래에 횡축으로 탐촉자를 배치한다. 탐촉자의 앞쪽 가장자리를 하악골(소리 그림자), 교근(전형적인 저에코의 근육형태와 고에코의 결합 조직띠) 위에 탐촉자의 뒤쪽 가장자리를 흉쇄유돌근 위에 배치한다. 미세한 입자로 약간의 고에코하게 보이는 이하선 조직을 최고 영상으로 보기 위해, 탐촉자를 기울이거나 부채처럼 펼쳐본다(tilt/fan). 이하선은 초음파의 에너지를 약화시키는 경향이 있으므로, 이하선의 심부표면을 관찰하는 것은 종종 불가능할 수도 있다. 그러나, 외경동맥과 하악후정맥(아래턱뒤정맥, retromandibular vein) 은 이하선의 심부에서 종종 발견된다.

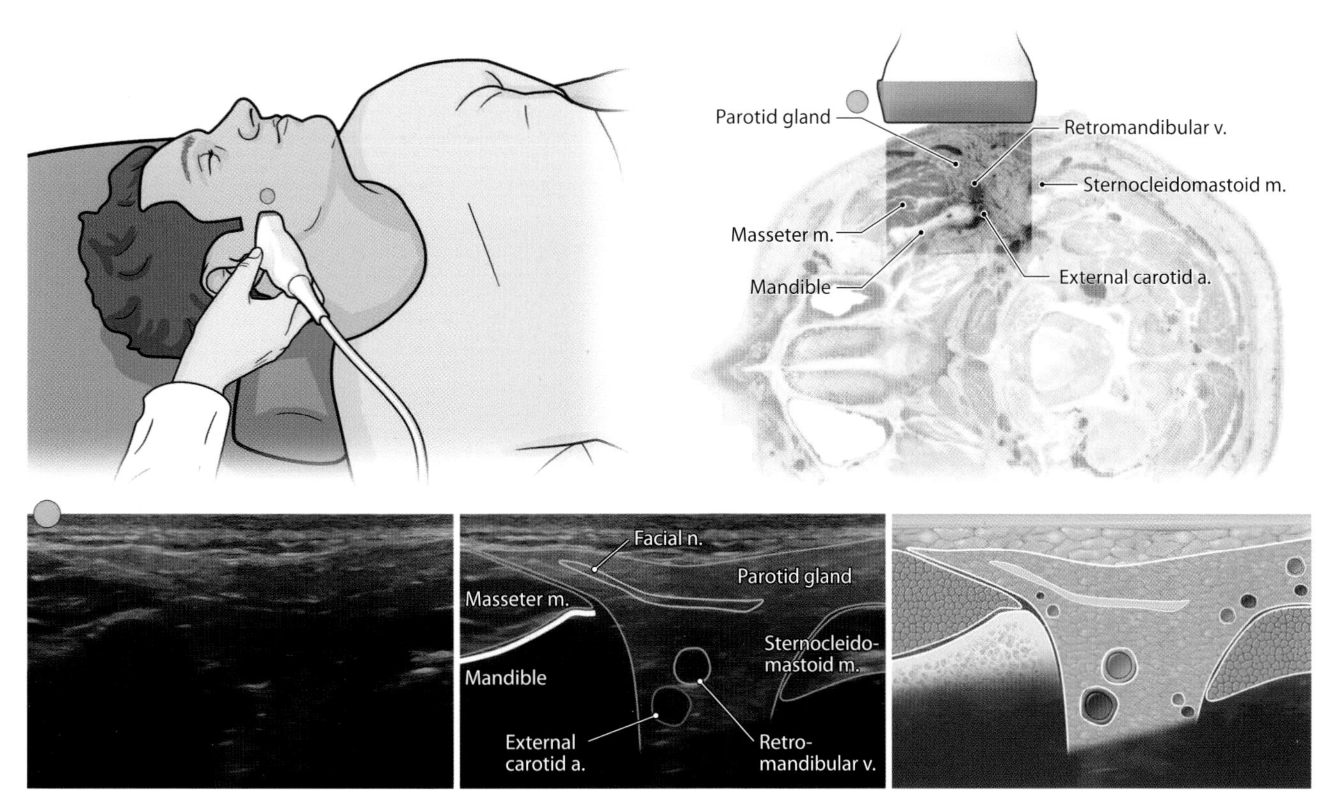

그림 9.12 이하선, 교근과 하악골의 횡단면 영상

임상 응용

이하선의 초음파 영상은 이하선이 부어오를 때 주로 보인다. 염증성 질병은 침샘에 영향을 끼치는 가장 흔한 질병이다. 급성 염증에서는 침샘이 비대해지고, 저에코가 된다. 바이러스의 타액선 감염은 어린이들한테 가장 흔히 나타난다. **이하선염**은 이하선의 바이러스 감염(유행성 이하선염)인데, 그 결과로 샘의 종창(swelling) 이 있다. 샘의 종창은 이하선의 낭와근막을 잡아당겨 늘려서, 엄청난 고통을 야기한다.

다형성종(여러형태 샘종, pleoorphic adenoma) (혼합 종양)과 같은 양성 종양과 와르틴 종양(Warthin tumor) (선림프종, 낭선림프종, 유두양 낭선종 림프종증)은 이하선에서, 천천히 성장해서 통증이 없는 종괴(mass)이다. 가장 흔히 발생하는 악성 종양은 점막 표피모양 암종과 샘낭암종이다. 침샘 또한 통증없이 진행되는 종창으로 나타나는 림프종으로 부터 영향을 받을 수 있다. 그들은 흔히 자가면역질환과 연관이 있고, 쇼그렌증후군이 가장 흔하다. HIV 양성 환자들은 흔히 타석증(sialolitiasis)과 이하선의 종창이 있다.

눈과 안와(Eye and Orbit)

해부학의 검토(Review of the Anatomy)

눈알(안구)은 골성 안와 앞쪽에 위치하고, 안검이 앞쪽에서 덮는다. 안와의 나머지 대부분은 안와 지방이 차지한다. 안와 주위에서, 눈, 안검, 얼굴뿐만 아니라, 눈을 움직이는 외안근에 제공하는 많은 신경과 혈관, 모두는 안와지방(orbital fat)을 가로질러서, 안와의 내부나 주변에 존재하는 눈이나 다른 기관에 도달한다.

안검의 심부표면은 **결막(이음막)**으로부터 덮여 있으며, 결막은 **공막**(눈의 흰 외벽층) 위에 반사되어 각공막경계(corneoscleral juction)를 따라 붙여져 있다. 결막은 안검(눈꺼풀)이 닫혔을 때, 낭(sac)을 형성하는데, 이 낭은 누선(눈물샘) 분비물의 얇은 층을 포함한다.

안구의 벽은 3개의 층을 가지고 있다. 외부 섬유층은 주로 공막(sclera)으로 이루어졌으며, 여기에 앞쪽에는(정상적으로) 투명한 각막이 있다. 중간의 혈관층은 뒤쪽으로 맥락막(choroid)이 있고, 맥락막은 앞쪽으로는 섬모체(ciliary body)와 홍채(iris)가 이어진다. 맥락막으로 부터 전방으로 뻗어있는 섬모체는 섬모체근, 섬모체돌기, 섬모상피를 포함한 원주형 삼각융기(circumferential triangular elevation)이다. 색소 침착된 홍채(pigmented sclera)는 섬모체로 부터 수정체의 중심 구멍(central opening), 즉 동공과 함께 수정체의 전방 표면 위에 있는 섬유체에서 앞쪽으로 뻗어있다. 내부층은 뒤쪽으로는 시각적(신경적) 망막이 앞쪽으로는 비(非)시각적 망막이 있다. 맥락막 층은 내부적으로는 망막에, 외부적으로는 공막에 붙어있다.

정상적으로, 투명한 양볼록 디스크인 **수정체**는 중추적으로, 수정체피막(lens capsule)과 말초적으로, 섬모체 주변의 돌출부(projection) (모양체 돌기)에 붙어있는 섬모체띠섬유(zonular fiber)의 원주 시스템(circumferential system)을 통해 홍채 뒤에 매달려 있다. 총체적으로, 섬모체띠섬유는 수정체의 지지 인대를 구성한다.

눈의 내부는 세 개의 방, 즉, 전방, 후방, 유리체방을 포함하고 있는 것으로 설명된다. 전방은 앞쪽으로는, 각막의 후부표면(내부)과 뒤쪽으로는 홍채와 수정체의 전방 표면사이에 있고, 작은 후방은 홍채의 후부 표면과 수정체의 전방표면 사이에 있다. 전방과 후방은 **수양액(aqueous humour)**을 가지고 있다. 수양액은 섬모체 상피(ciliary epithelium)에서 후방으로 분비되며, 동공을 통해 전방에 흐른다. 젤라틴이 풍부한 유리체액이 차지하고 있는 유리체 방은 앞쪽으로는, 수정체의 후부 표면과 뒤쪽으로는, 망막 사이에 있는 눈의 나머지 부분에 위치한다.

망막신경절 세포의 중심 프로세스(central processes)는 시신경 유두(optic disc)에서 집중

되어(converge), 시신경(제2 뇌신경)을 형성한 후, 눈의 후내측면에서 나와서, 안와지방체를 횡단해서, 뒤쪽으로 시각신경관(optic canal)을 통해 안와를 나온다. 시신경은 모두 3개의 수막층으로 구성된 막(sheath)으로 둘러싸여 있다: 3개의 막은 경막, 거미막, 연막이다. 시신경초(optic nerve sheath)의 지주막하공간(subarachnoid space)은 두개내(intracrnial) 지주막하 공간과 계속 이어진다.

수기(Technique)

눈과 시신경 횡단면
그림 9.13

고해상 선형 초음파는 눈과 시각신경을 검사하는데 채택되어야 한다. 환자는 앙와위에서 눈을 감고 검사를 해야 한다. 탐촉자의 표면이 안검에 닿지 않도록 넉넉한 양의 표준 수용성 초음파 겔을 닫힌 안검에 도포해야 하며, 탐촉자의 면(face)을 통해 눈에 매우 최소한의 압력만을 가해야 한다. 일부 환자의 경우, 무균의 초음파 젤 사용이 적용되는데(예를 들면, 안검의 절단이나 열상이 있을 때이다), 추가로, 젤을 바르기 전에 닫힌 안검에 무균의 밀봉 드레싱을 사용할 수 있다.

환자는 눈을 감아야 한다. 환자에게 앞을 똑바로 보라고 한다. 탐촉자를 횡축으로, 탐촉자 마커를 오른쪽으로 향하게 한 후, 안검과 눈 위에 배치한다. 안구(globe) 전체와 안구의 뒤에 있는 앞쪽으로 1~1.5 cm 정도의 안와지방이 영상에서 볼 수 있도록 스캔 깊이를 조정한다. 탐촉자의 위치를 조심스럽게 조정하고, 필요하다면, 기울여서(환자가 똑바로 앞을 보고 있다는 것을 상기한다) 앞쪽에서 뒤쪽까지, 안검, 결막낭(conjunctival sac)에 있는 얇은 무에코성 줄무늬 유체, 안검과 평행한 각막의 고에코된 굴절된 표면(curving surface), 홍채와 동공, 수정체 낭(lens capsule)의 고에코한 앞쪽과 뒤쪽 반사(정상적으로 무에코의 수정체 사이에서 함께)와 홍채에서 뒤쪽으로 뻗어있는 섬모체를 식별할 수 있도록 해야 한다. 전방과 후방에 있는 무에코성의 안방수액(aqueous humor)과 유리체방(vitreous chamber) 안에 있는 무에코성의 유리액(vitreous humor)를 확인한다. 망막과 맥락막은 각각 초음파 검사로는 해결할 수 없으며, 유리체방의 바로 바깥쪽에 있는 안구 내부의 내벽(linning)에서 얇은 저에코성의 띠 모양으로 보인다(초음파의 빔에 수직으로 있는 망막의 내부 표면에 고에코한 선이 종종 있다). 저에코한 시신경이 안구의 뒤쪽으로 나가는 것이 볼 수 있도록 탐촉자의 위치를 조정하거나, 필요하다면 기울여준다(tilt).

임상 응용

눈의 초음파 검사는 응급의학과에서 눈과 안와를 포함한 외상성 손상을 겪는 환자의 눈의 구조를 검사하기 위해 흔하게 사용된다. 안구파열이 임상적으로 의심이 경우, 파열된 눈에 가해지는 어떤 압박으로 인해, 눈의 내용물이나 안방수를 더욱더 압출(extrusion) 시키기 때문에, 초음파 검사를 금지한다.

전 안방(anterior chamber)에서의 안검부종, 혈종, 출혈(전방 출혈) 때문에 직접적인 검사와 안저검사(funduscopy)가 불가능할 때, 초음파는 눈을 검사하는데 사용될 수 있다. 초음파 안검사는 안구벽 천공, 안내 이물질, 수정체 이탈/부분 이탈, 백내장, 유리체 출혈, 망막 박리, 유리/유리체 박리, 맥락막 박리를 식별하는데 사용된다. 동공의 직접 검사가 불가능할 때, 대광반사(동공 빛반사, pupillary light reflex)를 조사하는 초음파 검사도 역시 있다.

시신경/시각 신경집지름(ONSD)의 초음파의 측정은, 두부 손상, 변화된 의식, 또는 두개내 출혈 가능성을 가진 환자가 두개내압이 증가한다는 의심되는 소견이 보일 때, 사용된다. 시신경과 시각 신경집의 부종과 비대는 시신경 유두(optic disc)와 시각 신경유두 부종(papilledema) 보다, 두개 내압이 상승하는 과정에서 더 일찍 발생하는 것으로 나타났다. 초음파 검사는 또한 안구후벽(망막/맥락막)이나, 일차 양성과 악성 종양이나 전이 같은 시신경초(optic nerve sheath)의 종괴(mass)를 검사하는 데 사용된다.

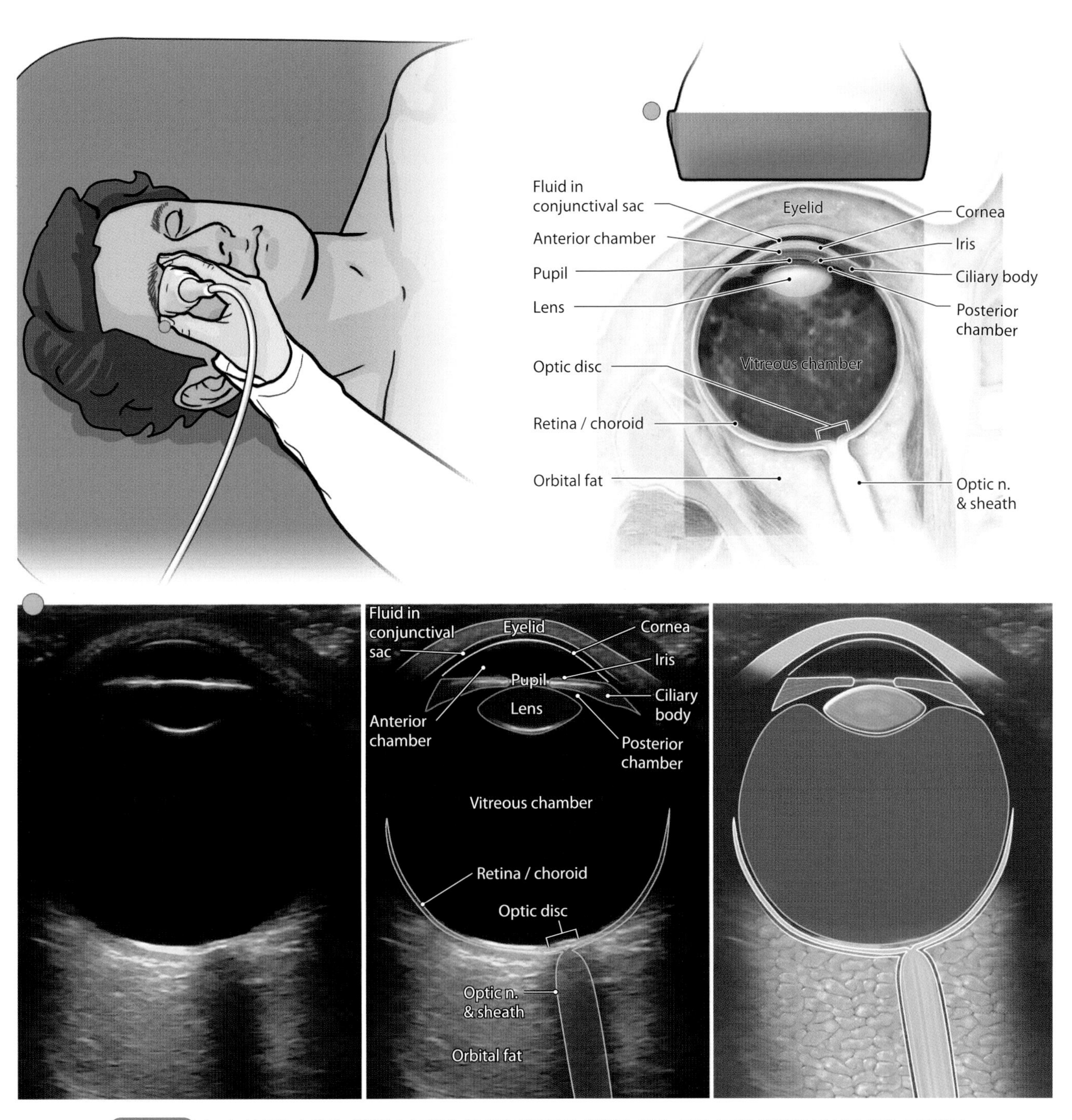

그림 9.13 눈과 시신경과 안와지방체를 포함한 안과의 내용물들 횡단면 영상. 미국 국립보건원의 가시적 인간 프로젝트 (NIH Visible Human Project)의 사체안와와 눈의 횡단면

Chapter

10

여성 골반(Female Pelvis)

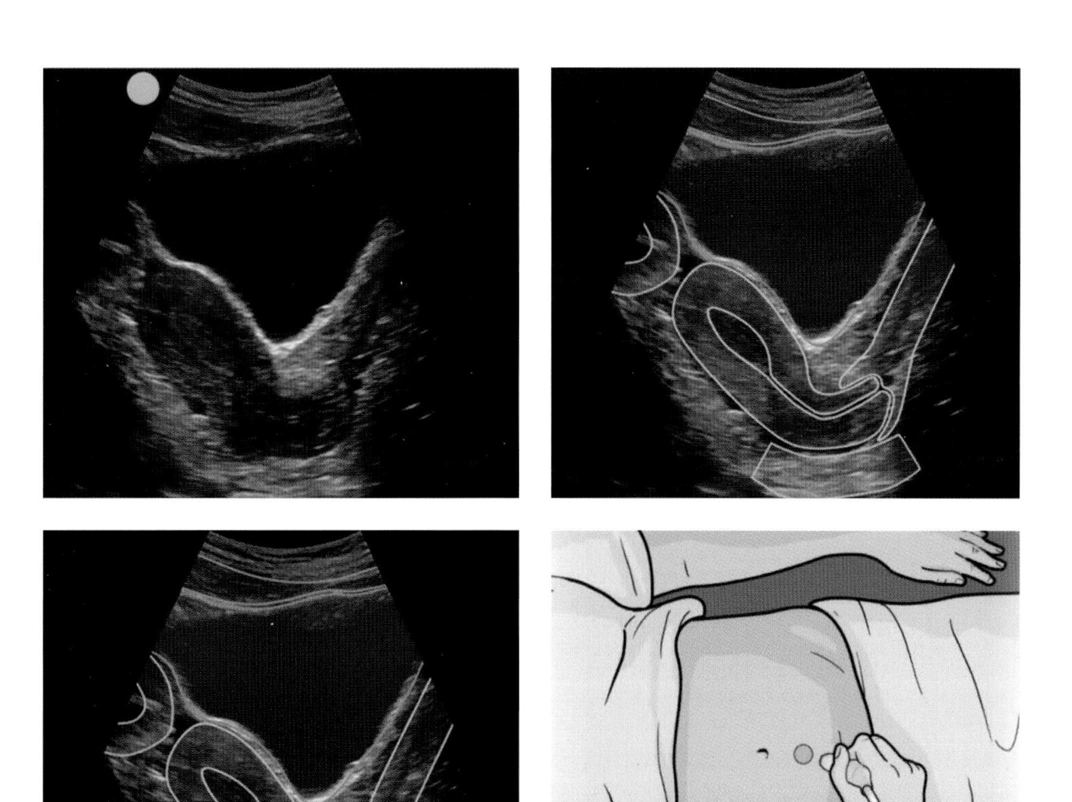

해부학의 검토(Review of the Anatomy)

골반의 일반적인 해부학 상황은 11장에 기술되어 있다. 이장에서는 여성 골반의 중요 요소에 대해 설명하였다. 그러나 남성과 여성 골반을 비교하면 몇 가지 차이점들이 있다. 여성에서는 남자에 비해 전형적으로 크기가 작고 치밀하며 두께가 적다. 반면 여성 골반강은 깊이, 넓이에서 적고 **두덩활(치골궁)**이 크고 대좌골절흔이 넓다. 골반 입구에 대해 설명하면 남자는 심장모양이고 반면 여자는 계란모양이다. 골반 출구는 여자에서 좌골결절이 바깥방향으로 돌출되어 좀더 크다. 폐쇄구멍은 여성에서 삼각형이나 계란모양이고 남자에서는 둥근모양이다.

여성에서 **요도**와 자궁과 난소혈관은 같이 골반 가장자리(골반 분계선)를 따라 주행하는 것이 자궁동맥에 의해 표면에서 교차된다. 이 해부학적 배열로 난소제거술, 자궁절제술에서 자궁의 손상의 위험이 있다. 남성에서 요도가 정관 후방, 하방으로 정낭 앞쪽으로 해서 방광의 후외면으로 들어간다. 여성에서는 길이가 짧고 약 4 cm, 골반저를 통하여 회음으로 들어가 질전정에 구멍을 낸다.

자궁(Uterus)

자궁은 근육질 물체로 가장 큰 여성 생식구조물이다. 이는 여러 인대들 예를들면 원인대, 자궁넓은인대(광인대), 주인대와 함께 곧창자자궁인대, 치골자궁 경부인대, 자궁천골인대 등에 의해 지탱되어 제자리를 유지한다. 여성에서 자궁은 골반 정중앙에서 방광과 직장사이의 공간을 점유한다. 자궁은 수정된 난자가 착상되고 임신 기간내 태아로 발달될 수 있도록 생명을 유지시켜준다.

주된 동맥공급은 난소동맥에서 분지된 자궁동맥으로 이루어진다. 자궁은 해부학적으로 경부, 협부, 체부, 기저부로 나누어진다. 경부는 자궁의 가장 하위 부위에 위치하며 질부와 자궁을 연결한다. 협부는 체부와 경부사이 잘록해진 부위(약 1 cm)이다. 체부는 자궁의 가장 큰 부위로 자궁강을 함유한다. 기저부는 자궁의 상부위에 위치하는 둥근 구조물이다. 자궁강은 자궁경관으로 연결되며 질관으로 통한다. 자궁의 정상 위치는 **전방경사**(경관이 앞쪽으로 휘어져 질관에 거의 맞닿을 정도로) **전방굴곡**(자궁강이 자궁경관에 비해 약간 앞으로 굽어져 있는)된 상태이다. 방광이 차면 자궁은 뒤로 움직이며 질과 자궁경관 사이의 각도를 열어준다.

인대들(Ligaments)

여성 골반중에 현저한 복막융기부들 혹은 인대들이 많은데 자궁의 광인대, 자궁의 원인대, 난소인대, 즉 난소의 지지인대, 경부의 외측인대, 주인대 혹은 경부 횡인대, 치골자궁 경부인대, 치골방광인대, 자궁천골인대 등이다.

광인대: 자궁의 외측면에서 시작되어 외측 골반벽에 이른다. 2층의 복막으로 구성되고 자궁을 제자리에 잡아주는 역할한다. 이 인대내에 자궁관(난관), 혈관들, 자궁의 광인대, 난소인대, 자궁질 신경총, 림프관들, 하부요도 등을 포함하고 있다. 난소간막, 난관간막, 자궁간막으로 나누어진다. 난소간막은 난소앞에서 시작하여 원인대 후방 부위까지 펴져 있고 이는 난소를 포함하지 않는다. 난관간막은 자궁관(난관)을 지지하는데 도움된다. 자궁간막은 난관간막, 난소간막 하에 있고 광인대의 가장 큰 역할을 한다.

원인대: 광인대의(전방, 상방)층 사이에서 위치한다. 이는 기저부를 앞쪽으로 지지하여 자궁이 전방경사되고 전방 굴곡되도록 잡아준다. 이 인대는 자궁관하에서 자궁 앞쪽으로 부착된다. 원인대는 심부 서혜륜에서 서혜관을 통과하고 천부 서혜륜으로 나온다. 난소인대와 지지인대 둘다 난소에 부착된다. 난소인대는 자궁관 밑에서 발견되며 난소부터 자궁까지 부착된다. 이는 광인대 내부에서 주행하는 섬유근육성 줄기로 구성된다. 반면에 난소의 지지인대는 복막의 일부로 난소부터 골반강까지 부착된다. 여기에 난소혈관, 신경, 림프관이 있다.

주인대(Mackenrodt)는 광인대의 하부에서 기저부까지 주행하고 경부와 질부부터 골반벽까지 펴져있다. 주인대는 섬유근막성 골반근막으로 구성되며 자궁을 지탱하는 기능을 한다.

치골자궁 경부인대는 결체조직의 띠로 구성되며 치골후방을 자궁경부에 연결한다. 치골방광인대는 방광 경부에서 골반골까지 주행한다. 반면 요도천골인대는 골반근막의 단단한 섬유근육성 띠로 치골 하부에 부착되어 자궁경부와 질부의 위쪽 부분에 펴져있다.

곧창자자궁인대는 경부를 위쪽 후방으로 해부학적 위치를 유지하게 해 준다. 때론 곧창자자궁인대는 복막에 주름을 만들수도 있으며 곧창자자궁주름이라 알려져 있다. 이 주름은 자궁협부를 통하여 펴져있고 곧창자를 외측으로 골반후벽에 부착한다.

골반 입구에서 복부복막의 하위 부분이 골반장기를 덮고 있다. 여성에서는 복부복막이 자궁 기저부, 체부를 덮고 외측으로 펴져 자궁관을 넘어 골반강까지 넓혀져 자궁의 광인대를 형성한다. 복막은 방광부위에서 자궁의 전방하방 방면으로 펴져 비교적 좁은 공간을 형성하며 방광자궁오목이라한다. 자궁과 경부의 후방상방 부위를 얹는 복막은 후방질천장의 상부로 내려와 직장의 전면으로 뒤집어져서 곧창자자궁오목(douglas)이라 알려진 깊은 중요 공간을 형성한다. 바로 누운상태에서 곧창자자궁오목은 가장 깊은 복막공간이다.

난소(Ovaries)

난소는 배아상피로 덮혀있는 여성 생식기관으로 발생기 복막과 아주 밀접하게 연관된다. 각 난소는 **난소간막**에 의해 지탱되며 이는 난소를 광인대 후 상방층에 부착시킨다. 지지인대(깔때기 골반)는 골반 측면벽을 고정시키고 난소를 연결하며 난소를 난소 간막을 따라 위치시켜 준다. 난소인대는 난소를 자궁에 부착시킨다. 난소는 외측, 내측 장골동맥에 의해 골반 외측벽에서 경계 지워진다. 난소동맥은 난소 공급하고 자궁동맥과 교합한다. 난소동맥은 지지인대(깔대기 골반인대) 내에서도 발견된다. 정맥피는 좌우 난소정맥에서 모여 우측은 아래대정맥으로 좌측은 좌신장정맥으로 흘러들어간다.

자궁관(팔로피안관) (Uterine Tubes(Fallopian Tubes)

자궁관은 자궁 기저부와 체부의 만남 장소에서 외측으로 돌출되어 난소 가까운 복강에 열려있다. 자궁관은 난소의 끝 부위에 술이라 불리는 손가락 모양의 부속물을 가지고 있다. 자궁관은 4부분으로 나뉜다. 깔대기, 팽대, 협부, 자궁부 등이다. 난자가 배란시에 난소에서 복강내로 터져 나오면 자궁관을 통해 자궁으로 전달된다. 난소의 이동은 자궁관술의 쓸어내는 운동, 자궁관의 근육수축, 자궁관의 내측 상피세포에 있는 섬모층의 섬모운동으로 이루어진다.

질부(Vagina)

질관은 밑으로 경부로 퍼져있고 복막에서 질전정으로 끝난다. 월경산물을 배출하고 음경을 받아들이며 성교시 사정한다. 전정은 부분적으로 처녀막에 둘려 쌓여있고 이는 첫 성교 후 퇴화되는 막성주름이다. 질은 자궁과 내장골동맥의 질분지에서 동맥공급을 받는다. 골반에서 항문올림근, 비뇨생식 가로막, 샅힘줄 중심에 의해 지탱된다. 질부 상 3/4은 자궁질부신경총에서 나오고 하 1/4은 음부신경 심층샅분지에 의해 지배된다. 상 3/4은 내부장골 임파절로 림프액이 배출되고 반면 하부 1/4은 천부서혜 임파절로 배출된다.

수기(Technique)

복부/골반의 복부경유(치골상의) 영상
[Transabdominal (Suprapubic) Views of Abdomen/Pelvis]

치골상의 여성 골반
종단면
(시상면/방시상)
그림 10.1

이 방법은 환자의 방광이 가득 채워졌을 때 가장 유용하다. 방광이 부분적으로 채워지면 이 부위의 초음파가 장가스 음영으로 간섭되어진다. 채워진 방광이 내장을 상부로 이동시키고 방광 뒤에서 골반 구조물의 초음파 촬영을 위한 우수한 음향창을 제공한다.

앙와위에서 포를 적당히 덮고 휘어진 탐색자 뒤꿈치(마크없는 부위)를 골반치골 결합지 위(혹은 바로 위)에 대고 마크 부위를 머리를 향하게 한다. 골반 현저부위나 구조물이 확인될 때까지 탐색자 위치, 경사를 조절한다. 소변은 모든 액체처럼 무에코이고 방광벽은 과에코하게 보인다. 세로면 영상에서 꽉찬 방광은 대략 삼각형이며 꼭지점은 상방으로 향한다.

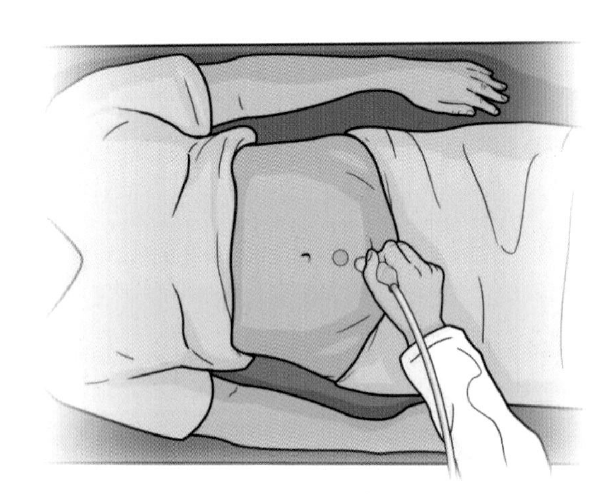

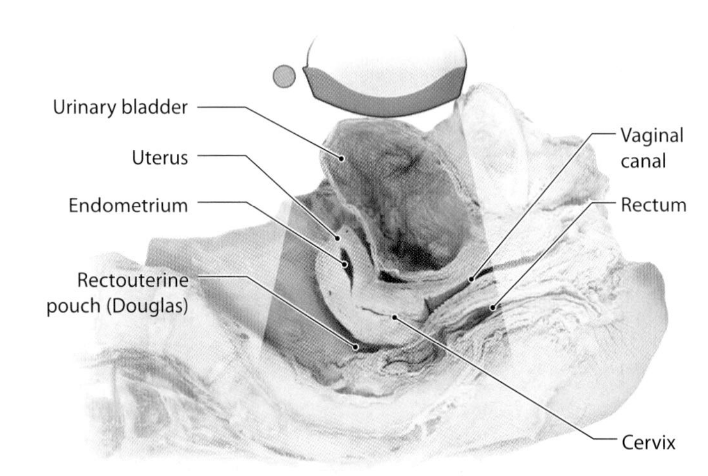

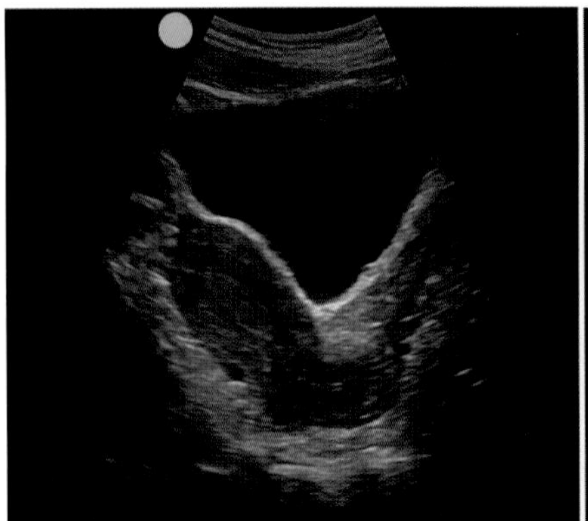

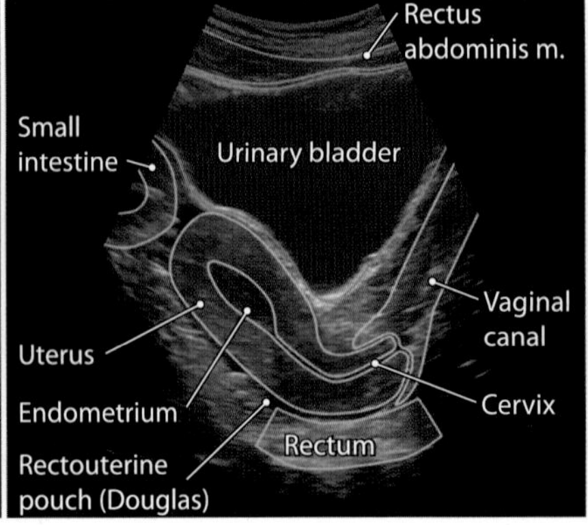

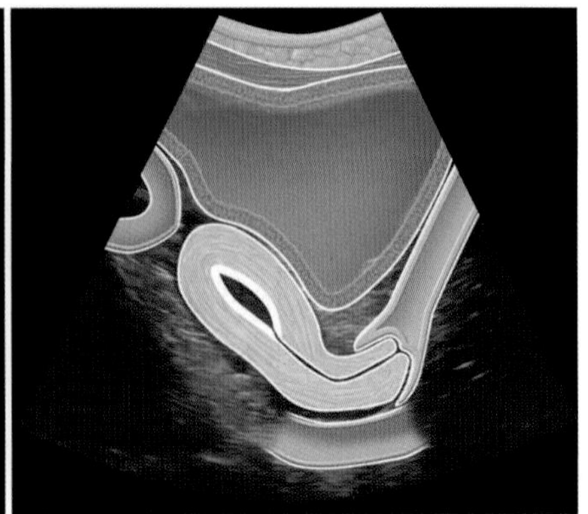

그림 10.1 여성 골반의 정상 종단면(시상/부시상) 상치골 영상

방광 뒤쪽으로 자궁 근육은 전형적으로 저에코성의 반점있는 모양이다. 방광의 채워짐 변화에 자궁의 모양이나 위치가 변한다. **자궁근육층**은 과에코성의 띠로 월경주기에 따라 두께가 변한다. 얇은 과에코성 질부띠는 경부에서 방광쪽으로 밑으로 확장되어 보인다.

중요한 공간인 곧창자자궁오름, 방광자궁오름을 확인한다.

치골상의 여성 골반

횡단면

그림 10.2

세로의 골반상의 검사가 끝난뒤 탐색자는 90도 시계방향으로 돌려 마크 부위가 우측으로 가도록하고 치골결합 바로 상부에서 탐색자를 댄다. 골반 중요물 및 구조물이 확인될 때까지 탐색자 위치와 경사를 조절한다. 횡단면에서 꽉채운 방광은 대략 직사각형이다.

방광, 장궁, **자궁내막띠**를 확인한다. 자궁과 경부를 따라 아래 위로 조심히 스캔한다. 좌우 난소를 확인하고 주로 자궁의 체부를 따라 흔히 발견되며 외장골혈관의 후방, 하방 부위이다. 난소는 "초콜렛 칩 쿠키"로 설명되는데 여기서 "칩"은 무에코/저에코의 난포들이고 "쿠키"는 좀 더 에코있는 자궁간질이다.

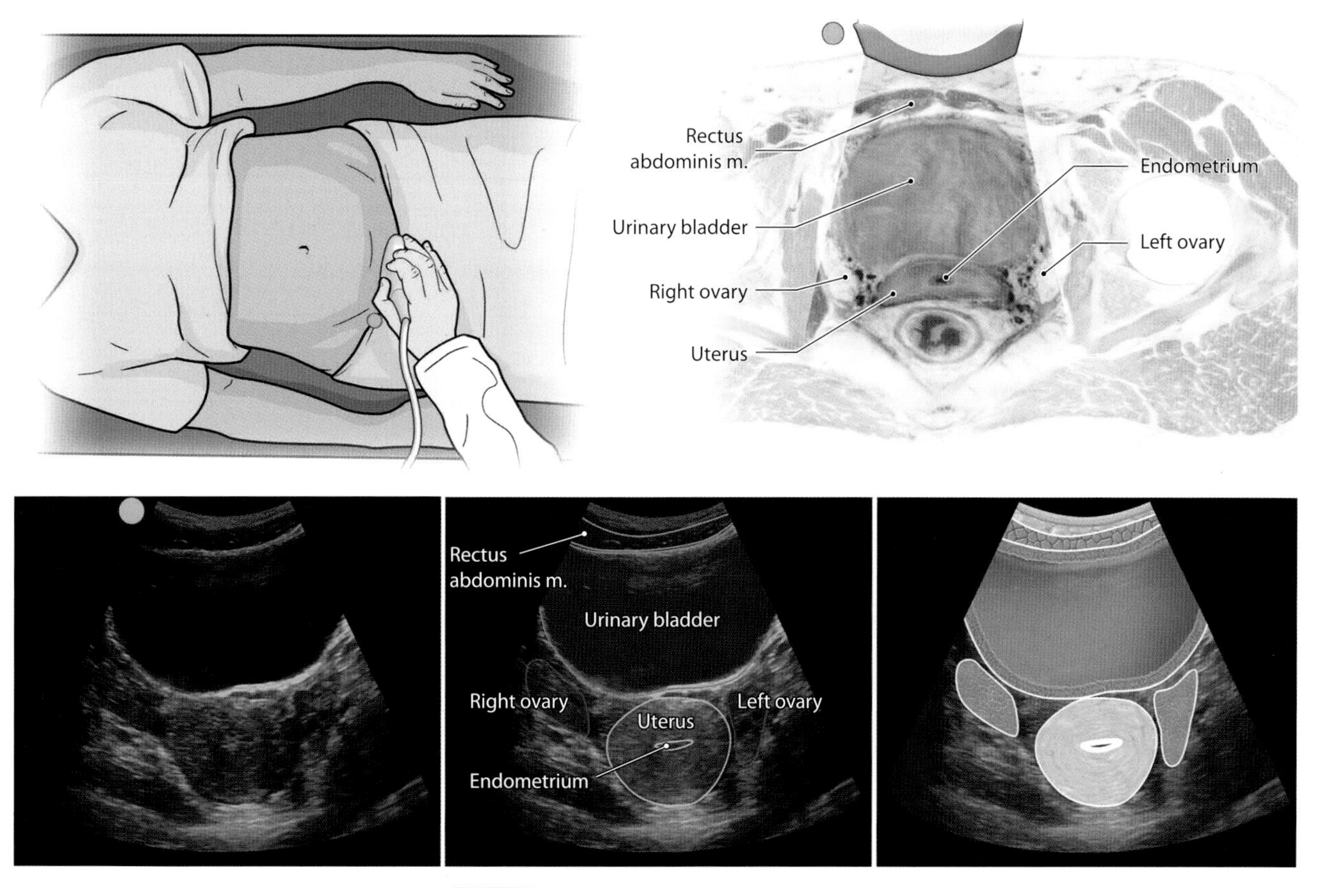

그림 10.2 여성 골반의 정상 횡단면 상치골 영상

임상 응용

복강내 출혈을 찾기위한 외상의 경우 초음파의 집중된 평가(FAST): 앙와위에서 복부의 유리액체나 복부장기로부터 나온 많은 양의 피는 전형적으로 다음 위치에 축적된다. 간신장 공간(Morsion 오름), 비장신장공간, 골반 – 여성에서 Douglas 오름, 남성에서는 곧창자 방광오름이다. 제12장에서 체액축적의 예와 이를 구분하기 위한 FAST 실험에 대해 설명한다.

자궁외임신: 배아가 정상 자궁 위치 바깥에 착상된 경우를 말한다. 미국의 모든 임신의 2% 정도 되며 첫 3개월 출혈의 18%까지 증가한다. 자궁외 임신의 위치는 자궁관, 복부, 난소, 자궁간질, 이전 외과수술 상처, 경부 등이다. 자궁외임신의 95%는 자궁관에서 생긴다. 초음파하면 난소외 자궁 부속기 종괴가 보이고 자궁은 텅 비어 있다.

섬유근종(평활근종): 섬유근종 혹은 평활근종은 자궁 양성종양의 가장 흔한 것이다. 평활근과 결체조직으로 구성되어 있다. 이들이 월경통, 통증, 출혈, 엄청난 양의 월경 주기의 가장 흔한 원인이다. 초음파로 잘 구별하고 외과적으로 제거한다.

자궁내막증과 자궁내막암

- 자궁내막증: 자궁내막의 덩어리로 간질과 선조직이 낭종처럼 보이고 자궁벽과 난소 등 다른 탈내막 위치에 생긴다. 그러나 부속 부위 종괴의 대부분은 양성 혹이다.
- 자궁내막암: 자궁암의 가장 흔한 형태는 90% 정도에서 내막암이다. 자궁의 내막에서 생긴다. 증상은 내막증과 비슷하게 질출혈, 통증, 골반 경련이다. 초음파로 내막증과 내막암을 추정할 수 있다. 난소암은 질내부 초음파와 Doppler를 이용하면 암의 혈관있는 조직, 두터운 격벽, 단단한 부위을 평가할 수 있다.

Chapter

11

남성 골반(Male Pelvis)

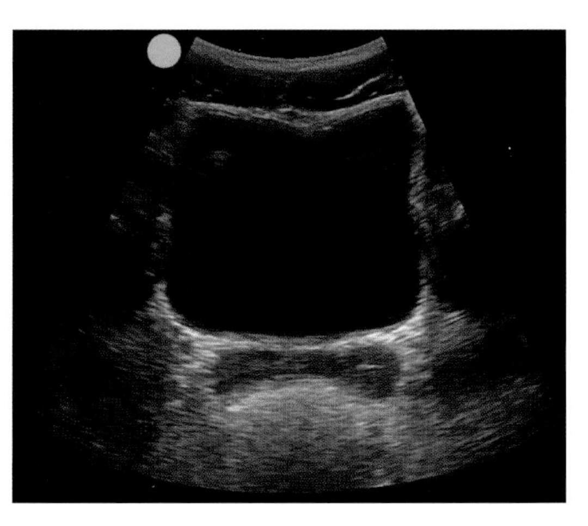

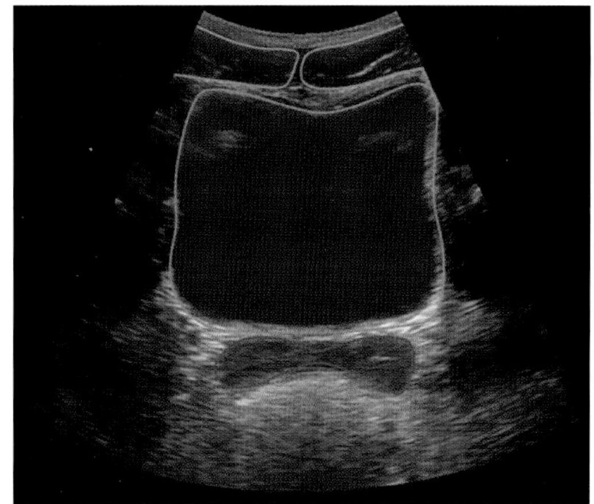

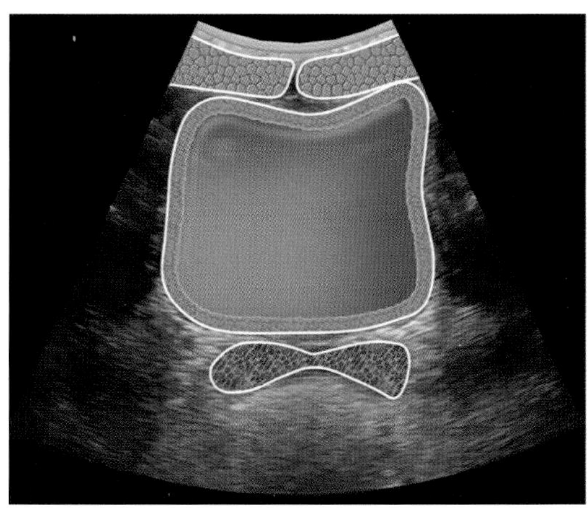

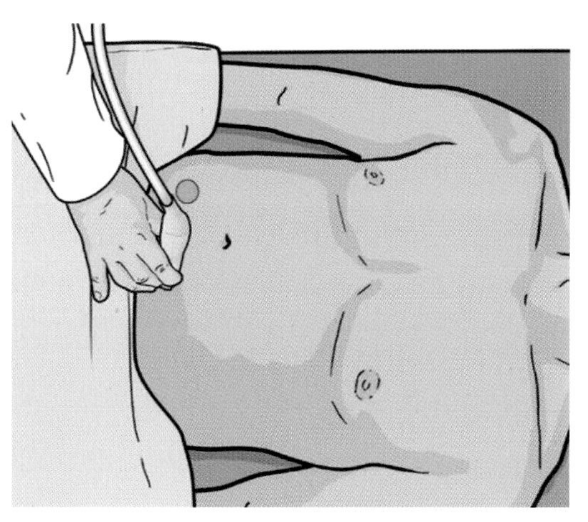

해부학의 검토(Review of the Anatomy)

골반(대야의 나전어)은 밥그릇처럼 생긴 골성구조물로 하지의 위쪽 복부의 아래에 위치한다. 골반뼈는 **엉덩관절뼈**(2개 엉덩뼈), **천골, 미골**이 있다. 골반은 골반 분계선(골반 가장자리) 위쪽은 소골반, 아래는 대골반으로 나누어진다. 골반 출구는 소골반에 위치하고 골반바닥, 미골, 항문거근의 근육들에 의해 씌우져 있다. 골반은 전상장골극, 치골결절(두덩뼈 결절)과 함께 수직축으로 미골, 치골 결합의 상부을 포함하는 수평축으로 각진 위치에 있다. 이리하여 골반강은 천골의 각도와 나란하다.

골반은 역시 입구부, 출구부로 나뉘어진다. 입구는 상부 골반구멍으로 골반강의 상부에 해당하고 중요 3부위가 있다. 천부, 장골부, 치골부이다. 천골곶(융기), 천골날개, 활꼴선(궁산선), 치골선, 치골능, 치골 결합을 따라 전적으로 골 가장자리(골반 분계선)를 가진다. 천골날개 전반부와 함께 천골은 천골부를 형성하고 골반 입구의 후방을 형성한다. 골반 입구의 외측에 해당되는 장골부는 장골의 활꼴선 혹은 장골치골선에 해당된다. 치골부는 상부에 해당되고 치골결합의 상부에 해당된다. 남성 골반은 가장 좁고 심장모양으로 생겼다. 입구에서는 골반 장기가 복부복막의 하반부에 의해 덮혀있다. 남성에서 방광을 덮고있는 복막이 직장의 앞면으로 뒤덮혀져 직장방광오름을 만들고 이에 복막체액과 소장의 일부을 포함하고 있다. 이 오름은 누워서 있을 때 복강의 가장 의존하는 부위이다.

골반 출구는 다이아몬드 형태 구멍으로 복강내로 연결된다. 이는 골성(좌골치골지), 인대성(엉치결절인대) 가장자리로 골반과 비뇨생식 격막에 의해 제자리에 유지된다. 특히 골반출구는 외측으로 좌골결절, 엉치결절인대에 의해, 후방으로 천골, 미골에 의해, 앞으로 치골결합부 활꼴, 치골인대, 치골 및 좌골의 분지에 의해 경계지워진다.

골반격막이라 알려진 골반바닥의 근육은 주로 좌 · 우 항문거근으로 구성되며 후방은 전적으로 미골근과 그들의 회음근막으로 구성된다. 골반격막은 모든 골반장기를 지지하고 배변시 항문직장 연결부를 굴곡시키며 자발적인 배뇨를 돕는다.

골반벽은 골(좌골, 천골), 인대(천골극과 천골결절), 근육(내폐쇄근, 이상근)으로 형성된다. 골반벽에 뒤쪽으로 대, 소 좌골구멍이 앞으론 폐쇄공등 구멍이 있다. 폐쇄공의 대부분은 폐쇄막으로 덮혀 있다. 소폐쇄관은 앞, 위쪽으로 열려있다.

골반의 관절은 요 · 천부, 천골장골부, 천골미골부 관절과 치골결합이 있다. 요 · 천부관절은 제5 요추와 천골기저부 사이에 있다. 이 사이에 추간판이 있고 장요골 인대들에 의해 보강된다. 천장골 관절은 천골과 장골의 관절면 사이에 위치한다. 이는 활막과 연골관절로서 연골에 의해 둘려싸여 있고 앞, 뒤, 골간 천장인대에 의해 유지된다. 천미골 관절은 천골, 미골사이에 있다. 이는 연골성 관절로 전, 후 위측 천미골인대들에 의해 보강되어 있다. 마지막으론 치골 결합부는 연골성, 섬유연골성 관절로 정중면의 치골사이에 있다.

남성에서 골반인대는 치골전립선 인대를 포함하며 골반내장의 두터워진 것으로 전립선과 부착되고 골반골에 연결된다. 하치골 혹은 활꼴치골인대는 남성, 여성 모두에서 발견되나 치골결합의 하부를 건너 하치골지 내부면에 연결되는 인대이다.

요도와 방광(Ureters and Urinary Bladder)

요도는 근육성도관으로 콩팥에서 방광까지 연결된다. 평활근이 행상 피로 구성되고 연동파로 소변을 몰아낸다. 요도는 총장골동맥 분지부 위쪽 골반가장자리를 통과해서 골반벽 외측으로 하행한다. 제동맥 폐쇄동맥의 내측으로 주행하고 후하방으로 정관까지 앞쪽으로 정낭까지 주행하고 방광의 후외면속으로 흘러들어간다. 그 과정 중에 3협착부가 있다. 골반가장자리 건너 요도 골반 만나는 지점에서, 총장골동맥건너는 지점, 방광에 들어가는 지점이다.

요도는 방광의 경사 기저부에 들어간다. 틈 같은 구멍을 함유하며 밸브 역할을 하며 벽내에 윤상의 섬유가 괄약근으로 기능한다. 방광이 늘어나면 밸브와 괄약근에 작동해서 오줌이 요도로 되돌아가는 것을 방지한다.

방광은 골반 정중앙 앞쪽에 위치하고 직장은 뒤쪽에 위치한다. 이는 복막 하부에 위치하는 방광 배뇨근이라 알려진 평활근 가닥으로 구성되어있다. 방광이 차면 골반 가장자리로 확장된다. 해부학적으로 정점은 앞에 위치하고 기저부는 후 하방 삼각형 형태로 되어있다. 방광기저부에 삼각형구역(방광삼각)이 있고 여기에 방광점막이 밑쪽의 평활근층과 단단히 합쳐져 방광바닥에 깔려있다. 방광삼각은 2개의 요도구멍에 싸여있고 내측 요관구멍에 내측 괄약근을 가진다. 기저부에 있는 방광경부는 요관으로 연결된다. 방광의 동맥공급은 상 · 하방광동맥에서 나온다. 방광 혈관총(혹은 전립선의)은 내장골정맥으로 정맥피를 유출한다. 방광, 전립선 신경총이 방광을 지배한다. 부교감 골반내장신경(S2-S4)이 방광과 배뇨근을 수축하고 내측 요관괄약근을 이완시켜 방광의 배출을 시작한다. 교감신경은 방광벽을 이완시키고 내요관 괄약근을 수축시킨다.

방광은 요관으로 배출하고 소변이 바깥으로 나가도록 뿜는다. 남성에서는 요관이 정액의 통로 기능을 한다. 요관이 전립선을 통과하고 심부 회음오름(막성부분), 음경(음경 혹은 해면상 요관)을 통과해 3부분으로 구성된다. 전립선, 막성, 해면성으로 되어있다.

배변의 과정은 방광이 채워지고 배뇨근이 신전됨으로써 시작된다. 처음 교감신경이 작동해서 방광을 확장시키고 내요관 괄약근을 수축시켜 배출을 막는다. 두 번째 확장 수용체에 의해 방광벽으로부터 일반 내장구심(신경)들이 골반내장신경(S2-S4)을 통하여 척수로 들어간다. 이 신호가 부교감신경절 이전 섬유를 하부 하복신경총과 후신경절섬유 연결되어 방광 수축과 내요관 괄약근을 이완시킨다. 음부신경에 있는 일반 체성 원심섬유들이 외요관 괄약근을 수의적으로 이완시켜 배뇨를 가능하게 한다. 배뇨의 끝에는 외요관 괄약근이 수축한다.

음경(Testes)

음경은 남성 생식기관으로 정자와 성호르몬 생성에 관여한다. 백막으로 알려진 막성 구조로 덮혀있고 고환집막이라 불리는 내장층하에 위치한다. 이들은 후복막에서 발생해서 음낭으로 내려온다.

혈관 공급은 복부 대동맥에서 발생한 음경동맥으로 공급되고 정맥피는 덩굴상 정맥혈관총으로 배출된다. 림프액은 음경에서 요추(대동맥)결절로 가고 음낭의 림프는 천부서혜결절로 배출된다.

부고환은 음경에서 정관을 경유하고 펼쳐진 회선상의 관이다. 주된 기능은 정액을 저장하고 배출되기전 숙성시키는 기능을 한다. 머리, 체부, 꼬리로 구성된다. 머리, 체부에서 정액이 저장 성숙되는 것이다.

정관은 하복벽동맥 옆쪽으로 심부서혜륜을 통해 골반으로 들어간다. 제대동맥과 폐쇄 신경혈관다발의 내측으로 중첩된다. 방광 뒤쪽 요도의 상부를 통과하고 늘어져서 마지막 연결부위인 팽대부가 된다. 정관은 과당을 함유하여 정자의 영양 요소가 된다. 상부하복신경총(교감신경)과 골반내장신경(부교감신경)이 정관을 지배한다.

정낭(Seminal Vesicles)

정낭은 엽상 선상의 구조물로 구성되며 정관의 게실에서 발생한다. 그들은 정관팽대부의 하외방에서 발견된다. 정낭은 방광과 직장사이 전립선에서 상부가 시작되어 정관의 끝에서 만나 사정관을 형성한다. 사정관은 전립선 통과하고 요도둔덕에서 전립선 요관속으로 통한다. 정관과 사정관은 그들의 근육층으로 인해 연동 수축으로 정액분비물을 가진 정자를 요관으로 밀어낸다. **정액** 분비물은 정낭에서 분비되며 정액의 질적 문제에 공헌하며 과당 콜린,정자에 영양을 주는 다른 단백질이 풍부하다. 정낭의 관은 정관과 합쳐져 사정관을 형성한다.

전립선(Prostate)

전립선은 방광직하, 치골결합 후방, 직장 앞쪽에 위치한다. 기저부는 방광경부에 있고 요관이 방광을 나와 전립선으로 들어가는 위치이며 전정부는 골반바닥에 놓인다.

전립선은 해부학적으로 5소엽으로 나뉜다. 전방, 중앙, 후방, 우측, 좌측 외엽들이다. 선상조직이 주성분이며 평활근과 섬유조직이 같이 있다. 전립선은 정액에 영향을 주며 **전립선-특히 항원**, 플로스타글란딘, 다른 단백질등에 관여한다. 전립선 분비물은 사정액에 알칼리성을 추가하고 정액의 특이한 냄새를 생성한다. 전립선관은 사정관에서 정액을 받아 전립선동이라 불리우는 요도 능선과 전립선 요관사이의 구릉(구)으로 배출한다.

요도 능선(Urethral Crest)

요도 능선은 전립선 요관의 후방 방면에서 발견되며 여기에 전립선 관에서 정액 액체를 받아내는 여러개 구멍들이 양측으로 있다. 요도둔덕, 정구라고도 불리우며 요도 능선의 커진 부위로 사정관과 전립선 타원낭에서 오는 구멍을 제공한다.

발기와 사정(Erection and Ejaculation)

발기는 부교감신경계 근육수축의 영향을 받는다. 골반 내장신경에서 온 부교감신경이 발기조직의 동맥 확장시키고 망상체와 해면체를 확대시킨다. 음경해면근, 궁둥 해면체가 수축되어 발기를 유지한다. 비교감신경계(발기)의 포인트 **P**와 교감신경(사정)의 발사 **S**가 이관계의 기억을 돕는 방법이 된다.

교감신경을 자극하면 사정관의 평활근의 수축을 가져와 정액을 분출시킨다. **사정**은 귀두의 자극으로 시작되며 음경해면근을 수축하고 요관을 압박하여 사정 분출되게 한다. 교감신경자극으로 방광의 괄약근을 수축시켜 정액과 소변이 섞이는 것을 방지한다.

복부/골반의 복부경유(상치골) 영상

[Transabdominal(Suprapubic) Views of Abdomen/Pelvis]

치골상 남성 골반
종단면
(시상면/방시상)
그림 11.1

이 방법은 환자의 방광이 가득찰 때 가장 잘 시행된다. 방광이 가득하지 않으면 장애 가스 음영이 초음파 작업을 근복적으로 방해한다. 가득찬 방광이 장을 위로 이동시키고 상방으로 움직이게 해 방광 뒤 골반 구조물의 초음파 검사를 위한 뛰어난 음향창을 제공한다.

양와위에서 적당하게 포를 깔고 휘어진 탐색자의 뒤꿈치(마크없는 부위)가 바로 치골결합 부위(혹은 바로 위)대고 마크 부위는 머리를 향하게 한다. 탐색자를 골반 경계와 구조물을 확인

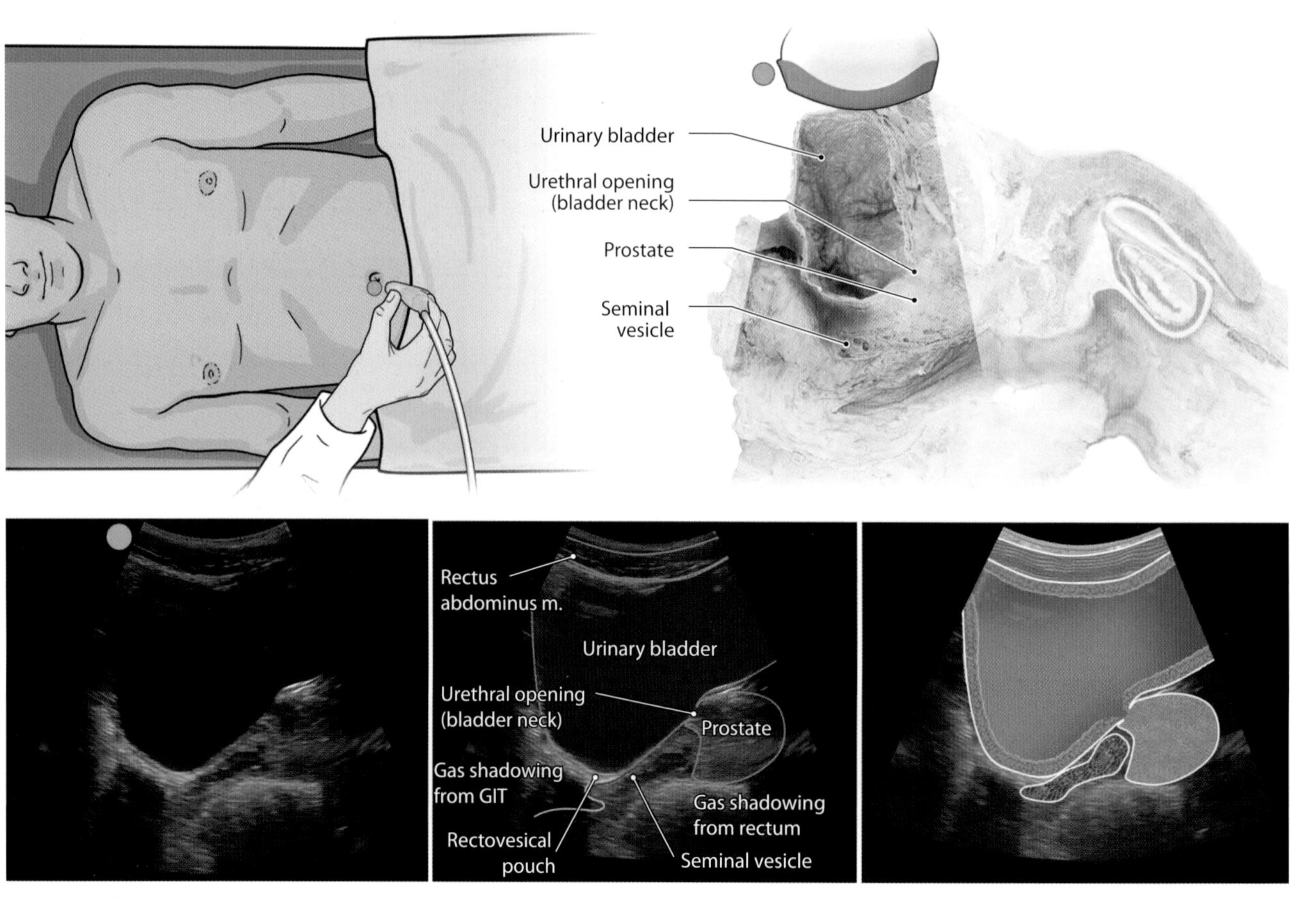

그림 11.1 남성의 종단면(시상/부시상면) 상치골 영상

할 때까지 움직이고 경사지게 한다. 소변은 모든 수액같이 무에코이고 방광벽은 과에코이다. 세로 영상에서 꽉찬 방광은 대략 삼각형이고 정점은 후방을 향한다. 방광 후방에 벌집모양의 정낭과 전립선이 보인다. 전립선을 우에서 좌, 다시 뒤로 세심하게 보면 방광 경부에서 요관 구멍이 전립선으로 구멍난 것을 발견하도록 시도한다.

상치골 남성 골반
횡단면
그림 11.2

세로면으로 골반의 상치골상 검사가 끝나면 탐색자는 시계방향으로 90도 돌려 마크가 우측으로 가게하고 탐색자 표면을 치골결합 바로 위에 가도록 위치한다. 골반 경계물과 구조물이 확인될 때까지 탐색자 위치 경사를 조절한다. 횡단면에서 꽉찬 방광은 대략 사각형 모양이다. 방광 위 아래를 조심스레 확인하고 방광 뒤에 정낭의 저에코 나비넥타이 모양을 확인할 수 있다.

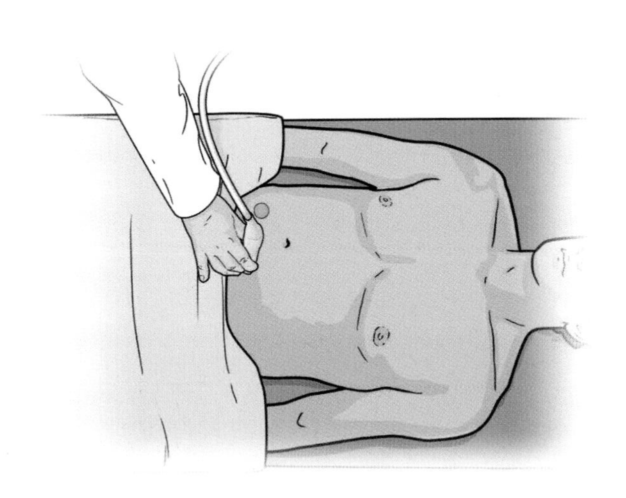

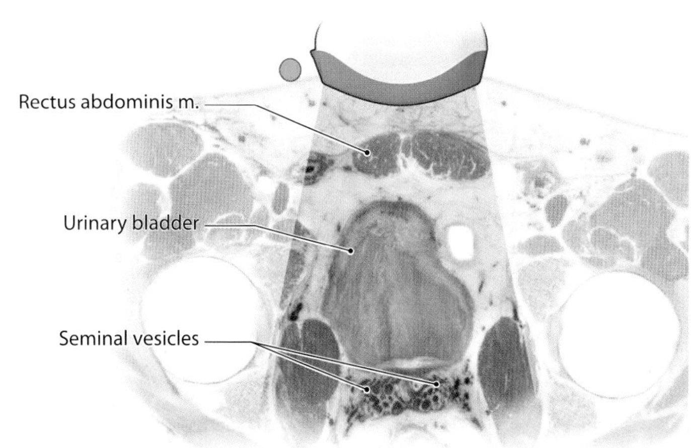

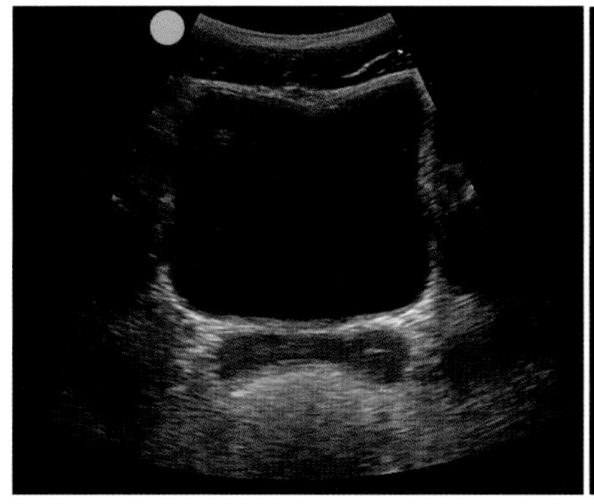

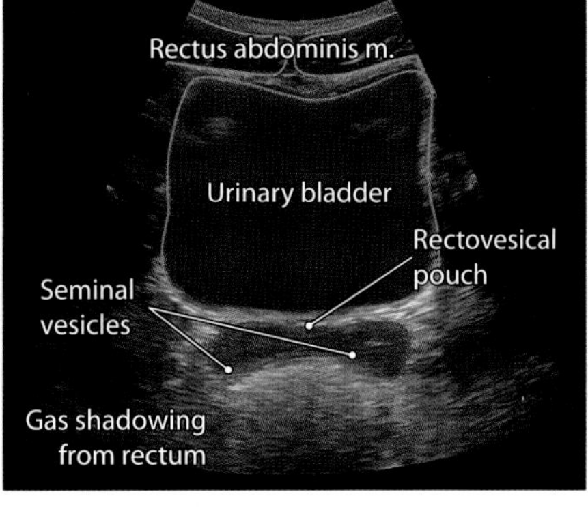

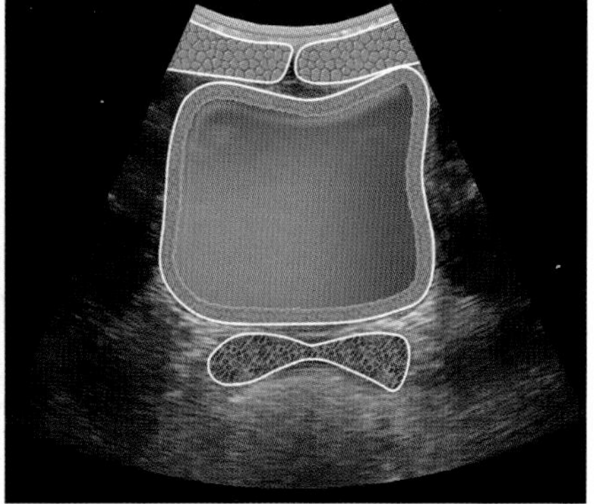

그림 11.2 남성 골반의 정상 횡단면 상치골 영상

임상 응용

복막내 출혈을 확인하기 위한 초음파로 외상의 집중 평가(FAST)

앙와위에서 유리 복부내 액체 및 많은양의 복부장기 출혈이 다음장소에서 축적되어 있다. 간신장공간(모리슨오름) 비장신장 공간, 그리고 골반에서는 여성의 더글라스오름, 남성의 직장방광오름이다. 제12장에서 FAST 검사를 통해 액체 축적된 이 공간들을 확인할 수 있다.

파열된 방광

골반골절이나 전복 부벽의 하방 손상으로 팽창된 방광이 파열될 수 있다. 소변이 복막내 · 외로 유출된다. 방광 상부에서 파열이 일어난 경우 소변이 복강내로 유출된다. 방광 후방이 파열되면 복강외 유출이 일어나 서혜부로 들어간다.

방광비후

방광 두께는 방광 확장과 어느 정도 관련 있다. 확장 안될때는 > 3 mm에서 > 5 mm이다. 확장되었을 경우 전반적인 방광벽 비후는 방광폐쇄, 신경인성방광, 염증(방광염) 때문이다. 국소적인 방광비후는 전형적으로 이행세포암종 같은 악성종양에 의한다.

상치골 카테터 위치

상치골 카테터 위치는 초음파 유도하에 방광측으로 배액관을 삽입하는 시술이다. 이는 요도관 케테터 삽입이 금지되거나 불필요한 경우이다. 특별한 적응증은 방광저류, 심한 양성 전립선증식증, 병적비만, 요도 협착, 외상, 기타 등이다.

Chapter 12

외상에서 초음파의 집중된 평가(FAST)

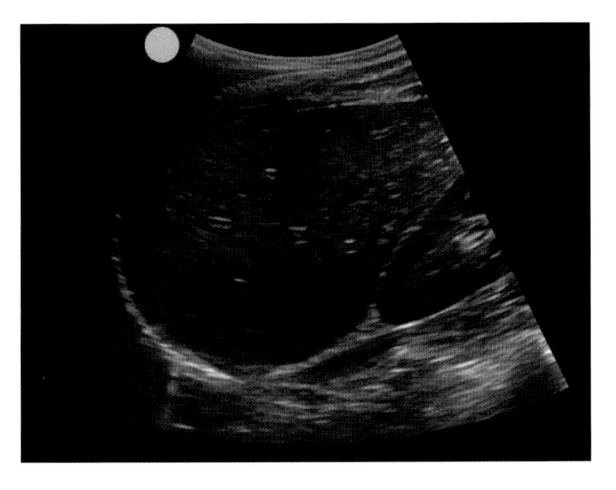

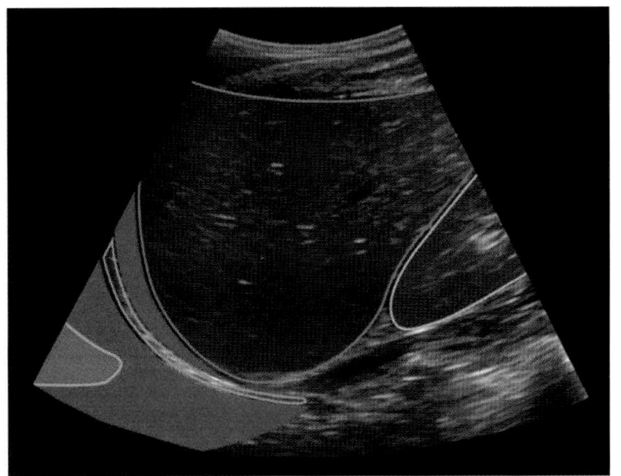

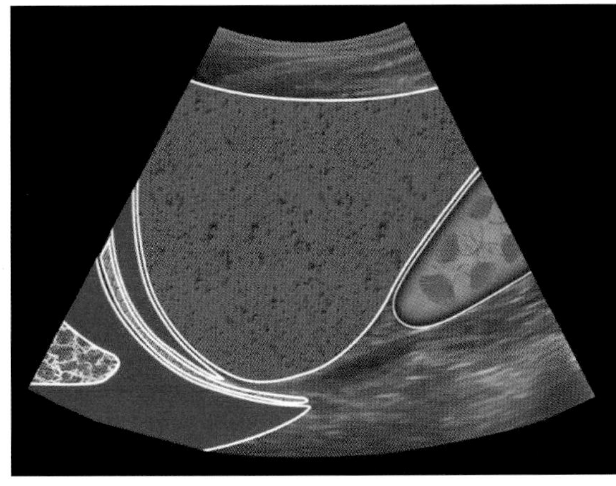

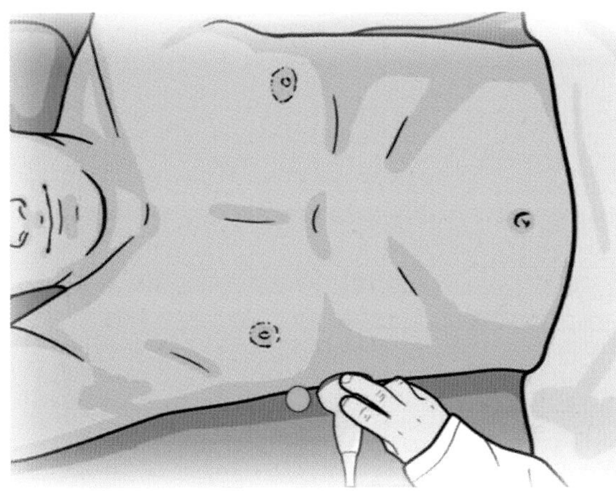

외상에서 초음파의 집중된 평가의 개요
(Overview of Focused Assessment with Sonography for Trauma)

외상에서 초음파의 집중평가(FAST)는 둔한 외상이나 관통 흉복부 외상에서 심장막공간, 흉막강, 좌, 우 상복부의 사분역, 골반에서 유리액체가 존재(다른 것으로 판명나기 전까지 피로 추정되는) 하는 것을 측정할 때 유용하다. 확장된 FAST(eFAST)검사는 추가적으론 기흉 존재를 확인하기도 한다. FAST(혹은 eFAST) 검사는 비침습적이며 응급의학과의 침대 곁에서 시행한다. 환자의 혈역학적 검사가 음성이거나 의심스러울 정도이고 이송이 필요하지 않을 경우 환자는 응급의학과에서 계속 관찰하고 치료할 수 있다. 비록 간열상, 혹은 비장파열 같은 장기 손상이 FAST 검사에서 나타날 수 있지만, 이것은 이 검사의 목적이 아니고 장기나 연조직의 손상을 알아채는 예민한 검사방법이 아니다. FAST는 이전에 기술한 해부학적 위치에 유리액체가 존재하는지 여부 확인이 이 검사의 정확하고 예민한 방법이다.

환자 위치(Patient Positioning)

응급의학과에서 흉복부 외상환자는 확인, 측정, 치료를 위해서 바로 눕힌다. **틀렌델렌부르크 자세**(머리가 발보다 15~30도 낮게 기울이는 자세)는 복막내 액체 저류가 상사분역에 모이게 해 이 구역에서 FAST 검사가 예민해질 수 있다. 역 틀렌델렌부르크 자세(발이 머리보다 그 만큼 낮아지는 자세)는 흉막강(**늑골횡격막오목**)의 아래 부분에 액체저류가 생기고 골반에서는 이들 부위에서 검사가 쉽게될 수 있다.

탐색자 선택(Probe Selection)

FAST 검사 위해 미세볼록면 배열(심장) 탐색자나 둥근배열(복부)의 탐색자를 선택해야 한다.

해부학의 검토(Review of the Anatomy)

FAST 검사의 해부학과 검침방법은 심장의 초음파 검침(검상돌기하 4-챔버 혹은 흉골외측 장축상), 복부 좌 · 우 상사분역, 골반의 상치골상에 이용되는 해부학과 검침방법이다. FAST 검사의 추가적인 지식과 기술은 이러한 곳에 있는 중요 구조물에 상관하여 유리 액체가 축적되는 장소를 알아내고 유리액체(무에코성)를 확인하는 것이다.

우상사분역(Right Upper Quadrant)

수기(Technique)

우상사분역
종단면(늑간사위)
그림 12.1

환자가 협동적이면, 오른손 바닥을 머리뒤에 뒤고, 팔을 외전, 우측늑간공간을 열게한다. 탐색자는 마크 부위를 위로 검상돌기-흉골 접합부의 수평위치에 맞춰 중앙 액와선을 따라 일치시킨다. 탐색자면을 늑간공간에 나란하게 회전시키고(늑간경사 방향), 보려고 하는 구조물의 위쪽의 갈비뼈의 음양을 감소시키며 우측 신장의 고유한 방향으로 근접한 위치에 탐색자를 대게한다. 간의 반점있는 영상을 확인하고 간상부 표면에 횡격막을 나타내는 과에코성 띠를 확인할 수 있다. 탐색자를 뒤로 기울여 간의 내장표면과 우측 신장사이 중간면이 같은 화면에 나오도록 조절한다. 간, 신장 오목에서 중요한 공간을 흔히들 **모리슨오목**이라 한다. 여기는 횡결장간막 위 복막강에서 가장 깊숙한 곳이며 상복부 유리액체 축적의 흔한 장소이다. 간신장오목은 어떤 비에코성 액체 저류를 확인하기 위해

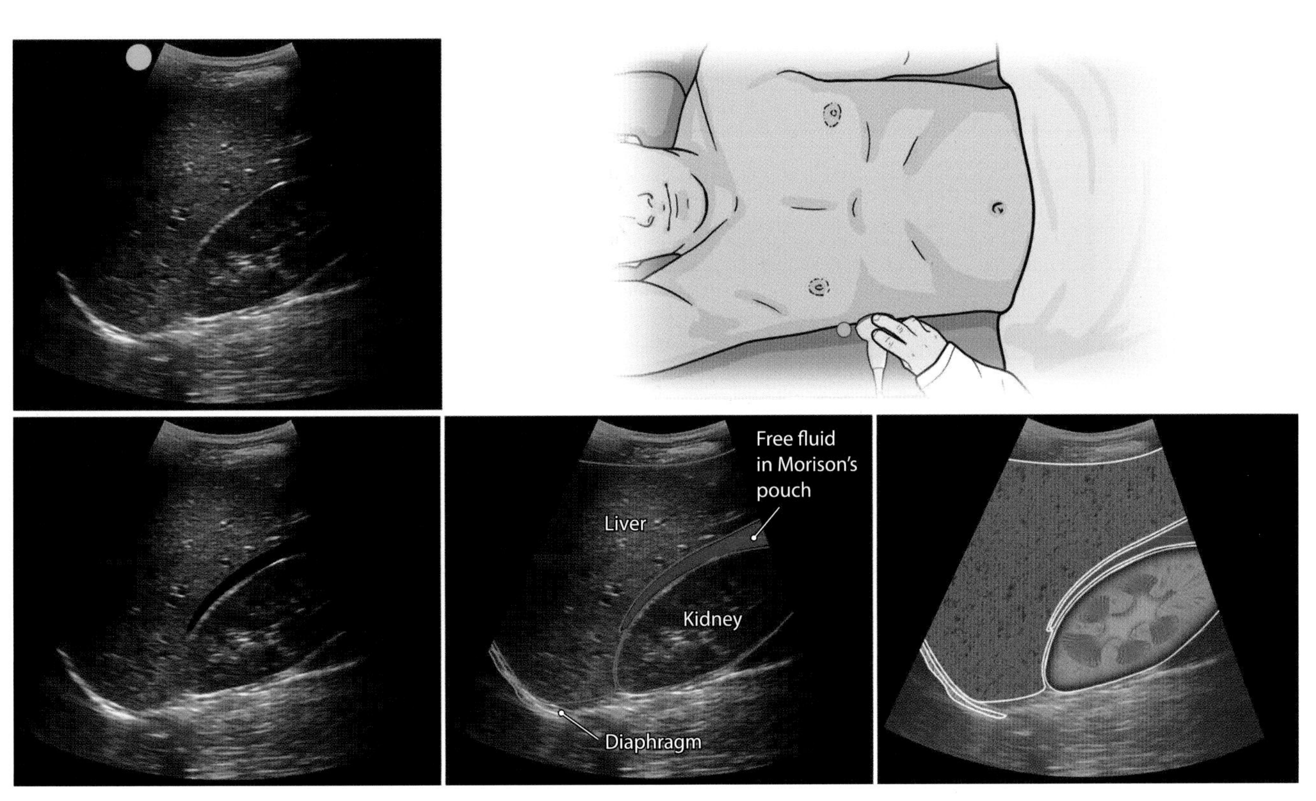

그림 12.1 상단: 대부분의 간신장 경계면을 포함하는 정상 우상사분역 초음파 영상
하단: 예술적인 연출로 간신장오름(모리슨오름)에서의 유리액체 축적을 보임

서는 조심스럽고 완벽하게 검침해야 한다.

우측상사분역
종단면(늑간사위)
그림 12.2

다음으로 탐색자를 위쪽(1 or 2 늑간사이)으로 옮겨 간의 위 표면, 횡격막과 우측 반흉강의 하부가 볼 수 있게 한다. 정상 공기가 든 폐에서 과에코의 횡격막이 경상**허상**(정상적으로는 없는 구조물이 영상에서 나타나는)을 폐영역에서 보이는데 간의 반점영상이 우측 반흉강/흉막강 위로 거울처럼 나타나는 것이다. 흉막강내 유리액체의 존재(기흉 혹은 흉막강삼출)는 경상허상을 폐기시키고 횡격막위 공간은 무에코하게 보여 종종 무기폐가 호흡 노력으로 들쑥날쑥 부유하는 모습처럼 보인다. 첨가해서 어떤 유리액체 축적이라도 우측횡격막하 공간, 횡격막과 간상부 표면사이의 중요 공간에서 조심스레 찾는다.

우측상사분역
종단면(늑간사위)
그림 12.3

다음, 탐색자를 밑으로 움직여 간의 하부모퉁이(간끝)와 우측 신장의 하부끝을 볼 수 있다. 유리액체가 간신장오름(모리슨오름)의 주된 공간에서 보이기전에 간의 하부 끝 주위에 축적될 수 있다.

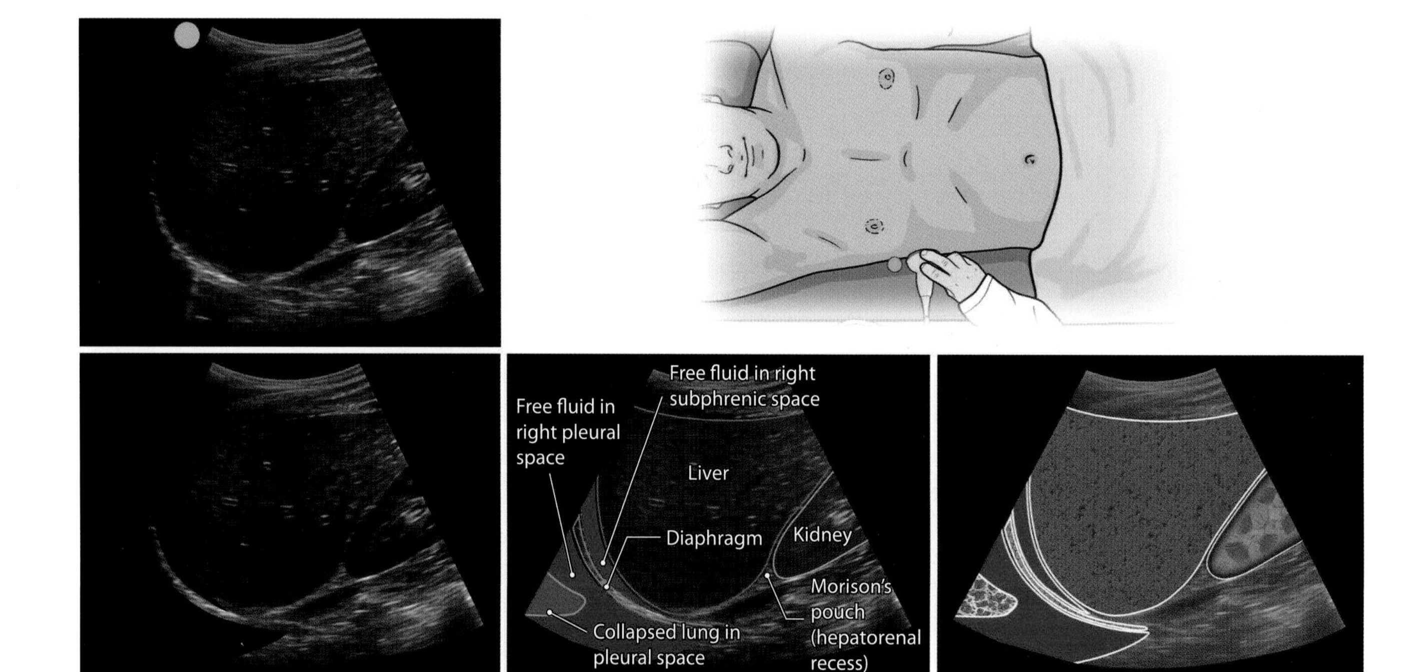

그림 12.2 상단: 우측 반흉강부, 횡격막, 간, 간신장오름의 상부을 포함하는 정상 상사분역 초음파 영상
하단: 우측 흉막강, 우측 횡격막하 공간에 액체가 축적되어 있는 예술적 연출모습

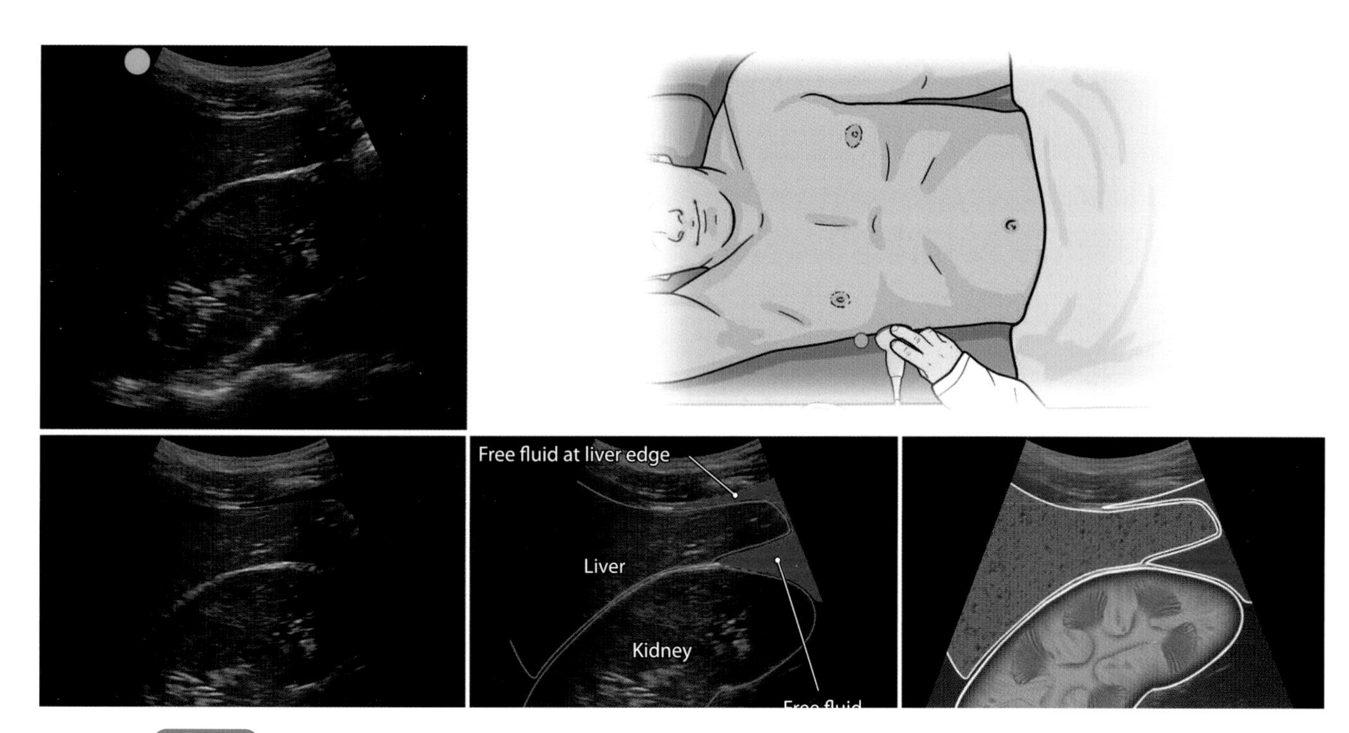

그림 12.3 상단: 간 하단 끝과 간신장 정면의 하부를 포함한 정상 우상사분역 초음파 영상
하단: 간 하단 끝에서 모리슨오름의 하부로 들어가는 유리액체가 축적의 예술적 배열 모습

좌상사분역(Left Upper Quadrant)

수기(Technique)

좌상사분역
종단면(늑간사위)
그림 12.4

환자가 협조하면 왼손바닥을 머리뒤에 대고, 상완을 외전해서 좌측 늑간공간을 열게한다. 탐색자 마크를 위로가게 해서 검상돌기 흉골 접합 부위의 1혹은 2늑간 공간에서 후방액와선을 따라 위치시킨다. 좌상사분역의 탐색자 위치는 우측에 비해 좀 더 후방이며 좀 더 상방이라는 것을 유의한다. 탐색자면을 늑간공간에 나란하게 돌려야 하고(늑간경사 방향), 늑골음영이 비장이나 좌신장의 음영 방해를 최소화한다. 비장의 점있는 영상과 비장상면 위 횡격막의 휘어진 고에코의 띠를 확인한다. 탐색자면을 비장과 좌신장 사이면까지 보일때 까지 앞쪽으로 돌린다. 좌상사분역에서 유리액체는 횡격막과 비장상부 표면사이의 좌측 비장하공간에 가장 흔하게 축적되고, 비신장오름의 중요 공간에 일부 모이기도 한다. 좌상사분역과 비신장오름을 조심해서 탐색해서 유리액체의 축적이 되었는지 확인한다.

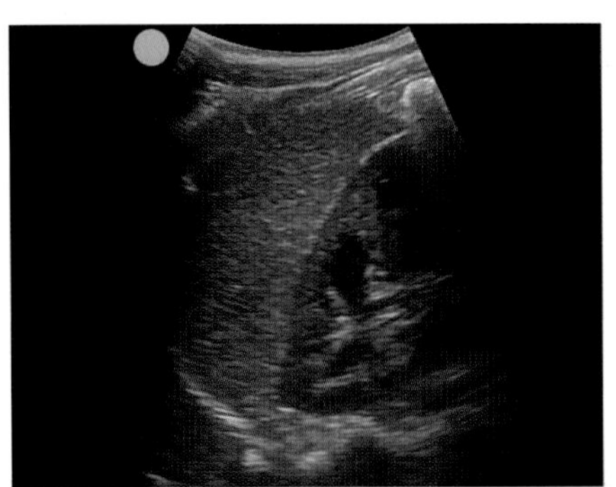

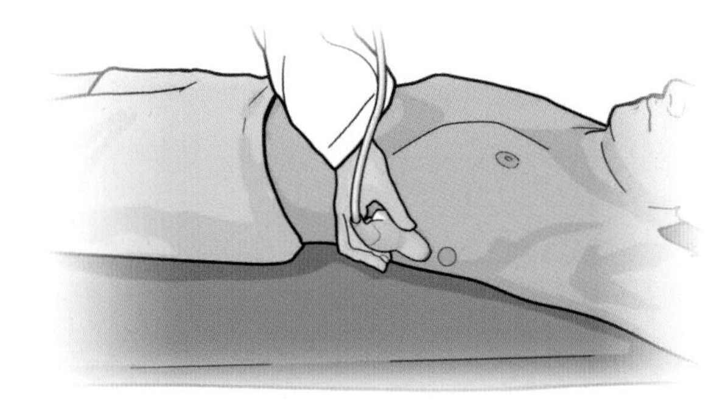

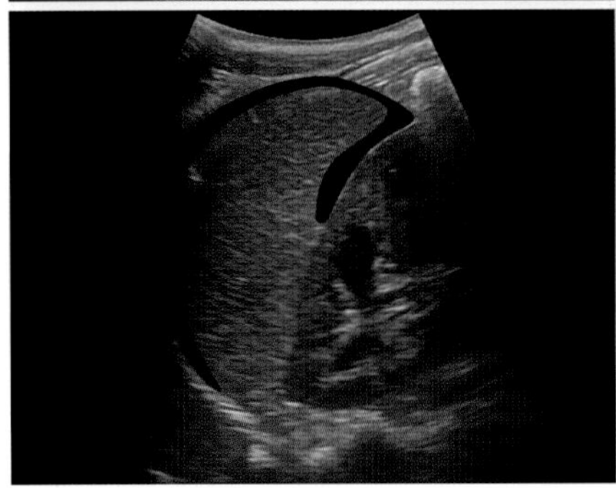

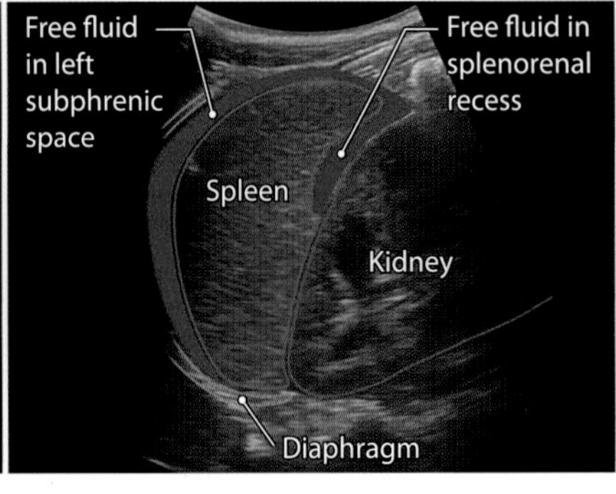

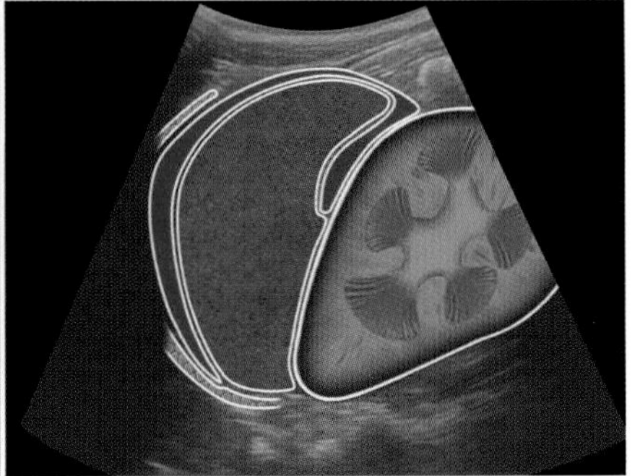

그림 12.4 상단: 횡격막, 비장, 좌신장 포함하는 정상 좌상사분역 초음파 영상
하단: 좌비장하 공간과 비신장오름에 유리액체가 축적된 예술적 배열 모습

좌상사분역
종단면(늑간사위)
그림 12.5

다음, 탐색자를 위로(1혹은 2 늑간공간) 움직여 비장, 횡격막, 좌반흉강의 하부가 보일 수 있게 한다. 공기가 든 폐에서 고에코의 횡격막은 폐영역에서 경상허상을 만들어 비장의 점있는 영상이 좌측 반흉강/흉막강 위로 경상을 만든다. 흉막강의 유리액체 존재(기흉 혹은 **흉막삼출**)는 경상허상과 횡격막 위의 공간을 소멸시켜 호흡 노력으로 무기폐가 부유해 들락거리는 영상으로 보인다. 이 위치에서 횡격막과 비장사이(좌측 횡격막하공간) 어떠한 유리액체가 축적되었는지 확인한다.

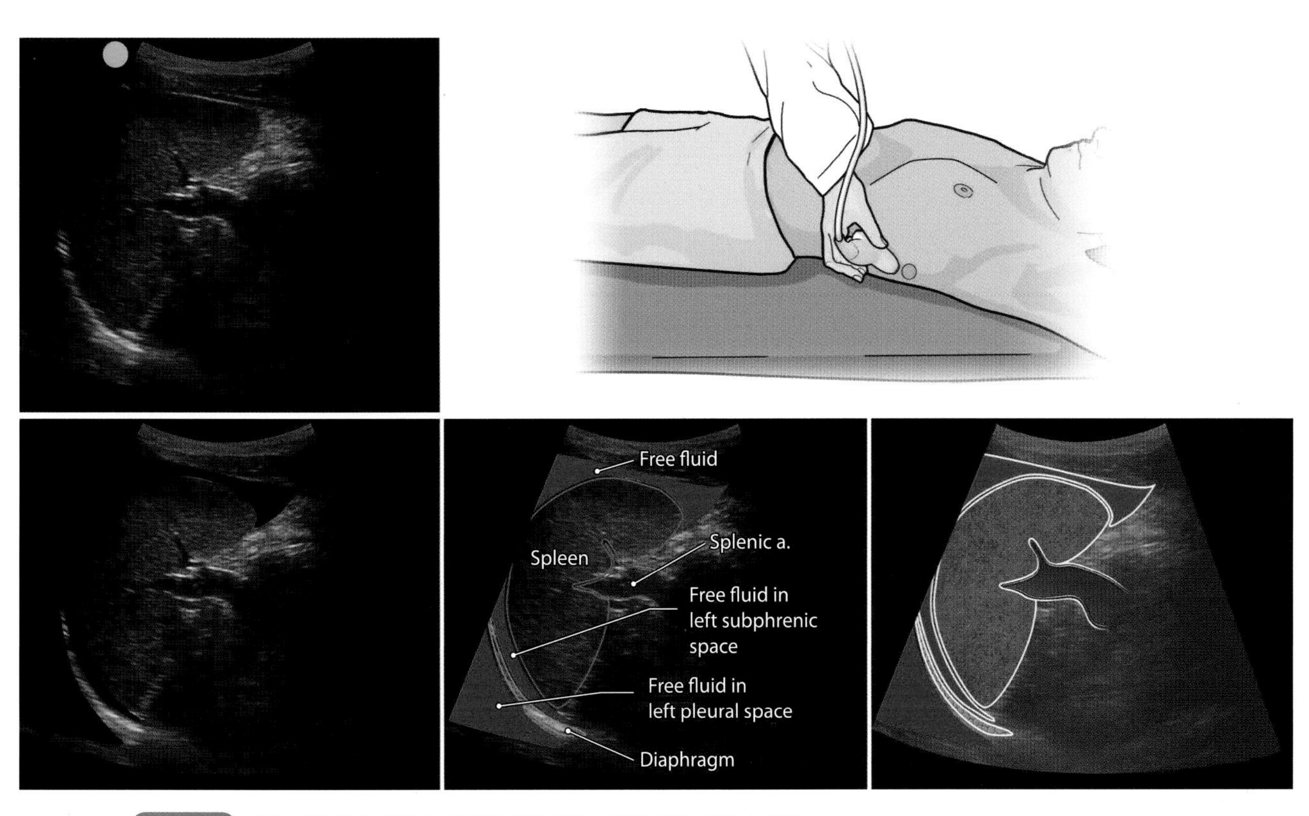

그림 12.5 상단: 좌반흉강, 횡격막, 비장을 포함 정상 좌상사분역 초음파 영상
하단: 좌흉막강, 횡격막하 공간의 유리액체가 축적된 예술적 배열

복부/골반의 상치골 영상
(Suprapubic Views of Abdomen/ Pelvis)

수기(Technique)

상치골 여성 골반
종단면
(시상면/방시상)
그림 12.6

골반 입구에서 복부복막의 하부가 골반장기를 덮고 있다. 여성에서 복막이 자궁기저부, 자궁체 부위를 덮고, 외측으로 자궁관을 골반벽까지 광인대로 펼쳐있다. 복막은 자궁에서 앞으로 펴지고, 방광에서 반사되어 비교적 얕은 공간, 방광자궁오름을 형성하며 이는 자궁과 방광사이 앞쪽, 밑쪽에 해당된다. 자궁과 자궁경부의 후방/상방을 덮는 복막은 질의 후방천장 위까지 하행하고 직장의 전면으로 반사되어 깊고 강력한 공간, 직장자궁오름을 형성한다. 직장자궁오름은 임상적

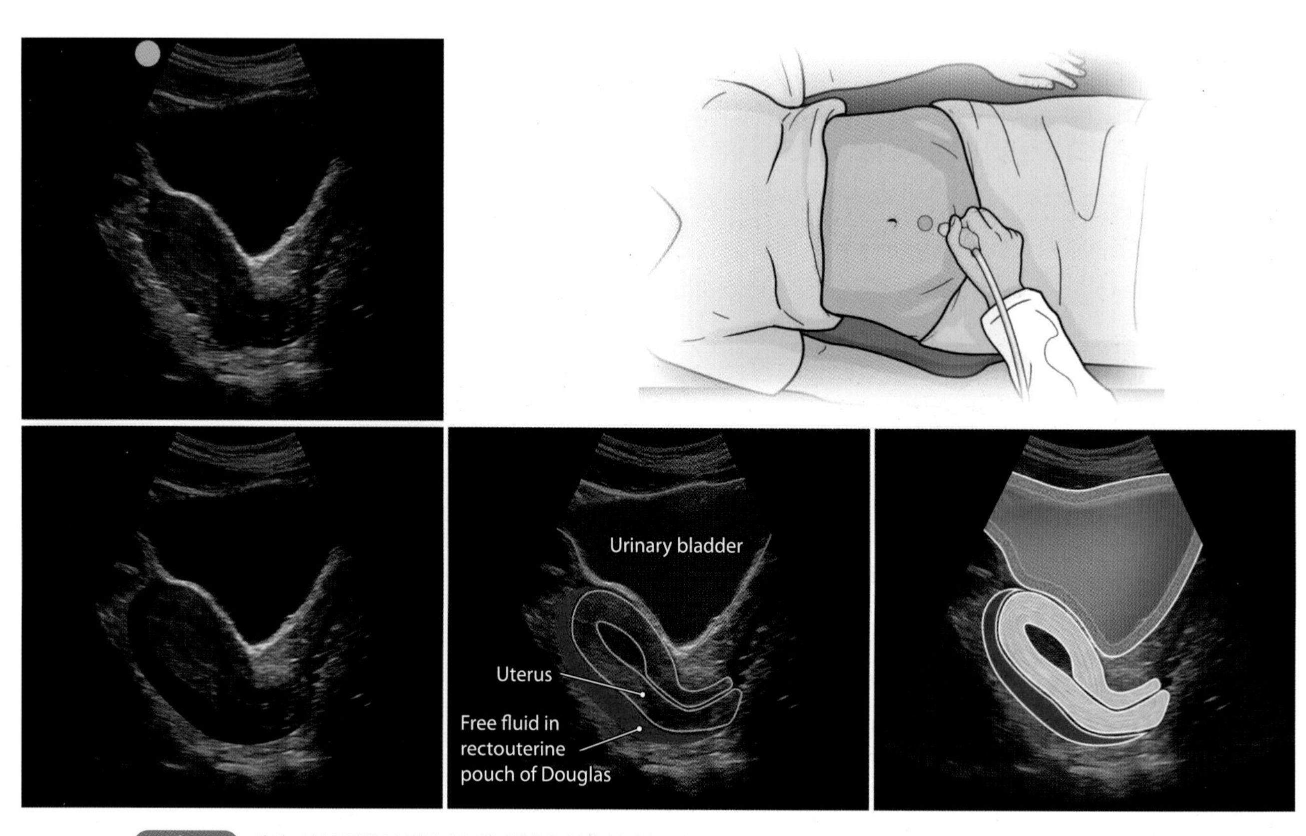

그림 12.6 상단: 여성 골반의 정상 종단(시상/부시상) 상치골 영상
하단: 더글라스의 직장자궁오름내와 방광자궁오름으로 향하는 자궁의 기저부 위쪽에 복강내 유리액체가 축적된 예술적 배열 모습

으로 **더글라스오름**이라 칭한다.

직장자궁오름은 앙와위에서 복막강의 가장 의존 부위이고 초음파 검사에서 어느 정도 소량의 복막내 유리액체가 예민하게 보인다. 불행하게도 방광이 부분적으로 완전히 차지 않으면, 장내 가스음영이 이 부위의 초음파 영상을 방해한다. 꽉찬 방광은 장고리를 위로 치우고 방광 뒤에서 골반 구조물의 뛰어난 초음파 음향창을 제공한다. 이런 이유로 흉복부 외상환자의 처음 평가로 FAST 검사를 할려면 폴리배뇨관 하기전에 해야 한다.

탐색자의 뒤꿈치(비마크 부위)를 치골결합 위(혹 바로 위)에 놓고 마크 부위를 머리쪽으로 가게한다. 골반 중요 부위와 구조물이 확인될 때까지 탐색자 위치와 경사를 확인한다. 소변은 다른 모든 액체와 같이 무에코이며 방광벽은 과에코이다. 종단영상에서 꽉찬 방광은 대략 삼각형 모양이고 정점은 위로 향한다.

방광 후면에 자궁기저부, 체부가 확인되고 과에코의 내막띠와 경부가 보인다. 직장자궁과 방광자궁오름에 유리액체의 축적이 있는지 중앙에서 좌우로 조심스레 확인한다.

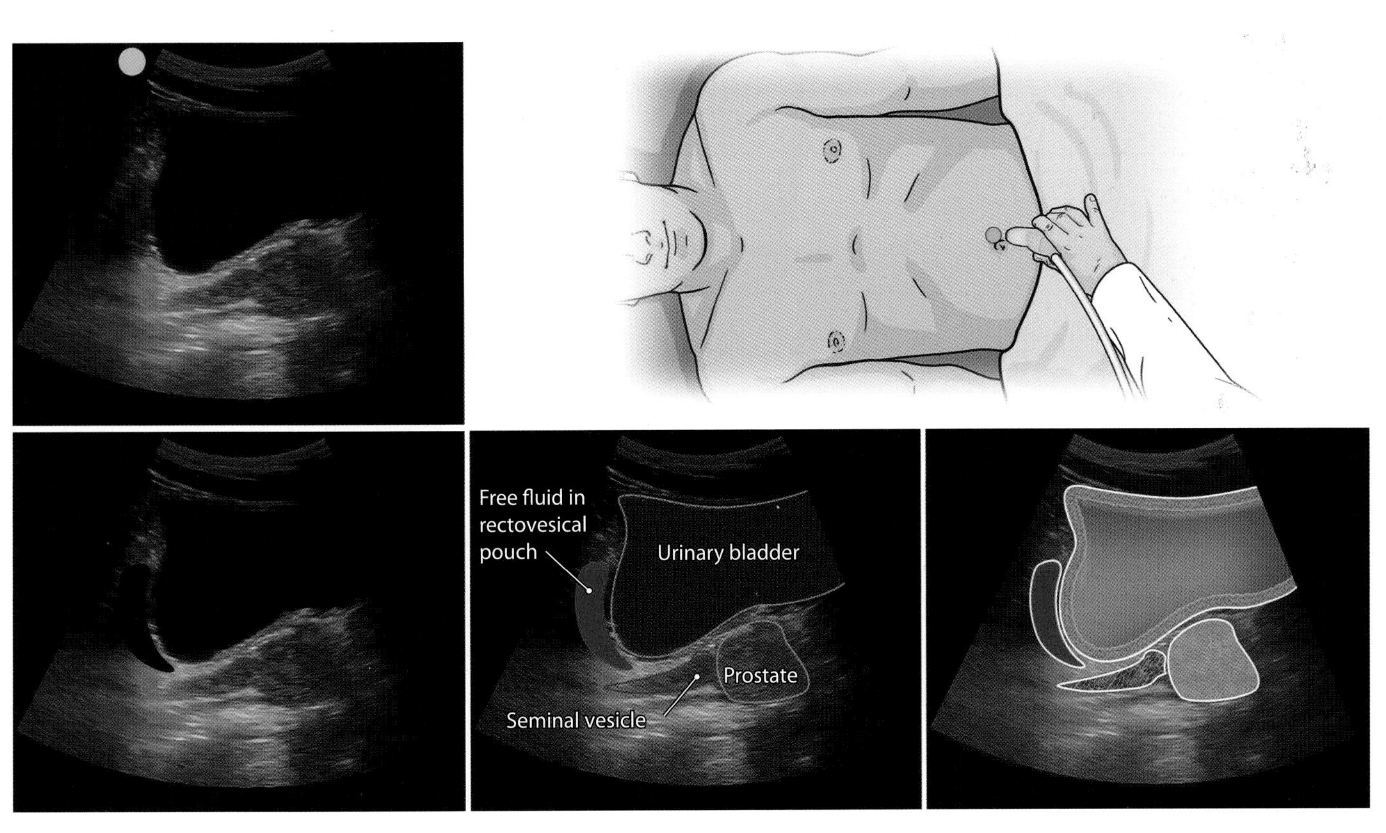

그림 12.7 상단: 남성에서 정상 종축(시상/부시상) 상치골 영상
하단: 직장방광오름에 복강내 유리액체 축적되어 있는 예술적 배열

상치골 남성 골반
종단면
(시상면/방시상)
그림 12.7

골반 입구에서 복부복막의 하부가 골반 장기를 덮는다. 남성에서는 방광을 덮는 복막이 직장의 전면으로 반사되어 직장방광오름을 형성한다. 정낭의 상극부가 직장방광오름의 하부 바로 밑에 놓인다.

탐색자 뒤꿈치(비마크 부위)를 치골결합 위(혹은 바로 위) 마크부위를 머리로 가게한다. 방광, 정남, 전립선을 확인한다. 방광 상부, 후방부를 따라 조심스레 확인해서 직장방광오름에 어떤 유리액체가 있는지 본다.

상치골 여성 골반
횡단면
그림 12.8

상치골 검사를 종축으로 시행한 후 탐색자를 90도 시계방향으로 돌려 마크 부위가 우측으로 가고 탐색자 표면이 치골결합 바로 위로 가게한다. 골반 주요 부위, 구조물이 나타날때까지 탐색자 위치와 경사를 조절한다. 횡단영상에서 꽉찬 방광은 대략 사각형으로 보인다.

방광, 자궁, 내막띠를 확인한다. 아래위로 탐색해서 어떤 유리액체가 직장자궁오름이나 방광자궁오름에 축적되었는지 조심스레 확인한다.

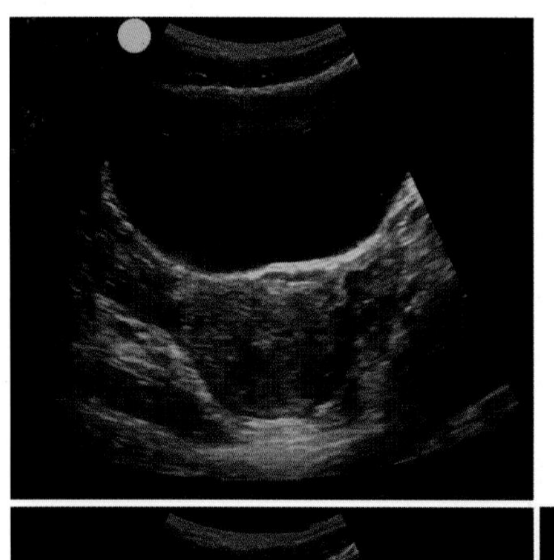

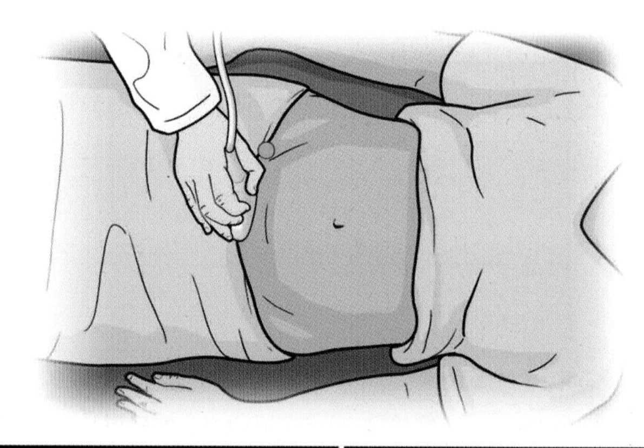

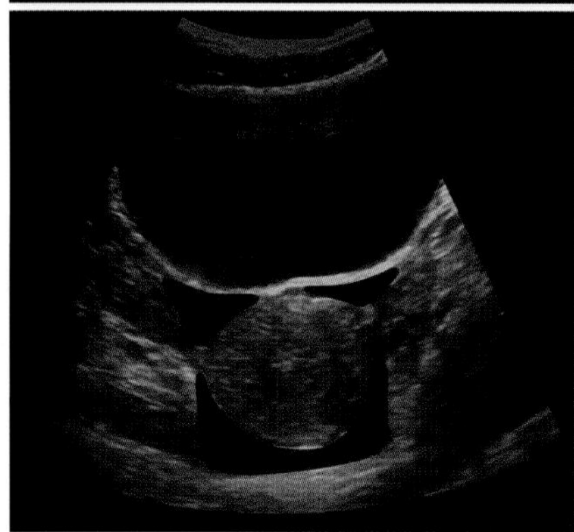

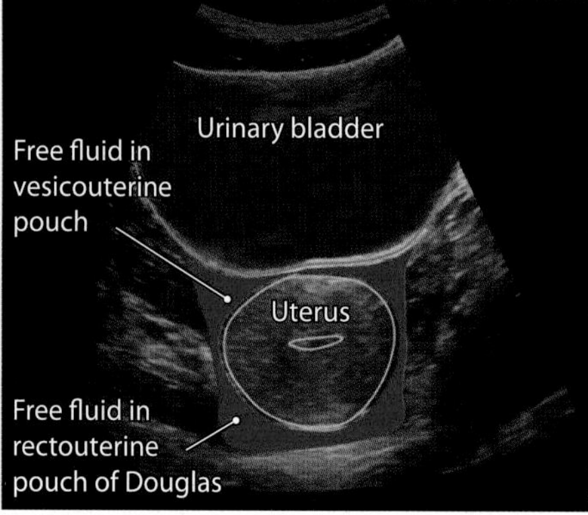

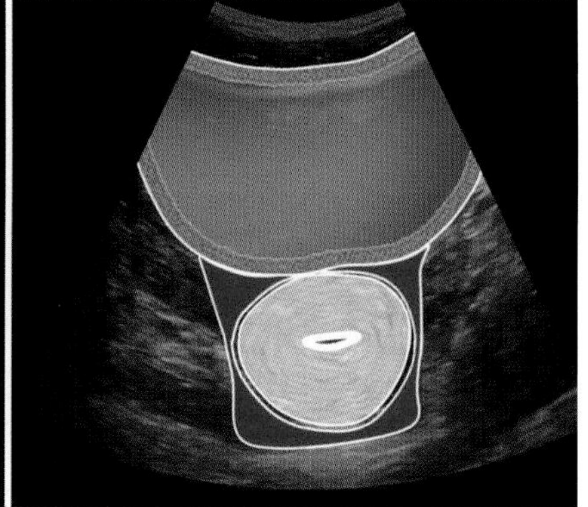

그림 12.8 상단: 여성 골반에서 정상 횡단상치골 영상
하단: 더글라스의 직장자궁오름과 방광자궁오름에서의 복강내 유리액체 축적이 관찰되는 예술적 배열 모습

상치골 남성 골반
횡단면
그림 12.9

종단면의 골반에서 상치골상을 확인 후 탐색자를 시계방향으로 90도 돌려 마크가 우측으로 가고, 탐색 표면이 치골 결합 바로 위에 오게한다. 골반 중요 부위, 구조물이 확인될 때까지 탐색자를 위치, 경사를 조절한다. 횡축영상에서 꽉찬 방광은 대략 사각형모양이다.

방광, 정낭을 확인한다. 정낭의 직상부 방광 상, 후방면을 따라 조심스레 스캔하고 직장방광오름에 어떤 액체 모임이 있는지 확인한다.

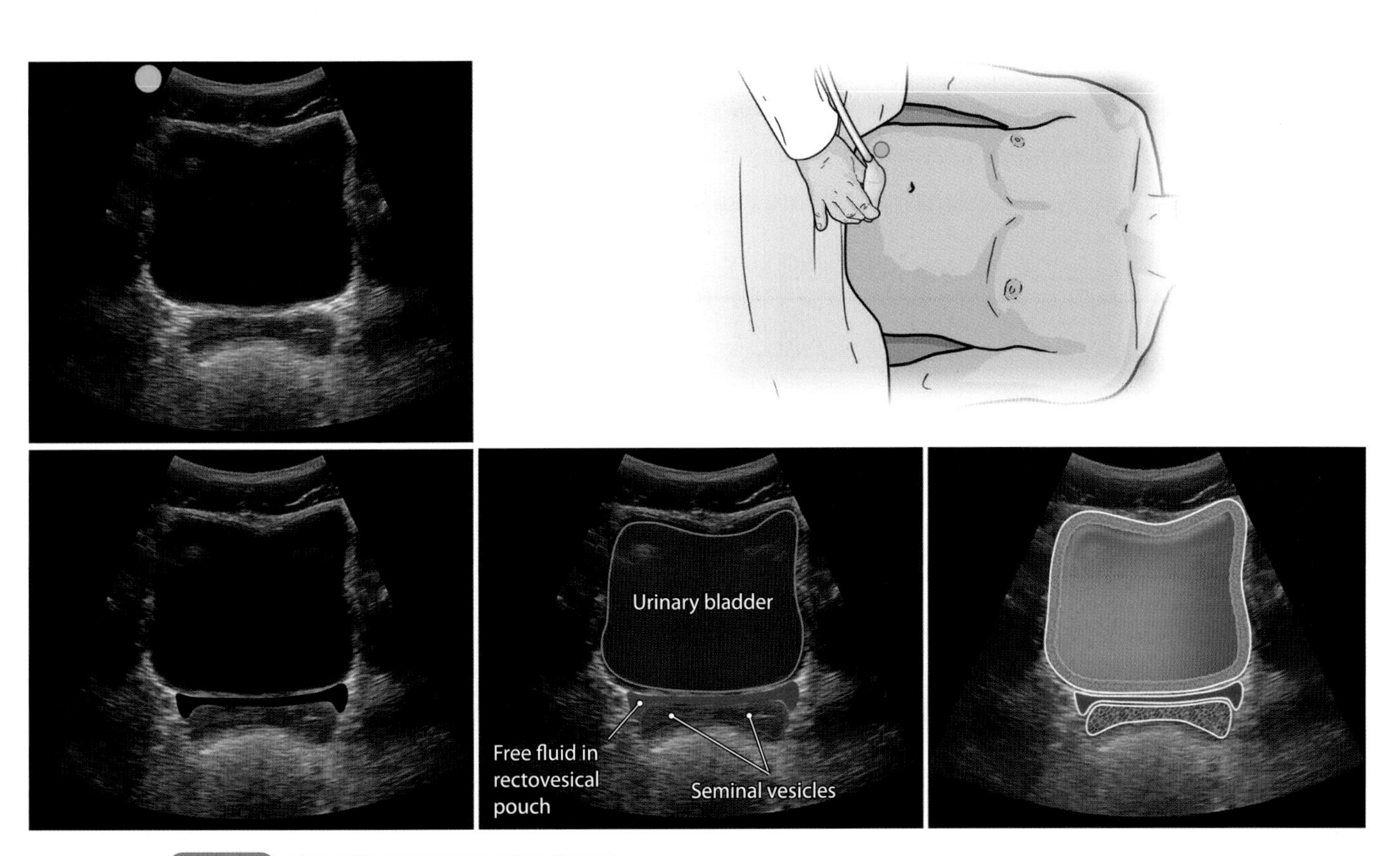

그림 12.9 상단: 남성 골반에서 정상 횡단상 치골상
하단: 직장방광오름에 복강내 유리액체가 축적되어 있는 예술적 배열 모습

심장과 심장막공간(Heart and Pericardial Space)

검상돌기하 4-방 영상
그림 12.10

검상돌기하 4-방 영상이 심장과 심낭을 보기 위해 간을 초음파 창으로 이용한다. 환자가 협조적이면 무릎을 90도 구부리고 발바닥을 침대에 놓고 복부근육을 이완시킨다. 이 영상을 위해 늑골하부궁 넓이에 따라 검상돌기 밑 정중앙 2-4 cm 우측으로 탐색자면을 위치시킨다. 탐색자는 검상돌기 밑으로 충분히 내려서 탐색자면 옆이 갈비나 갈비연골에 대해 압박하지 않도록 해야 한다. 다음, 후방으로 힘을 가하고 주걱모양으로 해서 복부에 대해 탐색자가 편평해지고 초음파선이 위쪽으로 향해 좌측 견관절 방향으로 향하게 한다. 탐색자 위치, 경사 조절해서 간, 심장방, **심낭**이 확인되도록 조절한다. 필요하다면 깊이 세팅을 증가시켜 좌심방의 유리벽에 인접한 후방심낭이 먼 영역에서 확실하게 보이도록 한다. 가능하면 심호흡시켜 심장이 탐색자에 가까이 오게 하면 영상질이 좋아진다. 조심스레 스캔해서 심장과 심낭을 보고, 정상으로 보이는 심근과 과에코의 심낭사이에 어떤 유리액체나 피가 축적되는지 확인한다.

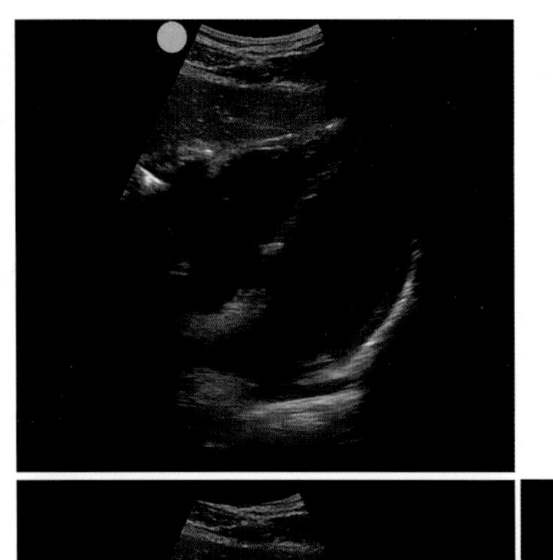
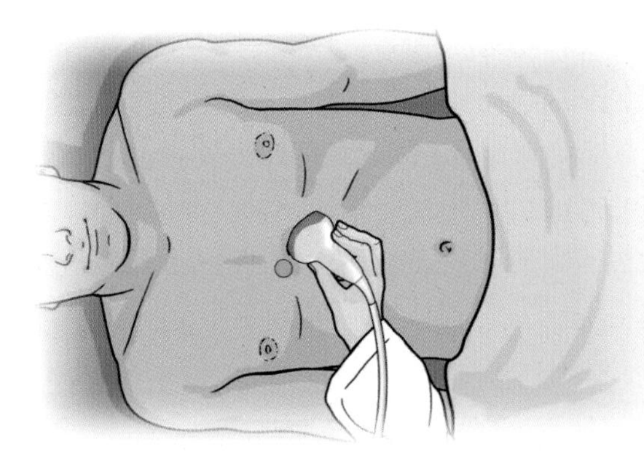
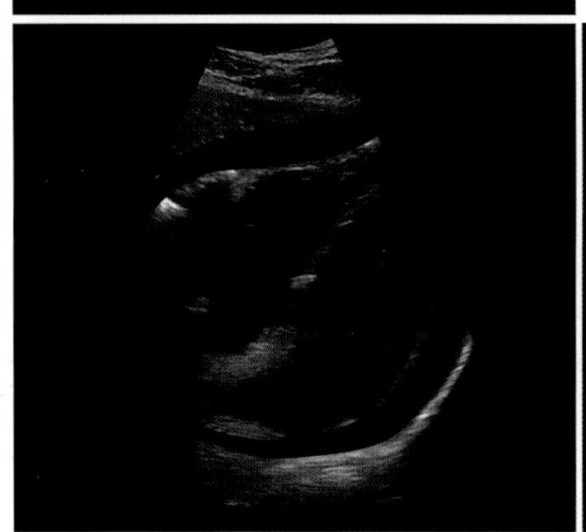
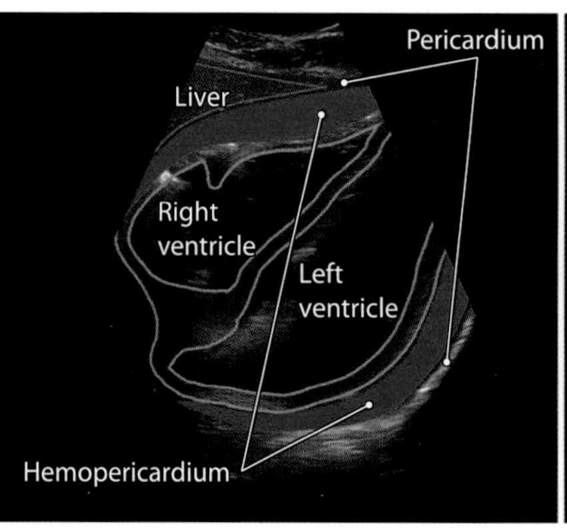

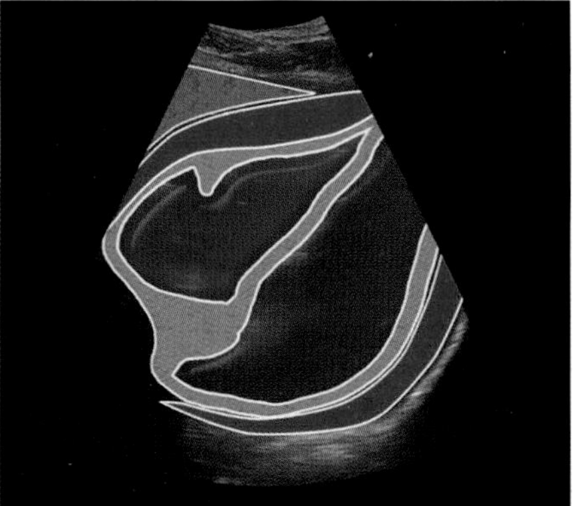

그림 12.10 상단: 심장, 심낭의 정상 검상돌기하 4-방 영상
하단: 심장막강의 유리액체의 예술적 배열 모습

주의: 미세볼록형태 배열(심장)탐색자를 사용할 때 많은 초음파 장비가 자동적으로 화면 마크점을 우측 스크린영상에 위치시킨다. 반면 다른 장비는 좌측 스크린 영상을 보이는 경우도 많다. 보통 스크린 마크점이 영상의 왼쪽에 있으면(커브된 배열 혹은 복부탐색자를 사용해야 할 경우처럼) 탐색자의 마크부위가 환자의 우측 액와부위를 향하게 해야 영상이 보인다. 그림 12.10처럼 마크점이 스크린 영상의 우측에 있으면 탐색자의 마크 부위가 환자의 좌측 옆구리로 향해 동일한 방향의 영상을 얻을 수 있다.

복장옆 장축영상
그림 12.11

복장옆 장축영상을 위해서는 우측 견관절과 젖꼭지를 연결하는 선을 따라 3, 4, 5 늑골공간의 흉골 바로 좌측에 탐색자를 댄다. 초음파 선이 좌심실의 장축을 따라 향하게 된다. 탐색자 위치를 1늑골공간 정도 아래위로 조절하여 그림 12.11의 심장 영상이 가장 잘 보이도록 조절한다. 좌심실 후방 유리벽과 인접한 후방심낭은 먼 위치에서 발견되어야 한다. 좌심방, 승모판, 좌심실의 유입경로, 좌심실 배출경로, 대동맥판, 상향 대동맥을 확인해야 한다. 심실간중격, 우심실의 배출경로는 근접영상에서 확인해야 한다. 하방 흉부대동맥은 승모판륜 가까이 좌심방의 바로 뒤에서 볼 수 있다. 좌심실의 정점은 펼쳐진

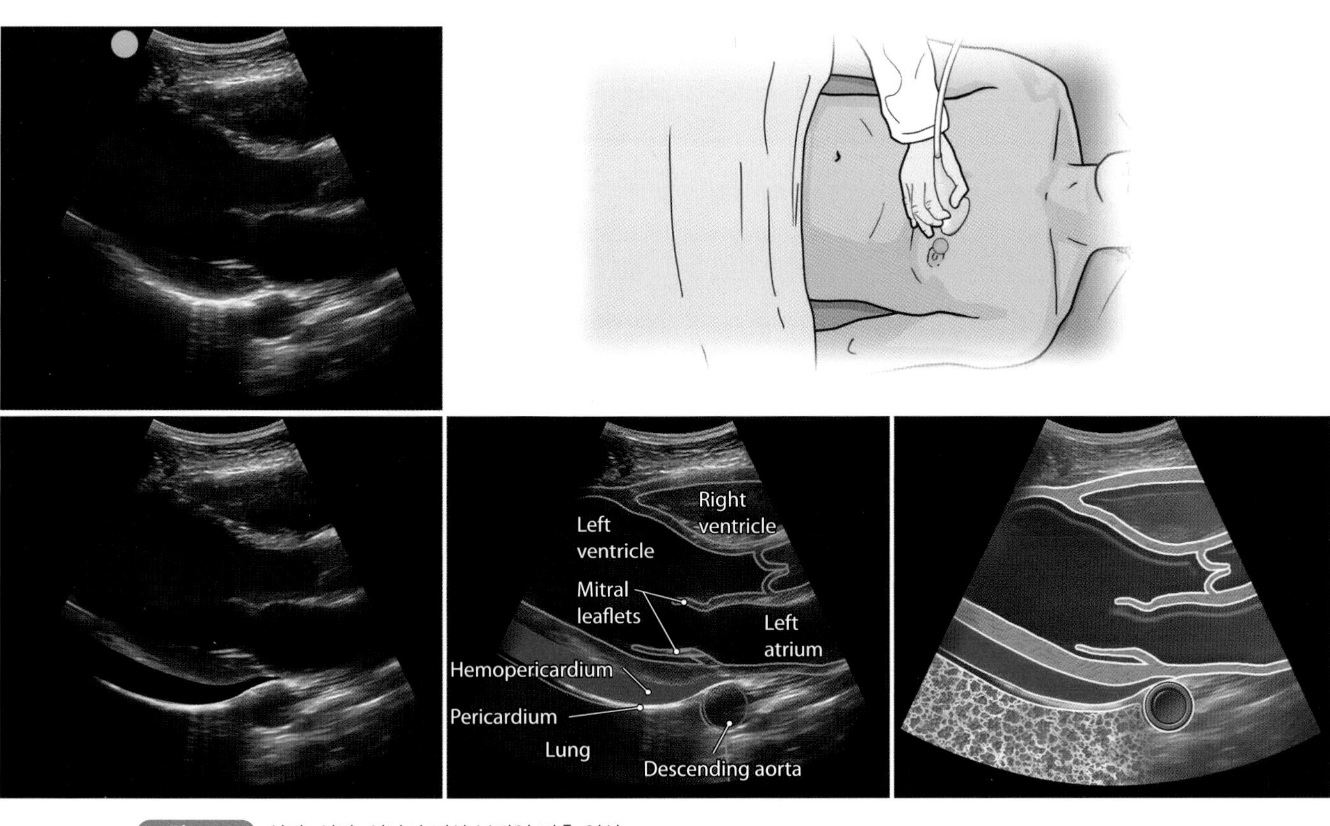

그림 12.11 상단: 심장, 심낭의 정상 복장옆 장축 영상
하단: 심낭강내 유리액체 보이는 예술적 배열 모습

좌측영상의 가장자리에 위치해야 한다. 심장과 심낭을 조심스레 스캔해서 좌심실 정점의 심근, 과에코의 심낭, 이어지는 좌심실 정점, 우측 심실과 앞쪽 심낭의 유리벽 사이에서 유리액체의 축적을 조심스레 찾아야 한다.

주의: 대부분의 장비는 스크린 마크점이 스크린영상의 좌측에 나타나지만, 미세볼록면 배열(심장)탐색자를 사용할 때 많은 장비가 스크린 영상 우측에 스크린 마크점이 자동으로 나타난다. 스크린 마크점이 보통처럼 영상 좌측에 보이면(굴곡배열이나 복부탐색자를 사용해야 할 경우처럼) 탐색자의 마크 부위가 환자의 좌측 옆구리로 향하게 해야 그림 12.11같은 영상을 얻을 수 있다.

찾아보기(Index)

ㄴ

ㄷ

ㅊ

A

B